KB175091

2nd edition

SNUH 🛡

SNU Manual of Orthopedic Surgery
정형외과 진료편람

NUH 🛡

대학교 의과대학 정형외과학교실
DEPARTMENT OF ORTHOPEDIC SURGERY
NATIONAL UNIVERSITY COLLEGE OF MEDICINE

SNU Manual of Orthopedics

첫째판 1쇄 발행 | 2013년 2월 15일
첫째판 2쇄 발행 | 2015년 8월 15일
둘째판 1쇄 인쇄 | 2018년 6월 19일
둘째판 1쇄 발행 | 2018년 6월 29일
둘째판 2쇄 발행 | 2020년 2월 11일
둘째판 3쇄 발행 | 2022년 5월 4일
둘째판 4쇄 발행 | 2024년 12월 6일

지 은 이 서울대학교 의과대학 정형외과학교실
발 행 인 장주연
출 판 기 획 이상훈
편집디자인 군자편집부
표지디자인 이상희
일 러 스 트 군자일러스트부
발 행 처 군자출판사(주)
　　　　　등록 제 4-139호(1991. 6. 24)
　　　　　본사 (10881) 파주출판단지 경기도 파주시 회동길 338(서패동 474-1)
　　　　　전화 (031) 943-1888　팩스 (031) 955-9545
　　　　　홈페이지 | www.koonja.co.kr

ISBN 979-11-5955-323-3

정가 40,000원

진료 일선에서 만나는 다양한 환자들에 대해 올바른 진단을 내리고 적절한 치료를 하는 데 도움이 될 현장 진료 지침서의 필요성은 누구나 공감할 것입니다. 이러한 소망과 소명을 담아 서울대학교 의과대학 정형외과학교실에서는 정형외과 진료편람 초판을 2013년도에 출간하였습니다. 그 후 5년이라는 세월이 지났습니다. 지난 5년간 정형외과학의 눈부신 발전이 있었으며, 이 발전된 내용을 담은 새로운 진료 지침서의 필요성이 대두되었습니다. 이에 정형외과학 분야의 최신 지견을 포함하는 새롭게 개편된 2판을 출간하게 되었습니다.

정형외과 진료 편람은 응급실과 병동, 수술장에서 다양한 정형외과 질환을 가진 환자들을 진료할 때 필요한 핵심적인 정형외과 지식을 담고 있습니다. 이 책은 골절, 탈구, 감염 등 정형외과적 응급 환자에 대한 평가 및 술기, 수술 준비 등 응급실에서 필요한 지식에서부터, 척추, 견관절, 수부, 고관절, 슬관절, 족부, 소아, 종양, 외상 및 미세수술의 세부 분야를 망라하여 필수적으로 알아야 할 정형외과 질환을 소개하고 있습니다. 이를 통해 많은 수련의와 전공의 및 전문의들이 실제적인 정형외과 지식을 습득할 수 있도록 하며, 이를 실제 진료 현장에서 적용하는 데 도움이 되도록 집필하였습니다. 선배의사에서 후배의사로 전해지는 필수적인 정형외과 지식과 경험을 바탕으로 최신 지견까지 포함한 이 책이 정형외과 진료를 하시는 모든 선생님들께 큰 도움이 될 것으로 기대합니다.

이 책을 위해 헌신적으로 노력해주시고 원고를 집필해 주신 서울대학교 의과대학 정형외과학 교실 교수님들의 노고에 진심으로 깊은 감사를 드립니다

2018년 3월
서울대학교 의과대학 정형외과학교실
주임교수 이 명 철

집필진(가나다 순)

강승백 · 공현식 · 구경회 · 김민범 · 김세훈 · 김지형 · 김태균

김한수 · 김호중 · 김희중 · 박문석 · 백구현 · 성상철 · 신승한

염진섭 · 오주한 · 유정준 · 유원준 · 윤강섭 · 윤필환 · 이경민

이동연 · 이명철 · 이상훈 · 이승환 · 이영균 · 이영호 · 이재협

이지호 · 이춘기 · 이혁진 · 장봉순 · 장　작 · 장종범 · 정석원

정진엽 · 조태준 · 조현철 · 조환성 · 최인호 · 한일규 · 한혁수

05 수술 준비 및 기구   103

06 척추   133

09 손목 관절 및 수부   335

10 골반 및 고관절   417

11 대퇴골 및 슬관절 471

14 종양   659

환자의 일반 관리

응급실 환자 관리

I. 정형외과 응급실 환자의 평가

A. 근골격계 외상의 정의

a. 근골격계 외상은 골(bone), 인대를 포함한 관절(joint), 건(tendon)을 포함한 근육의 손상을 의미

b. 대부분의 경우 골, 관절, 근육의 손상을 동시에 동반

c. 다발성 손상

① 교통사고, 추락 등의 고에너지에 의한 손상에서는 다발성 장기 손상과 근골격계 손상이 동반

② 근골격계보다 선행해서 치료해야 할 다른 장기 손상을 고려해야 함

B. 근골격계 외상 환자의 평가

1. 일차 진료

a. 중증 외상 환자 평가의 가장 첫번째 단계 : ABC

① Airway

   i. 외상 환자의 치료에 있어 제일 중요한 단계

   ii. 의식 불명 환자의 경우 혀가 인두를 막거나, 혈액, 점액, 구토, 이물에 의해 기도가 막힐 수 있으므로 확인 및 제거해야 함

   iii. 환자를 돌려 옆으로 누이고, 턱을 당기거나(jaw thrust), 환자의 인두에 손을 넣어 이물 등을 제거함

　　　　iv. 마지막으로 기관 삽관(tracheal intubation)을 고려
　　② Breathing
　　　　i. 기도가 확보된 후 확인
　　　　ii. 기도 확보 후 호흡이 안 되는 주요 원인
　　　　　　가. 긴장성 기흉(tension pneumothorax)
　　　　　　나. 많은 양의 혈흉(massive hemothorax)
　　　　　　다. 동요 흉(flail thorax)
　　　　iii. 단순 흉부방사선 촬영 시행으로 확인해야 함
　　③ Circulation
　　　　i. 신체활력징후(vital sign) 확인
　　　　ii. 외부 출혈 : 국소 압박
　　　　iii. Trendelenburg 자세(head down)나 leg elevation하면 심순환을 증가시
　　　　　　 킬 수 있음
　　　　iv. ABO typing and cross match
　　　　v. 폐쇄성 골절 시 대략의 혈액 소실 정도
　　　　　　가. 골반 골절 : 600~2,000 ml
　　　　　　나. 고관절, 대퇴 골절 : 450~1,100 ml
　　　　　　다. 상완골, 무릎, 경골 골절 : 450~700 ml
　　　　　　라. 팔꿈치, 전완골, 발목 골절: 200~450 ml
　b. 단순 방사선 사진
　　① 외상 환자의 ABC 확보 후 실시
　　② 중증외상 환자의 기본 사진 : C-spine AP/lateral, chest AP, pelvis AP
　　③ 그 후 손상이 의심되는 부위별로 단순 방사선 사진을 촬영
　　④ 사지에서는 여유가 된다면 양측을 같이 찍어 비교
　c. 문진
　　① 사고의 형태 : 환자가 의식이 있다면 어떤 상황에서 수상하였는지 확인
　　② 금식 시간 : 당장 수술장에 들어갈 수 있는가의 결정에 중요
　　　　i. 마지막으로 언제 어떤 음식물을 섭취했는지 알아야 함
　　　　ii. 마취하는 데 보통 6~8시간의 금식 시간을 필요로 함

iii. 생명을 다투는 상황에서는 예외로 할 수는 있음

③ 과거력 : 당뇨, 고혈압, 신장, 간, 심장질환, 흡연력 등

④ 투약력 : 항혈전제, 항응고제, 스테로이드 등

d. 신체검진 : 머리에서 발끝까지 빠짐없이 실시

① 신경학적 의식 상태

  i. 의식수준 파악

  ii. Mental orientation, verbal response, response to stimuli 확인

② 머리, 목

  i. 두개골, 얼굴

  ii. 두개 손상이 있으면 반드시 경추 손상 유무를 확인해야 함

  iii. 경추 손상이 없음이 확인될 때까지 경추보호대(cervical collar)를 착용해서 보호

③ 가슴, 배

  i. 시진, 촉진, 청진을 반드시 실시

  ii. 기흉, 혈흉 및 복부 내 장기 손상을 진단하는 것은 환자의 사망을 막기 위해서 매우 중요

  iii. 필요하면 whole body CT(head and neck, chest, abdominal CT)를 시행하기도 함

  iv. 일반외과와 흉부외과의 협진이 필요함

④ 골반

  i. 골반 골절 시 많은 양의 내출혈을 동반. 신체활력징후(vital sign)를 확인 후 수혈을 준비해야 함

  ii. Iliac crest, pubis의 압통을 확인하고 gross motion이 있는지 확인

  iii. 직장 검사(rectal examination) : 골반 손상 환자에서 직장 출혈과 항문 괄약근의 긴장정도(anal tone)를 알기 위해 필요

  iv. 요도 손상 여부 확인 : 비뇨기과와 협진하여 foley catheter 삽입 필요

⑤ 척추

  i. 환자를 조심스럽게 굴려서(log roll) 척추 전체를 촉진해야 함

  ii. 압통을 살펴보고 극간인대(interspinous ligament)의 손상 유무를 확인

iii. 국소 종창(local swelling)으로 근간 간격(interspinous distance)이 벌어져 있으면 심각한 손상을 의미함

⑥ 사지

　i. 시진상 변형이 없는지 확인하고 압통을 확인. 탄발음(crepitus)을 확인하는 것도 중요

　ii. 각각의 관절의 상태를 확인하고 움직임을 측정

　iii. 장관골의 변형이 있어 골절이 의심되면 부목을 하고 개방성 골절이 있으면 많은 양의 생리식염수로 세척 후 멸균 거즈로 드레싱한 후 부목을 적용함

　iv. 여러 명의 진료한 의사가 반복적으로 창상을 열어보는 것은 감염의 위험성을 높이므로 처음 본 의사는 의학사진으로 기록을 정확히 하는 것이 바람직함

　v. 부종을 최소화하도록 유지

II. 정형외과적 응급(Emergent) 및 긴급(Urgent) 상황

일반적으로 골절의 안정화를 위한 수술은 응급 또는 긴급 수술에 해당하지 않는다. 폐쇄성 골절인 경우 혈액 순환에 문제가 없는 경우 수일에서 수주까지 수술을 연기할 수 있다.

정형외과적 응급 또는 긴급·상황에 해당하는 경우의 대부분은 혈액 순환과 연관되어 있다. 혈액순환 장애는 조직의 산소분압을 떨어뜨려 조직이 괴사에 이르게 할 수 있다. 또한 골반골절과 같이 많은 양의 출혈이 동반되면 환자의 생명이 위험해질 수 있다. 대퇴 경부 골절(femoral neck fracture)의 경우 대퇴 골두 무혈성 괴사(Avascular necrosis of femoral head)를 야기해 고관절의 기능에 심각한 장애를 초래할 수 있으므로 응급에 해당할 수 있다.

A. 정형외과적 응급상황(Emergencies)

1. 매우 심한 사지 외상(mangled extremity)

a. 매우 심한 사지 외상의 정의를 내리기는 어려우나 광범위한 연부조직 손상으로 인해 사지의 생존이 의심스러울 경우라 할 수 있음

b. 사지의 정확한 신경-혈액학적인 검사가 필수적이며 사지를 구제하기 위해 정형외과, 성형외과, 혈관외과의 협진이 필요할 수 있음

c. 치료 : 가능한 한 빨리 수술장에서 치료를 시작해야 함

① 충분한 양의 생리식염수로 세척(massive irrigation) : 3~9 L

② 심하게 오염된 조직이나 죽은 조직을 철저히 제거(debridement)

③ 골절 부위 안정화(ex. 외고정장치)

④ 주요 혈관의 손상이 있으면 가능한 빨리 연결

⑤ 상처가 안정화될 때까지 수일마다 수술장에서 변연절제술을 반복

⑥ 경우에 따라서 VAC(vaccum-assisted closure) system을 사용

2. 외상성 사지 절단(traumatic amputation) : 빠른 시간 내의 재접합을 위해 준비

a. 혈류의 재건, 골절부위의 유합, 절단된 신경의 재생 및 절단된 건의 봉합이 필요

b. 허혈시간(ischemic time) : 절단된 부분이 절단된 시점부터 재관류되어 혈류가 복구될 때까지 경과된 시간. 근육이 많은 전완부 절단은 견딜 수 있는 허혈시간이 6~8시간이나, 수지는 12시간 정도임

① 온성 허혈 시간(warm ischemic time) : 절단된 부위가 접합될 때까지 실온에 있는 시간. 12시간을 초과하면 생존율이 떨어짐

② 냉성 허혈 시간(cold ischemic time) : 0~4 ℃의 온도에서 보관시 허혈시간이 2배로 연장되어 24시간까지 견딤

c. 절단부위의 보관 : 가능한 소독된 용기에서 생리식염수로 세척한 후 소독된 젖은 거즈에 싸고, 다시 소독된 큰 타월에 싼 후, 비닐봉지에 밀봉하여 얼음을 채운 식염수에 넣어서 보관함. 조직이 직접 얼음에 닿지 않도록 해야 함

d. 재접합술 적응증 : 엄지손가락의 절단, 여러 수지의 동시 절단, 양측 수부 절단

3. 젊은 연령에서의 대퇴 경부 골절

 a. 대퇴 경부 골절은 대퇴 골두로 가는 혈류가 차단되어 무혈성 괴사를 발생시킬 수 있음. 이후 골두함몰이 발생하면 노인의 경우 인공 고관절 치환술을 하면 되나, 젊은 나이에 인공 고관절 치환술을 하게 되면 수차례의 재치환술 등이 필요해지고 예후가 안 좋음

 b. 대퇴 골두 혈류의 가장 주요한 혈관 : lateral epiphyseal artery from medial femoral circumflex artery

 c. 비전위 골절인 경우에도 혈류의 손상을 받을 수 있고, 전위성 골절이 될 수 있으므로 응급으로 수술해야 함

 d. 치료 : 폐쇄성 정복술 및 내고정술(closed reduction and internal fixation)

4. 고관절 탈구

 a. 대퇴 골두 무혈성 괴사의 위험성이 높으므로 즉시 정복해야 함

 b. 응급실에서 정복을 1~2회 시도해서 정복되지 않으면 수술장에서 마취를 해서 근육을 이완시킨 후 정복

5. 심한 내출혈을 동반한 골반골절

 a. 골반 골절은 고에너지 손상에 의해 발생하므로 내부 장기 손상이나 혈관의 손상으로 내출혈을 동반할 가능성이 높음

 b. 특히 후복막 출혈은 골절면과 주위 연부조직 내의 손상된 혈관으로부터 발생하기 때문에 골절을 빨리 정복하여 고정하는 것이 출혈을 줄일 수 있음. CT angiography 촬영 후 혈관 조영술(angiography)을 통한 색전술(embolization)을 하기도 함

 c. 응급실에서 가능한 치료 : 골반 견(pelvic sling, 그림 1-1) Ganz clamp(그림 1-2)

 d. 체외 골고정기 적용

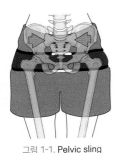

그림 1-1. Pelvic sling

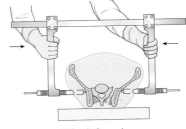

그림 1-2. Ganz clamp

6. 사지 주요 혈관 손상

a. 사지 절단의 중요한 원인

b. 절상(laceration)이나 둔상(blunt), 관통상(penetrating wound)에서 발생 가능

c. 온성 허혈 시간(warm ischemic time)이 6시간이므로 이 시간 내에 혈관의 재관류를 해야 함

d. 즉시 혈관 탐색을 해야 하는 증후

　① 박동성 출혈(pulsatile hemorrhage)

　② 점점 커지는 혈종(expanding hematoma)

　③ 이상음(audible bruit)

　④ 무맥(pulselessness)

e. 동맥손상의 가능성이 큰 손상

　① 슬관절 탈구(knee dislocation)

　② 주관절 탈구(elbow dislocation)

　③ 심하게 전위된 슬관절 주위 골절

　④ 관절 원위 및 근위부 동시 골절로 인한 동요 관절(floating joint)

　⑤ 신경-혈관 주행 부위의 관통상

　⑥ 매우 심하게 손상된 사지(mangled extremity)

f. 검사

　① 도플러 이중 초음파 : 혈류 유무를 간편하게 확인할 수 있음

　② 혈관조영술(angiography) : 동맥조영술(arteriography)

③ CT or MR angiography

7. 구획증후군(compartment syndrome)

a. 정의

근막(fascia)에 둘러싸인 폐쇄된 구획(compartment) 내의 압력이 높아져서 관류가 저하되어 마침내 구획내의 근육과 신경 등의 연부조직이 괴사되면서 나타나는 임상 증상

b. 증상

5P (pain, pallor, paresthesia, paralysis, pulselessness)

① 통증 : 가장 빨리 나타나고 가장 중요함

② 수동적 신전 시 통증이 악화

③ 적절한 진통제 투여에도 통증 완화가 안 됨

④ 초기에는 pallor 대신 오히려 pink extremity로 나타날 수 있음

c. 발생 장소

① 상지 : 전완의 전방(volar) 및 후방(dorsal) 구획(그림 1-3), 수부의 내재 구획 (intrinsic compartment)

② 하지 : 하퇴의 전면(anterior), 측면(lateral), 얕은 후면(superfical posterior), 깊은 후면(deep posterior) 구획(그림 1-4)

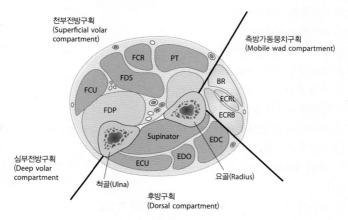

그림 1-3. **전완부 구획**

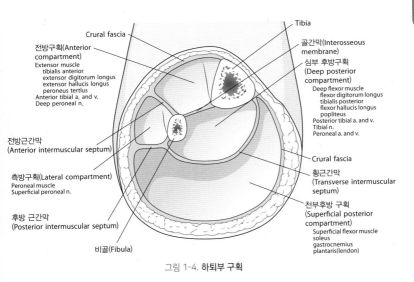

그림 1-4. 하퇴부 구획

d. 원인

① 구획이 줄어드는 경우 : 심하게 조여서 감아놓은 드레싱이나 석고붕대

② 구획안의 내용물이 증가하는 경우 : 출혈, 속, 허혈 후 재관류 부종 (postischemic swelling), 화상, 직접적 외상, 수술 후 부종, 정맥 주사의 누수 (extravasation), 과도한 견인

e. 구획 조직압

20~30 mmHg 이상의 압력이 6시간 이상 유지되면 근육의 비가역적 변화가 발생, 신경은 12시간 이후 발생함

① 구획 조직압 측정

    i. 주입기법(Whitesides infusion technique, 그림 1-5)

        가. 준비물 : 20 cc 주사기, 혈압계, 세길 차단 꼭지(three way stopcock), 생리식염수, 연결관(extension tube), 18G IV needle

        나. 그림 1-5와 같이 준비

        다. 주사기에 10 cc 정도 생리식염수를 채우고, 18G IV 바늘과 주사기만이

통하도록 세길 차단 꼭지를 조정해서 IV 바늘을 통해 공기를 조금 빨
아들인 다음 3~5 cc 가량 생리식염수를 빨아들임

라. IV 바늘을 측정하고자 하는 구획에 찔러 넣고 세길 차단 꼭지가 20cc
주사기, 혈압계, IV 주사 모두 통하도록 조정

마. 주사기에 압력을 넣어 생리식염수가 약간 조직으로 밀려들어갈 때까
지 공기를 압축시키면 식염수가 구획에 흘러 들어가기 시작할 때의 압
력이 조직압력임

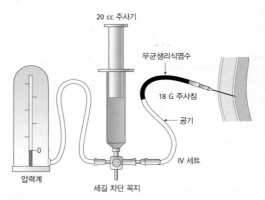

20 cc 주사기

무균생리식염수

18 G 주사침

공기

IV 세트

압력계

세길 차단 꼭지

그림 1-5. Whitesides의 주입 기법(infusion technique) 또는 주사 바늘 기법(needle te

ii. 휴대용 전자 조직압 측정기기(그림 1-6) : 없는 병원이 많음

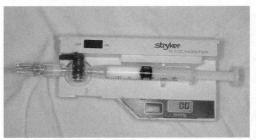

그림 1-6. 휴대용 전자 조직압 측정기기

f. 치료

상승된 구획압을 낮추어 주어야 함

① 조이는 석고 붕대, 솜 붕대, 드레싱 제거

② 사지의 위치는 심장 높이

③ 위의 조치에도 증상이 좋아지지 않으면 즉시 근막절제술(fasciotomy) 실시

④ 조직압 >30 mmHg 이면 즉시 근막절제술 실시

B. 정형외과의 긴급 상황(Urgencies)

1. 개방성 골절

a. 정의

골절 부위가 개방 창상을 통해서 외부환경과 연결되어 있는 골절

b. 특징

감염의 위험성 증가, 심한 연부 조직 손상

c. 분류

Gustilo and Anderson 분류(표 1-1)

표 1-1. Gustilo and Anderson 분류

Type	Wound	Contaimination	Soft tissue	Bone
I	1 cm 이하	경도	경미	단순, 최소 분쇄
II	1 cm 이상	중등도	중등도, 근육손상	중등도 분쇄
IIIA	10 cm 이상	심함	심하며 압궤손상, 연부조직 피복이 가능	분쇄
IIIB	10 cm 이상	심함	매우 심한 연부조직 결손, 연부조직 재건술이 필요함	분쇄, 골 피복 불량
IIIC	10 cm 이상	심함	매우 심한 연부조직 결손, 혈관 손상 동반, 연부조직재건술이 필요함	분쇄, 골 피복 불량

d. 임상검사와 응급처치

① 병력 : 특히 파상풍 면역에 대한 정보를 수집하여 예방방법 결정(표 1-2)

표 1-2. Clostridium tetani 감염 예방방법

파상풍 예방접종	치료
예방접종 끝낸 지 5년 이내	파상풍 치료 필요 없음
예방접종 후 5년 이상 경과 혹은 예방접종을 끝내지 못했던 경우	파상풍 toxoid (만약 창상이 파상풍 감염 가능성이 높으면 파상풍 면역글로불린을 함께 주사)
예방접종 후 10년 이상 경과 혹은 면역저하자	파상풍 toxoid와 파상풍 면역글로불린

② 신체 검사

　　i. 고에너지 손상이 많으므로 다발성 장기 손상에 대한 검사 필요

　　ii. 머리에서 발끝까지 체계적으로 검진

　　iii. 수상된 사지의 혈액 순환 : 원위부 맥박, 말초 모세혈관(peripheral capillary filling) 확인

③ 방사선 검사

　　i. 경추, 흉부, 골반부 방사선촬영이 먼저 실시되어야 함

　　ii. 사지는 양측 전후면, 측면 방사선 사진이 기본임

　　iii. 인접 관절이 포함되게 촬영

④ 응급처치 : 응급실에서 무리한 골절의 정복을 실시하지 말 것

　　i. 창상의 크기, 연부조직 손상 정도, 오염상태 파악하고, 의학사진으로 기록 남길 것

　　ii. 균 배양 검사 실시

　　iii. 생리식염수로 창상 부위 세척

　　iv. 멸균 거즈로 덮고 압박 드레싱 실시

　　v. 적절한 부목으로 고정 후 거상

e. 치료

① 창상의 세척(irrigation)

　　i. 목적

　　　가. 세균 수를 감소

　　　나. 상처를 깨끗이 하여 괴사조직을 구분

　　　다. 괴사조직, 응고 혈액 및 이물질 제거 용이

　　　라. 세척액 : 생리식염수 사용, 알코올과 과산화수소는 조직 손상을 야기

하고 골모세포의 기능을 저하시키므로 사용하지 않는 것이 좋다.

마. 양 : 최소 2 L 이상 충분히

② 변연 절제술(debridement)

   i. 목적

     가. 괴사조직 제거

     나. 이물의 제거

     다. 세균 오염의 감소

     라. 감염 없이 창상 치료 촉진

   ii. 피부부터 시작해서 피하조직, 심부조직의 순으로 차례차례 절제

     가. 피부, 피하조직 : 개방창을 이용하고 위, 아래로 최소 절개

     나. 근막, 근육, 건 : 괴사된 조직은 세균의 배지가 되므로 철저히 제거. 손
상되고 오염된 근막, 근육도 모두 절제해야 함

     다. 골 : 연부조직에서 떨어져 있는 골편은 모두 제거하는 것이 원칙. 골편
의 크기가 클 때는 환자에 따라 제거 여부를 적절히 선택

     라. 혈관, 신경 : 세동맥(arteriole)은 결찰(ligation) 또는 전기소작
(electrocautery) 하여 출혈을 줄여줌. 주요 동맥, 정맥의 손상이 있을
때는 복원 또는 문합술(anastomosis) 해야 함

     마. 이물(foreign body) : 가능한 한 모두 제거해야 함

③ 골절의 안정화 : 골절을 해부학적 위치로 정복시켜 창상 관리와 조기 기능회
복을 가능하게 하는 것

   i. 외고정(external fixation) : 가장 많이 사용

   ii. 내고정(internal fixation) : 감염의 위험성이 높을 때는 사용이 불가능

   iii. 골 견인(skeletal traction)

   iv. 핀-석고 고정(pin and plaster), 석고 고정(cast) : 제한적으로 사용

④ 창상의 봉합

   i. 일차봉합(primary closure) : 개방성 골절에서는 거의 적용되지 않음

   ii. 지연일차봉합(delayed primary closure) : 창상을 열어둔 상태로 수일
(4~6일) 관찰하고 봉합

   iii. 이차봉합(secondary closure) : 육아 조직의 형성과 피부 탄력성 감소로

피부봉합이 불가능한 경우 피부이식이나 피판술을 한다.

⑤ 항생제 사용(antibiotics)

  ⅰ. 가능한 조기에 투여

  ⅱ. 1세대 cephalosporin 사용

  ⅲ. 제Ⅲ형 개방성 골절에서 aminoglycoside를 추가로 사용할 수 있음

  ⅳ. 혐기성 균 오염이 의심될 때는 혐기성 균에 대한 항생제(예 : clindamycin) 를 함께 사용함

2. 세균성 관절염(septic arthritis) : 관절천자 단원 참조

3. 거골 골절(talus fracture)

무혈성 괴사 위험이 높기 때문에 빠른 해부학적 정복이 필요함

Ⅲ. 소아 외상 환자의 관리 : 소아 외상 참조

일반 수술 환자의 관리

I. 수술 전 평가 및 준비

A. 수술 환자의 일반적 평가

1. 목적
a. 환자의 의학적 문제 확인
b. 필요한 검사 결정
c. 수술 전 최적의 상태 확립

2. 문진과 이학적 검사
허혈성 심질환, 심부전, 신부전, 뇌혈관질환, 당뇨, 과거 수술력, 수술합병증, 흡연, 음주력, 사용하고 있는 약물에 대하여 문진 및 필요한 신체검사 시행

3. 진단 검사
a. 혈액 검사

CBC, biochemical studies(admission panel : liver enzyme (GOT/GPT), calcium, phosphorus, glucose, BUN/Cr, uric acid, cholesterol, total bilirubin, alkaline phosphatase), serum electrolyte(electrolyte panel : sodium, potassium, chloride, total CO_2), coagulation studies(PT/aPTT), ABO/Rh, serology (Anti-HBs, Anti-HCV, HIV, VDRL)
b. 소변검사(urinalysis)
c. 단순 흉부방사선 사진(chest PA)
d. 심전도 검사(ECG)

4. 수술 전 투약 유무
당뇨약, 항응고제, 항혈소판제, 고혈압약 등

B. 주요 질병의 고려 사항

1. 뇌혈관 질환

뇌경색은 수술 후 발생할 수 있는 합병증

a. 빈도

1% 미만

b. 저혈압, 심실세동, 심방세동 시 발생한 색전이 주요 원인

c. 위험인자

이전의 CVA 병력, 고혈압, 심장질환(관상동맥질환), 고령, 당뇨, 흡연

2. 심혈관 질환

수술 후 가장 흔한 사망 원인

a. 빈도

50세 이상 환자 중 1.4%

b. 위험인자

나이, 불안정성 협심증(unstable angina), 심근경색의 과거력, 울혈성 심부전, 당뇨, 흡연, 동맥협착, 부정맥

c. 수술 전 검사

심전도, 운동부하 검사, 심초음파, cardiac SPECT, 관상동맥 조영술

d. 관상동맥 질환으로 확장술 또는 스텐트 삽입술 후에는 가능한 적어도 6주 후에 수술을 시행(스텐트 종류 등에 따라 다름)

3. 폐질환

a. 위험인자

만성 폐쇄성 폐질환(COPD), 천식(asthma), 결핵, 흡연, 고령, 비만

b. 수술 전 검사

단순 흉부방사선 사진, 동맥혈 검사(ABGA), 폐기능 검사(PFT)

c. 수술 전 관리

① inspirometer를 이용한 폐용적 확장

② 금연

③ 호흡기 감염, 천식발작 시 수술 연기

4. 신장질환

    a. 위험인자

        당뇨, 고혈압, 대사이상

    b. 수술 전 검사

        혈액검사, 소변검사

    c. 수술 전 관리

        투석은 계획된 수술 24시간 전에 시행되어야 하며 환자 상태에 따라 수술 후 1일째 다시 시행할 수 있음

    d. 급성 신부전

        ① 위험인자 : BUN/Cr 증가, 만성 심부전, 고령, 수술 중 저혈압, 패혈증, 체액량 부족, 출혈, 신독성 약물, 조영제

        ② 예방 : 체액량 조절, 신독성 약물 제한(aminoglycoside 항생제, NSAID, 조영제)

5. 당뇨

    a. 당뇨환자는 더 많은 감염 합병증이 발생할 수 있고 상처 치유도 지연됨

    b. 비전형적 심근경색증이 발생할 수 있어 주의가 필요

    c. 식사로 조절되는 당뇨환자

        ① 수술 전 전처치가 필요하지 않음

        ② 소수술인 경우 수술 중 1~2시간 간격으로 BST 확인 후 필요에 따라 regular insulin으로 조절

        ③ 대수술인 경우 Alberti's regimen으로 조절

    d. 경구 혈당 강하제 복용 환자

        ① 계획된 수술 전날까지 약제 복용

            메트포민의 경우 48시간 전에 복용 중단함

        ② 소수술인 경우 수술 중 1~2시간 간격으로 BST 확인 후 필요에 따라 regular insulin으로 조절

        ③ 대수술인 경우 Alberti's regimen으로 조절

        ④ 수술 후 식사를 다시 시작하면 다시 경구 혈당 강하제 복용

            메트포민의 경우 48시간 후에 다시 복용

e. 인슐린 투여 환자

① 수술 전 금식(NPO) 시 Alberti's regimen으로 조절

f. Alberti's regimen

Start Dextrose 5% 1000ml + KCl 5cc + RI 15 iu miv with 80cc/hr

Serum potassium level 〉 5 면 K free로 start

BST q 2hr until stable → q 4hr

혈당 조절 목표 : 120~180 mg/dl

If BST 〈 70 → notify doctor

If BST 〈 100 → RI 5 iu/L 감량

If BST 〉 200 → RI 5 iu/L 증량

Check serum potassium level q 12hr

If K 〉 5 → K free

If K 〈 4 → K 10 mEq 증량(=2M KCL 5cc)

6. 스테로이드 복용 환자

a. 스테로이드 제제 종류, 사용 기간, 복용 용량을 파악

b. Perioperative stress-dose steroid

스테로이드 장기 복용 환자가 주요 수술할 경우 투여

7. 항응고제 와파린 투여 환자

a. 심방세동, 정맥혈전증, 인공판막 수술을 받은 환자

b. 계획된 수술 수일 전 warfarin 복용을 중단하고 PT INR check

c. PT INR 〈 2.0이면 heparinization을 시작

d. PT INR 〉 1.5이면 vitamin K을 정주

e. 수술 6~8시간 전 heparinization을 중단

f. 수술 후 출혈위험이 줄어들면 warfarin 복용과 heparinization을 동시에 시작(수술에 따라 다르지만 보통 수술 후 12시간까지는 다시 시작하지 않는다)

C. 수술 전 준비

1. 항생제

a. Incision 들어가기 1시간 전 예방적 항생제를 사용

b. 피부상재균인 S.aureus 등의 감염이 흔하므로, 1세대 cephalosporin인 cefazolin 을 흔히 사용

c. 경우에 따라, 또 의사의 policy에 따라 다르나, 간단한 연부조직 수술인 경우 수술 전 1회만 투여하기도 함. 주요 연부조직 수술인 경우 수술 후 1~2일, 뼈에 관한 수술인 경우 2~4일간 사용하기도 함

2. 위산 억제제

a. 금식과 마취, 스트레스 증가 상황에 대하여 proton pump inhibitor(famotidine 등)나 H2 blocker(ranitidine) 등을 사용

b. 보통 정맥주사로는 수술 전 1회만 투여한다.

3. 수술 전 가능한 한 중지하는 약물

a. aspirin

  7~10일 전

b. clopidogrel

  최소 1주일 전

c. COX-2 inhibitor

  renal toxicity 위험으로 2~3일 전 중단

d. Metformin

  Lactic acidosis의 위험으로 2-3일 전 중단 후, 수술 2-3일 뒤 시작

e. Diuretics

  hypovolemia & hypotension의 위험으로 수술 당일 중단 후 경구 복용 가능 시 복용

f. Oral contraceptive

  DVT 위험으로 4~6주 전 중단

g. warfarin

  수술 전 평가 단원 참조

h. Low molecular heparin은 24시간 전 중단

i. SSRI

  Bleeding risk로 3주 전 중단

j. Dopamine agonist

  arrhythmia 위험으로 1일 전 중단 후 경구 복용 가능 시 투약

k. Ginko(기넥신)

  출혈 위험으로 1주 전 중단

4. 수술 시 유지하는 약물

a. Anti-hypertensive drug

b. Anti-arrhythmic drug

c. Inhaled bronchodilator, Leukotriene inhibitor

d. Oral hypoglycemic agent (Metformin은 제외)

e. Thyroid medication

f. Anti-epileptic drug, TCA, valproic acid

5. 제모

a. 제모 크림으로 수술 전날 시행

b. 골절 등으로 인하여 석고 고정 중인 환자는 시행하지 않음

II. 수술 후 환자 관리

A. 통증 조절

a. 정형외과 수술 후 많은 통증 호소

b. 부적절한 통증 조절은 회복을 늦추고 합병증 발생을 높일 수 있어 적극적인 통증 조절이 필요함

c. acetaminophen, NSAID 등의 약한 진통제부터 마약성 진통제까지 점차 늘려 나갈 수 있고, synergistic effect를 위해 함께 사용할 수 있음(WHO analgesic ladder) (그림 1-6)

① mild pain : acetaminophen, ibuprofen, ketoprofen, aceclofenac, Cox-2 inhibitor 등

② moderate pain : tramadol, ultracet (AAP+tramadol), hydrocodone, oxycodone, IRcodon 등

③ severe pain : fentanyl (patch도 있음), morphine, nalbuphine, hydromorphone, meperidine (pethidine) 등

d. acetaminophen와 NSAID 등은 특히 감염환자 등에서 fever를 masking 할 수 있기 때문에 상의하에 사용

e. PCA (Patient Controlled Analgesia) regimen in SNUH(표 1-4)

f. Intraarticular injection regimen after TKRA (total knee replacement arthroplasty) in SNUH

Naropin 24 cc + Epinephrine 0.6 cc + Morphine 5 cc + Trolac 2 cc + Cefazolin 10.6 cc + Normal saline 17. cc = total 60 cc

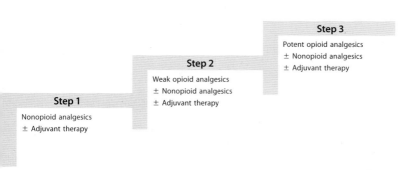

그림 1-6. WHO Analgesic Ladder

표 1-3. PCA regimen in SNUH

	Fracture/Spine/Arthroplasty/nonunion			총용량	Basal	Bolus	Lock out
	60세 미만	60-79세	80세 이상				
IV PCA	F5 2000 mcg + N/S 60 cc	F5 2000 mcg + N/S 60 cc	F5 1500 mcg + N/S 70 cc	100 cc	1 cc	*	15분
	그외 수술			총용량	Basal	Bolus	Lock out
	60세 미만	60-79세	80세 이상				
	KTR 120 mg + F5 2000 mcg + N/S 56 cc	KTR 90 mg+ F5 2000 mcg + N/S 57 cc	KTR 90 mg + F5 1500 mcg + N/S 67 cc	100 cc	1 cc	*	15분

* Spinal anesthesia : Nasea 0.3 mg IVS
* General anesthesia : Nasea 0.3 mg + Tarasyn 1A IVS

Epidural PCA	0.75% Ropivacain 30 cc + F5 500 ug + N/S 200 cc	240 cc	4 cc	**	20분

** Nasea 0.3 mg IVS
F5 : Fentanyl 500 mcg, N/S : normal saline, KTR : ketorolac

B. 심부정맥혈전증(DVT) 예방 : 주요합병증 참조

C. 호흡기 관리

  a. 통증과 활동 제한으로 인하여 객담의 효과적인 배출이 제한됨
  b. 합병증 : 무기폐(atelectasis)로 인한 열, 저산소증, 폐렴
  c. 예방 방법 : 조기 거동, inspirometer 사용, 기침, 큰 심호흡

D. 수술 후 오심(Nausea)

  a. 마취 후 오심이 잘 동반
  b. 자가통증치료(PCA)나 마약성 진통제 사용하는 환자에서도 나타날 수 있음
  c. 항구토제(ondansetron 등) 투여로 증상 조절 가능

E. 수술 후 변비(constipation)

a. 마취, 수술 후 보행제한, 마약성 진통제 사용 등으로 인하여 수술 후 변비가 쉽게 발생함

b. 배변이 안되면 체온을 낮추는 데 방해가 되며, 식욕이 저하되어 수술 후 회복과 영양 공급이 지연됨

c. 환자들이 부끄러워 먼저 이야기하지 않는 경우가 많으므로, 주치의 회진 시나 dressing 시 먼저 물어보는 것이 필요

d. MgO, bisacodyl 등을 사용하여 적극 대응

F. 수술 후 검사

a. CBC : 인공관절치환술(THRA, TKRA)과 같이 골 출혈(bone bleeding)이 지속될 수 있는 대수술 시에 수술 직후와 그 이후에도 시행되어야 함

b. 전해질, BUN, Cr : 수술 후 금식, 많은 양의 수액투여 시 실시. 대량 수혈 환자에게는 Ca, Mg level도 중요함

c. 응고 검사(coagulation panel) : 간기능이 저하된 환자나 대량 출혈 및 수혈 환자에게 필요함

d. 심전도 검사 : 기저 심장 질환 환자, 대량 출혈 환자

e. Chest PA : 수술이 길 경우, 수술 전후 fluid overload가 의심될 때 폐 부종 확인. 무기폐(atelectasis), 폐렴(pneumonia), ARDS 등의 발생에 대하여 관심을 갖는다.

III. 주요 합병증

A. 뇌졸중(Stroke)

a. 신경학적 기능 소실을 호소 : 편마비, 감각이상, 음성장애, 복시(diplopia), 어지러움

b. 증상이 의심되면 응급 brain CT or MRI 준비하고 신경과 의사와 상의

B. 섬망(Delirium)

a. 노인에게 주로 발생. 매우 흔히 발생

대수술이나 중독질환, 대사성 질환, 전신감염, 뇌졸중 등에서 발생

b. 증상 : 기억 장애, 인지장애, 수면장애 등을 보이며 심한 과다행동(잠을 안자며, 소리를 지르고 주사바늘을 빼는 행위)이 나타나며 환각이 자주 나타남

c. 치료

① 신경정신과 의사와 긴밀히 상의해야 함

② Haloperidol 등의 투여로 환자를 안정시키는 것이 필요할 수 있음

③ 특히 노인 환자의 경우 가족이 환자를 보살피는 것이 도움이 되고, 병실의 불을 완전히 끄기보다는 간접조명을 비추는 것이 도움이 됨

④ 수술이나 감염 직후에 발생하는 섬망은 원인 질환 상태가 호전되면서 서서히 사라지는 것이 일반적임

C. 심근 경색(Myocardiac infarction)

a. 수술 후 기저 질환이 동반된 환자에서 증상 없이 비전형적인 증상으로 나타날 수 있음

b. 수술 후 흉통 발생 시 검사

① 혈압, 심전도

② 심장효소 검사(cardiac enzyme) : troponin I, CK-MB, myoglobin 수치가 진단에 도움이 됨

③ 순환기내과의와 긴밀히 상의해야 하며 필요 시 echocardiography, coronary angiography, cardiac SPECT를 시행한다.

c. 치료 : 순환기내과의의 지시에 따르는 것이 좋으나, 의심이 될 때는 순환기내과 의사가 오거나 연락이 될 때까지 바로 management를 시행해야 함(첫 글자를 따서 MONA)

① IV Morphine sulfate

② O_2

③ Nitrate : nitroglycerine 0.4 mg을 설하(sublingual)로 투여하고 5분마다 반

복 투여할 수 있다.

④ Anticoagulation (aspirin 160 ~ 325 mg)

⑤ Beta-adrenergic antagonist (β-blocker)

⑥ Thrombolysis

⑦ Coronary angioplasty, stent insertion 등 시행할 수 있다.

D. 무기폐(Atelectasis)

a. 수술 후 24시간에 발생한 호흡곤란, 저산소증, 열

b. 진단 : 단순흉부방사선 사진(Chest PA). 폐렴과 달리 기침, 심호흡이 별로 없음

c. 치료 : 찌그러진 폐포낭을 팽창시켜야 하므로, 통증 조절을 해서 심호흡을 할 수 있도록 도와주고 inspirometer를 열심히 시키는 것도 도움이 됨

E. 폐렴(Pneumonia)

a. 진단 : 열, 백혈구수의 증가, 화농성 객담, 기침, 단순흉부방사선사진, 객담 배양검사와 혈액배양검사

b. 원인균

① Inpatient (non-ICU) : *S. pneumoniae, M. pneumoniae, C. pneumoniae, H. influenzae, Legionella*

② Inpatient (ICU) : *S. pneumoniae, S. aureus, Legionella, G(-) bacilli, H. influenzae*

c. 치료 : 경험적 항생제 사용

① Inpatient (non-ICU) : fluoroquinolone, beta-lactam (cefotaxime, ceftriaxone, ampicillin-sulbactam) + macrolide

② Inpatient (ICU) : beta-lactam + azithromycin or fluoroquinolone

F. 정맥혈전색전증(Venous Thromboembolism : VTE)

심부정맥 혈전증(Deep Vein Thrombosis : DVT)과 폐색전증(Pulmonary Embolism : PE)을 포함

1. 위험인자(표 1-4)

표 1-4. 정맥혈전색전증의 위험인자

후천적 인자	
고령	혈전증의 과거력
장기간의 부동(장시간의 비행 및 컴퓨터 작업, 심각한 외상이나 수술 후 장기간 침상 안정 등)	
주요 골절	다발성 외상
악성 종양	임신
경구피임약 복용	비만
울혈성 심부전(congestive heart failure)	심근경색
하지 정맥류	뇌졸증
유전적 인자	
항트롬빈 결핍(antithrombin deficiency)	C 단백 결핍
S 단백 결핍	프로트롬빈 돌연변이(G20210A gene)

2. 빈도 : 서양 – 40~60%, 동양 – 36~41%, 한국 – 4~29.8%

3. 심부정맥혈전증(DVT)

   a. 증상

   하지의 압통, 정맥 주행을 따른 압통, 발의 배굴(dorsiflexion) 시 통증(Homans' sign), 부종, 국소 온열감, 홍반

   b. 진단

     ① D-dimer 검사 : 높은 민감도, 낮은 특이도. 혈전증과 관련이 없는 임상 상황에서도 D-dimer 상승 가능. Negative predictive value가 높아서 음성이면, 혈전증이 없을 가능성이 높음

     ② 초음파 검사

       i. B-모드, pulse wave 도플러, duplex scanning 도플러

       ii. 민감도 50~75%, 특이도 90~95%

       iii. 슬와정맥보다 원위부인 전경골정맥, 후경골정맥, 비골정맥을 확인하는 데에는 정확도가 낮기 때문에 의심이 된다면 48~72시간 이내 반복검사가 필요함

     ③ CT 정맥조영술(CT venography)

i. 장점 : 골반정맥과 하대정맥(IVC)까지 볼 수 있고 조영제 사용량이 적음

④ MR 정맥조영술(MR venography)

⑤ 정맥조영술(contrast venography)

  i. 작은 종아리 정맥을 포함한 정맥들의 공간 해상력이 뛰어남

  ii. 합병증 : 과민반응, 신독성, 조영제 유출로 인한 국소괴사

c. 치료

① 항응고제(anticoagulant)

  i. 저분자량 헤파린(low molecular weight heparin, LMWH)

   에녹사파린(enoxaparin) 1 mg/Kg SQ q 12hr or 1.5 mg/Kg SQ q 24hr

   틴자파린(tinzaparin) 175 IU/Kg SQ q 24hr

  ii. 폰다파리눅스(fondaparinux) 5~10 mg SQ q 24hr

  iii. 미분획 헤파린(unfractionated heparin, UFH)

② 혈전용해제(thrombolytic agent)

  i. Streptokinase

  ii. Urokinase

  iii. Alteplase or Reteplase

③ 기계적 혈전제거술(mechanical thrombectomy)

  i. 수술을 통한 혈전제거술(open venous thrombectomy)

  ii. 카테터를 이용한 혈전제거술(percutaneous catheter thrombectomy)

④ 하대정맥 필터 삽입술(IVC filter)

  i. 목적 : 폐색전증 예방

  ii. 적응증 : 적절한 항응고제 투여에도 불구하고 재발되는 정맥혈전증 및 폐색전증, 항응고제의 사용 금기

4. 폐색전증

a. 증상

갑작스럽게 발생하는 호흡곤란(dyspanea), 빈호흡(tachypnea), 빈맥(tachycardia), 흉통, 객혈, 기침

b. 진단

① 기본검사

   ⅰ. 단순 가슴 방사선 촬영 : 이상이 있으나 비특이적

   ⅱ. 심전도

   ⅲ. 동맥혈 검사(AGBA)

   ⅳ. D-dimer 검사

  ② 폐환기/관류주사(ventilation/perfusion scintigraphy, V/Q scan)

   ⅰ. 정상 : 폐색전증 배제

   ⅱ. 높은 가능성 : 폐색전증 치료

   ⅲ. 낮거나 중간 가능성 : 폐색전 CT 시행

  ③ 폐색전 CT : 민감도, 특이도가 높음. 의심이 되면 ABGA와 CT부터 하기도 함

 c. 치료

  ① 혈전용해제

   ⅰ. Streptokinase : 30분 이상 25,000 U 후 24시간 동안 시간당 100,000 U

   ⅱ. Urokinase : 10분 이상 4,400 U/Kg 후 24시간 동안 4,400 U/Kg/hr

   ⅲ. Alteplase : 2시간 이상 100 mg

   ⅳ. Reteplase : 30분 간격으로 두 번 10 U 주사

  ② 색전 제거수술

   대량의 폐색전 시 시행

  ③ 항응고제

 d. 예방

  수술 후 적극적으로 예방하는 것이 가장 중요함

  ① 물리적 요법

   ⅰ. 조기거동(early ambulation) 및 능동적 운동(active motion)

   ⅱ. 압박스타킹(compression stocking)

   ⅲ. 간헐적 공기 압박법(intermittent pneumatic compression) (그림 1-7)

   ⅳ. 하대정맥 필터(IVC filter)

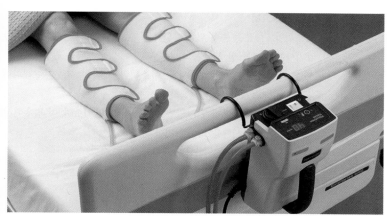

그림 1-7. 간헐적 공기 압박법(intermittent pneumatic compression)

② 약물적 요법

   i. 아스피린

   ii. 와파린

   iii. 저분자량 헤파린(LMWH)

   iv. 제10a형 혈액응고 인자(factor Xa) 억제제

      가. 폰다파리눅스(fondaparinux)

      나. 리바록사반(rivaroxaban)

      다. 아픽사반(apixaban)

③ 예방 권고안(대한 정형외과학회 혈전연구회)

   i. 표준 VTE 위험도 - 표준 출혈 위험도 환자군

      가. 금기사항이 없는 한 약물을 이용한 VTE예방법 시행을 권장

         VTE 예방약제로서 리바록사반, 아스피린, 와파린, 저분자량헤파린, 폰다파리눅스 중 하나를 선택하여 사용할 것을 권장

      나. 간헐적 공기압박법이 VTE 예방법으로 고려

      다. 40세 이하의 환자로 VTE 위험인자가 없는 경우, 수술 직후부터 능동적 하지 운동과 조기 재활을 별도의 약물적 또는 물리적 예방조치에

대안으로 고려

ii. 고 VTE 위험도 - 표준 출혈 위험도 환자군

가. 금기사항이 없는 한 약물을 이용한 VTE 예방법 시행을 권장

VTE 예방약제로서 리바록사반, 아스피린, 와파린, 저분자량헤파린, 폰다파리눅스 중 하나를 선택하여 사용할 것을 권장

나. 간헐적 공기압박법이 VTE 예방법으로 고려될 수 있으며, 이 경우에 병행 약물 예방법 시행을 고려할 것을 권장

iii. 표준 VTE 위험도 - 고 출혈 위험도 환자군

가. 간헐적 공기 압박법에 의한 VTE 예방법을 권장

iv. 고 VTE 위험도 - 고 출혈 위험도 환자군

가. 간헐적 공기 압박법에 의한 VTE 예방법 시행을 권장

나. 출혈위험성이 감소하면 병행 약물 예방법 시행을 고려할 것을 권장

v. 약물 및 물리적 요법에 관한 기타 권장사항

가. 아스피린을 약물 예방법으로 사용할 경우에는 물리적 요법의 병행을 권장

나. 아스피린의 용량 및 투여 기간에 대해서는 임상적 상황을 고려한 의학적 판단에 따름

다. 항응고제 투여 용량은 약품제조회사의 권장용량을 따르되, 환자의 임상 상황을 고려하여 결정할 것을 권장

라. 항응고제 투여 기간은 수술 후 7일에서 12일을 권장하나, VTE 위험도를 고려하여 수술 후 35일까지의 연장 투여가 고려

마. 물리적 요법으로는 항혈전 스타킹, 간헐적 공기 압박법을 권장하나, 고관절전치환술 및 고관절 주위 골절수술 후에 정맥족부펌프 사용은 권장되지 않음

바. 마취 및 수술 후 통증조절을 위하여 신경주변도관을 사용하는 경우 출혈에 의한 신경합병증이 발생하지 않도록 항응고제 사용 시점을 조정할 것을 권장

사. 고관절 주위골절 및 다발성 외상 환자에서 수술이 지연되는 경우 수술 전부터 약물 또는 물리적 예방법 시행을 고려할 것을 권장

부목 및 석고 붕대법

I. 재료 및 기구

A. 석고 붕대(Plaster-of-Paris Cast)

1. 황산칼슘($CaSO_4$)의 반가수 함수화물

$$(CaSO_4)_2H_2O + 3H_2O \rightarrow 2(CaSO_4 \times 2H_2O) + heat$$

    a. 석고가 물과 결합하여 결정체로 바뀔 때 내는 열은 대략 8~10℃이며 5~10분 후 최대 온도에 도달. 물의 온도와 석고의 양에 의해 결정

    b. 응고시간(setting time)은 5~8분 : 응고시간에 움직이면 강도가 약 77% 줄어듦

2. 장점

    a. 고정하고자 하는 부위의 윤곽을 따라 molding하기 쉽다.

    b. 값이 싸다.

3. 단점

    a. 강도가 약하고 깨지기 쉽다.

    b. 물에 녹을 수 있다.

    c. 경우에 따라 피부 병변이 생길 수 있다.

4. 사용법

    a. 용기에 미지근한 물을 담궈둔다.

    b. 부위에 따라 적절한 크기의 석고붕대를 선택한다. 성인의 경우, 체간은 8인치, 대퇴부는 6~8인치, 하퇴부와 상완은 4~6인치, 전완부와 수부는 3~4인치가 적당하며 2인치 붕대를 사용할 수도 있다.

    c. 석고붕대를 물에 담궈 충분히 물에 적셔지도록 함. 기포가 석고붕대에서 수면으

로 완전히 다 올라온 경우 그 시점으로 생각해도 됨.

d. 물에 충분히 젖은 석고붕대의 양 끝을 두 손으로 잡고 물 밖으로 건져내 가볍게 흔들어 물을 짠다. 석고붕대를 물속에 넣기 전에 4~5 cm 정도의 붕대 끝을 풀어 놓은 후 물에 적시면 붕대 끝을 찾기 수월하다.

e. 석고붕대는 솜붕대를 감아놓은 같은 방향으로 원위부에서 횡으로 감아 올라간다. 석고 붕대의 1/2~2/3 가량이 겹치도록 감는다.

f. 회전 시마다 잘 문지르도록 하며 두께가 일정해야 하며 원위 및 근위부는 약간 두껍게 감는다.

B. 섬유유리 붕대(Fiberglass Cast)

1. Fiberglass fabric이 포함된 polyurethane resin이 주원료

Methylene bisphenyl diisolynate이 물과 반응하여 nontoxic polymeric urea substitute로 변함.

2. 장점

a. 강도가 높다.

b. 가볍다.

c. 물에 녹지 않는다.

d. 다양한 색깔을 만들 수 있다.

3. 단점

a. 단단해서 윤곽을 만드는 데 석고 붕대만큼 용이하지 않다.

b. 피부자극을 줄 수 있다.

c. 환자들이 방수가 된다는 착각을 할 수 있어 습기에 의한 피부 짓무름(skin marceration)이 발생할 수 있다.

C. 물

차가운 물로 하면 응고시간(setting time)이 오래 걸려 molding에 충분한 시간을 가질 수 있다. 일반적으로 미지근한 물이 좋다.

D. 스타키넷(Stockinet), 솜붕대(Cotton Roll)

E. 기구

02

1. 양동이

2. 장갑

3. 석고붕대 커터(cast cutter)

a. 석고붕대 전동 톱(cast-cutter electric saw) (그림 2-1)

진동하는 원형 톱으로 단단한 물체를 절단할 수 있으나 부드러운 물체는 절단하지 못한다. 따라서 가볍게 피부에 접촉 시에는 피부에 국소적인 자극은 줄 수 있으나 피부를 절개하지는 않는다. 하지만 강하게 누르거나 피부를 고정 시 피부손상을 일으킬 수 있다. 소리가 크게 나며, 먼지도 많이 나기 때문에 아이들의 경우 귀를 막고 코에 손수건을 대어주는 것이 좋다.

그림 2-1. 석고붕대 전동 톱(cast-cutter electric saw)

b. 핸드 커터(hand cutter)(그림 2-2)

전동 톱으로 자르기 어려운 부분을 처리할 수 있다.

그림 2-2. 핸드 커터(hand cutter)

4. 석고붕대 스프레더(cast spreader) (그림 2-3)

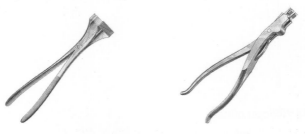

그림 2-3. 석고붕대 스프레더(cast spreader)

5. 석고붕대 칼(cast knives)(그림 2-4)

그림 2-4. 석고붕대 칼(cast knives)

II. 기본 원칙

A. 목적(Purpose)

a. 고정(immobiliazation): 골절, 탈구, 인대 손상 등
b. 조기 거동(early ambulation) : 척추 또는 하지 골절을 안정화하여 가능하게 함.
c. 기능 향상: 관절을 안정화하거나 고정해서 기능을 향상시킴.
d. 변형 교정: 선천성 만곡족(congenital clubfoot), 발달성 고관절 이형성증

(developmental dislocation of hip)

e. 변형 방지: 근육 신경학적 불균형에서 오는 변형을 예방

B. 원칙(Principle)

1. 삼점 고정(three-point fixation)(그림 2-5)

a. 만족스러운 고정을 위해서 꼭 필요함.

b. 석고붕대 molding 시 골절의 근위부와 원위부는 같은 방향으로 힘을 가하고 마지막 세 번째 점은 석고붕대의 첨부인 골절부위가 되고 반대 방향의 힘이 가해져야 한다.

c. 석고붕대의 오목한 부위(convex side)의 골절면에는 골막 등의 연부조직이 붙어 있어 골절부의 안정화를 줘야 한다.

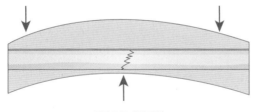

그림 2-5. 삼점 고정

C. 술기 시 주의점

a. 환자에게 충분한 설명을 해야 한다.

b. 시술 전에 석고붕대의 종류, 고정 범위, 자세를 결정해야 한다.

c. 넓은 부위를 감을 때에는 차가운 물을 사용하고 뜨거운 물을 사용하지 않는다.

d. 보통 석고붕대는 6~7겹, 섬유유리붕대는 2~3겹이면 충분하다. 하지만 균일한 두께로 감는 것이 중요하다.

e. 가능한 빠르게 붕대를 감고 삼점 고정(three-point fixation)이 되고 사지의 윤곽에 잘 맞도록 molding을 해야 한다. 섬유 유리 붕대의 경우 응고시간(setting time)이 짧기 때문에 어려울 수 있다.

f. 응고시간(setting time)이 지나서 석고 붕대가 굳기 시작하면 molding 및 모든 동작은 멈추고 기다려야만 강도가 약해지지 않는다.

g. 양 끝의 날카로운 모서리는 석고붕대 칼로 잘 다듬어 줘야 한다.

h. 응급실에서나 수술 직후에는 원형 석고 붕대(circular cast)는 실시하지 않는 것이 좋다. 부종(swelling)에 의해 구획 증후군(compartment syndrome)이 발생할 수 있다.

i. 부종(swelling)이 발생하면 지체 없이 bivalve나 split를 실시한다.

j. 환자 교육

① 부종에 의해 발생되는 압박의 증상: 점점 심해지면 즉시 응급실로 재내원하거나 의사를 호출하도록 한다.

② 거상(elevation) : 적어도 3~4일간은 심장보다 높게 위치하도록 한다.

③ 관절 운동: 강직을 막기 위해 고정되지 않은 관절 운동에 대해 교육한다.

④ 걷는 방법: 하지 손상 시 목발 보행(crutch walking)에 대해 교육한다.

III. 부목(Splint)

A. 상지부목법

응급실에서 상지 손상 환자를 보는 즉시 손가락의 반지와 시계, 팔찌 등을 제거해야 함. 또한 수상 부위를 심장보다 높게 하여 부종을 막아야 하며(팔걸이를 하면 안됨) 손가락 운동이 가능하다면 부목을 한 이후 바로 손가락 운동을 시켜야 함. 운동 시 손가락의 중수 수지 관절(metacarpophalangeal joint)이 90도까지 굴곡되도록 해야 함.

1. 8자 붕대(figure-of-eight bandage) (그림 2-6)

a. 적응증 : 쇄골 골절(clavicle fracture)

b. 제품화되어 있는 8자 붕대를 사용하는 것이 편리함.

c. 스타키넷(stockinet)을 사용할 때는 스타키넷 속에 솜붕대를 접어 넣어 충분히

padding을 함. 8자로 붕대를 착용시킨 후에는 등쪽에서 옷핀으로 고정함.

d. 주의점

① 피부 짓무름(skin marceration) : 겨드랑이에 충분한 패딩을 한다.

② 액와 동맥(axillary artery)이나 상완 신경총(brachial plexus)이 눌리지 않도록 과도하게 조이지 말아야 함.

그림 2-6. 8자 붕대(Figure-of-8 bandage)

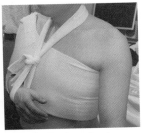

그림 2-7. Velpeau bandage

2. Velpeau, sling-and-swathe bandage, abduction brace

a. 적응증 : 견관절 탈구(shoulder dislocation), 근위 상완골 골절(proximal humeral fracture), 상완골 간부 골절(humeral shaft fracture)

b. Velpeau bandage (그림 2-7)

환자가 앉은 상태에서 겨드랑이와 주관절 부위, 전완부에 padding을 한다. 주관절과 견관절이 움직이지 못하도록 고정한다.

c. Sling-and-swathe bandage (그림 2-8)

d. Abduction brace (그림 2-9)

e. 주의점

① Skin marceration : 겨드랑이, 가슴에 padding.

② 손목과 손가락 운동을 하도록 교육

그림 2-8. Sling-and-swathe bandage

그림 2-9. Abduction brace

3. U slab splint (그림 2-10)

a. 적응증

상완골 간부 골절(humeral shaft fracture)

b. 방법

겨드랑이부터 주관절을 포함하여 U자 모양으로
돌리고 견관절까지 이르도록 한다. 그 후 장상지
부목(long arm splint)을 대어 주관절이 움직일
수 없도록 한다.

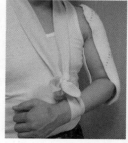

그림 2-10. U slab splint

4. 장상지 부목(long arm splint) (그림 2-11)

a. 적응증

주관절 탈구(elbow dislocation), 주관절 주위 골절(around elbow fracture:
olecranon fracture, supracondylar fracture, radial head fracture, coronoid
process fracture 등), 전완부 골절(forearm fracture) 등

b. 방법

① 주관절을 90도로 굴곡하고 전완부는 중립위에 위치하게 한 후 솜붕대로 손바
닥의 근위 손금(proximal crease)에서 근위 상완까지 감는다. 솜붕대를 감을
때는 1/2~2/3씩 겹치게 감아 고르게 압박을 하도록 한다.

② 주두 골절(olecranon fracture)인 경우는 주관절 굴곡을 약 30도로 하고 그
외에는 90도로 한다.

③ 압박붕대를 감을 때는 과도한 압력을 주지 않도록 주의한다. 또한 솜붕대를

02

감은 방향과 같게 감도록 주의한다.

④ 적당한 길이로 부목(splint)을 자른다. 부목은 손바닥의 근위 손금의 근위부에서 시작해서 전완부는 척골부위에 위치하도록 하고 상완 근위부 후방에 위치하도록 한다.

⑤ 보통 전완부의 회전은 중립위(neurtral)에서 실시하나 경우에 따라서 회내전(pronation)이나 회외전(supination)할 수 있다.

⑥ 물에 적신 부목을 대고 압박붕대로 감고 굳는 동안 부목을 만져서 팔에 잘 맞도록 한다.

c. 주의점

손가락 운동이 가능하도록 손바닥 근위 손금이 노출되도록 함.

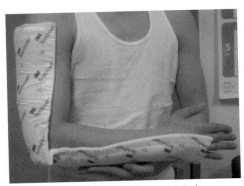

그림 2-11. 장상지 부목(long arm splint)

5. 설탕 집게 부목(sugar tong splint)

a. 적응증

Colles' 골절, Smith 골절 등 원위 요골 골절(distal radial fracture), 요척골 동시 골절(both forearm bones fracture) 등

b. 방법

① 정복 후 솜붕대를 손바닥 근위 손금의 근위부터 주관절 부위까지 감는다.

② 부목은 손바닥에서 주관절을 포함하여 U자 형으로 손등까지 위치하는데 길

이는 손바닥 근위 손금의 근위부까지 위치해야 한다.

③ 부목을 대고 탄력붕대를 감을 때는 반드시 주관절 부위부터 감아 부목이 주관절에 잘 밀착되고 부목의 구김이 덜 가게 해야 한다.

그림 2-12. 설탕 집게 부목(sugar tong splint)

6. 단상지 부목(short arm splint) (그림 2-13)

a. 적응증

수근부 염좌(wrist sprain), 수근부 골절(wrist fracture, carpal fracture)

b. 방법

① 솜붕대를 손바닥의 근위 손금(proximal crease)에서 근위 전완부까지 감는다. 솜붕대를 감는 방법은 동일하다.

② 적당한 길이로 부목(splint)을 자른다.

③ 수장(volar) 또는 배부(dorsal)로 대고 탄력붕대로 감아 고정한다.

c. 주의점

수장(volar)에 댈 때 손가락 운동이 가능하도록 손바닥 근위 손금이 노출되어야 하며 엄지손가락이 움직일 수 있도록 부목을 잘 잘라줘야 한다.

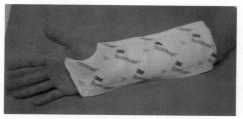

그림 2-13. 단상지 부목(short arm splint)

7. 단상지 척측 구형성 부목(short arm ulnar gutter splint)(그림 2-14)

02

a. 적응증

제 4, 5 수지 지골 골절 또는 제 4, 5 중수골 골절

b. 방법

① 손가락 사이에 거즈를 펴서 넣는다.

② 솜붕대를 감는다. 4, 5번째 손가락을 같이 감을 수도 있고 3번째 손가락까지 포함할 수도 있다.

③ 부목을 적당한 길이로 자른다.

④ 내재근 양성 위치(intrinsic plus position)가 되도록 중수 수지 관절 (metacarpophalangeal joint)을 60~80도로 굴곡하고 손목은 20~30도 신전한 자세에서 부목을 댄다.

⑤ 손가락에서 전완부까지 척측을 감싸 안도록 부목을 위치하고 압박붕대로 감는다.

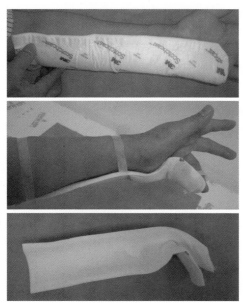

그림 2-14. 단상지 척측 구형성 부목(short arm ulnar gutter splint)

8. 단상지 요측 구형성 부목(short arm radial gutter splint)(그림 2-15)

a. 적응증

제 2, 3 수지 지골 골절 또는 제 2, 3 중수골 골절

b. 방법

① 부목을 자른 후 엄지손가락이 통과하도록 부목의 중앙부위에 종방향(longitudinal)으로 적당한 크기의 구멍을 넣는다.

② 엄지손가락을 부목에 만들 구멍으로 통과시킨 후 2, 3 수지, 전완의 요측을 감싸 안도록 부목을 위치하고 압박붕대로 감는다.

③ 손의 위치는 내재근 양성 위치(intrinsic plus position)가 되도록 한다.

그림 2-15. 단상기 요측 구형성 부목(short arm radial gutter splint)

9. 무지 수상 부목(thumb spica splint)(그림 2-16)

a. 적응증

de Quervain's disease, 주상골 골절(scaphoid fracture), 제1 중수골 골절(first metacarpal fracture) 등 엄지에 관련된 손상 및 질환에 대하여 적용한다.

b. 방법

① 무지를 외전한 상태로 솜붕대를 전완 근위부에서 무지까지 감는다.

② 부목은 무지를 감싸며 전완 근위부까지 위치하도록 하고 탄력붕대로 감는다.

그림 2-16. 무지 수상 부목(thumb spica splint)

10. 손가락 부목(finger splint)(그림 2-17, 18)

a. 적응증

손가락 골절, 탈구(phalangeal fracture, dislocation), 망치 수지(mallet finger) 등

b. 방법

① 알루미늄 부목을 많이 이용한다.

② U자 형태로 손가락을 감싸는 방법, 손가락의 수장(volar) 또는 배부(dorsal)면 만 대는 방법이 있다.

③ 알루미늄 부목과 피부가 직접 닿지 않도록 거즈로 잘 패딩을 해준다.

④ 종이테이프 또는 면플라스터로 고정해 준다.

c. 주의점

과도하게 강하게 고정하면 손가락의 혈액순환 장애가 발생할 수 있다. 또 U자 형 태로 손가락을 감싸면 피부가 알루미늄 부목에 눌려 괴사될 수 있으므로 주의해 야 한다.

 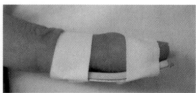

그림 2-17. 손가락 부목(finger splint)

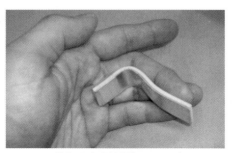

그림 2-18. 손가락 부목(finger splint)

d. Stack splint (그림 2-19)

상용화된 수지 부목으로 중위 지골, 원위 지간 관절(DIP joint) 및 원위 지골의 손상에 적용할 수 있다.

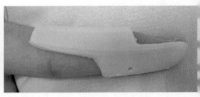

그림 2-19. Stack splint

B. 하지 부목법

수상된 부위의 부종이 빠질 수 있도록 베개 등으로 높게 받쳐준다.

1. 장하지 부목(long leg splint)(그림 2-20)

a. 적응증

하퇴부 골절 (tibial fracture), 슬개골 골절 (patella fracture) 및 슬관절 주위 인대손상, 대퇴골 원위부 골절 (distal femoral fracture) 등

b. 방법

① 발바닥에서 대퇴 근위부까지 솜붕대를 감고 압박붕대를 감는다.

② 부목은 발바닥에서 대퇴 근위부까지 후방부(posterior)에 위치하도록 한다.

③ 족관절은 90도, 슬관절은 20~30도 굴곡하도록 한다. 단 슬개골 골절 시에는 슬관절을 신전한 상태로 시행한다.

c. 주의점

발뒤꿈치와 비골두가 눌리지 않도록 솜으로 충분히 패딩을 해야 한다.

2. 단하지 부목(short leg splint)(그림 2-21)

a. 적응증

족관절과 족부의 골절이나 염좌 등의 손상과 관련 질환

b. 방법

① 발바닥에서 하퇴 근위부까지 솜붕대 및 압박붕대를 감는다.

② 족관절은 90도가 되도록 하며 부목을 후방에 위치하고 압박붕대로 감는다.

c. 주의점

발뒤꿈치가 눌리지 않도록 솜으로 충분히 패딩을 해야 한다.

그림 2-20. 장하지 부목(long leg splint)

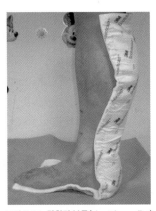

그림 2-21. 단하지 부목(short leg splint)

IV. 석고붕대(Circular Cast)

A. 상지 석고붕대

1. 단상지 석고붕대(short arm cast)

a. 적응증

요골 또는 척골의 원위부 골절(distal radius, ulnar fracture)

b. 방법

① 스타키넷을 입히고 솜붕대를 감아준다. 욕창(pressure sore)이 생기기 쉬운

척골 경상돌기(ulnar styloid process)에 솜붕대로 padding을 한다.

② 보통 손목관절 중립위에서 손목 부위부터 석고붕대를 감기 시작해서 수부로 올라간 후 다시 전완부로 내려와 감는다.

③ 손가락 굴곡이 가능하도록 중수수지관절을 노출시켜야 하며 손바닥 근위 손금의 근위부가 노출되어야 한다.

④ 전완부에 밀착되도록 molding을 한다.

⑤ 주의점 : 두상골(pisiform)과 요골 경상 돌기(radial styloid), 주두(olecranon) 부위가 눌려 욕창이 생기지 않도록 패딩을 충분히 대고, 지속적으로 확인한다.

2. 단상지 무지수상 석고붕대(short arm thumb spica cast)(그림 2-22)

  a. 적응증

주상골 골절(scaphoid fracture), 제1 중수골 골절(1st metacarpal fracture, Bennet fracture)

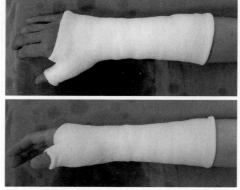

그림 2-22. 단상지 무지수상 석고붕대(short arm thumb spica cast)

  b. 방법

① Short arm cast 감는 요령과 동일하나 1인치로 자른 솜붕대로 엄지손가락을 감아주고 제1 물갈퀴공간(1st web space)에 거즈를 펴서 padding을 해준다.

② 1인치로 자른 석고붕대로 엄지를 고정한다. 엄지 지간관절을 움직이게 노출

02

할 수도 있고 엄지 전체를 감을 수도 있다.

③ 엄지의 위치는 자연스러운 위치로 molding을 하는데 대략 요측 15도, 외전 50도 정도로 한다.

3. 장상지 석고붕대(long arm cast)(그림 2-23)

a. 적응증

요골, 척골 골절(radius, ulnar fracture), 주관절 주위 골절

b. 방법

① 스타키넷을 상완부위까지 씌운 후 솜붕대를 감는다.

② 주관절 부위에서 특히 내상과(medial epicondyle) 뒤로 척골신경(ulnar nerve)이 지나가므로 눌리지 않게 padding을 해야 한다.

③ Short arm cast 감는 요령으로 손목부위부터 감는다.

④ 대개 중립위에서 석고붕대를 감게 되며, 척골, 요골 골절 또는 상완골 과 상부 골절(supracondylar fracture)에서는 회외전(supination)또는 회내전 (pronation)의 위치로 할 수 있으며 주관절도 보통 90도로 감게 되나 척골 주두 골절(olecranon fracture)에서는 주관절을 90도보다 신전위치로 감게 된다.

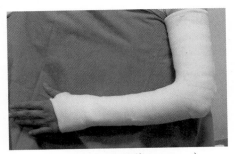

그림 2-23. 장상지 석고붕대(long arm cast)

4. 장상지 무지수상 석고붕대(long arm thumb spica cast)

   a. 적응증

   주상골 골절(scaphoid fracture) 및 엄지 손가락 손상

   b. 방법

   ① Short arm thumb spica cast 감는 법과 동일하며 주관절을 지나 상완골까지
   석고붕대를 감게 된다.

B. 하지 석고붕대

1. 단하지 석고붕대(short leg cast)(그림 2-24)

   a. 적응증

   족관절 염좌(ankle sprain), 내측과(medial malleolar fracture), 외측과 골절
   (lateral malleolar fracture), 중족골 골절(metatarsal fracture) 등

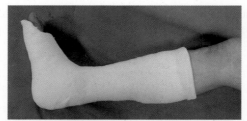

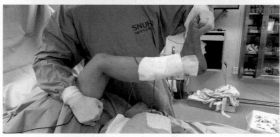

그림 2-24. 단하지 석고붕대(short leg cast)

02

b. 방법

① 스타키넷을 발에서 무릎까지 씌우고 솜붕대로 감는다. 발뒤꿈치에 욕창 (pressure sore)이 생기지 않도록 padding을 충분히 해야 하며 비골 골두 밑 으로 지나가는 비골신경(peroneal nerve)이 눌려 마비가 올 수 있으므로 비 골 골두 1인치 아래까지 감는다.

② 석고붕대를 발목에서 시작해서 발로 갔다가 다시 경골 근위부로 올라가면서 감는다.

③ 발의 위치는 중립위에서 발목을 90도 굴곡시킨 상태로 하나 경우에 따라 족 관절의 위치를 바꿀 수 있다.

④ 발바닥에 splint를 보강하여 체중을 가하게 할 수 있다.

⑤ 발바닥의 내측 궁(medial longitudinal arch)과 발뒤꿈치, 아킬레스 건 부위 를 잘 molding 해 준다.

2. 장하지 석고붕대(long leg cast)(그림 2-25)

a. 적응증

경골(tibia fracture), 비골(fibular fracture), 슬개골(patella fracture), 대퇴골 원 위부 골절(distal femoral fracture), 무릎 고평부 골절(tibial plateau fracture), 슬관절 측부인대 손상(collateral ligament injury), 아킬레스 건파열 (Achilles tendon rupture) 등

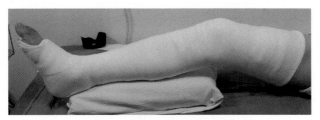

그림 2-25. 장하지 석고붕대(long leg cast)

b. 방법

① 스타키넷을 발에서 대퇴 근위부까지 씌운 후 솜붕대를 감는다. 발뒤꿈치와

비골두부위는 특히 padding을 많이 한다.

② 대개 중립위치(발목 관절 90도, 슬관절 20도 굴곡) 상태에서 시술하나 아킬레스 건 파열 시 발목을 족저굴곡(plantar flexion)하고 무릎은 30~40도 굴곡한다. 슬개골 골절 시에는 무릎을 신전한다.

③ 먼저 short leg cast를 실시한 후 무릎과 대퇴부를 감는 것이 좋다.

④ 발목 관절 후방과 무릎 앞쪽으로 splint를 만들어 보강해 준다.

⑤ 발바닥, 발뒤꿈치, 아킬레스 건 부위를 잘 molding해 주며 molding 시 비골두가 눌리지 않도록 주의한다.

3. 슬개건 부하 석고붕대(patellar tendon bearing (PTB) cast)(그림 2-26)

a. 적응증

경골 골절 시 long leg cast로 일정 기간 고정한 후 가골의 형성이 관찰되면 무릎운동을 할 수 있도록 시행한다.

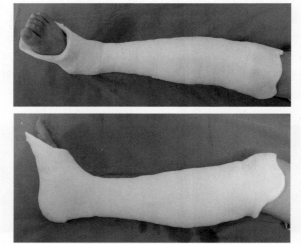

그림 2-26. 슬개건 부하 석고붕대(patellar tendon bearing (PTB) cast)

b. 방법

① Long leg cast를 감는 요령으로 석고붕대를 감는다.

② 족부를 먼저 감은 후 발목관절을 90도, 슬관절은 40~45도 굴곡된 위치에서 가능한 조이게 감는다.

③ 체중부하를 견딜 수 있도록 발바닥에는 splint로 보강한다.

④ 하퇴부는 삼각형 모양으로 즉, 슬개건과 경골, 대퇴골의 내측 및 외측과(medial and lateral condyle)가 삼각형 모양이 되도록 molding한다.

⑤ 슬개골의 2/3, 대퇴골의 내측 및 외측과를 포함하며 무릎이 굴곡될 수 있도록 무릎 후면(오금)은 많이 잘라낸다.

⑥ 체중부하를 견딜 수 있도록 발바닥에는 splint로 보강한다.

I. 목적

척추나 사지에 다양한 장치를 이용하여 지속적인 견인력을 주는 방법을 통칭한다. 견인력이 신체에 전달되는 접점에 따라서 피부에 전달되는 피부 견인술과 골에 삽입한 핀에 전달되는 골 견인술로 나눌 수 있다. 최근 골절 후 사용 빈도는 감소하고 있으나, 견인의 적응증, 원칙, 방법에 대한 지식은 필요하다.

    a. 골절 부위에서 사지의 길이를 유지하고 정렬 및 안정성을 가지도록 한다.

    b. 견인 시 주변 관절의 움직임을 허용한다.

    c. 근육 경련을 감소시킨다.

    d. 부종을 감소시킨다.

II. 필수 준비물

견인 장치를 설치할 수 있는 침대, 바, 도르레, 추, 견인기, 줄, 핀

III. 분류

A. 피부견인(Skin Traction)

피부견인은 응급으로 실시할 수 있는 견인법이다. 피부견인은 피부, 피하조직, 근막, 근육간 근막을 통해 뼈에 힘을 전달한다. 따라서 견인력이 커지면 피부 손상을 야기한다. 최대 견인 무게는 환자의 나이, 견인 위치에 따라 다르지만 10 lb가 넘지 않

도록 하며 4주 이하의 적용 기간을 원칙으로 한다. 피부견인 시 주기적으로 피부상
태를 확인해야 한다. 골견인술과는 다르게 핀 삽입 과정이 생략되므로 빠른 수정
및 장치 제거가 가능하고 골 감염의 위험도와 성장판 등의 손상 위험도도 낮다.

1. 견인방법

a. 피부 준비 : 털을 제거하고 깨끗하게 세척 후 말린다.

b. 접착띠를 위치시키는데 뼈의 돌출부는 피해야 하며 만일 돌출부에 위치해야 한
다면 충분한 패딩을 해야 한다.

c. 접착띠를 장축에 따라 위치하게 한 후 그 끝에 견인 장치의 줄이 연결될 수 있도
록 한다. 접착띠 위를 압박붕대로 가볍게 감아준다(그림 3-1).

d. 하지 견인 시 발뒤꿈치에 자극이 가지 않고 부종을 예방하기 위하여 다리 밑에
베개 등을 받쳐준다.

e. Bryant's traction : 소아의 대퇴골절이나 발달성 고관절 이형성증에 사용 가능하
다(그림 3-2). 고관절을 90도 각도로 굴곡시킨 후 비골두 하단부터 견인용 스트
랩을 위치시키며 추의 무게는 환자의 엉덩이가 매트리스에서 살짝 뜨는 정도의
무게를 유지하면 된다.

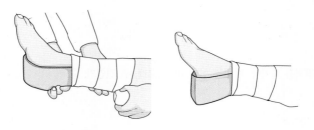

그림 3-1. 견인 스트랩 적용 방법

03

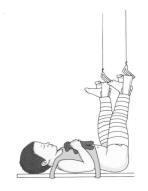

그림 3-2. 브라이언트(Bryant) 견인장치

B. 골 견인(Skeletal Traction)

1. 멸균된 핀 형태의 금속 장치를 골에 직접 삽입하여 견인하므로 피부견인술보다 더 큰 견인력을 장기간 적용할 수 있다(그림 3-3).

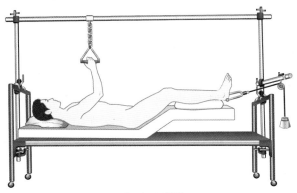

그림 3-3. 골 견인술

2. 준비물

a. K-wire : 지름이 0.0360에서 0.0625인치인 가늘고 매끄러운 wire이다. K-wire의
장점은 삽입하기 용이하고 주변 연부 조직의 손상을 최소로 하는데 있다. 단점
은 얇기 때문에 K-wire가 고정견인기(Kirschner traction bow)(그림 3-4)에서 빠
질 수 있고 골다공증이 있는 뼈에서는 wire가 뼈를 자르고 빠질 수 있다.

b. Steinmann pin : 지름이 0.078에서 0.19인치인 pin으로 smooth한 것과
threaded한 형태가 있다. Steinmann pin 고정견인기(그림 3-5) 또는 K-wire 고
정견인기로 견인할 수 있다.

c. 고정 견인기

그림 3-4 . Bohler bow

그림 3-5. Steinmann pin bow

3. Pin 또는 wire 삽입법

a. Pin 또는 wire를 삽입하는 것 또한 일종의 시술이므로 환자 및 보호자에게 충
분한 설명 및 동의가 필요하다.

b. 삽입 시 주변의 신경혈관에 대한 해부학적 지식이 필요하다. 언제나 삽입의 시작
은 신경혈관 같은 중요한 구조물이 지나가는 곳에서 해야 주요 구조물의 손상을
피할 수 있다. 예컨대, 척골 근위부에 핀 삽입시에는 척골신경을 피해 내측에서
외측 방향으로 핀을 삽입한다. 대퇴골 간부 골절에 대해서 성인에서는 근위 경골
에 핀을 삽입해도 무방하나, 소아에서는 근위 경골 경골조면(tibial tuberosity)의
성장판 손상 위험이 있으므로 원위 대퇴골에 핀을 삽입하는 것이 바람직하다.

c. Skin preparation : 삽입 부위 털을 제거하고 베타딘으로 충분히 소독한다. 무균

포를 덮는다.

d. 마취 : 1% lidocaine으로 국소마취를 한다. 피부 및 피하조직에 주사바늘을 찔러 마취약을 주입하고 주사바늘을 뼈까지 전진하여 골막에 충분히 마취약을 주입한다. 핀이 나올 반대편도 마찬가지 방법으로 마취한다. 필요 시 환자에게 진정제를 투여할 수 있다.

e. 피부절개 : Pin 또는 wire 삽입 시 피부를 감고 들어가 피부 손상을 일으킬 수 있으므로 11번 blade로 stab wound를 내서 삽입하도록 한다.

f. Pin 또는 wire 삽입 : Hand drill을 사용한다. 전동 드릴을 사용하면 과도한 열이 발생해서 골괴사를 유발할 수 있다. 삽입 시 보조자가 삽입할 사지를 고정해서 시술을 빠르고 정확하게 할 수 있도록 해야 하며, 수상 부위의 통증을 최소화할 수 있도록 해야 한다.

g. 주의점
  ① Pin 또는 wire는 metaphysis에 위치하는 것이 가장 좋다.
  ② 소아의 경우 성장판 손상이 가지 않도록 해야 한다. 필요에 따라서는 fluoroscopy를 보면서 하는 것이 안전하다.
  ③ 개방성 골절이 되는 것을 방지하기 위해 골절 부위 혈종을 관통하지 않도록 한다.
  ④ 관절 내로 삽입되지 않도록 한다.
  ⑤ 근육 및 건(tendon)을 통과하지 않도록 주의한다.
  ⑥ 삽입시 pin 또는 wire가 휘어지지 않도록 주의한다.

4. 삽입지점

a. 중수골(metacarpus) : 제2, 3 중수골의 metaphysis와 diaphysis의 경계에 위치한다. First dorsal interosseous muscle을 밀어서 제2 중수골에 삽입하며 제3 중수골을 통해 나오도록 한다.

b. 원위요골 및 척골(distal radius and ulna) : 거의 사용하지 않으나 superficial radial nerve를 주의해야 한다.

c. 주두(olecranon) : 소아에서 성장판의 여부를 꼭 확인해야 한다. Ulnar nerve의 손상을 주의해서 내측에서 삽입한다.

d. 원위 대퇴골(distal femur) : Femoral nerve와 artery의 손상을 피하기 위해 내

측 및 앞쪽에서 삽입한다. Adductor tubercle에서 1인치 하방에서 삽입하는 것이 좋다. 성장판이 열려 있는 경우 fluoroscopy를 보면서 삽입하는 것이 안전하다(그림 3-6). 핀 삽입 후 고관절과 무릎 관절의 굴곡 각도를 90도로 하고 발뒤꿈치 부위를 제외한 하퇴에 슬링을 연결해 받친다(그림 3-7).

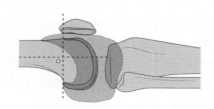

그림 3-6. 대퇴 원위부 핀 삽입위치 방법

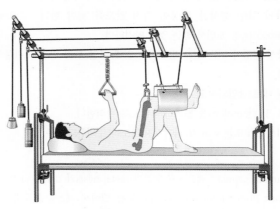

그림 3-7. 90–90° 견인 장치

e. 근위 경골(proximal tibia) : Peroneal nerve의 손상을 피하기 위해 경골의 외측에서 삽입하며, tibial tubercle에서 1인치 하방, 0.5인치 후방에서 삽입한다(그림 3-8). 성장판이 열려 있는 경우 손상을 받으면 genu recurvatum이 생길 수 있으므로 주의해야 한다.

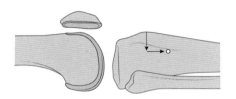

그림 3-8. 경골 근위부 핀 삽입 위치 장치

03

f. 원위 경골 및 비골(distal tibia and fibula) : 외과(lateral malleolus)의 가장 튀어
   나온 부위에서 1~1.5 fingerbreadth 상방에서 삽입한다. 발목관절에 평행하게 그
   리고 약간 앞쪽으로 삽입해야 비골 및 경골을 통과해서 주변 건과 신경혈관의
   손상을 피할 수 있다(그림 3-9).

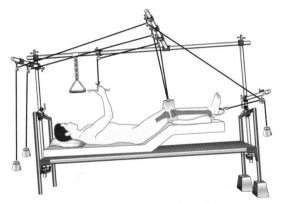

그림 3-9. 원위경비골 핀 삽입 위치 장치

g. 종골(calcaneus) : 외과(lateral malleolus)의 1인치 하방 및 후방에서 외측에서
   삽입할 수 있으며 또한 내과(medial malleolus)의 1 3/4인치 하방, 1 1/2 후방에
   서 내측에서 삽입할 수 있다. 하지만 tibial nerve의 손상을 피하기 위해 내측에
   서 삽입하는 것이 좋다(그림 3-10).

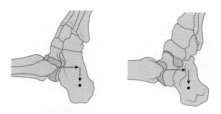

그림 3-10. 종골 핀 삽입 위치 장치

C. 경추 견인(Cervical Spine Traction)

1. 홀터 견인(Halter traction)(그림 3-11)

매우 간단한 방법이나 급성 경추 골절이나 탈구시에는 사용하지 않는다. 경추 신경근증(cervical radiculopathy)이나 소아의 환축추 회전성 아탈구(rotary subluxation)에 사용할 수 있다. 상품화된 환자의 턱과 후두부를 감쌀 수 있는 크기의 머리 홀터(head halter)를 이용해서 mandible과 occiput을 견인한다.

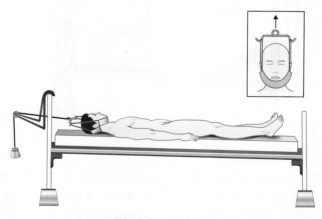

그림 3-11. 홀터(halter) 견인 장치

a. 연속 견인(continuous traction) : 무게가 10 lb를 넘기지 않도록 한다(보통 5 lb). 1~3시간 간격으로 휴지기를 둬야 한다.

b. 간헐 견인(intermittent traction) : 보통 하루에 3회 정도 실시하며 30 lb까지 가능하다.

2. 두개골 견인술

a. Gardner-Wells tong traction(그림 3-12)

다양한 두개골 견인기가 있으나 주로 Gardner-Wells tong을 많이 사용한다. 주로 경추 골절이나 탈구 시 사용하며 충분한 무게로 견인을 할 수 있다.

① 장착부위 머리털을 자르고 베타딘으로 피부소독을 한다. Gardner-Wells tong을 측두골능(temporal crest) 밑에 위치하게 한 후 나사가 들어갈 위치에 1% lidocaine으로 국소마취를 한다. 골막까지 마취약을 주입한 후 11번 blade로 stab wound를 넣고 핀을 조인다. 핀의 압력은 6-7 in/lb이 적당하며 삽입 후 24시간 경과 후 다시 한 번 조여준다.

② 환자의 몸무게로 countertraction이 되도록 침대는 약간 머리쪽을 올려준다.

③ 처음 견인 무게는 10 lb로 시작하며 방사선 사진으로 확인하면서 조금씩 무게를 늘린다. 견인하는 추의 무게는 손상받은 부위에 따라 다르며 머리 무게 10 lb에 경추의 각 분절당 5 lb씩 가산하여 계산하는 Crutchfield's rule에 의해 산출할 수 있다.

b. Halo skull traction

Halo 장치는 견인뿐만 아니라 추후 vest 또는 cast와 연결하여 보존적 치료의 방법으로 사용될 수 있다(그림 3-13).

① 재료 : halo ring, skull pin, positioning pin, torque screwdriver

② 장착법

i. 환자를 눕힌 상태에서 머리를 약간 신전되게 한다. 보조자는 환자의 머리를 받쳐준다.

ii. 1.5 cm 가량 여유가 있도록 halo ring을 선택한다. MRI 촬영이 예정되어 있으면 carbon fiber ring을 선택한다.

iii. 핀 삽입 위치에 머리털을 제거하고 베타딘으로 소독을 한다. Halo ring의 핀 삽입 위치는 눈썹에서 1 cm 상부 및 외측 1/3에 위치하고 귓바퀴 1

cm 상부에서 parietal and occipital area에 서로 대칭되게 위치한다. halo ring은 두개골 최대 반경 바로 아래에 위치한다.

iv. 보조자는 halo ring을 들어 정확한 위치를 유지한다. Positional pin으로 고정한다.

v. 핀 삽입 위치에 1% lidocaine으로 국소마취를 한다. 골막까지 충분히 마취한다.

vi. Skull pin을 두개골에 90도가 되도록 삽입한다. Torque screwdriver를 이용하여 핀을 조인다. 성인의 경우는 6-8 in/lb, 소아의 경우는 4 in/bl로 조인다.

vii. Positional pin을 제거한다.

viii. 삽입 후 24시간 후 다시 한 번 핀을 조인다.

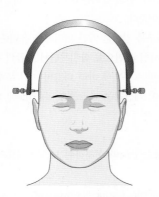

그림 3-12. 가드너-웰스 집게(Gardner–Wells tong) 견인 장치 장치

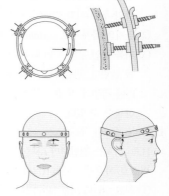

그림 3-13. Halo ring

D. 상지 견인(Upper Extremity Traction)

1. 상지 분리 피부견인술(그림 3-14)

a. 환자를 견인 침대 정중앙에 앙와위로 눕힌다.

b. 상완과 전완의 환부 두께에 적절한 견인용 스트랩을 선택한다.

c. 상완 및 전완 골체의 중간 위치에 견인용 스트랩을 그림과 같이 'ㄷ'자 형태로 각 각 분리해서 골 돌출부를 과도하게 누르지 않도록 탄력붕대를 주의해서 감는다.

d. 팔을 90도 구부린 상태에서 상완은 외측, 전완은 상측으로 견인력이 적용되도록 견인침대에 프레임을 설치하고 도르래를 부착한 후 추걸이 및 추를 연결한다.

e. 전주(antecubital) 부위가 조일 수 있으므로 가벼운 견인 강도로 적용하고 시간 이 지남에 따라 견인용 스트랩과 탄력붕대가 원위부로 미끄러질 수 있으므로 주 기적으로 점검하고 교정해준다.

f. 쇄골 골절에서만 양쪽 견갑골 사이에 패드를 받쳐 양 어깨가 후방으로 벌어지도 록 한다. 근위상완골 골절 시에는 패드를 사용하지 않는다.

g. 견인장치의 설치는 환자가 견인 침대의 정중앙에 위치한 상태에서 시행하고 견인 력이 가해지는 기간 동안에는 몸을 움직이지 않은 상태에서 편평하게 누워있어 야 한다.

h. 대항 견인력을 만들기 위해 견인측 침대 하단에 높임 블록을 받친다.

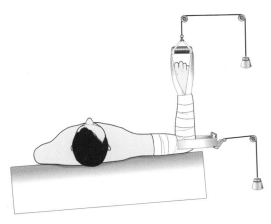

그림 3-14. **상지 분리 피부견인술**

2. Dunlop 피부 견인(Dunlop skin traction)(그림 3-15)

  a. 원위상완골골절(supracondylar humeral fracture) 시 임시적으로 사용 가능

  b. 단점

    피부손상, 골절부위를 심장보다 높게 할 수 없어 부종 발생

  c. 방법

    ① 환자의 팔을 견인 침대 바깥쪽으로 뺀 상태에서 앙와위로 눕힌다.

    ② 전완에 견인 스트랩을 'ㄷ'자 형태로 감아 던롭(Dunlop) 견인형 손잡이를 연결하고 상완에는 스트랩을 골절된 골 근위분절 끝 지점에 감는다.

    ③ 주관절은 약 145도 신전하고 전완은 손가락 방향인 외측 및 상측으로, 상완의 스트랩은 하측으로 견인력이 적용되도록 침대에 그림과 같이 프레임을 설치하고 도르래를 부착한 후 추걸이를 연결한다.

    ④ 상지가 충분히 거상된 상태에서 견인 장치에 매달려 있도록 조절해야 하며 상완골 근위부가 심하게 눌리지 않도록 전완을 충분히 회외시킨 후 추를 연결한다.

    ⑤ 주기적으로 요골동맥을 촉진하고 손바닥면의 순환을 자주 확인해 볼크만구축 등의 2차적 손상을 피해야 한다.

    ⑥ 조끼 형태의 체간 고정대를 사용할 수도 있다.

    ⑦ 대항견인력을 위해 견인측 침대 하단에 높임 블록을 받친다.

    ⑧ 방사선상 가골이 보이며 부종이 빠졌을 때 전완을 견인했던 도르래 위치를 조절해 주관절 굴곡을 증가시킨다. 주관절의 굴곡 각도가 90도에 도달했을 때 견인을 제거한다.

03

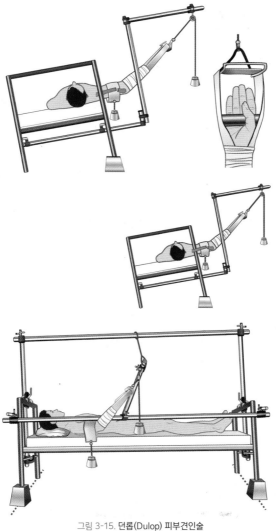

그림 3-15. 던롭(Dulop) 피부견인술

3. Olecranon pin traction

a. Overbody or lateral traction

상완골의 관절외 골절(extraarticular humeral fracture) 시 사용

b. 방법

① 환자를 견인 침대 정중앙에 앙와위 자세로 눕힌다.

② 다른 손상을 동반한 특수한 상황에서 주로 시행하는 견인술이므로 정확한 골견인술 적용에 많은 어려움이 따르기 때문에 견인술을 적용하는 기간 동안 환자는 최대한 등을 견인침대에 편평하게 붙이도록 한다.

③ 고리가 연결된 나사 형태의 핀을 근위 척골부위에 삽입할 때 척골체와 주두가 합쳐지는 부위를 주로 이용한다(그림 3-16).

④ 핀 삽입 시 발생할 수 있는 문제점을 최소화하기 위해 척골신경과 삼두근건 등과 같은 연부조직을 핀이 직접 통과하지 않도록 주의한다.

⑤ 골절의 양상에 따라 주관절이 90도인 상태에서 전완은 던롭(Dunlop) 견인의 형태 그리고 상완은 골견인 형태를 띨 수도 있고, 골편의 수직축에 해당하는 견인력만 필요한 경우도 있다(그림 3-17).

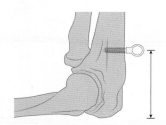

그림 3-16. 견인고리 나사의 척골부 삽입 위치

E. 하지 견인(Lower Extremity Traction)

1. Buck 피부 견인(Buck's skin traction)(그림 3-18, 19)

a. 무릎과 고관절 근육의 경련(spasm)을 감소

b. 하지의 회전(rotation)을 조절하기 위해 종아리(calf) 아래에 베개를 받치고 발목 외측(lateral side)에 모래주머니를 받침.

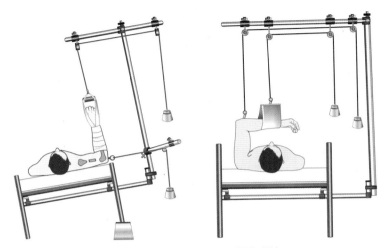

그림 3-17. 척골 근위부 핀삽입을 통한 상완골 견인술

c. 성인보다 소아에 많이 사용(LCP, transient synovitis of hip, etc.)

d. 방법

　① 환자를 견인 침대 정중앙에 앙와위 자세로 눕힌다.

　② 하퇴부 둘레에 맞는 크기의 견인 스트랩을 선택한다.

　③ 비골두 하단부터 견인용 스트랩을 펼쳐 'ㄷ'자 형태로 하지 내측 및 외측면에
　　 위치시키고 탄력붕대로 과도하게 조이지 않도록 주의해서 감는다.

　④ 무릎과 종아리 밑에 베개를 받쳐서 발뒤꿈치 부위가 눌리지 않도록 한다.

　⑤ 견인력의 종축 위치에 프레임과 도르래 및 견인추를 설치하고 견인용 손잡이
　　 를 체간 위치 상부에 부착한 뒤 사용방법을 교육한다.

　⑥ 족관절의 내, 외과 부위가 조일 수 있기 때문에 견인강도를 가볍게 적용하고
　　 시간이 지나면서 견인용 스트랩과 탄력붕대가 원위부로 미끄러질 수 있으니
　　 주기적으로 점검하고 교정해준다.

　⑦ 필요하다면 건측 다리에도 동일한 방법으로 견인을 시행하여 환측 고관절의
　　 외전 각도를 조절할 수 있다.

⑧ 대항견인력을 위해 견인측 침대 하단에 높임 블록을 받친다.

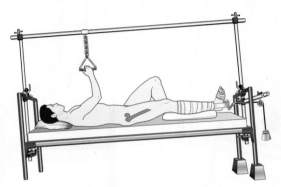

그림 3-18. 벅스(Buck) 견인장치(일측)

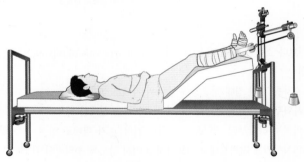

그림 3-19. 벅스(Buck) 견인장치(양측)

2. Russell traction(그림 3-20)

a. 소아 고관절 또는 대퇴골절 시 주로 사용

b. 벅스(Buck) 견인장치에 무릎 관절이나 대퇴부 하단에 지지 슬링이 추가된 형태로 무릎의 굴곡각도를 좀 더 세밀하게 조절할 수 있다.

c. 벡터값을 고려해서 도르레의 위치를 결정(그림 3-21)

03

d. 방법

① 환자를 견인 침대 정중앙에 앙와위 자세로 눕힌다.

② 하퇴부 둘레에 맞는 크기의 견인 스트랩을 선택한다.

③ 비골두 하단부터 견인용 스트랩을 펼쳐 'ㄷ'자 형태로 하지 내측 및 외측면에 위치시키고 탄력붕대로 과도하게 조이지 않도록 주의해서 감는다.

④ 하퇴부 골절은 무릎 하단에 슬링을, 대퇴부 골절은 골편을 지지하는 위치에 슬링을 설치한다.

⑤ 무릎 관절의 각도 조절이 필요할 때에는 슬링 견인줄의 위치를 변경해 도르래를 부착하고 견인을 적용한다.

⑥ 대퇴골 골절에서 슬링의 견인줄은 수직 방향으로 올라갔다가 하퇴부에 견인고리를 거쳐 견인추에 연결될 수 있도록 각각의 프레임과 도르래를 부착한다.

⑦ 견인용 손잡이를 체간 위치 상부에 부착해 사용방법을 교육한다.

⑧ 대항견인력을 위해 견인측 침대 하단에 높임 블록을 받친다.

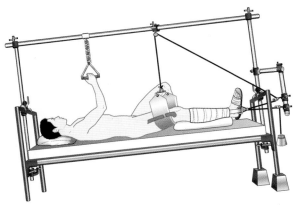

그림 3-20. 러셀(Russel) 견인 장치

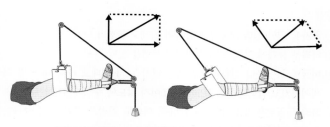

그림 3-21. 러셀(Russel) 견인 장치의 무릎 관절 각도 조절 및 합력

3. Split Russell traction(그림 3-22)

러셀 견인 장치에서 단일 견인 줄로 구성된 형태를 골편을 감싸는 슬링과 하퇴를 당기는 견인력을 분리해 환부의 상태에 따라 견인력의 차이를 세밀하게 적용할 수 있는 특징이 있다.

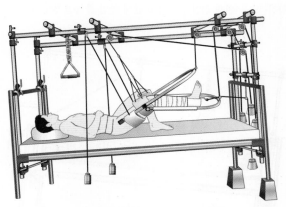

그림 3-22 분리 러셀(Split Russel) 견인 장치

4. 평형 현수 견인(balanced suspension skeletal traction)

Thomas splint와 Pearson 연결대가 필요(그림 3-23)

03

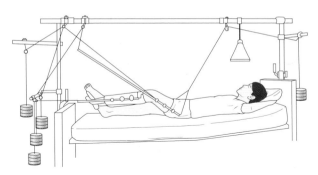

그림 3-23. Thomas 부목과 Pearson 연결대를 이용한 평형 현수 견인

F. 부작용

a. 핀 주위 감염

b. 과도한 골절부 견인 : 단순방사선 사진을 주기적으로 촬영하여 추의 무게가 과도하지 않도록 함.

c. 신경 마비 : 골견인 시 핀 삽입 위치의 부정확, 과도한 견인에 의해 발생 가능

d. 핀 부러짐 : 견인 무게를 고려해 적당한 굵기의 핀을 선택

04 관절 천자

I. 급성 관절 종창

A. 의의

많은 관절 질환들이 초기에 비특이적인 관절의 종창을 보여 감별진단에 어려움이 있다. 이를 다루는 의사는 다양한 방법을 통해 빠른 시간 내에 정확한 진단을 내리도록 최선을 다하여야 한다.

B. 진단법

1. 병력청취(history)

a. 만성과 급성 여부

6주를 기준으로 급성과 만성을 나눈다. 급성인 경우 화농성 관절염(septic arthritis), 결정 유발성 관절염(crystal induced arthritis), 반응성 관절염(reactive arthritis) 등을 의심할 수 있다. 반면 만성은 골관절염 osteoarthritis : OA) 등의 비염증성 관절염이나 결핵(tuberculosis)에 의한 감염, 류마티스(rheumatoid arthritis : RA)등의 면역 질환을 의심하여야 한다.

b. 침범 관절 범위(표 4-1)

c. 대칭성 여부

대칭성인 경우는 RA, 전신성 홍반성 낭창(systemic lupus erythematosus : SLE), 경피증(scleroderma) 등을 의심할 수 있다. 비대칭성인 경우는 통풍(gout), 건선성관절염(psoriatic arthritis), 반응성 관절염(reactive arthritis), OA 등을 의심할 수 있다.

d. 침범관절 종류

OA와 RA는 모두 상지를 흔히 침범한다. 그러나 RA는 근위지관절, 중수지관절/중족지관절을 비롯한 작은 관절을 다발성으로 침범하는 반면 OA는 원위지관절, 무지수근중수관절, 고관절, 슬관절 등을 흔히 침범한다는 점이 차이점이다. Axial skeleton 침범은 OA와 강직성 척추염(Ankylosing spondylitis : AS)에서 흔하나 RA에서는 atlantoaxial subluxation을 제외하고는 드물다.

e. 관절강직

RA 등의 염증성 관절염과 연관된 조조강직(morning stiffness)은 수 시간 가량 지속되고 정도가 심하다. 장기간의 휴식에 의해 악화되고 활동과 투약에 의해 완화되는 경향이 있다. 반면 OA에 의한 간헐적 강직은 보통 일과 중에 발생하고 지속시간은 한 시간 이내이며 활동에 의해 악화된다.

f. 나이와 성별(표 4-2, 표 4-3)

g. 전신증상

염증성 관절염은 열, 홍반, 전신반응, 체중감소 등의 전신반응을 동반할 수 있다. SLE 환자에게서는 특징적인 홍반과 열을 관찰할 수 있으며, 건선성 관절염(psoriatic arthritis) 환자에게서도 피부병변을 관찰할 수 있다. 반응성 관절염(reactive arthritis)와 임균성 관절염(gonococcal arthritis) 환자는 비뇨기계 증상을 동반하며 염증성 장질환(inflammatory bowel disease)에서도 관절 증상이 관찰되기도 한다.

h. 외상력/반복사용력

외상이나 반복적인 사용에 의한 점액낭염, 건염, 색소성 융모결절성 활액막염(pigmented villonodular synovitis : PVNS) 등의 종양성 질환에 의해 관절 병변이 발생할 수 있다.

i. 과거력

스테로이드 복용은 무혈성 괴사(avascular necrosis), 화농성 관절염(septic arthritis) 등을 유발할 수 있으며, 이뇨제 항암제 등의 복용으로 Gout가 발생할 수 있다.

j. 가족력

AS, gout 등에서 가족력이 있을 수 있다.

표 4-1. 관절 침범 개수

Mono-articular (1개)	Septic arthritis Crystal induced arthritis Palindromic rheumatism
Oligo-articular (2~3개)	Septic arthritis Crystal induced arthritis Psoriatic arthritis Reiter's syndrome Juvenile rheumatoid arthritis(pauci-articular)
Poly-articular (4개 이상)	Osteoarthritis Rheumatoid arthritis Collagen vascular disease Systemic lupus erythematosus, Scleroderma, Dermatomyositis etc. Rheumatic fever Gonorrheal arthritis Juvenile rheumatoid arthritis(poly-articular)

04

표 4-2. 나이

0~20세	Juvenile rheumatoid arthritis
20~40세	Ankylosing spondylitis Systemic lupus erythematosus Psoriatic arthritis Reiter's syndrome Rheumatoid arthritis Scleroderma
40세 이상	Osteroarthritis Crystal induced arthritis (Gout, CPPD arthritis)

표 4-3. 성별

남	Ankylosing spondylitis Gout Reiter's syndrome
여	Juvenile rheumatoid arthritis Systemic lupus erythematosus Osteoarthritis Rheumatoid arthritis Scleroderma

2. 신체검진(physical examination)

이환된 관절의 수, 종류를 관찰하고 각 관절의 압통과 종창 여부, 능동적 관절운동 범위 AROM (active range of motion), 수동적 관절 운동 범위 PROM (Passive ROM) 등을 검사한다. 종종 점액낭과 같은 관절주변 구조물의 이환이 관절삼출과 혼동될 수 있으므로 주의하여야 한다. 이환 관절 주변의 근력과 근 위축 여부도 함께 관찰한다.

3. 방사선 소견(radiologic finding)(표 4-4)

표 4-4. 방사선 소견

RA	Degenerative arthritis	Crystal induced arthritis
Symmetric distribution Joint space narrowing (uniform) Marginal erosion Periarticular soft tissue swelling Juxta-articular osteoporosis Juxta-articular periosteal new bone formation Subchondral bone cyst Articular deformity Ankylosis	Asymmetric distribution Joint space narrowing (Non-uniform) Marginal osteophytes Subchondral sclerosis Subchondral cyst Intra-articular loose bodies Articular deformity Joint subluxation	Periarticular soft tissue mass Asymmetric distribution Relative preservation of joint space Normal bone density Sharp erosion Punched out lesion No osteophyte No periostitis

4. Labaratory finding

a. 관절천자

기왕증 없이 처음으로 나타나는 급성 관절 통증 병변의 가장 중요한 진단방법은 관절천자(arthrocentesis)와 관절활액 분석이다(표 4-5).

표 4-5. 관절 천자 양상

	Normal	OA	RA	Septic arthritis	Crystal arthritis
Viscosity	High	High	Watery	Very watery	Watery
Clarity	Colorless transparent	Clear	Cloudy	Opaque/purulent	Cloudy
WBC/mm^3	200 ↓	2,000 ↓ 주로 monocyte	2,000-50,000	50,000 ↑	2,000-50,000
PMN	25% ↓	25% ↓	75% ↑	75% ↑	75% ↑
Glucose	75-90%	Normal	Low	Very low	Low
Crystals	None	None	None	None	MSU CPPD
Culture	Negative	Negative	Negative	Positive	Negative

b. 혈액검사

① CBC

② ESR, CRP : 염증 여부를 판단할 수 있는 검사. 감염, 염증, 자가면역질환 외에도 종양성질환, 임신, 고령 등에서 상승한다.

③ 요산(uric acid)

④ Rheumatoid factor (RF) : IgG의 Fc portion에 대한 항체. 모든 RA 환자에게서 나타나는 것은 아니며, RA의 발생에 꼭 필요한 것도 아니다. 질환의 중증도와 연관이 있으며, 양성인 경우 관절 외 증상을 많이 나타낸다. 결핵 등의 만성감염, SLE등의 자가면역 질환 등에서도 상승할 수 있다.

⑤ Anti-nuclear antibody (ANA) : SLE에 대해 민감도가 높은 검사법이다.

c. 활액막 조직검사

결핵성 관절염(tuberculous arthritis), coccidioidomycosis, PVNS 등의 진단에 도움이 된다.

C. 치료(Treatment)

1. Acetaminophen (Paracetamol)

진통 효과를 지니며 부작용이 적어 OA 환자 치료의 초기 치료제로 이용 가능하다. 최대 1 g qid까지 처방 가능하다. ER (extended release) 제제의 경우 과량 복용 가능성 및 이로 인한 간독성이 문제가 될 수 있어 주의해야 한다.

2. NSAID (non-steroidal anti-imflammatory drugs)

진통 및 소염 효과를 지니며 Acetaminophen에 비해 효과가 우수하다. OA 환자의 치료에 있어 초기에는 증상이 있을 때만 복용하도록 하며, 효과가 충분치 않으면 상시 복용하도록 한다. 소화불량, 오심 외에도 위궤양, 위장관 출혈 등의 심각한 소화기계 부작용이 흔히 발생하는 것으로 알려져 있다. 그 외에도 부종, 신부전, 혈압상승 등의 부작용이 보고되어 있어 이를 처방하는 의사는 부작용에 각별히 주의하여야 한다.

a. NSAID의 부작용을 최소화하기 위한 방침(표 4-6)

① 식후에 복용한다.

② 두 가지 NSAID의 병용을 피한다.

③ 필요 시 제산제를 함께 처방한다(misoprostol, PPI).

b. 위장관 출혈 위험인자

① 65세 이상

② 소화성 궤양이나 상부위장관 출혈의 병력

③ 스테로이드 동시 사용

④ 항응고요법

⑤ 흡연/음주

표 4-6. NSAID selection based on CV and GI risk

	No or low NSAID gastrointestinal risk	NSAID gastrointestinal risk
No cardiovascular risk (without aspirin)	Nonselective NSAID (cost consideration)	COX-2 selective inhibitor or non-selective NSAID+proton-pump inhibitor COX-2 selective inhibitor+proton-pump inhibitor for those with prior gastrointestinal bleeding
Cardiovascular risk (with aspirin)	Naproxen* Addition of proton-pump inhibitor if gastrointestinal risk of aspirin/NSAID combination warrants gastroprotection	Proton-pump inhibitor irrespective of NSAID Naproxen if CV risk outweighs gastrointestinal risk COX-2 selective inhibitor+proton-pump inhibitor for those with previous gastrointestinal bleeding

*Non-selective or selective (low-dose) inhibitor without established aspirin interaction if naproxen is in effective. 2 Misoprostol at full dose (200 μg four times a day) may be substituted for proton-pump inhibitor. Adapted from reference 1.

3. Cyclooxygenase-2 (COX-2) inhibitor

위장관계 부작용이 적은 약제이다. 그러나 부종이나 신부전 등의 발생 빈도는 기존 NSAID와 유사하며, 고용량에서 혈전형성을 증가시켜 심근경색, 뇌졸중 등의 위험을 증가시킨다. 심혈관계 부작용에 대해 최근 대규모 스터디 결과 안전하다 발표되었지만 장기 처방 시 여전히 주의를 요한다.

4. Glucosamine, chondroitine sulfate

Hyaluronic acid 형성을 자극하는 경구제제로 개발되었다. 항염효과보다 항반응 (anti-reactive) 효과가 있는 것으로 여겨진다. 약물에 대한 반응이 천천히 일어나 효과적인 반응을 나타내는 데 1~2개월 정도 시간이 소요된다. 대규모 연구에서의 임상 증거는 부족하다.

5. Opioid

통증이 심한 경우 투여한다. 구역 구토 변비 등의 소화기계 부작용이 있다. 이에 대한 충분한 설명 후 투약하며 여러 부작용으로 장기 투약은 지양한다. 최근에는 몸에 붙이는 패치 제제의 약들도 여럿 개발되어 사용상 편리함이 있다.

D. 골관절염(Osteoarthritis : OA)

04

1. 정의
단순 노화현상과는 다른 관절연골의 퇴행성 변화와 그에 따른 관절면의 반응성 신생골 형성을 특징으로 하는 질환이다.

2. 분류
a. 원발성(primary) : 요추부, 고관절, 슬관절, 발의 무지중족관절에 흔히 발생한다.
b. 이차성(secondary) : 외상, 기형, 무혈성 괴사, 대사질환 등의 선생 원인이 분명한 경우. 원발성과 임상 증상의 중대한 차이는 없다.

3. 진단
병력, 이학적 검사, 방사선 검사(표 4-4) 등을 통하여 진단 가능.

4. 치료
관절 연골의 퇴행성 변화를 정지시킬 수 있는 확실한 방법은 아직 개발되어 있지 않다. 따라서 치료의 목표는 통증을 경감시켜주고 관절기능은 유지시키며, 변형을 방지하는 것이다.
a. 교육치료
  ① 통증을 유발하는 활동을 피한다.
  ② 체중조절 : 비만이 체중부하 관절의 OA 발생과 밀접한 관련이 있는 것으로 알려져 있다.
  ③ 지팡이 등의 보조기구와 부목 등을 통해 이환 관절에 가해지는 부담을 줄이도록 한다.
b. 약물요법
c. 관절 국소치료
  ① 휴식 : 부목을 이용해 이환 관절을 단기간 쉴 수 있다. 그러나 장기간 고정은 추천되지 않는다.
  ② 보조기와 부목

③ 운동 : 근육강화와 운동범위 회복을 통해 관절부하를 감소시켜 증상 호전을 기대할 수 있다. 대개 등력성 운동을 먼저 하고 이후 기능향상을 위한 등장성 운동과 등속성 운동을 병행한다.

④ 물리치료 : 온열요법(회전욕, 온습포, 초음파, 핫팩), 마사지 및 운동요법, 경피신경자극요법(TENS)

⑤ 관절강 내 주사

　i. Steroid 주사 : 동통이 심한 경우 조속한 증세 호전에 도움이 된다. 연골파괴를 촉진할 수 있고 이차감염의 위험이 있어 투여 사이에 3~4개월 간격을 두어야 한다.

　ii. Hyaluronic acid : 점성보충효과와 연골 이화효소 억제작용이 있다. 3~5주간 매주 1회씩 주사한다. 한 번에 1회 주사제도 있다.

d. 수술적 치료

동통을 없애고 변형을 교정하는 것이 목표

① Synovectomy　　　　　② Spur excision

③ Loose body removal　　④ Osteotomy

⑤ Arthroplasty　　　　　⑥ Arthrodesis

E. 결절 유발성 관절염(Crystal-induced Arthritis)

1. 통풍(gout)

a. 정의

산틴산화효소(xantine oxidase)와 연관된 퓨린(purine) 대사과정의 장애에 의해 요산나트륨(monosodium urate : MSU)이 과도하게 형성되어 생기는 질환이다.

b. 임상양상

① 원발성/속발성

　i. 원발성 통풍 : 40대 성인 남성에 호발.

　ii. 속발성 통풍 : 진성 적혈구 증가증(polycythemia vera), 겸상적혈구빈혈(sickle cell anemia), 다발성 골수종(multiple myeloma), 신기능 감소

② 급성통풍 / 만성 결절성 통풍

04

   i. 급성 통풍 : 수일가량 지속되는 극심한 통증의 단일 관절성 관절염. 약 절반 정도에서 제1 족지의 중족족지 관절을 침범하는 족통풍(podagra)형태로 발현한다. 대부분의 환자는 다음 발작이 있을 때까지 증상이 없다(interictal period).

   ii. 만성 결절성 통풍 : 통풍의 재발이 계속되어 관절내 MSU 결정이 침착되고 결절(tophus)을 형성해 관절이 파괴되는 상태. 발작이 지속됨에 따라 점차 증상이 없는 기간이 짧아지고 후에는 지속적인 동통과 퇴행성 관절염의 증상이 나타난다. 적절한 치료를 하면 빈도를 줄일 수 있다.

③ 무증상 고요산 혈증 : 통풍환자의 95%에서 무증상 고요산 혈증이 선행하는 것으로 알려져 있다. 반대로 고요산 혈증을 가진 모든 환자 중 절반 이하에서만 통풍이 발생한다.

④ 신병증 : 신장 조직에 MSU가 침착되거나 결석에 의해 집합관이 폐쇄되어 발생

⑤ 신결석증

c. 진단

  ① 확진 : 관절 천자를 통해 MSU 결정을 확인하는 것이다. 편광현미경을 이용하여 음성 이중굴절성(negative bifringence)을 확인하면 확진이 가능하다.

  ② 혈청 요산농도 : 급성 발병 당시 정상이거나 낮을 수도 있다. 그러나 언젠가는 상승을 하기 때문에 요산저하 요법의 추적관찰에 유용하다. 성인남성 정상치는 7.0 mg/dl 이하이다.

  ③ 24시간 요중 요산배출량 : 800 mg/24h 이상이면 과다생성을 뜻한다.

  ④ 방사선 소견(표 4-4)

d. 치료

  ① 무증상 고요산혈증 : 증상이 없으면서 요산 농도가 7.0 mg/dl 이상인 경우로 이의 치료에는 이견이 있으나 9.0 mg/dl까지는 원인 교정 및 생활 습관 개선 등을 통해 요산 농도를 낮추도록 노력한다. 급성 발작이 잦은 경우, 통풍의 가족력, 통풍결절이 있는 경우, 소변 요산 배출이 800 mg 이상인 경우, 결석이 있거나 요산 신병증의 위험이 있는 경우에는 이를 치료하도록 한다.

  ② 급성 통풍발작

i. NSAIDs : NSAIDs를 가능한 최대 용량으로 쓴다. 가능한 NSAIDs 는 Naproxen, celecoxib, meloxicam, aceclofenac, indomethacin, ibuprofen, nabumetone 등이 있다.

ii. Colchicine : 과거에는 초기에 loading을 시행했으나 최근에는 0.6 mg bid 로 시작한다.

iii. 스테로이드제 : 경구 스테로이드제 사용은 통증이나 부종이 심한 경우 고려할 수 있다. 5~10일간 0.5 mg/kg/day 용량으로 투여한다. 필요한 경우 tapering 한다. 경구 섭취가 어렵거나 빠른 효과가 필요한 경우 IV 또는 IM 투여도 고려할 수 있다. 전신 스테로이드제 사용의 부담이 있고 관절 천자의 금기가 없는 경우 혹은 관절강 내 스테로이드 주사도 가능하다.

③ 발작사이의 약물치료

체중조절, 음주 제한, 이뇨제 회피 등의 방법으로 고요산 혈증이 교정되지 않는 경우 실시한다. 혈청 요산농도를 5.0 mg/dl 이하로 낮추어 반복적인 발병을 예방하는 것이 목적이다.

i. Xanthine oxidase inhibitor (XOI)

1차 약제로서 다음과 같은 약들이 쓰인다. 신기능 변화에 주의한다.

가. Allopurinol : 신부전이 있거나 요산 결석이 있는 환자. 50 mg qd로 시작하여 하루 300 mg까지 증량 가능하다. 간혹 심각한 약물과민반응이 발생할 수 있어 주의를 요한다.

나. Febuxostat : 40~80 mg qd 로 사용 가능하며, 신기능에 영향이 적다는 장점이 있다.

ii. 요산요배설제 : 신장기능이 좋고 결석이 없으며 소변요산배출량이 600 mg/day 인 환자에게 적당하다.

가. Probenecid : 고혈압과 이뇨제 의존성이 있는 고령환자

나. Sulfinpyrazone

iii. Colchicine : 0.6 mg qd ~ bid로 사용 가능하고, 발작을 예방하는 효과가 있다. 발작 후 안정기가 6개월 정도 지속될 경우 중단할 수 있다.

2. 연골석회화증(chondrocalcinosis; calcium pyrophosphate dihydrate (CPPD) arthritis)

a. 정의

ATP calcium pyrophosphate dihydrate와 5-nucleotidaze 활성도 증가로 인해 피로인산염의 생성이 증가하고 이것이 칼슘과 결합해 미세결정을 생성하는 질환.

b. 임상양상

무증상, 급성, 아급성, 만성 활액막염으로 나타난다. 급성 활액막염은 gout와 매우 유사한 증상을 보이며 심한 동통과 부종, 압통, 발적이 수 주일간 계속되기도 한다. 슬관절이 50%에서 침범되며 손목부위(TFCC), 어깨 등에도 발생할 수 있다.

연관된 요소는 다음과 같다. ① Aging, ② Primary hyperparathyroidism, ③ Hemochromatosis, ④ Hypophosphatamia, ⑤ Hypomagnesemia, ⑥ Chronic gout, ⑦ Postmeniscectomy, ⑧ Epiphyseal dysplasia

c. 진단

① 확진 : 활액이나 관절조직에서 CPPD 결정을 관찰하는 것이다. 편광 현미경상 간상(rod) 또는 장사방형의 약한 양성의 복굴절성 결정을 보인다.

② 방사선 소견 : 반월상 연골에 점상, 선형의 고음염 침착(chondrocalcinosis) 이 특징적이다.

d. 치료

기본적으로 약물치료를 한다. 관절천자로 진단을 한 뒤 NSAID, steroid, Colchicine, 관절 내 corticosteroid 주사 등으로 치료한다.

F. 화농성 관절염(Septic Arthritis)

1. 정의

혈행성으로 혹은 직접 주입을 통해 관절 내에 세균이 침범하여 발생하는 질환. 감염 후 수 시간 내에 기질분해가 시작되며 감염 후 4~6일이면 기질분해로 인한 관절연골의 파괴가 명확해지고 4주가 경과하면 관절연골이 완전히 파괴된다. 이는

inflammatory cell에 의해 분비되는 proteolytic enzyme에 의하며 정확한 진단과 적절한 치료가 행해지지 않는 경우 심각한 합병증을 나타낼 수 있으며 고령 환자의 경우 상당한 사망률을 보인다.

2. 감염경로

a. 혈행성 (hematogenous)

다른 원발 감염이 있으면서 이차로 감염되는 경우이다. Urinary tract infection 에 이차적인 경우가 흔하다.

b. 직접 접종 (direct inoculation)

침 혹은 주사를 맞고 감염되는 경우이며 S.aureus가 원인 균인 경우가 많다 (50% 이상).

3. 임상양상

a. 원인균(표 4-7)

표 4-7. 화농성 관절염의 원인균

인자		원인균
연령	신생아	S. aureus
	2세 미만	H. influenzae, S. aureus
	2세 이상	S. aureus
	청년	N. gonorrheae
	중년, 노령	S aureus, streptococci, gram negative bacilli
관절천자		S. aureus
외상		Gram negative bacilli, anaerobes, S. aureus
마약중독자		Pseudomonas
RA		S. aureus
SLE, Sickle cell anemia		Salmonella species
혈우병		S. aureus, Streptococci, Gram negative bacilli
면역기능저하		S. aureus, Mycobacterium species, Fungi

b. Staphylococcus에 의한 화농성 관절염

S.aureus는 모든 연령에서 가장 흔한 균이고 빠른 병의 진행을 보인다. 고령에서 는 높은 사망률과 연관되어 있다. 이 중 MRSA가 빠른 속도로 늘고 있다.

c. 임균성 관절염(gonorrheal arthritis)

40세 이하, 성적으로 활발한 성인의 감염성 관절염의 흔한 원인으로 알려져 있다. 주로 발열, 오한, 피부발진, 다발성 관절염의 증상을 보이는 범발성 감염증의 형태로 나타나고, 단일 관절염으로의 발현은 이보다 드문 것으로 알려져 있다 (bacteremic infection). 관절액이나 혈액 배양검사로는 N. meningitidis의 배양이 어려워 감염된 점막부위의 배양(소변 등)을 통해 확인하는 것이 추천된다. 보통 관절 배농 술 없이 적절한 항생제로 치유가 가능하다.

04

d. 결핵성 관절염(tuberculous arthritis)

10세 이하의 소아에게서 고관절 결핵이 잘 발생한다. 증세는 서서히 시작되고 만성적 경과를 보이며 transient synovitis, LCP, Septic arthritis, PVNS 등과 감별하여야 한다. 항결핵제 치료와 조기 수술적 치료가 권장된다.

e. 바이러스성 관절염(viral arthritis)

Virus가 synovium을 직접 감염시키거나, 면역반응을 일으켜 관절통증을 유발할 수 있다.

① Rubella 감염이나 백신 접종 후 수지, 수근, 슬관절을 침범하는 관절염 발생 가능

② Mumps virus : Parotitis 발병 2주 이내

③ Parvovirus B19

④ Acute hepatitis B : 황달 발생 2주 전에 관절염 발생 가능

⑤ Chronic hepatitis C

⑥ HIV : HIV associated Reiter's syndrome, Psoriatic arthritis

4. 진단

a. 관절천자(표 4-5)

단 면역기능 저하 환자는 WBC 수치가 28,000/ mm^3 이하로도 관찰될 수 있다. PMN의 비율이 90% 이상인 경우 급성 세균성 관절염을 강하게 시사하는 소견이다. 항생제 치료를 시작하기 전에 배양검사를 실시해야 한다.

b. Serum inflammatory marker (ESR/CRP)

이들은 주로 치료의 효과를 알아보는 척도가 되며 진단에 보조적인 도움이 된다. CRP는 2 mg/dl 이상인 경우 진단 민감도는 90%를 넘는 것으로 알려져 있다.

5. 치료

치료를 위해 적절한 배농과 항생제 치료가 이루어져야 한다. 원인균의 종류, 환자의 상태, 치료에 대한 반응을 고려하여 항생제 치료 기간을 결정하는데 일반적으로 3~4주간의 치료를 요한다. 치료에 대한 반응을 판단하는 데 있어 진찰 소견과 함께 ESR/CRP가 유용한 지표가 된다. 항생제 용액을 이용한 irrigation은 효과에 대한 과학적인 근거가 없으므로 실시하지 않는다.

a. 약물치료

정형외과 영역에서 흔히 쓰이는 항생제(표 4-8)

b. 배농술

조기에 관혈적 관절 절개술을 시행한다. 관절경을 이용한 배농술을 시행할 수 있다.

G. 류마티스 관절염(Rheumatoid Arthritis)

1. 정의

가동 관절의 활막에 발생하는 원인 미상의 전신성 염증 질환. 주로 말초 관절의 대칭성, 미란성 관절낭 염증을 일으키는 것을 특징으로 하며 여러 관절외 증상을 보인다.

2. 임상양상

a. 관절증상

① 경추 : 경추 침범이 흔하다. 초기에는 목의 경직과 전반적 운동장애로 나타난다. 신경학적 손상의 증거가 없는 경부통증은 자연치유되는 경향이 있다. 삽관 시 주의하여야 한다.

② 어깨관절 : 어깨 운동장애가 나타난다. 조기에 동결견증후군(frozen shoulder syndrome)이 나타날 수 있다.

③ 팔꿈치관절 : 염증을 초기에 관찰할 수 있다. 굴곡제한 및 척골신경 압박증후군이 나타날 수 있다.

④ 손관절 : 거의 모든 RA 환자에게 손목과 손의 병변이 생긴다. Wrist/MCP (metacarpo phalangeal) joint /PIP (proximal interphalangeal) joint 침범한다.

표 4-8. 정형외과 영역에서 흔히 쓰이는 항생제

Antibiotics	Susceptible organism	Dosage (정상 성인)	비고
Cefazolin	S. aureus Streptococci Pneumococci K. pneumonia	1.0~2.0g IV or IM q8hr	1세대 Cephalosporin
Cefuroxime	S. aureus S. pneumoniae H. influenzae M. catarrhalis	0.75~1.5g IM or IV q8hr 250 mg PO q12hr	2세대 Cephalosporin
Cefoxitin	Unaerobe	1.0~2.0g IV or IM q4hr ~ 8hr	2세대 Cephalosporin
Ceftriaxone	N. gonorrhea Salmonella H. influenza	1.0~2.0g IV or IM q12hr ~ 24hr	3세대 Cephalosporin
Ceftazidime	Pseudomonas	1.0~2.0g IM or IV q8 ~ 12hr	3세대 Cephalosporin
Vancomycin	MRSA MSSA C. difficile	500 mg IV q6hr 1g IV q12hr	Glycopeptide IV만 가능 희석해서 천천히 혈중농도검사 필요
Ciprofloxacin	H. influenza N. gonorrhea M. catarrhalis P. aeruginosa(중등도 효과) S aureus에 대한 혼합요법	250~750 mg PO q12hr 200~400 mg IV q12hr	Aerobic G(-) rod에 효과. G(+)에는 항균력이 약하다
Levofloxacin	S. pneumoniae H. influenza N. gonorrhea M. pneumoniae Streptococcus, Enterococcus	250~500 mg PO 250~500 mg IV q24hr	G(+) rod에도 효과
Clindamycin	S. aureus Streptococci B. fragilis C. perfringens	150~450 mg PO q6hr 600~900 mg IV q8hr	혐기성균, G(+)
Gentamicin	G(-) P aeruginosa, Enterococcus, Staphylococcus 감염 시 혼합요법	Loading : 2 mg/kg Maintenance : 1~1.7 mg/kg q8hr	신독성, 간독성 혈중농도 검사 필요

04

   i. MCP 관절 아탈구로 인한 손가락 척측변위(finger ulnar deviation d/t MCP subluxation)

   ii. 내재근 우세수(intrinsic plus hand)

   iii. 백조목 변형(swan-neck deformity)

      iv. 단추구멍 변형(button hole deformity)

      v. 압박성 신경병증(compressive neuropathy) : Carpal tunnel syndrome, Guyon's canal syndrome

      vi. 잠김 및 따라잡기(locking and catching)

      vii. 염증성 활액막 염에 의한 건파열(tendon rupture d/t inflammatory tenosynovitis) : 장무지신전근(extensor pollicis longus : EPL) (m/c), 3rd, 4th, 5th EDL (extensor digitorum communis)

      viii. 척골두의 후방아탈구(dorsal subluxation of ulnar head)

  ⑤ 엉덩이 관절 : 흔히 침범한다.

  ⑥ 무릎관절

  ⑦ 발/발목관절 : metatarsophalangeal > talonavicular > ankle joint

b. 관절외 증상

  ① 류마티스 결절 : 과거에는 약 25%에서 나타난다고 알려졌으나 최근에는 조기 발견과 약치료로 빈도가 줄어들었다. 융기부나 신전면주위의 피하결절로 나타난다.

  ② 혈관염 : 피부에서 자반증으로 나타난다. 신경계, 신장 침범이 가능하다.

  ③ 폐 및 흉막염 : 흉막삼출, 간질성 폐질환, 흉막과 폐 실질의 결절 등의 형태로 나타나며 RF가 양성이고 류마티스 결절이 동반된 경우가 많다.

  ④ 건조 각막 결막염(keratoconjunctivitis sicca), 상공막염(episcleritis)

  ⑤ 심장의 이상 : 심막염, 판막이상, 혈전현상, 전도장애, 심근염

  ⑥ Felty 증후군 : 관절염, 중성구 감소증과 비장 종대가 동반된 경우. 류마티스 결절과 류마티스 인자의 상승이 동반된 경우가 많다.

c. 진단(표 4-9)

d. 치료

  ① 약물치료

    현재의 치료방침은 모든 환자에게 조기에 DMARDs 투여를 고려하는 것이며, 특히 NSAID를 투여하는 데도 증상 호전이 없다면 DMARD 사용을 지체해서는 안 된다.

    i. NSAID : 조직손상과 관절 손상이 진행되는 것을 예방할 수 없지만 염증과

통증을 빨리 감소시킬 수 있어 증상 조절을 위해 먼저 처방되고 증상이 없어지면 중단할 수 있다. 최근에는 COX2 Inhibitor를 먼저 처방하는 경우가 많다.

표 4-9. The 2010 American College of Rheumatology/European League Against Rheumatism Classification Criteria for RA

04

Target population (who should be tested?): patients who
1) have at least one joint with definite clinical synovitis (swelling)
2) with the synovitis not better explained by another disease
  Classification criteria for RA (score-based algorithm: add score of categories A through D; a score of ≥ 6 out of 10 is needed for classification of a patient as having definite RA)

A. Joint involvement
  One large joint (shoulders, elbows, hips, knees, and ankles) 0
  Two to 10 large joints 1
  One to three small joints (with or without involvement of large joints) 2
  Four to 10 small joints (with or without involvement of large joints) 3
  〉 10 joints (at least one small joint) 5

B. Serology (at least one test result is needed for classification)
  Negative RF and negative ACPA 0
  Low positive RF or low positive ACPA 2
  High positive RF or high positive ACPA 3

C. Acute phase reactants (at least one test result is needed for classification)
  Normal CRP and normal ESR 0
  Abnormal CRP or normal ESR 1

D. Duration of symptoms
  〈 six weeks 0
  ≥ six weeks 1

ACPA = anti-citrullinated protein antibody; CRP = C-reactive protein; ESR = erythrocyte sedimentation rate; RA = rheumatoid arthritis.

* 관절침범의 정의는 부종, 통증이 관절에 있는 경우이며 손과 발의 원위지간관절, 첫 번째 수근중수관절, 첫 번째 중족지관절은 포함되지 않는다. 소관절에는 2부터 5번째 중수지, 중족지관절, 엄지의 지간관절, 손목관절이 포함된다. 10개 이상의 관절이라 함은 적어도 하나 이상의 소관절을 포함해야 하고 부수적으로 턱관절, 흉쇄관절, 견봉쇄골관절 등이 포함될 수 있다. 혈액검사에는 Rheumatoid factor 및 Anti-CCP (citrullinated protein) antibody가 있으며 음성이라 함은 측정 값이 검사실의 upper normal limit (UNL)보다 낮은 경우, Low positive라 함은 UNL 이상이지만 UNL의 3배보다 낮은 경우, High positive라 함은 UNL의 3배 이상인 경우를 일컫는다.

ii. Disease modifying antirheumatic drugs (DMARDs)

진통, 항염작용은 미미하나 RF, ESR, CRP 수치를 낮추고 임상 증상의 호전을 가져온다. 그러나 미란을 치료하거나 관절변형을 되돌리는 효과는 없다. 진단이 확정되고 방사선학적인 미란이 발생하기 전에 사용하는 것이 이상적이다. 질병수정 항류마티스 약제는 다음과 같이 분류할 수 있으며 최근 생물학적 제제들이 많이 개발되었다.

표 4-10. 질병수정 항류마티스 약제의 분류

Disease-modifying antirheumatic drugs (DMARDs)			
Synthetic DMARDs (sDMARDs)		Biological DMARDs (bDMARDs)	
Conventional synthetic DMARDs (csDMARDs)	Targeted synthetic DMARDs (tsDMARDs)	Biological originator DMARDs (boDMARDs)	Biosimilar DMARDs (bsDMARDs)
Methotrexate Sulfasalazine Leflunomide Hydroxychloroquine	Ciclosporin Tofacitinib	TNF inhibitors (infliximab, etanercept, adalimumab, certolizumab, golimumab) T-cell targeted therapy (abatacept) B-cell targeted therapy (rituximab) IL-6 inhibitors (tocilizumab)	CT-P13 (infliximab biosimilar)

2016년 EULAR 및 2015년 ACR 가이드라인에 따르면 1차 약제로 Methotrexate를 쓰도록 권유하고 있다. 활동성 류마티스인 경우 3개월 미만의 단기간 스테로이드를 추가할 수 있다. 만약 methotrexate에 금기인 경우 hydroxychloroquine나 sulfasalazine를 선택한다. 3개월 후 활동도를 재평가하여 약을 추가하거나 변경할 수 있다.

가. Methotrexate (MTX) : 작용이 비교적 빠르고 독성이 적어 금기가 없는 한 일차치료제로 인정되고 있다. 치료 효과는 4~10주 정도 지나면 나타난다. 경구로 투여하며 초기 용량은 7.5~10 mg/wk이고 효과가 충분치 않으면 20~25 mg/wk까지 증량한다. 간독성과 위장관 장애, 구내염 등의 부작용이 있다. 엽산(1 mg/day)을 복용하면 부작용 발생을 낮출 수 있다.

나. Leflunomide : Methotrexate와 비슷한 효과를 지닌다.

다. Hydroxychloroquine : 초기, 경하고 RF(-)인 경우에 이용된다. 부작용이 적고 사용하기 쉽다.

라. Gold compound

마. D-penicillamine

바. Sulfasalazine

iii. TNF-αinhibitor (Etanercept, Infliximab) : 강력한 항염증 작용을 지닌다. DMARD 치료에 실패한 중등도 이상의 질환에 사용한다. 최근에는 질환의 초기에 사용하는 경향이다. 활동성 결핵과 심각한 탈수초화 증후군의 발생 빈도를 높인다는 보고가 있다.

iv. Steroid

급작스러운 악화 시, DMARDs 치료가 효과를 나타내기까지 bridge therapy로써, 장기 손상을 유발하는 관절 외 합병증이 있는 경우, 임신이나 수유 중일 때 사용한다. 단독치료제로는 효과가 충분치 않다. Prednisolone 15~20mg/day로 시작해 3~4주에 걸쳐 감량해 나간다.

v. Immunosuppressant

가. Cyclophosphamide

나. Cyclosporine

다. Azathioprine

② 수술적 치료

i. 경추부 불안정성, 경부강직 등에 의해 마취위험성이 증가한다.

ii. ESR 수치를 참고하여 가급적 질병의 활성시기를 피하여 수술을 시행한다.

iii. 스테로이드를 사용하고 있는 환자는 수술 전후로 투여량을 늘린다.

iv. NSAIDs, Penicillamine, Methotrexate 등은 수술 직전 투여를 중단하는 것이 좋다.

가. Synovectomy : 활액막의 증식으로 관절이 파괴되는 것을 예방할 목적으로 시행하고 관절 파괴가 진행된 경우는 적용되지 않는다. 동통은 완화되나 관절운동의 증가는 기대할 수 없다. 6개월 이상의 내과적 치료에 반응하지 않을 때 시행한다.

나. Salvage operation : Arthroplasty, Arthrodesis

H. 척추관절병증(Spondyloarthropathy)

1. 정의

척추염, 천장관절염, 비대칭적 말초 관절염, 부착부염, 관절외 증상으로 염증성 안질환 또는 피부 점막 병변의 동반 등을 특징으로 하는 질환군이다. 가족력이 있으며 HLA-B27과 관련이 있다.

2. 분류

강직성척추염(ankylosing spondylitis), 반응성 관절염(reactive arthritis), 건성성 관절염(psoriatic arthritis), 장병증 활액막염(enteropathic synovitis), 라이터 증후군(Reiter's syndrome) 등이 포함된다.

a. 강직성 척추염(ankylosing spondylitis)

① 진단

염증성 배부통과 방사선학적 천장 관절염이 중요하다.

Modified New York Criteria

1. 적어도 3개월 이상의 요통 - 운동 시 호전되며 휴식으로 호전되지 않음
2. 전후면과 측면에서 요추의 운동제한
3. 흉곽 확장이 정상에 비해 감소된 경우
4. 방사선학적으로 명백한 천장골염
2~4도 양측성 천장 관절염
3~4도 편측성 천장 관절염
   (4와 함께 1, 2, 3 중 하나가 있는 경우 확진이 가능하다.)

i. 방사선소견

가. 천장관절의 연골하 골의 불선명과 주위골의 침식, 경화. 시간이 지나면 골성강직이 일어난다.

나. 척추체의 사각화(squaring)및 골성다리(syndesmophyte) 형성. 주변 척추와 완전히 유합되면 대나무 척추(bamboo spine)

다. 고관절과 견관절은 대칭적이고 일정한 관절 간격 감소

ii. 혈액검사

RF(-), ESR↑, HLA-B27검사는 일차적 검사로는 의미가 없고, 확진검사로도 의미가 없다.

iii. 신체검진

　가. Schober test : 척추굴곡제한 검사

　나. 흉부확장 능력 감소

　다. 건부착부 통증

　라. Gaenslen test 양성 : 천장관절과 척추의 심부 압통

iv. 임상양상

　가. 염증성 요통

　　ㄱ. 40세 이전에 발병

　　ㄴ. 점진적으로 발병

　　ㄷ. 3개월 이상 지속

　　ㄹ. 조조강직과 연관

　　ㅁ. 운동 후 호전되는 점이 기계적 요통과의 감별점이다.

　나. 척추 운동장애 : 꼬리에서 머리쪽으로 진행. 모든 방향의 운동장애가 일어난다.

　다. 척추골절 : 미미한 외상으로 골절이 올 수 있다. C5, 6, 7이 흔하다. 발견이 늦을 수 있고 보존적 치료가 더 성공적이다.

　라. 말초 관절염 : 고관절과 견관절의 침범이 흔하고 손의 관절은 잘 침범되지 않는다.

　마. 부착부 병증(enthesopathy) : 종골의 아킬레스 건 부착부나 족저근막 부착부, 장골능선, 좌골조면, 대전자부위

　바. 골격외 증상 : 급성전방포도막염(30%), 대동맥판막부전, 흉부확장장애로 인한 제한성폐기능 장애, 만성 염증성 장질환

v. 치료

　항염증제를 사용하면서 매일 척추 운동 및 자세, 흉부확장 운동을 하면서 조절한다.

　가. 운동치료 : 척추강직과 운동제한을 감소시킨다. 신체접촉이 있는 운동은 피한다.

　나. 자세교정 : 엎드려서 수면, 딱딱한 침상사용, 베개 사용을 금한다.

　다. 약물치료

ㄱ. NSAIDs : Section II-B참고

ㄴ. Sulfasalzine : 말초 관절의 증상 조절

ㄷ. TNF-a inhibitor (Etanercept, Infliximab) : 최근 들어 질환 초기 부터 이용하는 추세이다.

라. 수술치료

ㄱ. 고관절 전치환술

ㄴ. 슬관절 전치환술

ㄷ. 상부요추 신전 절골술 : 심한 요추 후만 변형 시

b. 건선성 관절염(psoriatic arthritis)

① 정의 및 진단

건선(psoriasis) 환자의 일부에서 발생하는 관절염이다. 임상적으로 i. 비대 칭적 관절침범 ii. 지염(dactilitis), iii. 원위지관절 침범, iv. 소수성관절염, v. 천장골염을 특징으로 한다. 조갑이영양증(nail dystrophy)의 발현은 관절염 의 발현과 밀접한 연관이 있다.

② 방사선 소견

i. 원위지관절을 포함한 관절의 비대칭적 이환 및 pencil-cup apperance, telescoping digit 등의 특징적 소견을 보인다.

ii. 방사선학적 천장관절염은 20~30%에서 나타난다.

iii. Syndesmophyte는 AS보다 굵고 비대칭적이다.

③ 치료

i. NSAIDs와 항류마티스 약제를 이용해 치료한다.

c. 반응성 관절염(reactive arthritis)

① 정의 및 진단

Chlamydia, Salmonella, Shigella, Yersinia, Campylobacter 등의 관절외 증 상을 보이지 않는 감염이 있은 후 수 주의 간격을 두고 발생하는 관절염을 뜻 한다. 적절한 소변 및 대변 배양 검사로 세균학적 증거를 찾아보아 야 한다.

② 임상양상

젊은 남성에게 흔하며 HLA B27과 연관되어 있다. 최초 감염 후 2~4주 내에 급성으로 발병한다. i. 소수성관절염, ii. 하지침범이 우세, iii. 비대칭적 자

염, iv. 부착부염, v. 요통을 특징으로 한다. 관절외 증상으로 요도염, 귀두염, 구강궤양, 결막염, 급성 전방 포도막염, 발열 농루성 각피증, 조갑이영양증 등이 나타날 수 있다. 대개는 일시적이고 임상적 경과는 좋은 편이다.

d. 장병증 활액막염(enteropathic synovitis)

만성 염증성 장질환(chronic infla mmatory bowel disease) 환자나 장 우회술 후 생기는 무균성 활막염이다.

I. 류마티스 열(Rheumatic Fever)

편도선염 등의 연쇄상 구균 감염이 있은 후 2~3주 후 증상이 나타난다. 이동성 다발 관절염, 발열, 심염, 무도중 등의 증상을 보이며 국소염증은 일과성이고 완전히 회복되는 것이 일반적이다. 그러나 심장의 병소는 판막에 영구적인 반흔을 남긴다.

J. 전신성 홍반성 낭창(Systemic Lupus Erythematosus)

여러 장기를 침범하는 광범위한 교원질 질환이다. 근골격계에는 건, 인대, 관절이 침범된다. 후기에는 관절의 파괴가 나타날 수 있다.

K. 유소년기 류마티스 관절염(Juvenile Rheumatoid Arthritis : JRA)

1. 정의

16세 미만의 소아에서 시작한 만성 관절염으로 그 원인이 뚜렷하지 않은 경우를 뜻한다. 소아 만성 관절염의 가장 흔한 원인으로 기능적 장애 및 실명의 주원인이다. 최초 6개월간 임상증상 중에서 몇 개의 관절에서 발현 되는가에 따라 소수관절염(4개 이하), 다수관절염(5개 이상), 처음부터 고열을 동반한 전신형 관절염으로 구분한다.

2. 임상양상(표 4-10)

표 4-10. 임상 양상

Pauci-articular	Poly-articular	Systemic (Still disease)
4개 이하	5개 이상	Fever와 Rheumatic rash
75%에서 슬관절만을 침범	여아 슬관절, 수근관절, 주관절, 족근관절	5세 이전 발병 관절증상과 포도막염은 드물다. 내부 장기 이상
조기발현형 : 여아, RF-, ANA↑, 만성 홍채모양체염↑	RF+, ANA↑, HLA-DR4↑ RF+이면 성인 RA와 유사한 경과를 밟는다.	RF-

3. 진단기준

a. 16세 이전 발병

b. 하나 이상의 관절에 종창이나 삼출이 있는 관절염 또는 둘 이상의 관절에 관절
운동 장애, 운동시 동통이나 압통, 열감

c. 6주 이상 증상의 지속

d. 발병 후 6개월 간의 증상으로 분류(소수/다수/전신형)

e. 다른 형태의 연소기 관절염이 제외되었을 때

L. 혈우병 관절염(Hemophilic Arthritis)

1. 정의

혈액응고 인자 VIII, IX, X, XII가 결핍되어 반복되는 출혈에 의해 관절이 파괴되는
질환으로 10세 이전에 관절염의 증세가 나타난다.

2. 임상양상

관절혈종이 대개 5세 이전에 나타나기 시작하며, 관절내 출혈이 시작되면 수분에서
수 시간 이내에 급격히 형성되고 기능의 회복에는 2주 정도 걸린다. 출혈이 발생하
면 활액막의 염증이 초래되고 만성출혈은 결국 골관절염, 관절섬유증, 관절 강직증
등을 일으킨다. 슬관절, 주관절, 족관절 순으로 호발한다. 화농성 관절염과 유발되
는 수가 있어 진단에 주의를 요한다.

3. 진단

a. 방사선 소견(표 4-11)

표 4-11. **방사선 소견**

Bone	Growth abnormalities (Epiphysis) Osteoporosis Pseudo-tumors Subchondral bone cyst
Joint	Dense joint effusions Destruction Erosions Widening of intercondylar notch

b. 지혈기능 검사

aPTT 연장

4. 치료

a. 외상을 피하는 것이 최상의 치료이다.

b. 관절혈종이 발생했을 때는 응고인자를 투여하고 정상 혈중 농도의 40~50%까지, 근육 내 출혈의 경우 20~30% 수준까지 보충한다.

c. 관절혈종이 발생하면 관절을 고정하고 48시간이 지난 후 수동적 관절 운동을 시작한다.

d. 정형외과적 수술

수술 직전 응고인자VIII 투여를 시작해 수술 후 10~14일까지 50% 이상 유지시킨다.

① Synovectomy : 반복적 혈관절증에 의한 만성 활액막염의 치료

② 연부조직 구축에 대한 치료

③ 골 변형에 대한 수술

④ 심한 관절염에 대한 인공관절 성형술

⑤ 출혈 및 감염 방지를 위한 관절고정술

II. 관절 천자

A. 일반적 고려 사항

a. 모든 술기는 철저한 소독과 무균적 시술 방법으로 시행되어야 한다.

b. 천자를 통해 얻어진 관절액은 신속하게 Gram 염색, 균 배양, cell count(1:1 원액, 1:10 희석액, 1:100 희석액), crystal analysis 등의 검사를 의뢰해야 한다.

c. 농과 같은 걸쭉한 액체가 있을 것을 예상되는 경우, 굵은 바늘과 큰 주사기를 사용하도록 한다.

d. 봉와직염이 있는 부위로 바늘이 통과하지 않도록 한다. 이는 관절을 오염시킬 수 있고, 천자 검사 결과에 혼동을 초래할 수 있다.

e. 뚱뚱한 환자의 경우, spinal needle 등 긴 바늘의 사용을 고려한다.

B. 견관절(관절와 상완 관절)(그림 4-1)

a. 전방, 측방, 후방 접근법이 사용될 수 있으며, 파동(fluctuation) 및 해부학적 경계표(landmark)가 쉽게 확인되기 때문에 전방 접근법이 자주 이용된다.

b. 환자는 어깨를 약간 내회전시킨 채로 팔을 무릎 위에 두도록 앉힌다.

c. 견봉의 전외측 가장자리와 오구 돌기의 중간 지점에 바늘을 삽입하여 관절낭을 통과할 때까지 바늘을 후방으로 진행 후 흡입을 시행한다.

C. 주관절(그림 4-2)

a. 환자는 앉거나 누운 상태에서 주관절을 50~90도 굴곡한다.

b. 주관절의 후방에서 주두의 바로 외측으로 바늘을 삽입하여 천자한다.

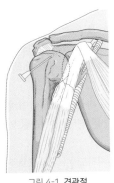

그림 4-1. **견관절**

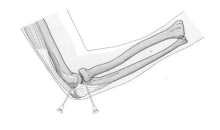

그림 4-2. **주관절**

04

D. 수근 관절(그림 4-3)

a. 천자는 수근부 후면에서 시행되므로 환자의 손을 편안하게 테이블 위에 올려두고 회내전시킨 상태에서 수건을 이용하여 약간 거상시킨다.

b. 가장 흔히 사용되는 천자 부위는 요수근 관절 높이에서 제1 구획(장 무지 외전근 건 및 단 무지 신근 건)과 제2 구획(장 및 단 요 수근 신근 건)사이이다.

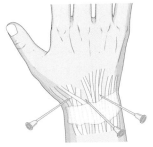

그림 4-3. **수근관절**

c. 제3 구획(장 무지 신근 건)과 제4 구획(공통 수지 신근 건과 고유 인지 신근 건) 사이, 제4 구획과 제5 구획(고유 소지 신근 건) 사이에서도 천자할 수 있다.

E. 고관절(그림 4-4)

a. 외측, 전방, 내측 접근법을 사용할 수 있으며 정확한 바늘의 위치를 확인하기 위해서 방사선 투시하에 시행한다. 관절액이 흡입되지 않는 경우 관절조영술을 시행하여 바늘의 정확한 삽입 여부를 확인할 수 있다.

b. 외측 접근법 : 대전자의 전하방에서 45도 각도로 바늘을 삽입하여 환자의 체격에 따라 5~10 cm 가량 내측 및 근위부로 바늘을 진행하여 관절 안에 위치시킨다.

c. 전방 접근법 : 서혜 인대부에서 대퇴 동맥을 촉지하고 이 지점으로부터 2.5 cm 외측 및 2.5 cm 원위부에 45도 각도로 바늘을 삽입하여 5~7.5 cm 가량 내측 및 근위부로 바늘을 진행한다.

d. 내측 접근법 : 고관절을 굴곡 및 외전시키고 바늘을 장 내전근 건 하방에 위치시킨다. 방사선 투시하에 대퇴골 두 혹은 대퇴 경부에 도달할 때까지 바늘을 진행한다.

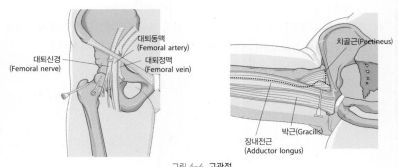

그림 4-4. 고관절

F. 슬관절(그림 4-5)

a. 환자를 바로 눕도록 한다.

b. 슬개골의 상극 높이로 슬개골 외측에서 바늘을 삽입하고 슬개 대퇴 관절을 향해 진행하여 천자한다.

G. 족근 관절(그림 4-6)

a. 환자의 족관절을 중립 위치로 하여 바로 눕도록 한다.

b. 외과 원위단의 2.5 cm 근위부 및 1.3 cm 전방(전외측 접근법)으로 바늘을 삽입하여 천자한다.

04

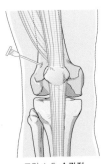

그림 4-5. 슬관절

그림 4-6. 족근관절

05
수술 준비 및 기구

I. 수술 준비

A. 수술 일정 계획

1. 환자 준비

    a. 환자에게 수술의 목표, 위험도, 이득, 수술의 한계점 등을 이해시키고 적절한 기대치를 가지도록 함.

    b. 환자 또는 보호자들이 환자의 상태와 수술의 성상, 대체할 수 있는 치료법, 마취의 위험성, 수술 성공의 가능성, 가능한 위험 인자들에 대해 잘 알 수 있도록 설명.

    c. 수술 후, 상처 소독, cast 또는 splint 사용 여부, 운동 계획 등 수술 후 예상되는 과정에 대하여 설명. 그러나 실제 수술 내용에 따라 차이가 있음을 설명.

    d. 수술 동의서를 받을 때에는 설명했음을 잘 알 수 있도록 기록하고, 가능한 모든 경우에 대하여 설명하고, 직접 서명하는 것을 잊지 않아야 함. 되도록 환자가 서명하는 것을 원칙으로 하되, 불가피한 경우는 그 사유를 기록하고 보호자에게 받도록 함.

2. 술기에 대한 검토

    a. 환자의 상태와 수술 적응증을 확인함.

    b. 수술과 관련하여 해부학 및 수술적 도달법 등에 대해 검토함.

    c. 수술에 필요한 수술 도구, 삽입물 등을 준비 함.

    d. 영상 사진을 이용한 templating 등, 수술 준비를 마침.

B. 수술 전 준비

1. 일반 사항

   a. 이학적 검사, 흉부 방사선 사진, 심전도 검사, 혈액검사, 이외의 수술에 필요한 검사를 하여 수술을 할 수 있는 환자의 상태인지를 확인.

   b. 다른 질환을 동반한 경우, 수술 전 해당과에 의뢰하여 필요한 조치를 취하도록 함.

   c. 사지 수술이 계획된 경우, 손톱 및 발톱이 잘 정리되어 있도록 함.

   d. 퇴원 시 집으로 퇴원하는지, 타원으로 전원을 원하는지 확인하고 필요한 경우 전원 의뢰 고려.

   e. 휠체어, 목발, 워커 등 필요한 사항에 대해 미리 준비할 수 있도록 함.

2. 수술 전에 복용하고 있는 약물에 대한 조치

   a. 항혈전제

     항혈전제의 중단 또는 수술 중 지속 사용의 여부는 출혈 경향 및 동반 질환과 관련되어 항혈전제를 중단했을 때의 위험성을 모두 고려하여 결정하여야 하며, 동반 질환의 해당 진료과와 상의하여 결정하는 것을 원칙으로 함.

     ① Aspirin

       일반적으로 수술 시행 5-7일 전에 중단하는 것을 원칙으로 하나, 최근에는 척추 마취에 있어서도 절대 금기로 판단되지 않은 경우가 많고, 수술 후 출혈도 심하게 일으키지 않는 경우가 많으므로, 복용하면서 수술하는 것을 고려할 수 있음. 단 해당 수술의 특성에 따라 차이가 있을 수 있음.

     ② Clopitogrel, cilostazol과 같은, aspirin보다 상위의 항혈전제

       일반적으로 수술 시행 7일 전에 중단하는 것을 고려해야 함. 척추 마취 또는 경막외 마취 후 치명적인 혈종을 유발할 수 있음.

     ③ Heparin

       치료 목적의 사용은 24시간 전에, 수술 후 혈전 예방 목적의 경우에는 12시간 전에 중단함.

     ④ Warfarin

       와파린의 수술 전 3-5일 정도 미리 입원하여, heparin이나 low molecular

weight heparin으로 변경하여 수술 준비.

3. 항생제

a. 여러 연구에서 수술 직전 및 직후 항생제의 사용이 근골격 조직의 수술 후 감염 예방에 효과가 있다고 보고됨.

b. 항생제 치료의 시기는 용량만큼 중요함.

c. 항생제 농도는 지혈대를 부풀렸을 때 또는 hematoma가 형성될 때 가장 높은 것이 이상적임.

d. 항생제 정맥 투여 시에는 최고 혈중 농도에 바로 도달하므로, 환자가 수술 전 구역이나 수술방에 들어와서 지혈대를 사용하거나 절개선을 넣기 10~15분 전에 투여하는 것이 이상적임.

e. 수술 중 항생제는 지혈대를 사용하고 있지 않다면, 지정된 시간 간격에 따라 수술이 지속되는 동안 내내 투여되어야 함.

f. 항생제 농도와 관련하여 수술 중 혈액 손실에 대해서도 고려해야 함.

g. 수술 중 환자 전체 혈액량의 1/2이 손실되었다면, 투여된 항생제도 1/2 정도가 손실된 것임. 이 경우에는 투여 간격 또한 1/2이 되어야 함.

h. 근골격 수술 후 창상 감염 시 흔히 발견되는 세균은 staphylococcus와 streptococcus로 이의 예방을 위해 1세대 cephalosporin 사용이 추천

4. 스테로이드

a. 장기간 스테로이드 치료를 받던 환자는 수술을 받게 될 경우, 용량 조절이 필요

b. 수술날 : 수술 전 100 mg IV

c. 수술 후 1일 : 동일한 용량

d. 수술 후 2일 : 50 mg hydrocortisone

e. 수술 후 3일 : 25 mg hydrocortisone

f. 이후에는 환자의 평상시 용량으로 지속

5. 수술 부위 표시

a. 사지 수술의 경우는 수술하는 부위에, 왼쪽 및 오른쪽의 표시와 수술하는 관절 등을 표시

b. 척추의 경우는 수술 레벨 등을 표시함.

6. 당뇨

1시간의 전신마취 시간을 기준으로 소수술(minor surgery)과 대수술(major surgery)로 나눈 당뇨환자의 혈당 조절 요법

a. 식사와 운동요법으로 혈당을 조절 중인 환자

① 소수술

　i. 식사와 운동으로 혈당조절이 잘 되는 당뇨병환자는 특별한 수술 전 처치가 필요하지는 않음.

② 대수술

　i. 수술 당일 아침 혈당을 측정하고 1~2시간 간격으로 자가 혈당측정기를 이용하여 혈당을 측정한다. 만약 혈당이 200 이상 측정된다면 인슐린을 혼합한 포도당을 포함한 수액의 연속 정주를 고려함.

b. 경구혈당강하제로 혈당을 조절 중인 환자

① 소수술

　i. 수술 전, 후 혈당을 측정하며 수술 전 혈당조절이 잘 되던 제2형 당뇨병환자가 소수술을 받는다면 수술 당일 특별한 혈당강하 치료는 필요하지 않지만, 그 외의 경우는 인슐린으로 혈당을 조절하는 것이 필요함.

　ii. 설폰요소제, 글리나이드 : 저혈당의 위험을 방지하기 위해 수술 당일 날 아침 설폰요소제 및 글리나이드 제제의 약제는 복용하지 않도록 함. 설폰요소제는 수술 중 심근의 허혈성 전조건(ischemic myocardial preconditioning)을 방해하여 이론적으로 수술 후 허혈성 심질환의 위험성을 증가시킬 수도 있음. 설폰요소제 중 클로르프로파마이드(Chlropropamide) 를 복용 중인 경우 2~3일 전 중지해야 하나, 작용시간이 짧은 설폰요소제나 글리나이드 제제를 복용하고 있는 경우 수술 전날 저녁부터 중지하면 됨.

　iii. 메트포르민 : 메트포르민 중지에 대해서는 논란이 있음. 약제 설명에는 수술 48시간 전에 중지를 권유하고 있으나, 정상 신기능을 가진 환자에서 이를 뒷받침해주는 근거는 없음. 수술 전날부터 메트포르민을 중지해야 하는 타당한 근거는 현재 없으며, 다만 신 관류저하, 조직 저산소증, 젖산 축적 등이 우려되는 환자의 경우 수술 1~2일 전 메트포르민을 중지함.

② 대수술

    i. 대수술 시에는 인슐린의 정맥내주입이 필요하다. 경구혈당 강하제로 조절이 잘 되지 않던 환자는 수술 2~3일 전부터 입원하여 인슐린으로 혈당을 조절받도록 함. 수술 전, 후 혈당을 측정하며 수술 시작 후부터는 매 시간마다 혈당을 측정함.

c. 인슐린으로 혈당을 조절 중인 환자

  ① 소수술

    i. 전신 마취가 필요하지 않은 짧은 시술을 필요로 하는 경우 시술은 아침 일찍 받는 것이 좋음. 아침 일찍 시술을 받을 수 있는 경우는 당일의 인슐린 치료를 시술 후로 미루고, 오후에 시술을 받게 된다면 인슐린이 혼합된 포도당 수액으로 혈당조절을 시행함.

    ii. 인슐린 펌프를 사용 중이던 환자는 수술 직전 인슐린 펌프를 중단하고 인슐린 정맥주입을 시작. 중간형 인슐린을 맞던 환자는 혈당조절 정도에 따라 수술 전날의 취침 전 혹은 저녁식전 중간형 인슐린의 중단을 고려하나 평소의 인슐린 요법을 그대로 유지. 지속형 인슐린(특히 insulin glargine의 경우)은 안정적인 혈중농도를 유지하기 때문에 지속형 인슐린으로 혈당조절이 잘 되던 환자도 수술 전날까지 지속형 인슐린을 유지해도 됨. 그러나 지속형 인슐린으로 혈당조절이 잘 되지 않던 환자는 수술 1~2일 전부터 중간형 인슐린 혹은 속효성 인슐린의 단독 또는 복합요법으로 변경함. 신부전이 있거나 고칼륨혈증이 있는 환자를 제외하고는 수술 전날 혹은 당일 아침부터 인슐린과 칼륨이 혼합된 포도당 수액으로 혈당을 조절함.

  ② 대수술

    i. 수술 48시간 이전에는 혈당을 안정적으로 유지하는 것이 좋음. 혈당조절이 잘 되던 환자는 소수술을 받는 경우와 혈당조절 방법이 다르지 않음. 그러나, 당화혈색소 8% 이상으로 혈당조절이 잘 되지 않던 환자는 수술 2~3일 전 입원하여 혈당조절 후 수술하도록 한다. 입원이 여의치 않은 경우에는 환자에게 자가혈당을 측정하여 인슐린 용량을 조절하도록 함. 이런 경우 식전, 식후, 취침 전 혈당을 모두 측정하도록 하는 것이 이상적임. 식전 혈당은 80~120 mg/dL, 식후혈당은 100~140 mg/dL 정도로 조절하는 것이 좋음. 역시 수술 당일 아침에는 인슐린과 칼륨이 혼합된 포도당 수액으로 혈

당을 조절함.

d. <Alberti regimen>

① Dextrose 10% 500 ml + RI 10U unit + potassium chloride 15 mEq MIV

② BST < 90 RI 4 unit 감량, 90 < BST < 180 no change, BST > 180 RI 2 unit 증량

③ K < 3.5 mEq, 10 mEq 증량

④ 3.5 < k < 5 no change

⑤ 5.0 < k 20 mEq 감량

C. 수술 당일

예정된 마취 방법이 지속시간, 근육 이완, 수술 자세 등과 관련하여 적당한지를 다시 확인함. 환자의 수술 시 자세, draping 등을 예정된 수술이 무리 없이 진행될 수 있도록 준비함. 수술 시 사용될 기구, 삽입물 등을 수술 전 다시 한 번 scrub 간호사와 함께 수술상에서 점검해야 함. 예기치 못한 일이 발생할 시 필요할 수 있는 사항들도 점검함. 술자가 수술 시 필요할 수 있는 모든 장비들이 즉시 갖추어질 수 있도록 미리 준비하도록 함.

II. 지혈대

그림 5-1. **지혈대**

A. 지혈대 선택 시 확인 사항

a. 적당한 크기의, 주름이 없는 cuff를 선택

b. 상지의 경우, 환자 상완 둘레의 1/3 정도 되는 폭의 지혈대를 선택

c. 새는 곳이 없는지 확인

d. 지혈대의 압력이 과도하게 올라갈 경우, 마비를 일으킬 수 있기 때문에, 지혈대 게이지는 안전 밸브 장치가 있어야 함.

e. 목표로 하는 압력까지 빠르게 올릴 수 있어야 함.

05

B. 지혈대 사용

a. 지혈대 사용 시간을 최대한으로 줄일 수 있도록 수술 설계를 해야 함.

b. 일반적인 지혈대의 최대 안전적 사용 시간은 2시간임.

c. 지혈대는 주로 arm과 thigh에 착용시키며, 일반적으로 forearm과 lower leg는 사용하지 않음.

d. Cuff와 피부 사이에 피부 소독 약제가 스며들지 않도록 최대한 주의.

e. 지혈대를 작동시키기 전에 수술할 사지를 Esmarch bandage를 이용하여 짜거나, 환자의 심장보다 높은 위치로 60초 동안 들고 있도록 함.

f. Esmarch bandage는 tumor나 infection case에서는 사용하지 않음.

g. 지혈대를 작동시키기 전에 무릎이나 팔꿈치를 flexion시키는 것은 환자의 자세를 잡거나 수술 부위를 봉합할 때 도움이 되며, 지혈대에 의해 고정된 근육을 억지로 flexion시킴으로써 발생할 수 있는 근육 파열과 같은 합병증을 막을 수 있음.

h. 목표로 하는 압력까지 빠르게 올리도록 함.

i. 지혈대 목표 압력은 환자의 arm, thigh 둘레 길이와 수축기 혈압에 따라 영향을 받는다. 수축기 혈압에서 100 mmHg 높게 설정하면 충분한 경우가 많다. 보통 상지에서는 135~225 mmHg, 하지에서는 175~305 mmHg임.

j. 조직 압력은 항상 지혈대 압력보다 약간 낮지만, 지혈대 둘레길이가 30 cm일 경우에는 거의 100%에 가깝고, 점점 줄어들어서 60 cm가 되면 70%가 됨.

k. 목표 압력은 유아나 어린이에서는 감소해야 함.

l. 지혈대의 압력을 낮춘 후에는 근위부 압박으로 인한 정맥 울혈을 막기 위해 지혈대를 풀거나 느슨하게 해야 함.

m. 수술 중 지혈대 압력을 낮춘 후, 다시 올리게 되는 경우, 지혈대에 의해 발생하는 조직 허혈의 회복 시간 간격은 지혈대 사용 시간에 비례하며, 2시간 사용 시에는 tissue가 정상적으로 되는 데 40분이 필요하다는 보고가 있음.

n. 지혈대의 부작용은 수술 중 반복적으로 사용시 더 빨리 나타나게 됨.

o. 환자의 나이, 사지의 혈행 상태, 조직의 상태, 혈관 질환 등 환자 개개인의 상태가 환자의 지혈대 사용 가능 시간에 영향을 미침.

C. 가능한 합병증

a. 물집, 피부 화상(피부 소독제가 지혈대 밑으로 스며들어서 발생 가능), 부종, 경직, 마비

b. 허용된 시간 범위 내에서 지혈대를 사용한 후에도 근전도 이상이 보고된 적이 있음.

III. 혈액으로 전파되는 병원균

A. 의사들의 의무사항

a. 글러브를 벗은 후 바로 손을 씻음.

b. 혈액 또는 감염된 것으로 예상되는 물질과 접촉이 있었던 경우, 노출된 피부는 즉시 물과 비누로 씻음.

c. 주사바늘을 비롯한 날카로운 것들은 구부리거나 자르거나 뚜껑을 다시 닫거나 하지 않음. 다시 뚜껑을 닫는 것이 유일한 방법이라면 도구를 사용

d. 혈액 또는 감염된 것으로 예상되는 물질을 다룰 때에는 분무되거나, 튀지 않도록 항상 주의

e. 혈액 또는 감염된 것으로 예상되는 물질에 노출될 위험이 있을 때는 반드시 글러브, 안면 쉴드, 마스크, 가운, 신발 덮개 등 개인 보호 장구를 사용

f. B형 간염 바이러스 예방 접종을 함. 의사들은 본인의 B형 간염, C형 간염, AIDS 에 대한 면역 여부에 대하여 알고 있어야 함.

IV. 수술 창상 감염의 예방

A. 의사들의 의무사항

a. 수술방 내에서의 행동 규칙은 감염을 줄이는 방향으로 만들어졌음.

b. 최선의 노력에도 불구하고, 일반적으로 창상 오염은 대부분의 창상에서 일어남. 하지만, 죽은 조직이 많고, hematoma가 차는 넓은 dead space가 있고, foreign body가 존재하는 경우에서 실질적인 감염이 일어날 수 있음.

c. 창상 오염은 여러 사람들이 방 안에서 움직여서 공기 순환이 많이 일어나는 수술 초기에 가장 많이 일어남. 공기 순환이 가라앉으면 오염이 일어나는 빈도도 줄어듦.

d. 창상이 공기 중에 노출되는 시간이 늘어나면 창상 오염 또한 늘어남.

e. 수술방에서의 움직임은 최소한으로 줄여야 하며, 천천히 걷고, 문을 세게 열고 닫거나, drape나 towel 등으로 바람을 일으키는 행동을 피하는 것이 매우 중요함.

f. 수술방의 traffic을 컨트롤하는 것이 중요하므로, 불필요하게 들어왔다 나갔다를 반복하지 않음.

g. 오염된 창상의 가능한 source는 공기 중, 환자의 코, 목, 피부, 수술 팀의 코, 목, 수술 팀의 손 순으로 많음.

B. 마스크

a. 마스크의 여과 기능은 종류마다 각각 다름

b. 천 마스크는 세균 여과 기능이 50% 정도로 낮아 거의 사용되지 않음.

c. 다양한 1회용 마스크는 94% 이상의 세균 여과 기능이 있다고 알려져 있음.

d. 마스크를 장시간(평균 4시간 30분의 수술시간) 사용하거나, 습한 마스크를 사용하는 것이 천 마스크의 경우를 제외하고는 여과 기능을 떨어뜨리지 않음.

e. 마스크를 이중으로 하는 것은 마스크의 미세구멍으로 공기가 통과하는 것을 어렵게 하여 여과되지 않은 공기가 마스크의 가 쪽으로 빠져나가 공기오염을 증가시킬 수 있어 추천되지 않음.

C. 피부 오염

a. 공기를 통한 오염이 가장 중요한 오염의 원인이지만, 피부 오염 또한 일어남.

b. 피부 소독 : 1% 또는 2% tincture of iodine을 사용한다 하더라도, 진피의 깊은 부분에는 여전히 세균이 남아 있게 됨.

c. Povidone iodine을 이용하여 5분간 닦는 것은 피부의 세균 수를 감소시키고, 8시간까지 세균 수를 낮게 유지하는데 10분간 닦는 것만큼 효과적임.

d. 최근 연구에서 chlorhexidine gluconate가 povidone-iodine, chlorhexidine과비교하여 수술자와 환자의 소독제로 가장 좋은 선택이 될 수 있다는 보고가 있음.

e. 어느 소독제가 가장 이상적인지에 대한 명확한 근거는 없으나, alcohol이 포함된 소독제 구성을 사용하는 것이 좋음.

D. 수술 중 수기

a. 수술 후 창상 감염을 막기 위한 술기로 다량의 혈액이 고이는 것을 막는 것이 있다. 혈종은 궁극적으로 배지가 될 가능성이 매우 높음.

b. Wound suction은 wound로 지속적인 bleeding이 예상될 때 시행함. 하지만 골절, 관절 치환술, 척추 수술에서는 wound suction으로 창상 감염이 감소한다는 것이 증명되지 않았다.

c. 수술 시 창상은 봉합하기 전에 오염된 잔유물이 남아 있지 않고 제거될 수 있도록 주의 깊게 irrigation 해야 함.

d. 정형외과 수술에서는 항생제를 포함한 irrigation이 멸균 생리 식염수로 irrigation한 것보다 창상 감염 예방에 효과적이라는 근거는 일반적으로 약함.

e. 일부의 수술자들이 희석한 betadine 용액으로 irrigation을 하는데, 조직에 toxic하므로 추천되지 않음. 그러나 인공 관절 치환술 후에 감염을 낮출 수 있다는 보

고가 있었음.

f. 창상이 2시간 이상 개방되어 있으면 감염의 확률이 높아짐. 이러한 결과가 공기에 오래 노출되어서인지, 마스크의 여과 기능이 감소되어서인지, 피부 오염 때문인지, 창상에 더 많은 외상이 가해져서인지는 확실하지 않음.

g. 시간이 오래 걸리는 수술이라 할지라도 적절한 수술 술기를 사용한다면 정형외과 수술에서는 심부 창상 감염율이 1%를 넘지 않아야 함.

h. 특별한 문제 없이 진행된 clean 수술에서 수술 창상 감염이 발생하였다면, 수술시 있었던 모든 사람으로부터 코 속 배양을 시행하는 것을 고려해야 함.

05

E. Laminar Air Flow System

a. 수술방에서 공기 흐름이 laminar flow를 유지할 수 있다면 술 후 감염률을 낮추는 데 매우 효과적임.

b. 수술방 내 사람들의 위치 등의 이유로 공기 흐름이 laminar flow를 유지할 수 없다면 laminar air flow system은 감염을 줄이는 데 효과적이지 않음.

V. 정형외과 수술 기구 및 사용법

A. Grasping Type 수술 기구

a. 고품질 수술 기구의 고장은 종종 기구의 잘못된 사용에서 발생함. 정형외과 수술에서 forceps(그림 5-2), hemostats(그림 5-3), needle holders(그림5-4), clamps(그림 5-5) 등이 종종 잘못 사용됨. 이 기구들로 pins, nails, screws, plates 등을 잡으면 고장의 원인이 됨.

b. Forceps 또는 hemostat이 갑자기 열리는 경우, 수술자에게 매우 불편할 뿐만 아니라 환자에게도 매우 위험할 수 있음. 이는 forceps의 부정 정렬이나 잠금 장치 톱니가 닳은 경우, 손잡이 부분의 긴장도가 부족한 경우 발생할 수 있음.

① Forceps의 잡는 부위를 살짝 닫아서 잡는 부위의 정렬상태를 눈으로 확인함. 만약 잡는 부위가 딱 맞지 않고, 엇갈리게 된다면 이는 정렬이 맞지 않는

것임.

② 기구의 잠금 장치 톱니를 확인하기 위해서, forceps의 첫 번째 톱니만 물리도록 해 봄. 완전한 snap이 이루어져야 함. 만약 잠금 장치 톱니 부분을 단단한 물체에 살짝 쳤을 때, 기구가 열리게 된다면 고장이 난 것이고, 수선이 필요함.

c. Needle holder의 기능을 시험하기 위해서, 먼저 needle을 잡은 후, 잠금 장치의 두 번째 톱니까지 잠금. 만약 이 상태에서 needle이 손으로 쉽게 돌아간다면, 기구를 수선해야 함. 새 기구의 경우, 잠금 장치의 첫 번째 톱니까지만 잠가도 상당 시간 동안 needle을 견고하게 잡을 수 있음.

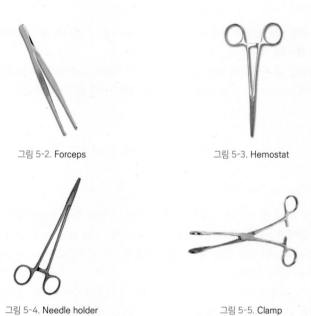

그림 5-2. Forceps

그림 5-3. Hemostat

그림 5-4. Needle holder

그림 5-5. Clamp

B. Surgical Exposure 기구

1. 수술용 가위

a. 수술용 가위의 성능을 시험하는 방법은 다양함. Mayo scissors(그림 5-6)와 Metzenbaum scissors(그림 5-7)의 경우 가위 날의 tip을 이용해서 4겹의 gauze 를 자를 수 있어야 함. 작은 가위들도 가위 날의 tip을 이용해서 2겹의 gauze는 자를 수 있어야 함. 모든 가위에서 섬세하고 부드러운 느낌으로 자를 수 있어야 하고, 약간의 힘만으로 적절히 자를 수 있어야 함. 가위를 닫았을 경우 tip은 벌 어지거나 흔들거리지 않아야 함.

그림 5-6. Mayo scissors

그림 5-7. Metzenbaum scissors

2. Periosteal elevators(그림 5-8)

a. 이 기구를 이용하여 뼈의 표면을 따라서 밀면, 연부 조직이 뼈에서 들리게 됨. 따 라서 periosteal elevator는 blunt dissection을 위한 기구이며, 뼈를 뚫고 들어가 거나 연부 조직으로 빗겨 들어가지 않고 뼈의 표면을 따라서 진행되도록 디자인 되었음.

b. 고관절 관절낭 접근 시 연부 조직의 면을 따라서 blunt dissection을 할 때 유용

c. 이 기구는 조직들이 너무 단단히 붙어 있지 않을 때 가장 만족스럽게 사용

d. 인대 또는 관절낭의 골 부착부, collagen 섬유가 뼈 깊숙히 박히는 곳 등 elevator가 조직 사이 공간으로 들어가지 않는 경우에는 scalpel이 더 적당한 기 구임.

e. 골절 고정 시, periosteal stripping은 혈액 공급과 골절 치유에 좋지 않은 영향을 줄 수 있으므로 최대한 자제해야 함.

f. Elevator는 다양한 크기와 모양이 있음. 날카로운 가장자리는 조직 면이나 골막 밑으로 기구를 넣을 수 있도록 해 준다. 하지만 가장자리의 모양은 대부분, 기구에 힘을 주었을 때 주변 조직에 손상을 주지 않도록 둥글게 만들어져 있음.

g. Periosteal incision을 elevator 대신 먼저 scalpel로 하는 방법은 잘 정돈된 edge를 만드는데 도움이 됨. 이때 electrosurgery device를 이용할 수도 있음.

h. Periosteum이 뼈에서 들릴 때, 가장 명심해야 할 점은 기구가 뼈에 닿아 있어야 한다는 것이다. 만약 기구가 연부 조직 쪽으로 미끄러진다면 혈관이나 신경에 손상을 줄 수 있음.

i. 기구를 확실히 잡고, 세밀한 조정을 위해서 가능한 한 두 손을 모두 사용하는 것이 중요함.

Periosteal elevator는 뼈를 자르는 osteotome과 같이 끝 부분을 갈 필요는 없지만, 효과적으로 사용하기 위해서는 연부조직을 가르고 들어갈 수 있을 정도는 되어야 함. 하지만 연부 조직을 자를 정도를 날카로워서는 안됨.

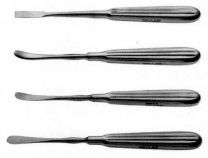

그림 5-8. Periosteal elevators

k. 기구의 선택과 사용에 중요한 guideline
　① 적절한 크기의 기구를 선택함. 일반적으로 작은 뼈에는 작은 elevator, 큰 뼈에는 큰 elevator를 선택

② 적절한 모양의 기구를 선택함. 날카로운 elevator는 periosteum을 들어올릴 때 사용하고, 둥근 elevator는 연부 조직을 절개할 때 사용

③ Periosteum에 우선 scalpel로 incision을 넣는다.

④ Periosteum이 찢어지지 않게 고르게 들어올린다.

⑤ Elevator는 뼈에 닿아 있는 상태에서 사용

⑥ Elevator를 전진시킬 때는 약간 좌우로 흔들면서 나아간다.

⑦ 두 손을 사용하며, 한 손으로는 힘을 주고, 다른 손으로는 잡아주면서 나아 갈 수 있도록 함.

05

C. Bone cutting 기구 : Osteotome(그림 5-9), Chisel(그림 5-10), Gouges(그림 5-11), Mallets(그림 5-12)

1. Osteotome과 chisel의 차이점

a. osteotome의 경우 경사면이 양쪽에 있는 반면, chisel은 한쪽에만 있다는 것임. Osteotome의 사용 목적은 뼈를 깎는 것임. 다양한 크기와 모양의 osteotome이 있음.

2. 기구의 선택

a. Chisel은 screw와 plate 주변의 뼈를 제거할 때 osteotome 대신 사용하는데, 이 는 chisel은 금속에 대고 친 후 끝이 무뎌졌을 때 이를 가는 것이 osteotome보 다 쉽기 때문이다. 금속 삽입물 제거용 chisel set를 따로 보관하는 것이 좋음.

b. Osteotome은 뼈를 절골할 때 사용. 유합술 시 연골과 연골하골을 제거하고, 골 이식물 유합을 위해 골 표면을 준비하는 데 사용됨.

c. Mallet는 상기 두 기구를 골과 연골을 통과하여 진행할 수 있도록 힘을 주는 데 사용

3. 적절한 술기

a. 우세손은 기구의 뒤를 쳐서 뼈 속으로 진행시킬 mallet을 잡음.

b. 골밀도가 점점 증가하는 뼈 사이로 osteotome을 mallet으로 칠 때, 매번 칠 때 마다 소리의 pitch가 높아지고, 이동하는 거리가 줄어드는 것을 확인할 수 있으 며, osteotome 주변으로 긴장도가 높아지는 것과 움직임이 제한되는 것을 느낄

수 있다. 긴장도가 높아지는 것은 뼈에 긴장도가 높아지고 있으며, 뼈가 곧 두 조
각 날 수 있다는 것을 의미함. 이때는 osteotome을 뼈 속에서 앞뒤로 움직여서
긴장도를 낮추는 것이 필요함.

c. 경우에 따라서는 osteotome을 처음의 위치에서 빼서 약간 다른 방향이나 다른
각도로 다시 넣는 것이 필요할 수 있음.

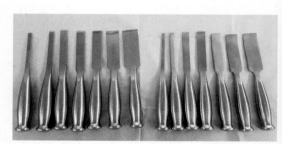

그림 5-9. Osteotome

그림 5-10. Chisel

그림 5-11. Gouge

그림 5-12. Mallet

d. Osteotome이 뼈 옆으로 미끄러지거나 뼈 속으로 빠르게 들어가서 뼈를 관통하
여 연부 조직에 손상을 주지 않도록 주의하여야 함.

e. 비우세손은 osteotome이 뼈에서 자리를 잡기 전까지 지지해 주고, 방향만 잡아
주며, 기구에 힘을 주지는 않는다.

f. Osteotome을 이용하여 뼈를 깎을 때, 뼈에 대해서 osteotome을 직각으로 두고

시작하고, 그 후에 각을 주는 것이 바람직하다.

4. 기구의 유지

a. Osteotome과 gouge의 연마는 어렵지만 중요한 일이며, 매우 조심하여 시행되어 야 함.

b. 수술 상 위에서도 다른 기구들과 부딪혀서 끝이 손상되지 않도록 기구들을 잘 정리하여야 함.

c. 소독 시에는 틀 안에 넣어서 하도록 함.

05

D. Bone Saw(그림 5-13)

a. 일반적으로 수술자가 saw의 진폭, 방향, 힘 주는 기간 등을 조절함. Saw를 사용함으로써 발생하는 열은 식염수 irrigation을 통해서 식혀주는 것이 추천됨.

b. Gigli saw(그림 5-14)는 미리 자를 곳에 표시를 하고 사용하는 것이 바람직함. Saw의 날 부분을 떨어뜨리거나 구부러뜨리지 않도록 주의해야 하며, 중간 2/3 부분을 사용하는 것이 좋음. 똑바른 골 절단을 위해서는 본체가 지나치게 움직이는 것을 피해야 함. 식염수를 이용하여 열을 식혀주는 것이 바람직함.

그림 5-13. Bone saw

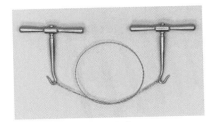

그림 5-14. Gigli saw

E. Bone Screw

1. Drill bit(그림 5-15)

a. 기구의 흔한 결함

① 가장 중요하면서도 흔히 놓치는 결함은 drill bit 끝이 무뎌지는 것임. 끝이 뾰

족하게 유지된다면, 구멍을 뚫는 동안 발생하는 열은 구멍을 뚫으면서 생기는 골 조각과 함께 날아가게 됨. 아주 약간만 drill bit 끝이 무뎌져도 뼈와 drill bit 끝 사이의 마찰은 매우 커짐. 이 마찰로 인해 과도한 열이 발생하고, 구멍 주변의 골 강도에 영향을 주며, 부적절한 cutting을 야기하고, 예상보다 큰 구멍을 뚫는 오류를 범하게 됨.

② 1/100 inch만 달라도 잘못된 크기의 drill bit을 사용한 경우, screw의 insertion이 정상적이었다 하더라도 screw가 잡아주는 힘이 크게 감소하게 됨.

③ drill bit이 휘어지면, 아주 약간만 구부러졌다 하더라도 불규칙적인 구멍을 만들게 되며, drill bit 자체가 쉽게 부러지게 됨.

b. 사용 요령

① Drill bit 끝이 주변으로 벗어나지 않도록 주의

i. Drill bit 끝이 뼈를 뚫을 시 떨어져 나가지 않고, 주변의 연부 조직을 보호하기 위하여, 적당한 크기의 drill guide를 사용함. 구멍을 뚫을 때는 먼저 표면에 수직으로 뚫기 시작하고, 이후에 원하는 방향으로 움직인다. 발생하는 열을 식히기 위해 식염수를 사용하는 것이 권장됨.

그림 5-15. Drill bit

그림 5-16. Chuck

ii. Drill bit이 chuck(그림 5-16)에 제대로 위치하지 않았거나 chuck에 찌꺼기가 있는 경우, drill bit이 흔들려 벗어날 수 있다. 또 다른 실수로 drill bit을 chuck에 너무 깊이 넣는 것이 있는데, 이 경우 drill bit을 세게 조일 때 chuck의 톱니바퀴 홈에 손상을 야기할 수 있음.

② Chuck을 잘 조인다. Chuck이 헐렁할 경우, drill이 고정되지 않아 헛돌게 됨.

③ Drill bit이 지속적으로 전진할 수 있도록 충분한 힘을 주어야 함. 그렇지 않으면, 너무 많은 에너지가 마찰에 의해 주변으로 퍼져서 과도한 열이 발생함.

④ 과도하게 뚫고 들어가지 않도록 함. Drill bit이 반대쪽 피질골을 뚫기 시작하면(저항이 바뀌는 것으로 알 수 있음) 들어가는 힘을 약간 줄이고, 조심해서 뚫는다. 피질골을 완전히 뚫기 직전 음조가 떨어지는 것을 느낄 수 있다. Drill bit의 끝이 반대쪽으로 많이 나가게 되면 반대쪽의 신경, 혈관, 연부 조직에 손상을 야기할 수 있음.

⑤ Drill bit이 반대쪽 피질골을 뚫었을 경우, drill bit을 뺄 때, 들어갈 때와 같은 방향으로 돌리면서 빼도록 함. 이렇게 할 경우, 뼈 조각들이 구멍 안에 남아 있지 않고, drill bit과 함께 바깥으로 나오게 됨.

⑥ Drill motor에는 종종 윤활유를 주어야 함. 수술용 윤활유가 있는데, 이를 사용하고 미네랄 오일이나 일반 오일은 사용하지 않는 것이 좋다. 이들을 사용할 경우, 증기가 침투되지 않아 autoclave 후에도 세균이나 포자 등이 남아 있을 수 있음.

⑦ 배터리는 항상 충전된 상태인지를 확인해야 하며, 여분의 배터리도 준비 Drill 사용 시 지침 사항 맞는 drill bit를 선택함. 무디거나 손상되었거나 휘었거나 크기가 맞지 않는 drill bit은 사용되지 않도록 함. 매 case마다 새로운 dril bit을 사용하는 것이 권장됨.

c. Drill bit을 chuck의 가운데에 제대로 삽입

① Chuck을 충분히 조여 줌.

② Drill 구멍은 표면에 수직으로 뚫기 시작하고, 이후에 방향을 바꾸도록 함.

③ 구멍을 용이하게 뚫고 열 발생을 줄이기 위해 적절한 압력을 유지

④ 구멍을 뚫을 시 적절한 방향을 유지하도록 하며, 반대쪽 피질골을 뚫을 시에는 주의를 기울인다.

2. Screws

a. Cortical bone screw(그림 5-17)는 fully threaded이고 다양한 크기의 뼈에 맞게 다양한 길이가 있음. Non-self-tapping screw는 삽입하기 전에 tap을 이용해서 뼈 안에 thread를 만들어주어야 함.

b. Cancellous bone screw(그림 5-18)는 중심지름이 작고, 비교적 성글게 구성된 cancellous bone에서 충분한 고정력을 얻기 위해서 thread가 넓고 깊으며, 전부 또는 일부분에 thread가 있다. 피질골 면에서만 tapping이 필요하다.

c. Lag screw 고정은 partially threaded screw를 이용하거나, 사용하고자 하는 full threaded screw의 thread 지름과 같은 크기의 'gliding hole'을 가까운 쪽 피질골에 뚫어 cortical screw가 lag compression을 할 수 있게 함으로써 가능함.

d. 여러 종류의 cannulated cancellous bone screw는 guidewire를 통과하여 사용할 수 있도록 디자인되었다. Guidewire를 원하는 곳에 놓은 후, cannulated drill, tap, screw를 이 wire를 통과하여 정확히 위치시킴.

e. 적당한 길이의 screw를 선택하는 것이 필요함.

그림 5-17. Cortical screw

그림 5-18. Cancellous screw

① Depth gauge를 바르게 사용하기 위해서는, gauge를 필요 이상으로 삽입하지 않아야 함. 실제 screw 길이를 선택할 때는 gauge 측정값보다 조금 더 긴(보통 2 mm) 것을 선택함.

② Self-tapping screw의 distal 2 mm는 잡는 힘이 전혀 없으며, 그 다음 2 mm 또한 거의 잡는 힘이 없음. Screw가 plate에 삽입되는 것이라면 추가 길이를 꼭 고려해야 함.

③ Screw를 삽입할 때는 bone의 thread가 깎여 나가지 않게 적당히 조임. Stress relaxation 및 뼈에서의 fluid loss로 인해 발생하는 screw와 뼈 사이의 저항 감소를 해결하기 위해 cortical screw를 3번 정도 더 조여줌.

F. 금속판(Plate)

1. Neutralization plate(그림 5-19)

a. 골간 골절에서 screw 고정을 보호하기 위해 lag 또는 다른 screw 들과 함께 사용

b. Plate 없이 screw 고정만 했을 경우에는, 많은 힘을 견뎌내지 못하며, 조기관절
   운동을 할 수 없을 수 있음.

c. Lag screw가 골편 사이의 압박하는 힘을 제공하고, plate는 screw에 가해지는
   torsion, bending과 shearing force를 보호하는 역할을 함.

그림 5-8. Periosteal elevators

2. Dynamic compression plate

a. DCP는 설계상 골절 부위에 압박력을 가하게 되어 있음.

b. Plate를 통한 screw 삽입이 조금 더 자유롭고, 피질골 표면의 압박괴사 효과
   가 제한된 low contact DCP(LCDCP, 그림 5-20), point contact plate(PCP, 그림
   5-21)도 있음.

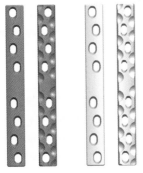

그림 5-20. Low contact DCP

그림 5-21. Point contact plate

3. Buttress plate

a. 많은 골단 및 골간단 골절은 지속적으로 압박력과 전단력을 받음.

b. 전단력 및 구부러지는 힘에 의해 골절 전위가 일어나는 것을 막기 위해 buttress plate로 추가 고정을 함.

c. 설계 모양에 따라 T plate(그림 5-22), T buttress plate(그림 5-23), L buttress plate(그림 5-24), lateral tibial head plate(그림 5-25), condylar buttress plate(그림 5-26)가 있음.

d. 근위 및 원위 경골, 종골 등 특별한 부위에 맞게 설계된 plate도 있음.

그림 5-22. T plate 그림

그림 5-23. T buttress plate

그림 5-24. L buttress plate

그림 5-25. Lateral tibial head plate

그림 5-26. Condylar buttress plate

4. Tension band(그림 5-27, 5-28)

a. Tension band wire 내고정은 근력이나 보행 시 발생하는 부하 등의 정상적인 힘이 골절 부위의 골편을 서로 떨어지게 하는 힘으로 작용하는 대신 골편들을 압박하는 힘으로 작용할 수 있도록 하여 골절 부위를 안정화하는 방법이다. 이 방법의 장점은 사지의 조기 사용을 가능하게 할 정도의 충분한 고정을 얻을 수 있다는 것이다. 적응증은 일반적으로 근육, 건, 인대 부착부위 견열 골절의 치료임.

b. Tension band 방법은 골절 부위에 뼈를 구부리게 하는 힘이 자연적으로 작용할 때 사용하게 된다. 주두, 슬개골, 비골의 끝 등이 이러한 힘이 작용하는 부위임.

c. Tension band wiring이 모든 방향에서의 부하에 견딜 만한 고정력을 제공하는 것은 아니다. 강한 긴장력이 작용할 때, 이를 견디게 해 줄 뿐임.

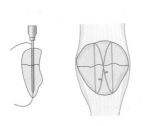

그림 5-27. Tension band wiring in patella

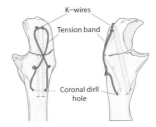

그림 5-28. Tension band wiring in olecranon

5. 다양한 종류의 plate 및 screw

a. 특정 부위의 해부학에 맞게 다양한 모양과 크기의 plate와 screw가 있음.

6. Straight and offset condylar blade plates, reconstruction plates

세 평면에서 쉽게 모양을 잡을 수 있어서, 골반골과 원위 상완골에서의 사용에 최적화되어 있음(그림 5-29). dynamic hip screws(그림 5-30), dynamic condylar screws, 그리고 plate의 screw hole에 있는 thread에 screw head가 들어갈 수 있게 만들어진 특화된 locking plate(그림 5-31)가 있음. 이러한 것들은 특히 골다공증성 뼈에 유용하게 사용되거나 minimallt invasive plate osteosynthesis (MIPO) technique에서 사용됨.

7. 내고정 plate의 모양 잡기

a. 내고정 plate는 실제로 삽입되기 전에 뼈 모양에 맞게 미리 모양을 잡을 수 있음. 이렇게 모양을 잡음으로써 뼈와 plate가 접촉하는 면적이 넓어지고, 뼈에 가해지던 하중이 bone screw의 전단력 대신 마찰력에 의해 plate에 가해지게 된다. Plate bender는 손으로 잡고 하는 단일 막대 형태(그림 5-32), 집게 형태(그림 5-33), 그리고 수술상에 놓고 하는 bend presser 형태(그림 5-34)가 있음. Locking plate는 일반적으로 모양을 변형시켜서는 안 되는데, 이는 구멍의 모양

그림 5-29. Reconstruction palte

그림 5-30. Dynamic hip screw

그림 5-31. Locking plate

이 휘어질 경우 문제가 발생하기 때문임.

b. Plate를 변형시키는 것은 대부분 2차원적인 일이기 때문에 bending press가 가장 흔하게 사용.

c. 사용시 중요 guideline

① Plate를 구부릴 때는 smooth하고, 지속적인 모양이 되도록 구부림. Presser를 한 번 힘있게 누를 경우, 누른 부위에 가파르게 변하는 단일 구부러짐이 생기므로, 조금씩 살짝 여러 번 구부려야 길고 지속적인 구부러짐을 만들어 낼 수 있음.

② Screw 구멍을 통해서 구부리는 것은 피해야 하는데, 이렇게 할 경우 구멍 내에 있는 나사 홈이 변형되어 screw가 제대로 삽입되지 않을 수 있음. 만약 반

드시 screw 구멍을 통해서 구부려야 하는 상황이라면, 손잡이를 약하게 누르면서 구부려야 하는데, 이는 plate의 가장 약한 부위가 구멍이 있는 부위이고, 이 부위를 구부릴 때는 적은 힘으로도 가능하기 때문임.

③ Plate를 얕게도 구부려야 하고, 깊게도 구부려야 한다면, 얕게 구부릴 부위부터 하고 이후 점점 깊게 구부릴 부위로 진행함. 이렇게 하는 것이 plate 모양을 smooth하게 하고, 쉽게 원하는 모양을 만들 수 있게 함.

④ 필요 이상으로 과하게 구부리지 말고, 서서히 plate 모양에 맞도록 구부려 나가야 함. 필요 이상으로 과하게 구부린 경우, 다시 펴야 하며, 이는 불필요한 시간이 소요될 뿐 아니라, 그 부위 plate가 단단해지게 되어 plate의 strength가 감소하게 됨.

⑤ Plate의 모양을 구부릴 때, 약간 과하거나, 약간 덜 구부려서, plate와 골절 부위 뼈 사이에 1~2mm 정도의 틈이 생기도록 함. 이렇게 하면 screw로 조였을 시, 뼈에 압박력이 가해지게 됨.

⑥ Plate 표면에 scratching이나 marking이 생기지 않도록 함. 만약 표면에 scratch가 생겼을 경우, 이를 통해 plate의 부식이 일어날 수 있음. 따라서 plate를 구부릴 때는 vice grip 보다는 적절한 bending 기구를 사용하도록 함.

그림 5-32. Plate bender 막대 형태

그림 5-33. Plate bender 짚게 형태

그림 5-34. Bend presser

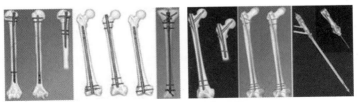
그림 5-35. Intramedullary nail

G. 골수내 정(Intramedullary Nailing)(그림 5-35)

a. 골수내 정은 골수강 내 삽입되어 internal splint의 역할을 함. 골막 주변 혈액 공급에 큰 손상이 발생한 심한 개방성 골절에서 골수강 내에 reaming을 하면 골 내 혈액 공급 또한 저해하게 되어 불유합 또는 감염의 기회가 높아짐. 이러한 경우에는 reamed 정보다 작은 undreamed 정이 더 만족스러운 결과를 준다. Unreamed 정은 기계적 안정성이 떨어지므로, 일반적으로 정의 위, 아래에 interlocking screw를 삽입해야 함. 또한 피로 골절에 의한 implant failure의 발생이 지름이 큰 reamed 정에서보다 더 흔함.

b. 복합 골절의 치료에는 뼈의 과도한 단축과 회전을 막기 위해서 interlocking 정이 필요함. 인지하지 못한 작은 전위된 갈라짐에 의해 발생할 수 있는 malrotation 및 단축을 막기 위해 항상 정을 locking 하도록 함.

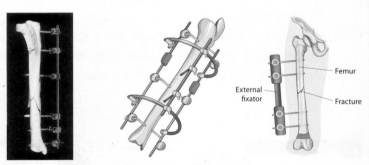

그림 5-36. External skeletal fixation

H. 외고정기(External Skeletal Fixation)(그림 5-36)

a. 분쇄 골절 및 개방성 골절에서 주로 사용

b. 기본 원칙

① Pin을 삽입하고 외고정 장치를 부착하는 것은 수술방에서 행해야 할 중요 procedure임.

② 피부와 근막에 incision을 넣고 pin을 삽입해야 shear stress가 가해지지 않아

서 이들 구조의 괴사를 막을 수 있음.

③ 뼈의 열 괴사를 막기 위해, pin은 식염수로 식혀 주면서 drill bit으로 predrilling을 한 후, hand chuck을 이용해서 천천히 삽입

④ 골절 부위를 기준으로 위, 아래로 최소 2개씩의 pin을 삽입해야 함. 골절 부위의 최대 안정성 확보를 위해서는 각 골편에 half pin을 각각 삽입하고, 연결바를 피부에 최대한 가깝게 위치시킨다. 그렇지만 수술 후 붓기 등을 고려하여 적절한 거리는 필요함.

⑤ Pin 주변의 피부와 근막의 움직임을 최소화함.

⑥ Pin site dressing을 할 때는 aseptic technique를 엄격히 지킴.

⑦ Pin이 신연되는 것을 피하도록 함. 치유되는 동안 골편들에 압박력이 지속적으로 가해질 수 있도록 외고정기를 조절.

⑧ 외고정기는 골절이 유합될 때까지 사용할 수도 있으나, 연부 조직이 안정되고 환자가 본격적인 수술을 감당할 수 있다고 판단이 되면, 내고정으로 교체하는 경우가 많음.

c. External skeletal fixation의 적응증은 comminuted Colles' 골절, 경골의 comminuted 또는 개방성 골절(특히, 골수내 정을 사용하기 어렵고, plate를 대기 위해서는 연부 조직을 너무 많이 벗겨 내야 해서 감염의 위험이 있는 근위 및 원위 말단 부위임). 상완골, 대퇴골, 골반골에서의 외고정기 사용은 pin tract 감염과, pin loosening의 발생 비율이 높아 주의를 요함.

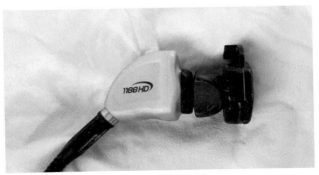

그림 3-37. 관절경 카메라

I. 관절경 수술 기구

1. 카메라와 telescope

a. 카메라는 회사에 따라서 버튼의 기능이나 조작이 다른데 숙지하는 것이 필요함 (그림 5-37).

b. Telescope는 30도와 70도로 시야가 꺾여 있는 것을 쓰는데, 일반적으로 30도 telescope를 사용하고 구석을 잘 봐야 할 때는 70도를 사용함. 각도가 크면 사각지대를 잘 볼 수 있는 장점이 있지만 시야가 좁고, 가운데에 blind spot이 넓어지므로 주의를 요함(그림 5-38, 5-39-1, 5-39-2). 관절경의 지름이나 길이는, 수술하고자 하는 관절에 따라 크기와 길이가 다르므로 숙지해야 함.

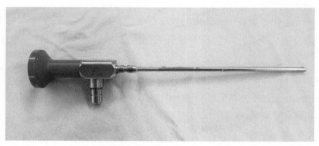

그림 5-38. 30도 telescope

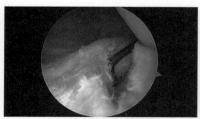

그림 5-39-1. 30도 관절경으로 후내측 구획의 내측 반월상 연골 파열 부위를 관찰한 관절경 사진

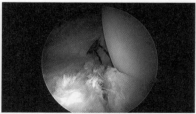

그림 5-39-2. 70도 관절경으로 후내측 구획의 내측 반월상 연골 파열 부위를 관찰한 관절경 사진. 30도에 비해서 구석이 더 잘 보임.

2. 관절경 기구

a. Probe

수술 부위를 탐색할 때, 조직의 크기를 판한 할 때 등에서 사용한다(그림 5-40).

b. Punch 종류

반월상 연골 연골판 수술에서 부분 절제처럼 조직을 물어서 조금씩 떼어낼 때 사용(그림 5-41). 위, 아래, 좌, 우로 굽은 형태 등이 있고, 곧은 형태가 있음(그림 5-42).

c. Grasper

조직을 잡아 당기거나 loose body 제거 등에서 사용.

d. Retriever

관절 안에서 실을 이용한 봉합 등을 할 때 실을 당겨 꺼낼 때 사용함(그림 5-43).

e. Scissors

조직 또는 실을 자를 때 사용함(그림 5-44).

f. Shaver와 burr

연부조직을 제거할 때나(그림 5-45), 뼈를 갈아낼 때 사용함(그림 5-46).

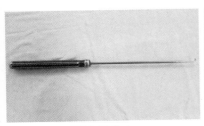

그림 5-40. Probe

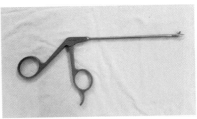

그림 5-41. Punch, straight

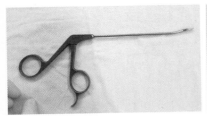

그림 5-42. Punch, upward

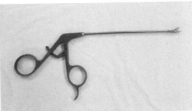

그림 5-43. Retriever

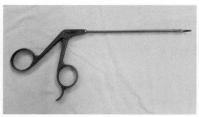

그림 5-44. Scissors, curved

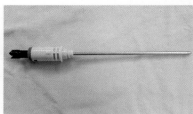

그림 5-45. Shaver tip

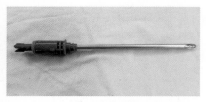

그림 5-46. Burr tip

외상

I. 척추 외상 환자의 신경학적 검사

A. 개요

척추질환 환자에 있어서 신경학적 검사는 가장 기본적인 검사이며, 소홀히 해서는 안 되며, 반드시 시행되어야 하는 검사이다.

a. 교통사고와 추락이 가장 흔한 원인
b. 주로 골절과 함께 발생하며, 척수 손상이 같이 발생하면 신경학적 이상 증상을 보임
c. 반드시 체계적인 검사가 필요.

B. 운동신경검사

a. 근력(표 6-1, 부록 1 : 운동신경검사가이드 참조)

표 6-1. Grade

		Grade
5	Normal	충분한 정도의 저항에 대해 움직임 가능
4	Good	어느 정도의 저항에 대해 움직임 가능
3	Fair	중력에 대해 움직임 가능
2	Poor	중력을 제거한 상태에서 움직임 가능
1	Trace	약간의 움직임만 가능
0	Zero	완전 마비

C. 감각신경검사

1. Type

    a. 통각, 온도 : Spinothalamic tract(반대측)

    b. 압력, 촉각, 진동 : Posterior column - medial lemniscus(동측)

2. 분포

    a. 신경근병변 : 지배 피부 분절(Dermatome)을 따라 분포(그림 6-1)

    b. 중요한 dermatome landmark(그림 6-2)

      ① Nipple line (T4), Xyphoid process (T7), Unbilicus (T10), Inguinal region (T12, L1)

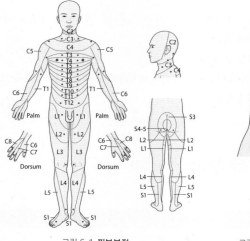

그림 6-1. 피부분절

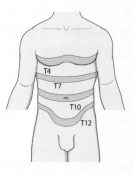

그림 6-2. Dermatome landmark

D. 반사

1. 심부건반사 (Deep tendon reflex)

    a. Grade(표 6-2)

표 6-2. Grade

0	없음
+	있지만 감소되어 있음
++	정상
+++	증가해 있지만, 반드시 병적 소견은 아님
++++	상당히 증가되어 있으며, clonus가 동반됨

b. 상지 심부건반사 : 이두근 반사, 삼두근 반사, 상완요근 반사 등(그림 6-3)

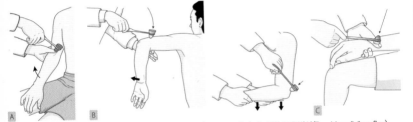

그림 6-3. A. 이두근반사(Biceps reflex) B. 삼두근 반사(Triceps reflex) C. 상완 요근 반사(Brachioradialis reflex)

c. 하지 심부건반사 : 슬개건 반사, 아킬레스건 반사 등(그림 6-4)

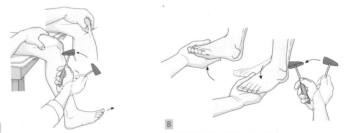

그림 6-4. 하지 심부건반사 A. 슬개건 반사, B. 아킬레스건 반사

2. 피부표재성반사

Superficial abdominal reflex, Cremasteric reflex, Bulbocavernous reflex 등(그림 6-5)

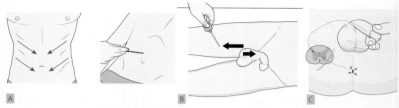

그림 6-5. **피부표재성반사** A. Abdominal reflex, B. Cremasteric reflex, C. Bulbocavernous relex

3. 병적 반사

a. 정상인에서는 나타나지 않음. Cerebral inhibition이 없어진 경우 reflex 나타남.

b. Ankle clonus, Babinski sign, Hoffman sign 등(그림 6-6)

그림 6-6. **병적 반사** A. Ankle clonus, B. Hoffmann sign, C. Babinski sign

E. 경추의 신경학적 검사

a. 신경근 및 지배 근육, 피부 분절, 반사(표 6-3)

표 6-3. **상지 심부건 반사**

Root	Muscle	Key Muscle (ASIA)	Dermatome	Reflex
C5	Deltoid, Biceps	Elbow Flexors	Lateral arm	Biceps reflex
C6	Wrist Extensor, Biceps	Wrist extensors	Lateral forearm	Brachioradialis reflex
C7	Wrist flexor, Finger extensor	Elbow Extensors	Middle finger	Triceps Reflex
C8	Finger Flexor Hand intrinsic	Finger flexors	Medial forearm	
T1	Hand intrinsic	Finger abductors	Medial arm	

F. 요추의 신경학적 검사

1. 신경근 및 지배근육, 피부분절, 반사(표6-4)

표 6-4 요추의 신경학적 검사

Root	Muscle	Key muscle (ASIA)	Dermatome	Reflex
L2	Iliopsoas	Hip flexor	Upper thigh	None
L3	Quadriceps	Knee extensor	Anterior and medial thigh	None
L4	Tibialis anterior	Ankle dorsiflexion	Medial leg, ankle, foot	Patellar reflex
L5	Extensor hallucis longus	Big toe extension	Dorsal foot, 1st web space	Hamstring reflex
S1	Gastrocnemius, Soleus	Ankle plantar flexion	Lateral foot, posterior leg	Achilles reflex
S2-4	Sphincter		Perianal sensation	Anal wink

II. 척추 손상 기초

A. 최소 손상 평가 및 처치

1. 성공적인 처치를 위한 요건
   a. 신속한 심폐소생술 시행
   b. 조기진단
   c. 골절 의심 부위 안정화
   d. 이차적인 손상을 방지
   e. 합병증의 예방

2. 초기평가
   a. ATLS (Advantage Trauma Life Support)에 따라 처치
   ① Airway, Breathing, Circulation
   ② Vital sign
   ③ 척수 손상이 의심되는 환자는 반드시 산소 공급 시행

(PaO$_2$ 100 mgHg, PaCO$_2$ < 45 mmHg)

   b. Spine injury 여부가 확인되기 전까지는, Spine injury 있는 환자에 준하여 처치

   c. 의식 있는 환자의 경우 P/E, Neurologic exam으로 Spine injury 여부 확인하여야 한다.

   d. 척추손상을 의심해야 하는 환자

     ① 두부 외상 환지 및 고에너지 손상 환자

     ② 경추 및 요추 통증 환자

     ③ 다발성 손상 환자

     ④ 의식불명의 환자

     ⑤ 신경학적 이상 소견을 보이는 환자

   e. 척수 손상으로 인한 저혈압

     ① 저혈량성 쇽(Hypovolemic shock) vs 신경인성 쇽(Neurogenic shock) (표 6-5)

표 6-5. 신경인성 쇽과 저혈량성 쇽의 비교

신경인성 쇽	저혈량성 쇽
교감신경 tone의 저하로 인함	출혈로 인함
저혈압	저혈압
서맥	빈맥
손발이 따뜻	손발이 참
소변 정상	소변량 감소

     ② 저혈량성 쇽

       i. 저혈압 + 빈맥(100) & 불규칙한 맥박수

     ③ 신경인성 쇽

       i. 저혈압 + 서맥(< 60) & 규칙적인 맥박수

       ii. T6 이상의 Spinal cord injury는 Sympathetic dysfunction으로 인해 저혈압이 발생할 수 있음을 명심

     ④ 쇽의 치료

  ⅰ. Volume replace : 과다 부하되지 않게 주의하면서

  ⅱ. Trendelenburg position : 하지의 Venous return 을 늘린다.

  ⅲ. Pneumatic jacket

  ⅳ. Atropine : 서맥의 치료

  ⅴ. Dopamine : 심박출량 증가, 말초혈관 수축

 f. 척수 손상의 분류(Classification)

  ① Frankel classification : 5가지로 분류(A : 완전 마비, B : 감각만 약간 보존, C : 감각과 근력이 약간 보존, D : 근력이 쓸 만함, E : 정상) (표 6-6)

06

표 6-6. Frankel classification

A	Complete	S4-5를 포함하여 감각, 근력이 전혀 없음
B	Incomplete	근력은 없지만 S4-5를 포함하여 감각은 일부 있음
C	Incomplete	근력이 있고 key muscle중 반 이상이 Grade 3 미만
D	Incomplete	근력이 있고 key muscle중 반 이상이 Grade 3 이상
E	Normal	정상

  ② ASIA classification (ASIA impairment scale) (그림 6-7)

3. 방사선학적 평가

 a. 경추에 대한 단순 방사선 촬영

  ① Lateral view

  ② AP view

  ③ Open-mouth view

  ④ 추가

   ⅰ. Both oblique view : facet, uncinated process가 잘 보임

   ⅱ. Swimmer's view : C7-T1 평가할 때 유용

   ⅲ. Flexion-extension plain X-ray

    가. 불안정성 평가(Instability evaluation)

    나. 신경학적 이상 없는 환자가 지속적으로 경추부 통증 호소하는 경우 시행

    다. 통증 없는 범위 내에서 조심스럽게 시행. 억지로 해서는 안된다.

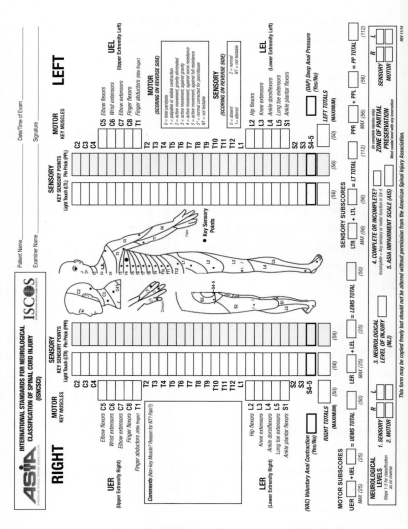

그림 6-7. ASIA classification (ASIA impairment scale)

Muscle Function Grading

0 = total paralysis

1 = palpable or visible contraction

2 = active movement, full range of motion (ROM) with gravity eliminated

3 = active movement, full ROM against gravity

4 = active movement, full ROM against gravity and moderate resistance in a muscle specific position

5 = (normal) active movement, full ROM against gravity and full resistance in a functional muscle position expected from an otherwise unimpaired person

5* = (normal) active movement, full ROM against gravity and sufficient resistance to be considered normal if identified inhibiting factors (i.e. pain, disuse) were not present

NT = not testable (i.e. due to immobilization, severe pain such that the patient cannot be graded, amputation of limb, or contracture of > 50% of the normal ROM)

Sensory Grading

0 = Absent

1 = Altered, either decreased/impaired sensation or hypersensitivity

2 = Normal

NT = Not testable

When to Test Non-Key Muscles:

In a patient with an apparent AIS B classification, non-key muscle functions more than 3 levels below the motor level on each side should be tested to most accurately classify the injury (differentiate between AIS B and C).

Movement	Root level
Shoulder: Flexion, extension, abduction, adduction, internal and external rotation **Elbow:** Supination	**C5**
Elbow: Pronation **Wrist:** Flexion	**C6**
Finger: Flexion at proximal joint, extension. **Thumb:** Flexion, extension and abduction in plane of thumb	**C7**
Finger: Flexion at MCP joint **Thumb:** Opposition, adduction and abduction perpendicular to palm	**C8**
Finger: Abduction of the index finger	**T1**
Hip: Adduction	**L2**
Hip: External rotation	**L3**
Hip: Extension, abduction, internal rotation **Knee:** Flexion **Ankle:** Inversion and eversion **Toe:** MP and IP extension	**L4**
Hallux and Toe: DIP and PIP flexion and abduction	**L5**
Hallux: Adduction	**S1**

ASIA Impairment Scale (AIS)

A = Complete. No sensory or motor function is preserved in the sacral segments S4-5.

B = Sensory Incomplete. Sensory but not motor function is preserved below the neurological level and includes the sacral segments S4-5 (light touch or pin prick at S4-5 or deep anal pressure) AND no motor function is preserved more than three levels below the motor level on either side of the body.

C = Motor Incomplete. Motor function is preserved at the most caudal sacral segments for voluntary anal contraction (VAC) OR the patient meets the criteria for sensory incomplete status (sensory function preserved at the most caudal sacral segments (S4-S5) by LT, PP or DAP), and has some sparing of motor function more than three levels below the ipsilateral motor level on either side of the body.
(This includes key or non-key muscle functions to determine motor incomplete status). For AIS C – less than half of key muscle functions below the single NLI have a muscle grade ≥ 3.

D = Motor Incomplete. Motor incomplete status as defined above, with at least half (half or more) of key muscle functions below the single NLI having a muscle grade ≥ 3.

E = Normal. If sensation and motor function as tested with the ISNCSCI are graded as normal in all segments, and the patient had prior deficits, then the AIS grade is E. Someone without an initial SCI does not receive an AIS grade.

Using ND: To document the sensory, motor and NLI levels, the ASIA Impairment Scale grade, and/or the zone of partial preservation (ZPP) when they are unable to be determined based on the examination results.

Steps in Classification

The following order is recommended for determining the classification of individuals with SCI.

1. Determine sensory levels for right and left sides.
The sensory level is the most caudal, intact dermatome for both pin prick and light touch sensation.

2. Determine motor levels for right and left sides.
Defined by the lowest key muscle function that has a grade of at least 3 (on supine testing), providing the key muscle functions represented by segments above that level are judged to be intact (graded as a 5).
Note: in regions where there is no myotome to test, the motor level is presumed to be the same as the sensory level, if testable motor function above that level is also normal.

3. Determine the neurological level of injury (NLI)
This refers to the most caudal segment of the cord with intact sensation and antigravity (3 or more) muscle function strength, provided that there is normal (intact) sensory and motor function rostrally respectively.
The NLI is the most cephalad of the sensory and motor levels determined in steps 1 and 2.

4. Determine whether the injury is Complete or Incomplete.
(i.e. absence or presence of sacral sparing)
If voluntary anal contraction = **No** AND all S4-5 sensory scores = **0**
AND deep anal pressure = **No**, then injury is **Complete**.
Otherwise, injury is **Incomplete**.

5. Determine ASIA Impairment Scale (AIS) Grade:

If sensation and motor function is normal in all segments, AIS=E
Note: AIS E is used in follow-up testing when an individual with a documented SCI has recovered normal function. If at initial testing no deficits are found, the individual is neurologically intact; the ASIA Impairment Scale does not apply.

![ASIA logo] **AMERICAN SPINAL INJURY ASSOCIATION**

INTERNATIONAL STANDARDS FOR NEUROLOGICAL CLASSIFICATION OF SPINAL CORD INJURY

ISC⊙S INTERNATIONAL SPINAL CORD SOCIETY

그림 6-7. ASIA classification (ASIA impairment scale)

06

b. 단순 방사선 촬영의 해석

① 정렬(Alignment) (그림 6-8)

② 후관절(Facet joint)의 Step-off

③ 골절선(Fracture line)

④ 극돌기(Spinous process) 간격 증가 여부

⑤ 경추 전방 연부조직 두께

ⅰ. C3에서 5 mm, C6에서 22 mm 이상 증가 시 출혈이나 부종을 의심

⑥ 척추경간거리 : AP view

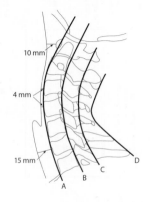

그림 6-8. Cervical Lat X-ray
(A) Ant. vertebral body line
(B) Post. Vertebral body line
(C) Lamina junctional line
(D) Post. Tip of spinous process line

c. CT

① 촬영속도가 빠르고 정확하여 초기 진단 목적으로 사용하는 경우가 증가하고 있음

② 하부 경부까지 Cover 가능하며, 후방 구조물 및 추간공(Foramen)을 확인할 수 있다는 장점을 가지고 있음

③ CT 촬영을 해야 하는 경우

ⅰ. 단순 방사선 영상에서 보이지 않는 부위가 있거나 화질이 좋지 않은 경우

ⅱ. Swimmer's view, Oblique view 등에서도 C7-T1이 보이지 않는 경우

ⅲ. 척추 골절, 탈구 등이 발견된 경우

ⅳ. 기관 삽관이 되어있는 경우 : 단순 방사선만으로는 17%에서 손상을 간과할 수 있음.

d. MRI

① CT에 비해서 민감도, 특이도, 비용 효과면에서 좋지 않음(골절에 대해)

② Disc, Ligament, Cord 등 연부 조직에 대해서는 CT에 비해 월등함

③ 신경학적 이상 소견이 있고, 척추관을 침범한 골절이 의심되는 경우 시행함

④ 편측 후관절 탈구(Unilateral facet dislocation) 등 추간판 탈출(Disc herniation)의 동반 가능성이 높은 경우 MRI 시행

e. Dynamic fluoroscopy

① 수동 굴곡, 신전하면서 Fluoroscopy 확인

② 추가 손상 가능성으로 인해 사용빈도 점차 감소

06

B. 척추손상

1. 완전 척추손상

a. 손상 부위 이하 모든 운동 및 감각 기능이 없음

b. 척수성 쇽에서 회복한 후에 판정하여야 함

c. 48시간 이상 지속된 완전 척수 손상은 거의 회복되기 힘들다.

2. 불완전 척수손상(그림 6-9)

a. 손상 부위 이하 운동, 또는 감각 기능이 남아있을 수 있음

b. Level of injury

근력 grade 3를 보이는 가장 Caudal level

Ex) L2 : Gr 5, L3 : Gr3, L4 : Gr2, L5 : Gr0 → Level of injury : L3

c. 전방 척수 증후군(Anterior cord syndrome)

① 척수의 전방 2/3

② Spinothalamic tract(통증 및 온도 감각), Corticospinal tract(운동)

③ 통증, 온도감각, 운동손상 But 고유감각 및 진동감각 등은 보전

④ 굴곡손상(Flexion injury), 골절탈구(Fracture dislocation) 등과 연관

⑤ 예후 불량

d. 중심 척수 증후군(Central cord syndrome)

① 상지와 하지 운동 신경을 동시에 침범이 특징적

② 증상정도 : 상지 > 하지

③ 경추 과신전 손상(Hyperextension injury)에 호발

④ 예후 양호

e. 후방 척수 증후군(Posterior cord syndrome)

① 후주의 기능 소실(dorsal column function loss)

② 고유감각, 깊은 압각, 진동감각소실

③ 예후 가장 좋다

f. Brown-Sequard symdrome

① Hemisection of spinal cord

② 동측 운동 손상, 반대편 통증, 온도 감각 손상

③ Penetrating trauma 또는 편측 후관절탈구(Unilateral facet dislocation)에서 발생

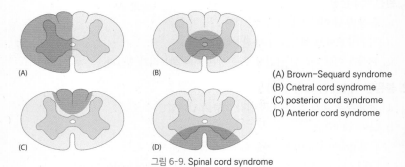

(A) Brown-Sequard syndrome
(B) Cnetral cord syndrome
(C) posterior cord syndrome
(D) Anterior cord syndrome

그림 6-9. Spinal cord syndrome

3. 척수성 쇼(Spinal shock)

a. 정의 : 손상 부위 아래 모든 척수 기능(Motor, Sensory, Reflex)이 일시적으로 정지된 상태

b. 의미 : 척수성 쇼(Spinal shock) 상태에서는 불완전, 완전 손상을 판단할 수 없다.

c. 회복 : 대개 48 hr 이내 Shock 회복

d. Shock에서의 회복 판단 : 구해면체반사(BCR), Anal wink reflex가 돌아옴.

　　ex) T8 이하 모든 감각, 근력이 없는 환자

① BCR 없으면 → 척수성 쇽 상태 : Incomplete, Complete 판별할 수 없음

② BCR 있으면 → 쇽 상태가 아님, 완전마비(Complete injury) 시사

    Cf) Sacral sparing: Perianal sense, Anal wink, 1st toe flexion이 있는 경우로 불완전 손상(Incomplete injury)을 의미하여 예후가 좋음

4. 척수 손상의 치료

a. 고용량 스테로이드 요법(High dose steroid therapy, methylprednisolone)

  ① 손상 후 8 hr 이내 환자에게 사용, 8 hr 이상 경과 시 의미 없음

  ② 3 hr 이내 손상 : 30 mg/kg bolus(15 min 동안) + 5.4 mg/kg infusion(23 hr 동안)

  ③ 3 hr-8 hr 손상 : 30 mg/kg bolus(15 min 동안) + 5.4 mg/kg infusion(47 hr 동안)

  ④ 합병증

    i. 다소 많은 합병증으로 인해 사용이 줄어들고 있음

    ii. 창상 감염의 확률 증가

    iii. 위장관 출혈이 증가 → Proton pump inhibitor 같이 사용한다

b. Other drugs

  실험적 혹은 Controversial하므로 현재 큰 의미는 없음

  ① GM-1 Ganglioside, Naloxone, TRH, 21-aminosteroid, Ca2+-channel blocker

  ② Hypothermia, stem cell plantation 등 여러 치료방법이 시도 중

C. 척추 외상 환자의 치료

1. 견인에 의한 정복(Closed reduction by traction)

a. 가능한 빨리 안전하게

  ① 정복(reduction)이 필요한 경우 최대한 빨리(2~3 hr 내 시행)

b. 방법(그림 6-10, 표 6-8)

  ① Gardner-Wells tong 고정 (hair shaving 반드시 필요하진 않음)(그림 6-10)

  ② External auditory meatus 와 같은 선상에서 귀 끝에서 1 cm 상방

    i. 만약 굴곡이 필요하면 → 1 cm 뒤쪽에서

06

      ii. 만약 신전이 필요하면 → 1 cm 앞쪽에서

    ③ 5-10파운드에서 시작하여 10-20분 간격으로 한 번에 5-10파운드씩 증량

    ④ 5-10분 후 매번 측면사진을 촬영하여 reduction 여부와 over distraction 여부를 확인하고 매번 신경학적 검사를 실시 Lateral radiography로 확인

    ⑤ 탈구가 정복되면 추의 무게를 50%로 줄여 traction을 유지

  c. Traction 중단 Ix

    ① 정복된 후

    ② 1 cm 이상 distraction 발생 시

    ③ 신경학적 이상 발생 시(neurology가 진행하는 경우)

    ④ 정복이 되지 않는 것이 자명할 때

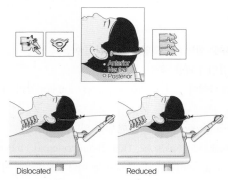

그림 6-10. Gardner-Wells tong 고정

표 6-8. Traction Recommended for Levels of Injury

Level	Minimum Weight in Pounds (kg)	Maximum Weight in Pounds (kg)
First cervical vertebra	5 (2.3)	10 (4.5)
Second cervical vertebra	6 (2.7)	10-12 (4.5-5.4)
Third cervical vertebra	8 (3.6)	10-15 (4.5-6.8)
Fourth cervical vertebra	10 (4.5)	15-20 (6.8-9.0)
Fifth cervical vertebra	12 (5.4)	20-25 (9.0-11.3)
Sixth cervical vertebra	15 (6.8)	20-30 (9.0-13.5)
Seventh cervical vertebra	18 (8.1)	25-35 (11.3-15.8)

2. 경추보호기(Cervical immobilization)

  a. Neck brace

    ① Philadelphia brace

    ② Thomas collar

    ③ Soft cervical collar

    ④ SOMI brace

06

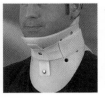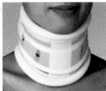

그림 6-11. Neck brace

  b. Halo vest(그림 6-12)

    ① 핀 삽입 시 Safety zone

      i. 안와 내측 1/3 피한다(안와 외측 2/3 이용). ←Supraorbital n., Supratro-chlear n. 피하기 위함

      ii. Temporal bone은 얇아서 Penetration 위험이 있으므로 피함

      iii. 저작근이 위치하므로 통증을 유발할 수 있음

      iv. Anterior pin insertion 시 눈을 감게 함(눈 뜨고 insertion 하면 눈이 안 감기는 경우 발생)

    ② Ring은 귀 상방 1 cm에 위치, equator line (maximal circumference of the skull) 보다 아래에 위치 하도록 함.

      i. Ant. ring이 약간 더 상방에 오도록 설치 → Slightly neck extension 될 수 있게

    ③ Pin torque는 8 inch-pounds가 적당. 24 hr 이후에 다시 조여서 torque 유지

    ④ 핀이 느슨해진 경우에는 새로운 핀을 다른 곳에 박은 후 느슨해진 핀을 제거

    ⑤ 소아의 경우 pin 개수를 증가(4개 → 8~10개) 및 torque 감소(8 → 2 inch-pounds)

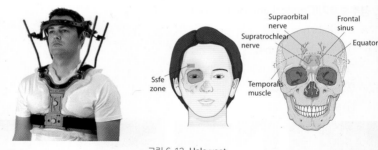

그림 6-12. Halo vest

3. MRI first vs closed reduction first

a. 결론

폐쇄적 정복술 전 MRI는 필수적인 것은 아님 → CR을 먼저 시행할 수 있다.

b. MRI evaluation이 필요한 경우

① 폐쇄적 정복술(Closed reduction) 시행 도중 신경학적 이상 발생 시

② 개방적 정복술(Open reduction)이 필요한 경우

③ 의식이 저하된 환자

④ Canal compromise 가능성이 높은 경우(HIVD 등)

⑤ 신경학적 이상 있는 환자에서 척수 압박을 평가 시

c. 후관절 탈구(Facet dislocation) 시 HIVD 동반 확률 높음

① Disc 제거 없이 폐쇄적 정복술 하면 neurological deficit 발생 가능

② 급속히 neurologic deficit이 진행하여 빠른 정복이 필요한 것이 아니라면 MRI evaluation 후 정복

③ MRI상 HIVD 발견되면 anterior approach 하 discectomy를 먼저 시행

III. 경추골절(Fractures of the Cervical Spine)

A. 상부 경추골절 (Upper Cervical Fracture) (Occiput–C1–C2)

1. 종류

    a. 후두 경추 손상(Occipito cervical injury)

        ① 후두과 골절(Occipital condyle fracture)

        ② 후두 경추 아탈구 및 탈구(Occipito cervical subluxation and dislocation)

    b. 횡인대 손상(Transverse ligament injury)

        ① 외상성 파열(Traumatic ruture)

        ② 만성 스트레스(Chronic stress)

        ③ 선청성 횡인대 부전(Traumatic Spondylolisthesis of Axis)

    c. 환추골절(Atlas fracture)

    d. 치돌기 골절(Dens fracture)

    e. 축추 외상성 전위(Traumatic Spondylolisthesis of Axis)

2. 해부(Anatomy)

    a. 강한 인대 결합(Strong ligamentous connection)

        ① 가장 중요 : 횡 환추 인대(Transverse ligament of atlas)(그림 6-13)

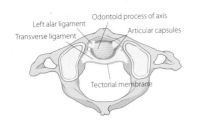 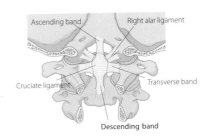

그림 6-13. Ligaments of upper C-spine

06

3. 방사선학적 평가(Radiologic evaluation)

a. Prevertebral soft tissue의 widening

① 만약 상부 경추에서 5 mm이거나

② C6-7 레벨에서 22 mm이면 → Major trauma의 중요한 Warning sign

b. Anterior cortex of the odontoid

① 환추의 anterior ring의 posterior cortex에 평행해야 함

② Den's angulation: kyphotic/ lordotic deviation → odontoid Fx./ TAL disruption(그림 6-14)

c. Tip of odontoid

Wackenheim's line에서 1~2 mm 이내여야 함(그림 6-15)

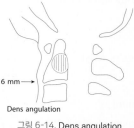

그림 6-14. Dens angulation

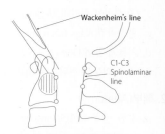

그림 6-15. Tip of odontoid

d. C1-3 anterior spinolaminar line 2 mm → R/O atlantoaxial translation or disruption of the neural arch

e. Atlas-Dens interval (ADI)

① 성인 : < 3 mm

② 소아 : < 5 mm

f. Space Available for the Cord (SAC) 13 mm

g. Dens-Basion interval (DBI) < 12 mm(그림 6-16)

h. Posterior Axis Line (PAL-B)

i. Lateral Atlas-Dens Intervals (LADIs)

symmetric, < 2 mm (그림 6-17)

j. 후두 경추 관절(Occipitocervical joints)

symmetric, < 2 mm

k. C1-2 후관절(Facet joints)

symmetric, < 3 mm

l. Lateral border

overhanging이 있으면 안 됨

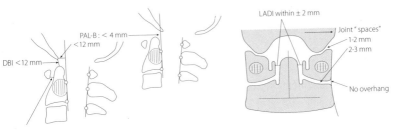

그림 6-16. Dens-Basion interval, posterior axis line   그림 6-17. Lateral Atlas-Dens Intervals

B. 후두과 골절(Occipital Condyle Fracture, C0 Fracture)

1. 임상적 의미

a. 어떤 후두과 골절이라도 후두 경추 분리(Occipitocervical dissociation)의 가능성을 생각!

b. Displacement 2 mm 이면 후두 경추 불안정성을 시사

2. Anderson and Montesano classification(그림 6-18)

a. Type I : 축성 압박력에 의하여 발생하는 후두과의 감입골절, 가장 흔함.

b. Type II : 두개골의 기저부 골절과 동반된 경우, shear force, 일반적으로 stable

c. Type III : 회전에 의한 익상 인대 견열 골절, unstable, 가장 드묾.

3. Treatment

a. Type I, II : 비수술적 치료 → hard collar 8~12 wks / halo vest 8~12 wks

b. Type III : 불안정성(+) → OP : Occiput-C2 arthrodesis

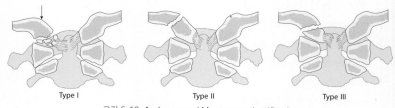

Type I   Type II   Type III

그림 6-18. Anderson and Montesano classification

C. 후두 경추 아탈구 및 탈구(Occipitocervical Subluxation and Dislocation)

1. Traynelis classification(그림 6-19)
  a. Type I : 전방 전위, 가장 흔함
  b. Type II : 수직 전위, 신경학적 증상 발생 높음
  c. Type III : 후방 전위, 드물다.

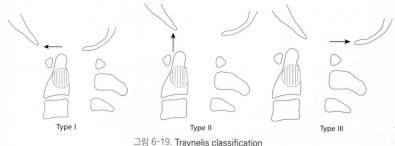

Type I   Type II   Type III

그림 6-19. Traynelis classification

2. 방사선학적 Criteria
  Wackenheim's line에 tip of odontoid가 위치하는 것을 확인

3. 치료 : Traction 절대 금지!!

Rigid Instrumentation + Bone Graft + Halo Vest immobilization

D. 환추 골절 (Fracture of Atlas) (C1 Fracture)

1. Steel's rule of third

Atlas의 전 후방 직경은 3 cm, dens 직경 1 cm, cord 직경 1 cm으로 free space가 1 cm 있어 어느 정도의 전위는 신경 손상을 유발하지 않는다.

2. Levine & Edwards classification(그림 6-20)

a. Type I : 후궁 골절(Posterior arch fracture)

b. Type II : 외측괴 골절(Lateral mass fracture)

c. Type III : 방출성 골절(Burst fracture = Jefferson's fracture)

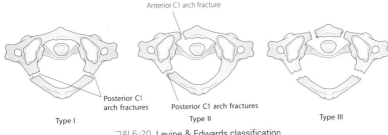

그림 6-20. Levine & Edwards classification

3. 치료

a. 대부분 비수술적 치료

① Type I & 최소 전위된 Type II, III : Cervical orthosis

② 전위된 Type II, III : traction + halo vest

b. TAL insufficiency(불안정성 골절) → 수술적 치료

① C1 외측괴(lateral mass)가 C2 외측괴 보다 7 mm 이상 이격되어 있으면, 횡인대 파열(transverse lig. Rupture)을 의미하며, 이는 불안정성 골절로 수술적 치료(C1-2 fusion)를 요함

② 안정성 골절 vs 불안정성 골절(Type III, Jefferson Fx.) (그림 6-21)
  i. 횡인대 파열 열부에 따라
  ii. 안정성 골절 → 비수술적 치료
  iii. 불안정성 골절 → C1-2 fusion
     *Criteria
        가. C1 Lateral mass displace = 7 mm
        나. ADI = 5 mm

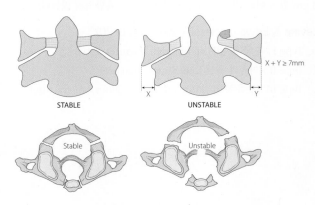

그림 6-21. 안정성 골절 vs 불안정성 골절

E. 환축추 회전 손상(Atlantoaxial Rotatory Injury)

1. 소아의 rotatory subluxation과는 다른 별개의 손상임. 치료 방법 다름
  a. 소아는 Grisel's syndrome등 infection에 동반되어 발생 가능. 주로 보존적 치료
  b. 성인의 경우 드물게 발생하며 대부분 외상에 의해 발생. 수술적 치료 가능성 높다.

2. Fielding and Hawkins classification(그림 6-22)
  a. Type I : 3 mm 이하의 전방 전위
  b. Type II : 3~5 mm 전방 전위

c. Type III : 5 mm 이상의 전방 전위

d. Type IV : 후방 전위

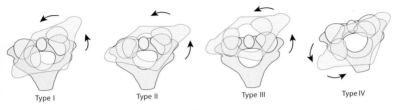

Type I   Type II   Type III   Type IV

그림 6-22. Fielding and Hawkins classification

06

3. 치료

a. 견인으로 정복 후 halo-vest 착용

b. 만성인(3개월 이상) 경우 정복없이 그대로 C1-2 fusion 시행

F. 횡인대손상

1. 분류

a. Type I : purely ligamentous tear

b. Type II : with bony avulsion injury, frequent with Jefferson's Fx

2. 평가

a. ADI (Atlas-Dens Interval)가 중요함

① Normal Adult : ADI = < 3 mm

② ADI > 5 mm → 횡인대 파열을 시사하는 소견, 치료를 요함

3. 치료

a. Type I : 순수 인대 손상이므로 내 고정이 필요함 → 수술적 치료(C1-2 fusion)

b. Type II : avulsion bony fragment의 fusion을 기대할 수 있어 먼저 비수술적 치료(hard orthosis, halo vest 등) 시도

G. 치돌기 골절(Odontoid Fracture = Dens Fracture of C2)

1. 경추 골절의 10~20% : 흔한 골절임

2. Anderson and D'Alonzo 분류(그림 6-23)
a. Type I : 치돌기 첨단부 골절 (익상 인대와 첨인대에 의한 견열 골절)
b. Type II : 치돌기 - 추체 연결부위 골절
c. Type III : 추체 골절

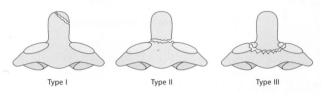

Type I   Type II   Type III

그림 6-23. Anderson and D'Alonzo 분류

3. 치료
a. Type I, III : 비수술적 치료 → I : hard collar (Philadelphia brace) / III : halo vest
b. Type II : 가장 흔함 & 불안정성 골절 → 수술적 치료(C1-2 fusion or anterior screw)

H. 축추 외상성 전위(Traumatic Spondylolisthesis of the Axis = Hangman Fracture)

1. Classification of Effendi modified by Levine & Edwards(그림 6-24)
a. Type I : 양측 축추궁 협부 골절, 3 mm 이내 전위, 각형성 없음, 안정성
b. Type Ia : X-ray 상 골절선이 parallel 하지 않음. 3 mm 이내 전위, 각형성 없음
c. Type II : Vertical bilateral pars fracture, 3 mm 이상 전위, 각형성 있음
d. Type IIa : Oblique bilateral pars fracture, 전위는 별로 없음, 각형성 있음
e. Type III : Type I fracture + 후관절 탈구(facet dislocation)

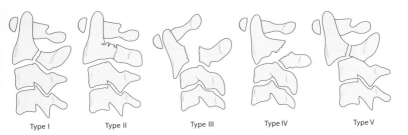

Type I   Type II   Type III   Type IV   Type V

그림 6-24. Classification of Effendi modified by Levine & Edwards

06

2. 치료

a. Type I, II : 비수술적 치료

① Type I : Hard collar (Philadelphia brace)

② Type II : traction 하고 halo vest

③ Type IIa : traction 안 함, halo vest traction 하면 angulation 증가함

3. Type II vs Type IIa (표 6-9)

표 6-9. Type II 와 Type IIa의 비교

	Type II	**Type IIa**
손상 기전	Flexion-compression	Flexion-distraction
X-ray 소견	전위 심함 골절선 : 수직 C3 앞쪽이 압박됨	전위 별로 없음 골절선 : 사선 C3 뒤쪽이 압박됨
치료	견인 필요 + Halo vest	견인 금기 + Halo vest

I. 하부 경추 손상

1. White and Panjabi instability Criteria: Total point value ≥ 5 → 불안정(표 6-10) (그림 6-25, 26)

표 6-10. Chacklist for Diagnosis of Clinical Instability in Lower Cervical Spine

Element	Point Value
Anterior elements destroyed or unable to function	2
Posterior elements destroyed or unable to function	2
Relative sagittal plane translation >3.5 mm	2
Relative sagittal plane rotation >11 degrees	2
Positive stretch test	2
Medullary (cord) damage	2
Root damage	1
Abnormal disc narrowing	1
Dangerous loading anticipated	1

From White AA, Southwick WO, Panjabi MM: Clinical instability in the lower cervical spine: a review of past and current concepts, *Spine* 1:15, 1976.
*Total of 5 or more = unstable.

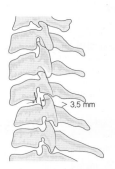

그림 6-25. Relative sagittal plane translation

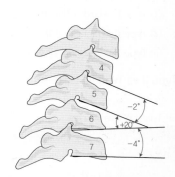

그림 6-26. Relative sagittal plane rotation

2. SLIC Scale (표 6-11) (그림 6-27~31)

3. Allen's classification

  a. 압박 굴곡 손상(compressive-flexion injury)

   ① Stage(그림 6-32)

    i. Stage I : 추체 전상방이 둥글게 됨(blunting), intact ligament

    ii. Stage II : wedged body, 부리(beak) 모양

표 6-11. SLIC Scale

	Points
Morphology	
No abnormality	0
Compression	1
Burst	+1 = 2
Distraction (e.g., facet perch, hyperextension)	3
Rotation/translation (e.g., facet dislocation, unstable teardrop or advanced staged flexion compression injury)	4
Disco–ligamentous complex (DLC)	
Intact	0
Indeterminate (e.g., isolated interspinous widening, MRI signal change only)	1
Disrupted (e.g., widening of disc space, facet perch or dislocation)	2
Neurological status	
Intact	0
Root injury	1
Complete cord injury	2
Incomplete cord injury	3
Continuous cord compression in setting of neuro deficit (Neuro Modifier)	+1

Homologous Categories Between the Ferguson and Allen System and SLIC Morphology

Ferguson and Allen Mechanism	SLIC Morphology Classifications
Compressive flexion	Compression or burst
Vertical compression	Compression or burst
Distractive flexion	Translation or distraction
Compressive extension	Distraction
Distractive extension	Distraction
Lateral flexion	Translation

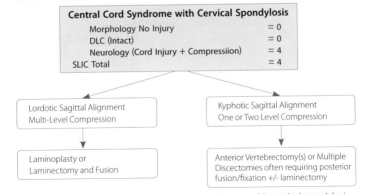

그림 6-27. Surgical approaches algorithm for central cord injuries with cervical spondylosis

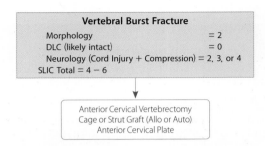

그림 6-28. Surgical approaches algorithm for compression burst injuries

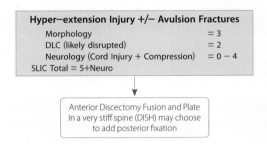

그림 6-29. Surgical approaches algorithm for hyperextension injuries

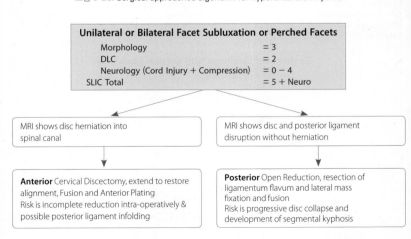

그림 6-30. Surgical approaches algorithm for facet subluxations or perched facets

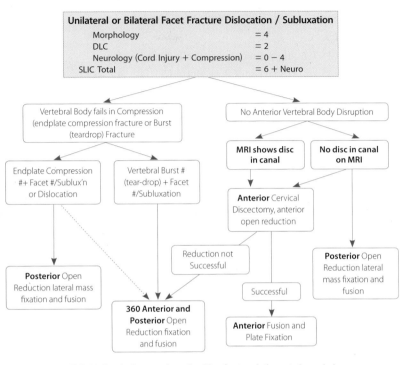

그림 6-31. Surgical approaches algorithm for translation rotation unjuries

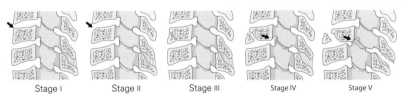

그림 6-32. 압박 굴곡 손상의 단계

iii. Stage III : 사선 골절(눈물 방울 골절, tear drop fracture)

iv. Stage IV : 후방 전위(< 3 mm)

v. Stage V : 후방 전위(> 3 mm), 심한 인대 손상

② 치료

ⅰ. CFS I, II : rigid orthosis, hard collar(Philadelphia)

ⅱ. CFS III : HIVD나 인대 손상 없다면 halo vest, 있다면 수술적 치료.

ⅲ. CFS IV : 수술적 치료(post fusion or ACDF)

ⅳ. CFS V : 수술적 치료(ACDF + post. Fusion)

b. 수직 압박 손상(vertical compression injury)

① Stage(그림 6-33)

ⅰ. Stage I : 상부 혹은 하부 종판 골절

ⅱ. Stage II : 상하 양쪽 종판 골절

ⅲ. Stage III : 추체의 골편화 및 전위가 있는 경우

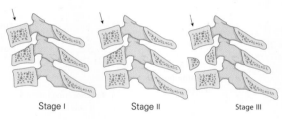

Stage I　　　　　　Stage II　　　　　　Stage III

그림 6-33. 수직 압박 손상의 단계

② 치료

ⅰ. VCS I, II : 신경학적 이상 없는 경우 → rigid orthosis / halo vest 신경학적 이상 있는 경우 → ACDF

ⅱ. VCS III : 수술적 치료(ACDF +- post. Instrumentation)

c. 신연 굴곡 손상(distractive flexion injury) : most common

① Stage (그림 6-34)

ⅰ. Stage I : 후관절 아탈구, 후방 인대의 stretch injury, 25% 미만 전위

ⅱ. Stage II : 편측 후관절 탈구(unilateral facet dislocation), 25~50% 전위

ⅲ. Stage III : 양측 후관절 탈구(bilateral facet dislocation), 50% 이상 전위

ⅳ. Stage IV : 추체가 완전히 전위된 경우 → floating vertebra

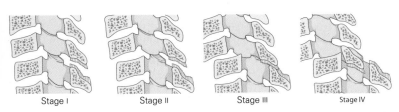

Stage I   Stage II   Stage III   Stage IV

그림 6-34. 신연 굴곡 손상의 단계

② 치료

　　ⅰ. DFS I : rigid orthosis

　　ⅱ. DFS II : 견인으로 폐쇄적 정복 후 orthosis/ halo vest/ fusion (ant. or post.)

　　ⅲ. DFS III, IV : 견인으로 폐쇄적 정복 후 전방 혹은 후방 유합술 만약 정복이 실패하면 MRI 찍어 HIVD 있다면 ACDF, HIVD 없다면 개방적 정복술 및 후방 유합술

d. 압박 신전 손상(compressive extension injury)

① Stage(그림 6-35)

　　ⅰ. Stage I : 편측 후궁 골절(unilateral posterior arch fracture)

　　ⅱ. Stage II : 양측 후궁 골절(bilateral laminar fracture)

　　ⅲ. Stage III : 비전위 양측 후궁 골절(nondisplaced bilateral posterior arch fracture)

　　ⅳ. Stage IV : 부분적으로 전위된 양측 후궁 골절(partially displaced bilateral arch fracture)

　　ⅴ. Stage V : 완전히 전위된 양측 후궁 골절(fully displaced bilateral arch fracture)

Stage I   Stage II   Stage III   Stage IV   Stage V

그림 6-35. 압박 신전 손상의 단계

② 치료

    i. CES I : 회전불안정성이 유발되어 보조기 치료 성공률 낮음 → ACDF 권장

    ii. CES II : rigid orthosis / halo vest

    iii. CES III-V : 매우 불안정하므로 ACDF +- post. Fusion

  e. 신연 신전 손상(distractive extension injury)

    ① Stage(그림 6-36)

      i. Stage I : ALL파열 또는 횡추체 골절

      ii. Stage II : 심한 전위 및 후주 손상

    ② 치료

      i. DES I : rigid orthosis, halo vest

      ii. DES II : 수술적 치료(Anterior & Posterior fusion)

  f. 측방 압박 손상(lateral compression injury)

    ① Stage(그림 6-37)

      i. Stage I : 편측성 비전위 척추체 혹은 척추궁 골절(unilateral nondisplaced body or arch fracture)

      ii. Stage II : 척추체 전위(displacement of the body), 반대측 인대 파열

    ② 치료

      i. LCS I : rigid orthosis

      ii. LCS II : 수술적 치료

Stage I   Stage II

그림 6-36. 신연 신전 손상의 단계

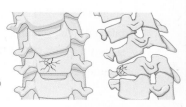

그림 6-37. 측방 압박 손상의 단계

IV. 흉요추 골절(Fracture of Thoracolumbar Spine)

A. Introduction

1. 빈도

T1~10 : 16%, T11-L1 : 52%, L1-L5 : 32% → thoracolumbar junction에 most common

2. 복부장기 및 혈관 손상, another 척추골절 등 동반손상이 많으므로 careful examination이 요구됨

B. Anatomy

1. Transitional zone (T spine – L spine)

a. Kyphosis → Lordosis

b. Facet joint : coronal plane → Sagittal plane

c. Motion : stiff / static → flexible / dynamic

d. 위와 같은 이유로 흉요추부 이행부에 골절이 흔히 발생됨

2. 특징(그림 6-38)

a. Cord injury 가능성 높다.

① T2-T10 canal에 비해 cord가 크다 (smallest ratio of canal size to cord diameter).

② Blood supply가 취약(watershed area, Adamkiewicz a.는 T9 이하 supply)

b. Cord, conus medullaris, cauda equine

① Location of conus medullaris, cauda equina : T12-L1

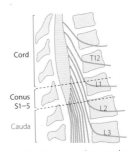

그림 6-38. Thoracolumar spine anatomy

② Most cranial nerve roots of cauda equina : T9-T12

③ Conus : S3-5 cord segment, 즉 S3-5의 반사중추가 있음

④ Cord, conus medullaris: central n. system → upper motor Sx., poor prognosis

⑤ Cauda equina : peripheral n. system → lower motor neuron Sx., better prognosis

⑥ T12-L1 level의 손상은 UMN Sx. & LMN Sx.이 혼재되어 나타날 수 있다.

C. Conus medullaris syndrome VS cauda equina syndrome(표 6-11)

a. Conus medullaris syndrome은 S3-5 cord segment 손상이므로, peripheral n. 손상인 cauda equine syndrome보다 예후가 불량하며, S3-5에서 주관하는 reflex (BCR, anal wink)의 소실을 보이며, DTR (knee jerk)는 보전된다. 대부분 bilateral & symmetric 한 양상이다.

b. Cauda equina syndrome은 peripheral n. root의 손상으로 involved n. root 에 따라 다른 양상으로 나타난다. 이에 radiating pain이 나타나며 증상은 대개 unilateral & asymmetric하다. DTR은 소실되는 경우가 많으며, BCR & anal wink는 보존될 수 있으나, sacral n. root involve 시 감소될 수도 있다.

표 6-11. Conus Medullaris Syndrome VS Cauda Equina Syndrome

	Conus Medullaris Syndrome	Cauda Equina Syndrome
DTR	+	−
신경근 마비	+−	+
예후	Poor	Good
Motor	대개 Bilateral	대개 Unilateral
Saddle anesthesia	+, symmetric	+, asymmetric
Pain	Back pain	Radiating pain
BCR & anal wink	감소	감소적음(involve n. root 따라)

D. Classification

1. Denis – Three column theory

a. 3 Column

middle column의 중요성을 강조함(그림 6-39)

① Anterior column : ALL, ant. portion of the annulus, ant. 1/2 body.

② Middle column : PLL, post. portion of the annulus, post. 1/2 body.

③ Posterior column : post. bony arch (pedicle, facet, lamina) and post. Ligament complex (supraspinous lig., infraspinous lig., ligamentum flavum, facet joint capsule)

그림 6-39. Denis의 Three column theory

b. Classification(표 6-12)

① Compression fracture(그림 6-40)

    i. Type A : both superior and inferior end plate fracture

    ii. Type B : superior end plate fracture, most common

    iii. Type C : inferior end plate fracture

    iv. Type D : buckling of the anterior cortex with both intact endplate

 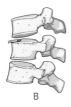  

A   B   C   D

그림 6-40. Compression Fracture

② Burst fracture(그림 6-41)

　ⅰ. Type A : involves both end plates

　ⅱ. Type B : only superior end plate fracture, most common

　ⅲ. Type C : only inferior end plate fracture

　ⅳ. Type D : type A + rotation

　ⅴ. Type E : lateral wedging of the vertebral body

그림 6-41. Burst fracture

③ Flexion-distraction injuries (seat-belt injury) → Chance fracture(그림 6-42)

　ⅰ. At one level through the bone

　ⅱ. At one level through the ligaments and disc

　ⅲ. At two levels, with the middle column injured through the bone

　ⅳ. At two levels with the middle column injured through the ligament and disc

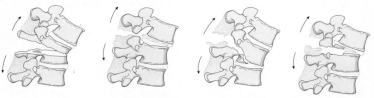

그림 6-42. Flexion-distraction injuries (seat-belt injury)

표 6-12. Injury location

Fracture type	Ant. column	Middle column	Post. Column
Compression Fx.	Compression	None	None or distraction
Burst Fx.	Compression	Compression	None or distraction
Seat-belt Fx.	None or compression	Distraction	Distraction
Fracture-dislocation	Compression/Rotation	Distraction/Rotation	Distraction/Rotation

④ Fracture-dislocation(그림 6-43)

 i. Flexion-rotation type

 ii. Flexion-distraction type : significant translation 여부로 chance fracture 와 구분

 iii. Shear type

그림 6-43. Fracture-dislocation

2. McAfee Classification

 a. 의미

  ① Denis의 three column theory를 바탕으로 형태와 손상기전에 따라 6가지로 분류

  ② 간단하여 많이 사용됨

 b. Classification

  ① Wedge compression fractures

  ② Stable burst fracture

  ③ Unstable burst fracture

④ Chance fracture

⑤ Flexion-distraction injury

⑥ Translational/ rotational injury

3. Thoracolumbar injury classification and severity score (TLICS) (표 6-13)

a. Vaccaro AR, Lehman RA et al. Spine (Phila Pa 1976) 2005

b. 3 major injury characteristics

① Injury morphology

② Neurologic status

③ Integrity of PLC

c. The sum of these points represents the TLICS severity score, → which may be used to guide treatment

① Nonsurgical : 0-3

② Nonsurgical or surgical : 4

③ Surgical : ≥5

표 6-13. Thoracolumbar Injury Classification Severity Score

Injury Characteristic	Qualifiers	Points
Injury morphology		
Compression	–	1
	Burst	+1
Rotation/translation	–	3
Distraction	–	4
Neurologic status		
Intact	–	0
Nerve root	–	2
Spinal cord, conus medullaris	Complete	2
	Incomplete	3
Cauda equna	–	3
Posterior ligamentous complex integrity		
Intact	–	0
Suspected/Indeteminate	–	2
Disrupted	–	3

* 3점 이하 : 비수술적 치료, 5점 이상 : 수술적 치료를 고려

E. Treatment

1. Goal of treatment

a. unstable → stable

b. mechanical stability : maintenance, reduction & fixation

c. neurological stability : decompression of spinal canal

d. early mobilization, back to normal life

2. Option of Treatment

a. conservative / operative

b. operation : anterior or posterior

c. fixation method

d. decompression or not

3. Conservative Treatment

a. Indication

① no neurological deficit

② stable fracture

③ no severe soft tissue injury, esp. PLC

④ no multiple Fx.

⑤ other minor injury

b. Method

① postural reduction

② bed rest until pain tolerable

③ brace for 8-12 weeks

ⅰ. T-L spine Fx. 시 사용 가능한 보조기(그림 6-44)

가. Jewett 과신전 보조기 : 압박 골절 때 hyperextension 상태를 유지.
측굴이나 회전 운동은 허용함

나. CASH (cruciform anterior spinal hyperextension) orthosis : 간단하
여 Knight-Taylor 대용으로 쓰임

다. TLSO orthosis

06

라. Knight-Taylor brace : 등, 허리뼈의 관절운동을 모두 제한 또는 고정
　　하는 경우 사용. 요추의 굴곡, 신전, 측굴을 제한하며 흉추를 곧게 펴
　　주는 보조기

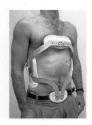

그림 6-44. T-L spine Fx. 시 사용 가능한 보조기

ii. L-S spine Fx. 시 사용 가능한 보조기(그림 6-45)
　　가. Chairback orthosis : flexion 제한
　　나. Knight back orthosis : flex & lat. flex 제한
　　다. Williams orthosis : ext, lateral flex. 제한

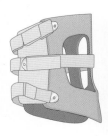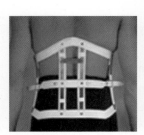

그림 6-45. L-S spine Fx. 시 사용 가능한 보조기

c. Compression fracture

　① < 10% compression: no need support

　② < 30 - 40% compression, < 20 - 25° kyphosis : Jewett brace 6 - 8 weeks

③ Fx. below T5 plastic jacket or TLSO

④ Higher Fx. : brace with cervical component

d. Burst fracture

① similar to compression fracture

② lower lumbar burst Fx., bony chance Fx.

③ TLSO / hyper-extension brace for 3 months

e. Canal remodeling

① 수술 여부와 관계없이 remodeling 진행

② Canal compromise < 50% : 잘 진행

③ > 50% : 잘 진행 안됨

f. Problems of Conservative treatment

① can't treat every patient

② progression of neurological deficit, deformity, instability, pain.

4. Operative Treatment

a. Indication of Operation

① Mechanical Instability

  i. 3 column injuries

  ii. body compression > 50%

  iii. kyphosis > $30°$

  iv. Posterior ligament injury

② Neurologic Instability

  i. Neurologic deficit

  ii. Canal compromise > 30-50%

b. Operative Options

① Posterior Surgery

② Anterior Surgery

③ P + A Surgery

④ Vertebroplasty / Kyphoplasty

c. Timing of surgery

  ① Progressive neurologic deficit → Emergency decompression

  ② Neurologically normal with unstable injuries ⎤

  ③ Non-progressive neurological injuries   ⎦ → as soon as possible

  ④ Complete cord injury or static incomplete cord injury : controversial

d. Posterior Operation

  ① Indication

    i. Loss of vertebral body height > 50%

    ii. Canal compromise > 30%

    iii. Kyphosis > 30°

    iv. Lat. wedging > 10°

    v. Complete paraplegia

    vi. Dislocation, Translation injury

  ② Contraindication

    i. Progressing neurologic deficit

    ii. Severe canal compromise > 70%

    iii. Severe vertebral body compression

    iv. PLL, ALL complete rupture

    v. Reverse cortical sign

    vi. > 10 days after injury

  ③ Mechanism of Ligamentotaxis

    i. by intact PLL

    ii. by intact annular fiber

    iii. by reducing "Posterolateral Complex"

  ④ Indication of laminectomy

    i. Severe canal compromise below L2

    ii. Suspected Dural tear

    iii. Suspected Nerve root entrapment

    iv. Severe hematoma with Neurologic deficit

v. HIVD with neurologic deficit

vi. For PLIF

e. Anterior Operation

① Indication

i. Unstable neurologic deficit : need direct decompression

ii. Unstable anterior column : need ant. column support

iii. Fail with post. approach

iv. neurology (+), progressive neurologic deficit

v. Canal compromise > 50-70%

vi. Severe bone defect

vii. imcomplete decompression with post. Approach

viii. 2 wks after injury

ix. Progressive kyphosis

f. Post. + Ant. Surgery

① Indication

i. Insufficient decompression of canal after post. Surgery > 50% canal compromise

ii. No neurologic recovery after 1st op.

iii. Too unstable ant. column

표 6-14. Anterior fusion vs. Posterior Fusion

Anterior Fusion	Posterior Fusion
Direct decompression more predictable & safe	Ligamentotaxis를 통한 indirect decompression (Early Op)
단분절 고정이 가능(stable)	Usually requires multiple levels
Risk of ureter, nerve, vessel injury	Familiar approach & relatively safe
탈구 정복 어려움	탈구 직접 정복 가능

g. Stabilization (fusion & instrumentation)

① Posterior fusion

i. Long segment fusion : stable but limitation of motion

ii. Short segment fusion : preserve motion segment but progressive kyphosis 가능

iii. T-spine : proximal 2 levels, L-spine : proximal 1 level

② Anterior fusion

③ McCormack의 load sharing capacity 평가(그림 6-46)

  i. Burst Fx에서 short segment post. fusion 후 가관절증, 후만변형의 재발, 나사못 골절 등이 나타날 가능성에 대한 예후 인자 평가

  ii. 평가항목 : 추체 분쇄의 정도, 골편의 전위 정도, 수술 후 후만각 교정 정도

  iii. 7점 이상 : Poor prognosis → long segment fusion or anterior augmentation 추가

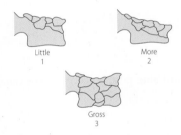

Comminution/Involvement

1. Little = < 30% comminution on sagittal plane section CT
2. More = 30~60% comminution
3. Gross = > 60% comminution

Apposition of Fragments

1. Minimal = Minimal displacement on axial CT cut.
2. Spread = Atl least 2 mm displacement of < 50% cross section of body.
3. Wide = At least 2 mm displacement of > 50% cross section of body.

Deformity Correction

1. Little = Kyphotic correction ≤ 3° on lateral plain flims.
2. More = Kyphotic correction 4~ 9°.
3. Most = Kyphotic correction ≥ 10°.

그림 6-46. McCormack의 Load Sharing Capacity 평가

h. Complications

① Nonsurgical treatment

    i. Acute or progressive deformity

    ii. Dural tear

    iii. Ileus

    iv. Constipation

    v. Deep venous thrombosis, venous thromboembolism

    vi. Pain

② Surgical complication

    i. Further neurologic injury

    ii. bleeding

    iii. infection

    iv. Intraoperative iatrogenic dural tear

    v. hardware failure

    vi. Technical error → neurologic, pulmonary, vascular complication

    vii. Pseudo-arthrosis

06

척추 주요 질환

I. 경추 신경근증

A. 정의

추간판의 탈출에 의한 연성 추간판 탈출증과 구추 관절(uncovertebral joint), 추체 후방 관절에 의해 형성되는 골극에 의한 경성 추간판 탈출증이 있으며, 이들에 의해 신경근이 압박되면서 상지의 특정 감각 신경 분포 영역에 증상이 발생하는 퇴행성 경추 질환.

B. 증상 및 징후

1. 3주징
a. 일측 경부의 동통
b. 상완부의 방사통
c. 수부나 수지의 지각 이상

2. 경추부 동통
a. 가장 흔함
b. 목 뒤쪽의 통증 또는 타는 듯한 감각
c. 후두부, 견관절부, 견갑골 주변으로 방사되기도 함.

3. 상완부의 방사통
a. 한 신경근만 눌려도 비교적 넓게 나타날 수 있음.
b. 45%에서는 미만성이고 특징적인 신경 분포를 보이지 않는다.

C. 신체 검진
a. Spurling test : 목을 신전하고 환측으로 회전시켜 상지 방사통을 유발하는 검사 (그림 6-47)
b. Shoulder abduction relief sign : 상지를 외전하면 증상이 경감되는 것(그림

6-48)

c. Axial cervical compression test : 두부의 정점을 축성으로 압박하여 상지 방사
통을 유발하는 검사(그림 6-49)

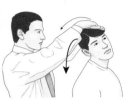

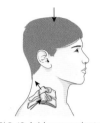

그림 6-47. Spurling test   그림 6-48. Shoulder abduction relief sign   그림 6-49. Axial compression test

06

D. 진단

a. 철저한 문진과 진찰
b. 단순 방사선, 척수 조영술, CT, MRI, 경우에 따라 근전도 검사
c. 감별 진단 : 말초 신경 포착 증후군, 회전근개 병변, 상완 신경총염, 대상 포진, 흉
곽 출구 증후군, 교감 신경 연관 동통 증후군, 척수 주위 종양, 경막외농양, 심장
허혈

E. 치료

1. 보존적 치료 우선

a. 침상 안정, 온 찜질, 보조기 착용
b. 경부의 위치는 굴곡 시 신경공이 확장되어 동통이 경감됨.

2. 수술적 치료

a. 적응증
① 최소 6주 이상의 보존적 치료에 듣지 않을 때
② 증상이 밤에 잠을 못 잘 정도로 심할 때
③ 계속 진행되는 신경학적 증상(일상 생활에 지장을 일으키는 근위약)

④ 임상 증상과 일치하는 검사 소견

　b. 수술 방법

　　① 전방 추간판 제거술 및 추체 유합술

　　② 부분 후궁 절제술(열쇠 구멍 신경공 확장술)

　　③ 인공추간판 치환술

II. 경추 척수증(Cervical Myelopathy)

A. 정의

심한 연성 추간판 탈출증, 후종 인대 골화증(ossification of posterior longitudinal ligament, OPLL), 경추의 척추증(spondylosis)에 의해 척수가 눌려, 하지의 강직 및 근력 약화로 보행에 지장을 주며, 상지와 수지의 섬세한 기능에 장애를 가져오는 퇴행성 경추 질환. 단기간 관찰 시 악화와 호전을 반복하는 것처럼 보일 수 있으나 장기간 관찰 시 서서히 악화/진행하는 자연 경과를 보임.

B. 증상 및 징후

　a. 가장 흔한 초기 증상 : 손의 세밀한 운동 장애로 단추 끼우기나 젓가락질이 어려워짐(hand clumsiness)

　b. 경부 동통, 운동 기능과 건 반사의 이상, 하지 근력 약화와 고유 감각 기능 소실로 인한 보행 장애, 방광 기능 소실(15~20%)

　c. 경추 신경근증이나 흉요추부 퇴행성 질환이 동반되어 있을 수 있음(tandem lesion)

C. 신체 검진

　a. 경추 척수증에 특징적인 소견들

　　① Grip and release test : 주먹을 빨리 쥐었다 폈다 하는 동작을 10초에 20회 이상 하지 못한다.

② 수지 도피 징후(finger escape sign) : 추체로(pyramidal tract)가 압박되어 생기는 소견으로 자연적으로 소지가 외전되어 있고, 내전 상태를 30초 이상 유지하지 못한다(그림 6-50).

③ Hoffmann reflex : 중지의 원위지 관절을 굴곡에서 신전이 되도록 튀겼을 때 나머지 수지들이 굴곡 및 내전되는 것으로 제5, 6 경추부 척수 압박을 의미한다(그림 6-51).

④ Inverted radial reflex : 상완 요골근 부위를 두드리면 상완 요골근 건반사는 감소되어 나타나지 않고 오히려 수지 굴곡 반사가 항진되어 나타나는 현상(그림 6-52)

⑤ Lhermitte sign : 목을 갑자기 굴곡-신전시 척수 후주(posterior column)의 압박으로 상지 또는 등쪽으로 전기 속을 받는 것처럼 느끼는 것

b. 기타 : ankle clonus, Babinski sign

c. 만약 환자가 다음의 소견을 보인다면 척수증 진단보다 척수염이나 탈수초 질환을 의심해야 한다.

① Progressive muscle atrophy

② 감각 증상(통증)이 없음

③ Fasciculation(+)

④ Gait disorder가 없음

⑤ Asymmetric DTR

그림 6-50. **수지 도피 징후**　　그림 6-51. Hoffman reflex　　그림 6-52. Inverted radial reflex

D. 진단

1. 단순 방사선 촬영

  a. C-spine AP/Lat/Flex/Ext view

  b. 척추의 퇴행 변화와 동적 척수 압박 소견을 확인(그림 6-53)

    ① 굴곡 또는 신전 시에 추체간에 전위가 일어나거나 각변형이 일어나게 되면서 척추관이 좁아질 수 있음.

    ② 퇴행되고 강직된 분절 상위에서 과도한 움직임을 흔히 볼 수 있으며 주로 고령층의 3-4 경추간이 흔함.

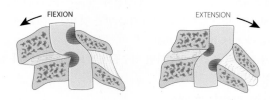

그림 6-53. Flexion-Extension 시 척수 압박

2. CT myelography

  a. 척추관의 전후 직경, 척수의 횡단면 넓이를 측정 가능

  b. 전후 척수 압박비(anterior-posterior cord compression ratio)가 0.4보다 작으면 신경 기능이 더 나쁘고, 0.4 이상이면 수술 후 회복될 수 있는 예후 인자로 보고됨(b/a × 100) (그림 6-54)

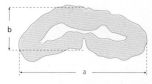

그림 6-54. Anterior-posterior cord compression ratio

3. MRI

  a. 척수와 뇌척수액의 경계 부위를 뚜렷이 나타낼 수 있고, 추간판의 변성 및 후방 돌출 황색 인대 비후 등 주위 연부 조직의 상태뿐만 아니라 척수 압박의 직접적인 원인과 척수 자체의 상태를 나타내는 장점이 있다.

b. 척수 압박이 심한 경우 T2 영상에서 척수 압박 부위에 신호 강도 증가를 볼 수 있다(척수 압박에 의한 직접적인 효과, 척수 부종, 신경교증, 척수 연화증, 척수 순환 장애, 척수 내 출혈).

c. T1 영상에서의 저신호 강도가 수술 후 불량한 예후와 관련

4. 전형적인 신체 검진 소견이 잘 안 나타날 수 있으므로 의심을 하는 것이 무엇보다 중요함.

5. 감별 진단

말초 신경병증, 다발성 경화증, 근 위축성 외측 경화증, 뇌혈관 질환, 척수 공동증 등

06

E. 치료

a. 보존적 치료

보조기, 침상 안정, 소염제, 경막외 투여, 물리 치료 등을 시도하나 예후가 좋지 않은 경우가 많다.

b. 수술적 치료

일상생활에 지장 있을 만한 증상 있을 때 조기에 수술

① 전방 도달법을 통한 추간판 절제술 혹은 추체 절제술 후 골이식술(anterior cervical discectomy/corpectomy and fusion) : 신경 압박이 1~2분절에 국한되어 있을 때, 특히 신경 근 증상이 주 증상일 경우

② 후방 도달법을 통한 후궁 성형술(laminoplasty) 또는 후방감압술 및 유합술 : 3분적 이상의 다분절에 신경 압박이 있고, 선천성 척추 협착증이 있는 경우, 신경 근 증상보다는 비교적 경과가 오래된 척수 증상을 나타내는 경우. 경추 후만증이 없는 경우 후궁성형술이 좋은 선택이나 경추 후만증 및 기타 변형 또는 불안정성이 문제가 될 경우 유합술이 필요함.

III. 상부 경추 질환: 환축추간 불안정증

A. 원인

a. Congenital anomaly : Os odontoideum, Atlanto-occipital assimilation, Down syndrome

b. Synovitis : RA

c. Trauma : Odontoid nonunion, Transv. Atalantal lig. disruption, Rotatory subluxation

d. Tumor, Infection

B. 임상 증상

a. 상부 경추통 : 후관절의 퇴행성 변화 동반 시 후두부 연관통

b. 척수증 : 척수의 압박에 의해 다양한 경중과 진행양상을 보이나 최악의 경우 가벼운 외상으로 호흡근 마비 가능

c. 신경근증 : 제 2경추 신경근(greater occipital n.를 분지)이 환추와 축추 사이에서 압박, 과신전, 앉거나 서면서 체중부하 시 통증이 악화되고 누우면 경감

C. 영상소견

1. 제1-2 경추간 전후방 불안정증의 정도

a. Atlanto-dental interval (ADI, AADI), 정상치는 4 mm (소아 5 mm) 이하

b. Posterior atlanto-dental interval (PADI), 정상치는 13~14 mm 이상

c. Space available for the spinal cord (MRI T2 SAG), 정상치는 13~14 mm 이상

d. X-ray 촬영 시 반드시 굴곡 및 신전 측방상을 추가

2. 환축추간 감입의 정도

a. McGregor line : dens tip이 4.5 mm 이상 상부에 위치할 경우 비정상

b. Chamberlain, McRae line : dens tip이 상부에 위치할 경우 비정상

c. Cervico-medulaary angle (CMA) : 정상치는 135~175˚, 135˚ 이하면 마비 위험 높음

3. 치료

a. 심한 불안정증이 있는 경우 현재 척수증 증상이 없어도 향후 발생 위험이 높고, 중

상 발현 시 사지마비, 호흡근 마비 위험 때문에 적극적인 수술적 치료가 필요함

b. 예방적 유합술의 적응증

① 영상검사상 척수 압박이 확실한 경우

② ADI 10 mm 이상

③ PDI나 SAC 13 mm 이하

④ 지금은 없더라도 과거 신경증상 있던 경우

c. Post. Atlanto-axial fusion

① Intra-articular fusion가능

② Transarticular screw fixation or Segmental screw fixation

③ High-riding vertebral artery 주의(C2의 VA groove가 깊은 경우)

d. Post. Occipito-cervical fusion

① Atlanto-occipital assimilation이 있는 경우, plate & screw 사용

e. Transoral decompression

① 심한 치돌기 후방 연조직 비후, 종양제거술

IV. 요추 추간판 탈출증

A. 정의

섬유륜의 파열에 의해 수핵이 파열된 섬유륜 사이를 뚫고 외부로 탈출되는 질환으로 신경근 자극에 의한 통증이 발생하게 됨.

B. 증상 및 징후

1. 요통 및 방사통

2. 수핵 탈출 방향에 따라 자극되는 신경근(그림 6-55)

a. L4-5 후측방 탈출 : L5 root 증상(traversing root 증상)

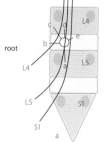

그림 6-55. 수핵 탈출 방향에 따라 자극되는 신경근

b. L4-5 추간공으로 외측 전위 탈출 : L4 root 증상(exciting root 증상)

c. L4-5 수핵의 내측 전위 : S1 증상 동반

3. 신경근별 증상 위치(표 6-15)

표 6-15. 신경근별 증상 위치

	감각 이상	운동 기능 이상	반사 이상
L4 root	Posterolat. thigh Ant. Knee & med. Leg	Tibialis anterior	Patella tendon
L5 root	Anterolat. Leg Dorsum of foot, big toe	EHL Gluteus medius EDL & EDB	None
S1 root	Lat. Malleolus Lat. Foot, heel Web of fourth and fifth toes	Peronei Gastrocnemius-soleus Gluteus maximus	Achilles tendon

C. 신체 검진

1. 하지 직거상 검사(straight leg raising test, SLR test)(그림 6-56(a))

a. 방법 : 검사자는 검사하고자 하는 다리측에 서서 한 손으로 환자의 발뒤꿈치를 받치고, 반대편 손으로 무릎 상부를 가볍게 눌러 무릎을 완전히 신전시킨 후 서서히 발을 위로 들어올린다. 이때 시선은 환자를 보면서 얼굴을 찡그리는 등의 통증 반응이 있는지 확인한다.

b. 신경근 자극에 의한 통증이 나타나면 양성이며, 30도 이하에서는 잘 안 나타나고, 70도 이상에서는 의미가 줄어든다.

c. 주로 제5 요추 및 제1 천추 신경근의 압박을 의미

d. 위양성 : hamstring muscle tightness

e. Bowstring sign : 다리 거상시 양성일 때 슬관절 굴곡하면 통증이 감소하고 슬 괵부를 누르면 통증이 다시 발생(그림 6-56(b))

2. Femoral nerve stretching test(그림 6-57)

a. Prone position에서 슬관절을 90도 굽혀서 들어 고관절을 과신전시키면 대퇴 전

방부에 통증 발생

    b. 제2~4 요추 신경근의 압박을 의미

3. Sciatic list(그림 6-58)

    a. 탈출된 수핵이 요추 신경근을 자극하면 이를 피하기 위해 체간이 한쪽으로 기우는 것(True scoliosis가 아니다).

    b. 신경근의 상외측 자극(shoulder type) 시 증상의 반대편으로 체간이 휘어지고, 하내측 자극(axillary type) 시 증상측으로 체간이 휘어짐.

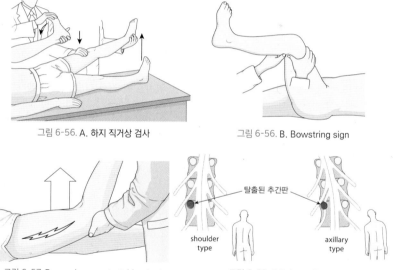

그림 6-56. A. 하지 직거상 검사

그림 6-56. B. Bowstring sign

그림 6-57. Femoral nerve stretching test

shoulder type

탈출된 추간판

axillary type

그림 6-58. Sciatic scoliosis

). 추간판 탈출증의 정도에 따른 분류(그림 6-59)

    a. 팽윤(bulging)

    b. 돌출형(protruded)

    c. 탈출형(extruded)

d. 유리형, 격리형(sequestrated) : 수술 시 제일 결과 좋은 type, 보존적 치료하며 경과 관찰 시 자연 흡수 되는 경우도 가장 많다.

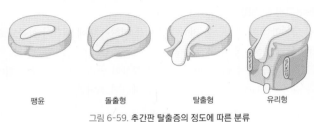

| 팽윤 | 돌출형 | 탈출형 | 유리형 |

그림 6-59. 추간판 탈출증의 정도에 따른 분류

E. 진단

1. 단순 방사선

정상 요추 만곡의 감소외 특이할 만한 소견은 없지만 타 질환 감별 위해 시행

2. MRI

a. 퇴행, bulging, HIVD를 명확하게 구분

b. 탈출 정도를 구분

c. 추간공등 전위된 부위의 관찰이 용이

d. 종양 같은 다른 질환 감별 용이

e. 수술 후 지속적인 요통을 호소할 경우 조영제를 이용하여 감별 진단에 용이

① 남아 있는 수핵의 경우는 조영 증강이 안 됨.

② 반흔 조직은 조영 증강이 됨.

③ 경막외 혈종이나 농양은 변연부만 조영 증강이 됨.

④ 추간판염의 경우 종판, 추간판, 후방 종 인대가 동시에 조영 증강이 됨.

3. 척수 조영술

a. 편측 조영제 결손이 보이거나 정상측 신경근에 비해 짧아 보임.

b. 전후방 사진 상에서 조영제의 모양이 모래시계와 같은 모양으로 양측이 대칭적으로 좁아져 보이면, 이는 추간판 탈출증보다는 척추 협착증일 가능성이 더 높음.

c. 가양성율이 높고 원측방 추간판 탈출증 진단은 어려운 단점

4. CT

a. 추간판 탈출증의 진단에 효과적인 방법으로 추간판은 척수강보다 진한 음영을 보이고 경막외 지방에 의해 구분됨.

b. 진단율은 65~75%

c. 척수 조영술 후 CT를 하면 진단의 정확도를 90%까지 높임.

d. 단점 : 척수 종양이나 지주막염 등을 발견할 수 없고 수술 후 생긴 반흔 조직이나 추간판 탈출증의 재발을 구별할 수 없음.

06

치료

보존적 치료

추간판 탈출증에 의한 요통 및 방사통은 대부분 시간이 경과하면서 특별한 치료 없이 저절로 호전되는 것으로 알려짐. 따라서 수술적 치료의 절대 적응증이 아니라면 일단 보존적/대증적 치료부터 시행.

a. 환자 교육 및 침상 안정(3 days)

갑작스러운 심한 통증으로 당황한 환자를 진정시키고 회복에 대한 확신을 심어 줌.

b. 약물 치료

① NASIDs : 급성기 요통에는 도움 되지만 방사통에는 유의한 도움이 되지는 않는다.

② 그 외 부신 피질 호르몬, 근 이완제, 항우울제 등이 사용됨.

c. 운동

메켄지(McKenzie) 신전 운동, 복근 강화(abdominal bracing exercise, 보조기 치료 아님) 등 코어 근육 강화를 위한 운동이 도움이 되지만 추간판 내 압력을 증가시키는 굴곡 운동 등은 증상을 악화할 수 있으므로 지양하는 것이 바람직하다.

d. 물리 치료

견인, 초음파, 전기 자극 치료(TENS), 저출력 레이저 등이 널리 시행되며 이들 간

에 치료 효과에는 큰 차이가 없음. 일반적으로 급성기 통증보다는 만성 통증에 도움을 주기 위한 대증적 치료임.

e. 마사지, 도수 치료

동통에 수반된 근육 강직 등을 해소하여 통증 완화에 도움을 주고자 하는 대증적 치료.

f. 코르셋

자세 및 움직임에 의학 악화되는 급성 통증 기간 제한적 도움을 받을 수 있으나, 장기간은 사용하지 않음.

g. Epidural steroid injection, nerve root block

급성기 통증 조절에는 도움이 되지만, 장기적인 예후에는 영향을 미치지 않음.

2. 수술적 치료

a. 절대적 적응증

① 마미 증후군

② 진행성 신경학적 장애(보행 기능 등 환자의 일상 생활에 지장을 주는 경우)

b. 상대적 적응증

① 참을 수 없는 통증

② 상당 기간 보존적 치료에도 호전이 없는 경우

③ 일상생활에 지장이 되는 반복적인 증상

④ 하지 직거상 검사에 제한이 심한 경우

c. 수술적 치료 방법

① 개방적 현미경하 수핵 절제술(open microscopic discectomy)

② 미세 내시경 수핵 절제술(microendoscopic discectomy, MED)

③ 내시경을 이용한 수핵 절제술(percutaneous endoscopic discectomy PELD)

④ 감압 및 추체간 유합술 : 척추 분리증과 같은 선천성 기형이나 퇴행성 변화가 동반되어 심한 척추관 협착증 또는 불안정성이 동반되어 있을 때, 또는 해당 부위 수술 병력으로 인해 심한 유착이 예상되어 후궁절제술이 많이 필요할 것으로 예상될 경우 등.

V. 요추부 척추관 협착증

A. 정의

신경관의 여러 부위에서 신경 구조물의 기계적 압박 및 혈류의 장애에 의해 하지에 파행성 동통 및 방사통을 유발하는 임상적 증후군

B. 분류

1. 해부학적 분류(그림 6-60)

a. 중심부 협착(central stenosis)

b. 외측 함요부 협착(lateral recess stenosis)

① 입구대(entrance zone)

② 중간 구역대(mid zone)

③ 출구대(exit zone)

c. 추간공 협착(foraminal stenosis)

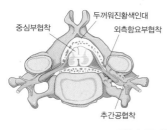

그림 6-60. 척추관 협착증의 분류

2. 병태학적 분류

a. 선천성, 발육성 척추관 협착증

① 특발성

② 연골 무형성증

b. 후천성 척추관 협착증

① 퇴행성

② 혼합형

③ 척추 전방 전위증 또는 분리형

④ 의인성 : 추궁 절제술 후 또는 척추고정술 후

⑤ 외상성

⑥ 대상성 : Paget씨 병, 불소침착증 등

C. 임상적 소견

a. 파행성 하지 통증(Claudication) 및 방사통이 특징

b. 신경인성 파행성 하지 통증과 혈관인성 파행성 통증의 감별(표 6-16)

c. 손수레 징후(shopping cart sign)

① 중심성 척추관과 추간공의 면적이 굴곡시 넓어지고 신전 시 좁아짐.

② 걸을 때 손수레에 기대어 걷는 모습(그림 6-61)

d. 특징적인 이학적 검사가 소견이 없다.

① SLR test도 대개 음성

② 신경학적 검사도 대개 정상(단, 외측부 협착증 시는 DTR 감소 가능)

표 6-16. 신경인성 파행성 하지 통증과 혈관인성 파행성 통증의 감별

	신경인성	혈관인성
통증의 위치	근위 대퇴부에서 원위로	종아리 원위부에서 근위로
통증의 특성	날카롭고 쑤시고 저림	단단하면서 쥐가 나고 경련성
통증의 완화 인자	앉거나 누울 때 굴곡 자세	서 있기만 해도 완화
증상 악화 인자	신전 자세 및 기립위 내리막 경사	근육 자체의 사용 및 산소 요구량 증가 오르막 경사, 자전거 타기, 뜨거운 목욕
맥박	있음	없음
하지 피부	정상	모발 소실, 영양성 변화

그림 6-61. 손수레 징후(shopping cart sign)

06

D. 진단

1. 특징적인 임상 양상

2. 방사선 검사

  a. 단순 촬영

  ① AP : 선천성 척추관 협착증시 요추 하부로 가면서 척추경간 거리가 좁아 지는 소견

  ② LAT : 추간판 간격 감소, 후관절 비후, 견인. 퇴행성 척추전방 전위증이나 퇴행성 요추 측만증이 있는 경우 척추관 협착증이 있을 가능성 높다.

  ③ Flexion-Extension : 불안정성을 확인

  b. CT

  MRI에 비해 골조직의 이상에 의한 협착증을 용이하게 진단(그림 6-62)

  ① 삼엽형(trefoil shape)의 경우 같은 크기라도 삼각형(triangular shape)에 비해 쉽게 증상을 유발하고, 특히 측와부 협착증이 초래될 수 있다.

  ② 중심관의 전후 직경이 10~13 mm인 경우에는 동적 압박 등에 의해 증상을 유발할 수 있기 때문에 상대적 협착으로 정의하고, 10 mm 이하를 절대적 협착으로 정의.

c. MRI

협착증 진단에 가장 우수한 검사

① T1 : 신경 조직과 주위 구조와의 관계

② T2 : 추간판의 퇴행성 정도와 병변 부위를 관찰. 황색 인대, 섬유륜, 주위의 골 조직은 낮은 신호 강도

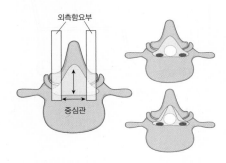

그림 6-62. 골조직 이상에 의한 척추관 협착증

3. EMG

신경근증 소견을 보이며 양측 하지 여러 분절의 이상이 관찰됨.

4. NCS

정상인 경우가 많음.

5. SSEP

신경근의 병리적 변화 시 이상 소견이 나타나며 근전도와 달리 감각신경 부분을 측정

6. 감별 진단

말초 신경 병변, 악성 병변, 감염, 요추증, 고관절의 관절염 등

E. 치료

1. 보존적 치료 : 우선적으로 실시

a. 환자 교육 및 상대적 안정(일주일 이내)

b. 보조기 : 일시적 효과

c. 운동 요법 : 굴곡형 운동

d. 약물 요법

① 비스테로이드성 소염제

② 근이완제 : 단기간

③ 진통제 : 급성 요통이 매우 심한 경우 codeine 30~60 mg

④ 진정제 : 만성적 요통 환자. 삼환계 항우울제

⑤ PGE1 : 신경 주위 혈관의 혈류 개선 통해 신경 조직의 허혈 증상을 완화시는 약제

⑥ Gabapentin : 통증 조절, 신경 증상 호전

e. 경막외 스테로이드 주사 요법

① 적응증 : 장기간의 보존적 치료에 반응하지 않을 때, 신경근 증상을 보이는 환자, 다발성 병변 부위 시 수술부위 결정 및 예후에 도움

② 효과 : 심한 급성 방사통 및 파행성 동통을 경감하여 조기에 적극적인 보존적 처리를 유도하는 데 도움

f. 선택적 신경근 차단술(selective nerve root block)

2. 수술적 치료

a. 보존적 치료에도 불구하고 악화되어 참을 수 없는 통증을 호소하거나, 회복되지 않아 심한 일상생활 및 보행장애가 있는 경우

b. 감압술 ± 유합술

VI. 척추 전방 전위증(Spondylolisthesis)

A. 정의

상부의 추체가 하부의 추체에 대해서 전방으로 이동된 상태

B. 분류

1. Wiltse, Rothman 분류(표 6-17)

표 6-17. Wiltse, Rothman 분류

선천성(congenital, dysplastic)	협부형(isthmic) 항상 협부 결손 있음	퇴행성 (degenerative) 제4 요추, 여자에 많음	외상성(traumatic)	병적형 (pathological)

수술후형
대부분 후방 감압술을 시행할 때 척추의 지지 조직을 너무 많이 제거하거나, 또는 분리된 협부 조직을 떼어낸 후 골유합술을 시행하지 않은 경우에 생김.

2. Marchetti and Bartolozi 분류

   a. 발육성(developmental)

     ① 고형성 이상형

       i. 대부분 L5-S1에 발생

       ii. 청소년기 증상

       iii. 제5 요추체는 설형(trapezoid)으로, 제1 천추의 상단판은 둥글고 수직으로 위치

       iv. 치료하지 않으면 척추하수증(spondyloptosis)으로 진행 가능

② 저형성 이상형
   i. 젊은 성인에서 발견
   ii. 5세 경의 저형성 이상형은 15세에 성장에 따른 고형성 이상형이 될 수 있으므로 세심한 추적 필요
b. 후천성(acquired)
   ① 외상형
   ② 수술후형
   ③ 병적형
   ④ 퇴행형

06

C. 임상적 소견

1. 소아
a. 무증상인 경우도 많다.
b. 슬괵근 구축에 의한 자세 이상(hamstring tightness)
c. Phalen-Dickson sign(그림 6-63)
d. 요통 및 하지 방사통
e. Step off at the L-S junction

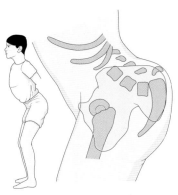

그림 6-63. Phalen-Dickson sign

2. 성인

　　a. 주로 요통 및 하지 방사통 : 상체의 신전 시에 악화되고 굴곡 시에 완화

　　b. L4-5 척추 전방 전위증에서 협부형이면 제4 요추 신경근이 눌리고, 퇴행형이면
　　　제5 요추 신경근이 눌린다.

D. 진단

1. 단순 방사선 검사

　　a. 요추부 4위상

　　b. Both obliques

　　　협부의 신연 혹은 결손 여부를 확인

　　c. 전위의 정도 측정

　　　① Taillard 방법 : 하위 추체의 상부 골단판의 길이에 대한 전위 정도를 백분율
　　　　로 표시하는 방법(그림 6-64)

　　　② Meyerding 방법 : 전위의 정도를 4분하여 1등급에서 4등급으로 표시하는 방
　　　　법(그림 6-65)

　　d. Slip angle

　　　45도 이상이면 slip의 진행이 잘 일어남(그림 6-66).

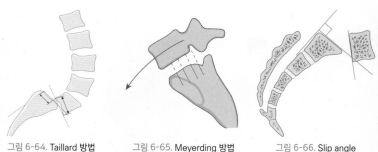

그림 6-64. Taillard 방법　　　　그림 6-65. Meyerding 방법　　　　그림 6-66. Slip angle

2. MRI : 압박된 신경 구조물의 확인

3. CT myelography

E. 치료

a. 무증상의 25% 이상의 전위 : 15세까지 6개월마다, 이후 1년마다 X-ray. 활동 제한은 하지 않음.

b. 무증상의 25~50% 이하의 전위 : 상기 치료 원칙에 추가하여 심한 육체적 활동, 혹은 신연을 하는 스포츠 활동을 제한함.

c. 증상을 동반한 50% 이하의 전위 : 상기 치료 원칙에 추가하여 운동 치료, 보조 시 유합술

d. 성장기에서 50% 이상의 전위는 증상 유무에 관계없이 수술

06

VII. 특발성 척추 측만증(Idiopathic Scoliosis)

A. 정의

확실한 원인이 밝혀지지 않은 10도 이상, 회전이 동반된 척추 측만증을 말하며 측만증의 가장 흔한 형태로 전체 측만증의 85%를 차지함. 다른 원인 질환을 배제하였을 때 내릴 수 있는 병명이므로 특발성으로 진단하기 앞서 종양이나, 염증, 신경학적 질환, 근육질환, 중추 신경 이상, 척수 이상 등의 유무를 감별하는 것이 중요하다.

B. 용어(그림 6-67)

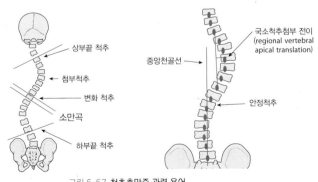

상부끝 척추

첨부척추

변화 척추

소만곡

하부끝 척추

국소척추첨부 전이
(regional vertebral
apical translation)

중앙천골선

안정척추

그림 6-67. 척추측만증 관련 용어

1. 주만곡, 소만곡

a. 주만곡(major curve, structural curve, primary curve) : 비가역성 만곡으로 추체의 회전, 설상 등 비대칭적 변화 보임.

b. 소만곡(minor curve, compensatory curve, secondary curve) : 주만곡 위아래 생기며 주만곡을 보상하기 위하여 생김.

2. 끝척추, 중립척추, 안정척추, 첨부 척추

a. 끝척추(end vertebra) : 만곡의 상, 하로 가장 기울어진 추체

b. 중립 척추(neutral vertebra) : 회전이 없는 추체

c. 안정척추(stable vertebra) : 중앙 천골선(central sacral line)에 의해 가장 가깝게 양분되는 근위 척추체

d. 첨부 척추(apical vertebra) : 환자의 수직 축에서 가장 벗어난 척추체

3. 대상, 대상 실조

a. 대상(compensation) : 제7 경추에서 내린 수선이 천골 중앙부를 통과 시

b. 대상 실조(decompensation) : 제7 경추에서 내린 수선이 중심축에서 벗어난 상태

4. 만곡의 방향

주 만곡의 볼록한 쪽이 향하는 방향으로 표시

C. 분류

1. 나이에 따른 분류

a. 유아기형(Infantile) : 태어나서 3세까지

b. 연소기형(Juvenile) : 3~9세까지

c. 청소년기형(Adolescent) : 10~18세까지

2. 만곡에 따른 분류

a. King의 분류(그림 6-68)

① Type I : 진성 이중 만곡. 흉부 주만곡과 요부 주만곡

② Type II : 가성 이중 만곡. 흉부 주만곡과 요부 보상만곡

③ Type III : 단일 흉부 만곡

④ Type IV : 긴 흉부 만곡
⑤ Type V : 이중 흉부 만곡

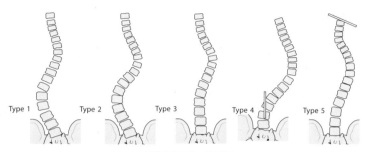

그림 6-68. King의 분류

b. Lenke의 분류(그림 6-69)

Curve type

Type	Proximalthoracic	Main thoracic	Thoracolumbar/lumbar	Curve type
1	Nonstructural	Structural(major)	Nonstructural	Main thoracic(MT)
2	Structural	Structural(major)	Nonstructural	Double thoracic(DT)
3	Nonstructural	Structural(major)	Structural	Double major(DM)
4	Structural	Structural(major)	Structural	Triple mahor(TM)
5	Nonstructural	Nonstructural	Structural(major)	Thoracolumbar/lumbar(TL/L)
6	Nonstructural	Structural	Structural(major)	Thoracolumbar/lumbarstructural MT (Lumbar curve>thoracic by≥10°)

Structural Criteria
Proximal thoracic : Side-bending Cobb ≥ 25。
T2-T5 kyphosis ≥ 120。
Main thoracic : Side-bending Cobb ≥ 25。
Thoracolumbar/lumbar : Side-bending Cobb ≥ 25。
T10-L2 kyphosis ≥ +20。

Location of Apex
(SRS definition)

Curve	Apex
Thoracic	T2-T11-12 Disc
Thoracolumbar	T12-L1
Lumbar	L1-2 Disc-L4

Lumbar spine Modifier	CSVL to Lumbar Apex	Modifiers	Thoracic Sagittal Profile T5-T12	
A	CSVL between pedicles		− (Hypo)	< 10°
B	CSVL touches apical body(ies)		N (Normal)	10-40°
C	CSVL completely medial	A B C	+ (Hyper)	> 40°

Curve type(1-6) + Lumbar spine modifier(A, B, or C) + Thoracic sagittal modifier(-. N, or +)
Classification(e.g., 1 B +) : _____

그림 6-69. Lenke의 분류

D. 신체 검진

a. 전방 굴곡 검사(Adam's forward bending test) : 가장 간편하고 흔히 사용되는 검사로 양발을 모으고 무릎을 편 자세로 서서 허리를 약 90도 전방으로 구부리는 자세를 취했을 때, 검사자는 피검사자의 엉덩이 쪽에서 눈높이를 등과 같이하여 늑골고(rib hump)나 요추 돌출고(lumbar hump)를 관찰하게 된다(그림 6-70).

b. 제7 경추의 극돌기에서 내려뜨린 수선(plumb line)이, 둔근간 주름을 통과하면 측만증은 대상 상태에 있는 것이며, 한쪽으로 치우치면 대상 실조 상태에 있는 것임(그림 6-71).

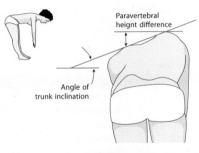

그림 6-70. 전방 굴곡 검사

그림 6-71. Plumb line

E. 방사선 검사

1. PA, lateral view including iliac crest and cervical spine

a. 기립 촬영이 원칙

b. Cobb's angle을 측정(그림 6-72)

만곡의 위 끝 척추의 상 골단판과 아래 끝 척추의 하 골단판이 이루는 각을 측정(우측 예 : 43도)

c. 5도 이상의 변화가 있을 때 의미 있는 변화임.

2. 추체의 회전 변형을 측정하는 방법

Nash와 Moe의 추체 회전 측정법(그림 6-73), 염전각 측정기를 이용한 방법

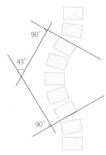

그림 6-72. Cobb's angle

그림 6-73. Nash와 Moe의 추체 회전 측정법

06

3. 만곡의 유연성을 측정하는 방법

자의적 측굴곡, 타인에 의한 측굴곡, 견인 촬영

F. 만곡의 진행

a. 여자에서 남자보다 더 진행 잘 함.

b. 초경 이전, Risser 징후가 낮을수록 진행 잘 함(그림 6-74).

c. 흉부 만곡이 요부 만곡보다 진행 잘 함.

d. 각도가 클수록 진행 잘 함.

e. 만곡 진행의 확률(Lonstein 등, 1984)(표 6-18)

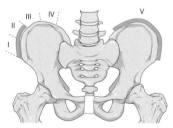

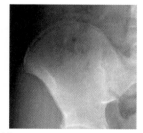

그림 6-74. Risser 징후

표 6-18. 만곡 진행의 확률

Risser증후	만곡의 크기	
	5-19도	20-29도
0~1	22%	68%
2~4	1.6%	23%

G. 치료

1. 경과 관찰
    a. 성장기의 20도 이하 유연한 만곡 → 3~6개월마다 방사선 검사

    b. 성장이 종료된 환자에서 50도 미만의 만곡

2. 보조기
    a. 보조기 착용의 효과에 대해서는 매우 controversial

    b. 유연한 20~40도 만곡에서 골격 성장이 1년 이상 남아 있는 진행성 환자에서 효과적

    c. 만곡의 진행은 억제하나 교정에는 큰 효과가 없음.

3. 수술적 치료
    a. 적응증

      ① 성장기 아동에게 40~45도 이상 만곡

      ② 적절한 보존적 치료에도 진행하는 경우

      ③ 성장이 끝난 환자에서 50~60도 이상 만곡

    b. 수술의 원칙

      ① 교정보다는 체간 균형이 더 중요

      ② 시상면, 관상면 모두에서 정상에 가깝게 삼차원적 교정

      ③ 유합 범위를 최대한 줄여서 가동 분절을 많게 함.

      ④ 견고한 유합을 얻는다.

    c. 유합의 원칙

      ① 모든 주만곡을 포함

② 주 만곡의 모든 추체에 대해 유합

③ 만곡 상부의 중립 척추로부터 하부의 중립 척추까지 유합술을 시행

④ 유합의 가장 하단은 천골 위에서 균형을 취하고 안정대에 위치해야 함.

d. 합병증

① 교정의 소실 또는 재발 : 기기 고정술 및 수술 기법의 발달로 교정의 소실은 문제되는 경우가 거의 없지만, 유합하지 않고 남겨둔 부위에서 새로운 발생할 여지가 있다. 그러나, 이를 예방하기 위해 미리 장분절 유합하는 것이 환자에게 유리하다고 판단하지 않는다.

② 신경학적 장애

③ 대상 실조

④ 크랭크 축 현상(Crankshaft phenomenon) : 잔여 성장이 많이 남아 있는 10세 미만에서 주로 후방 유합만 하여서 전방은 계속 자라고 후방은 못 자라서 변형이 심해지는 현상으로 기기 고정술이 발달한 요즈음은 문제되는 경우가 거의 없다.

⑤ 성장 장애 : 유합된 부위에서 추가적인 성장은 일어나지 않지만, 이는 추가적인 변형이 일어나지 않음을 의미하며, 변형 부위를 유합하지 않는다면 성장 기간 동안 변형이 악화될 부위이므로 유합술로 인해 성장 부분에서 환자가 손해 볼 것은 없다. 오히려 유합술 중 만곡을 펴주면서 키가 커지는 효과가 있으므로 최종 신장 측면에서는 변형 교정 수술을 하는 편이 유리하다.

VIII. 선천성 척추 측만증

A. 정의

정상적인 척추의 발생 과정 중 이상에 기인하며 척추의 정상 성장에 필요한 체절(somite) 형성의 이상이나 간엽기에 정상적인 연골화와 골화가 이루어지지 않음으로써 발생

B. 분류

1. 형성 부전(failure of formation)(그림 6-75)

    a. 반척추(hemivertebra)

    b. 설상 척추(wedge vertebra)

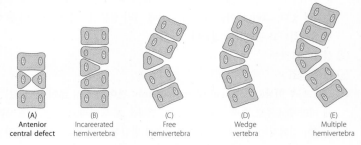

(A)	(B)	(C)	(D)	(E)
Antenior central defect	Incareerated hemivertebra	Free hemivertebra	Wedge vertebra	Multiple hemivertebra

그림 6-75. 형성 부전(failure of formation)

2. 분절 부전(failure of segmentation)(그림 6-76)

    a. 편측 미분절 척추봉(unilateral unsegmented bar)

    b. 척추 융합(block verbetra)

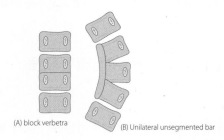

(A) block verbetra   (B) Unilateral unsegmented bar

그림 6-76. Failure of segumentation

C. 진단 및 검사

    a. 만곡의 진행 여부를 판단하기 위해서 보통 6개월마다 외래에서 만곡의 변화, 대

상 실조 징후 등을 이학적 검사와 방사선 검사를 통해 확인

b. 다른 선천성 기형의 동반 확인

① 요로계 기형(25~40%) → 복부 초음파 검사

② 심장 기형(10%) → 심 초음파 검사

③ 척추 내 이상(40%) : 수막 척수류, 척수 공동증, 척추 사슬증, 이분 척수증 → 척추 전장 MRI 촬영

D. 임상 소견 및 예후

a. 만곡의 유연성이 떨어지고 어린 나이에 심한 만곡을 보이는 경우가 많으며, 성장기 전반에 걸쳐 계속 진행되는 경우가 많음.

b. 반척추와 그 반대측의 편측 미분절 척추봉이 동반된 경우 가장 예후가 불량

c. 척추 융합의 경우 측만이 거의 발생하지 않음.

d. 형성 부전의 경우 일반적으로는 설상 척추가 반척추보다 예후가 좋음.

e. 2개 이상의 척추에 다양한 조합의 복합 부전의 경우 예후를 정확히 예측하는 것 어렵기 때문에 조기 수술보다는 정기적인 추시를 통해 적절한 치료 계획을 수립하는 것이 좋음.

E. 치료

a. 보조기는 그 효과가 제한됨.

b. 치료가 필요 없는 경우

① 성장이 만료된 환자에서 체간의 균형이 유지되는 경도의 만곡이 있는 경우

② 성장기 환자에서 만곡의 각도가 작고 감돈 반척추와 같이 진행성이 매우 적거나 적을 것으로 예상되는 경우 → 추시 관찰만 시행

c. 수술적 치료는 가능하면 만곡이 크지 않고 유연성이 있을 때 시행. 특히 편측 미분절 봉이나 편측에 인접한 다발성 반척추와 같이 변형의 진행이 빠른 만곡에서는 각도가 작더라도 나이에 관계없이 조기에 수술적 치료를 고려.

IX. 신경 근육성 척추 측만증

A. 정의

여러 가지 신경 질환 또는 근육 질환에 이차적으로 발생하는 척추 측만증을 말하며, 측만증뿐만 아니라 다양한 감각 이상, 편측 혹은 양측의 운동 마비 등을 가진다.

B. 분류

1. Paralytic type scoliosis
　a. Spinal muscular atrophy
　b. Duchenne muscular dystrophy
　c. Myelomeningocele
　d. Poliomyelitis

2. Spastic type scoliosis
　a. Cerebral palsy

C. 임상 소견 및 예후

　a. 원인 질환의 발생과 동시에 나타나고 대부분 빨리 진행
　b. 치료하지 않을 경우 환자의 일상생활에 큰 지장을 주며, 심폐 기능의 장애를 가져오고, 기존 질환에 의한 타 장기의 침범으로 수술적 치료 시 더 큰 위험 부담을 안게 됨.
　c. 근육병 측만증 만곡의 특징
　　① Uncompensated long C-curve
　　② Thoracolumbar or lumbar curve
　　③ Pelvic obliquity

D. 진단 및 검사

  a. 척추 변형에 대한 검사

  b. 환자의 출생 및 발달 과정에 대한 병력, 일반적인 기능 상태와 일상생활 중 의존
    도, 활동 시 보장구의 도움 필요 여부, 앉을 때 손 사용 필요 여부를 파악

  c. 고관절의 기능 평가 : 골반 경사가 있을 때 그것이 척추 변형에 의한 것인지 장경
    대의 구축이나 골반 자체의 변형으로 인한 것인지 판단

  d. 폐기능 검사 : 폐활량이 정상치의 30% 이하일 때 술 후 호흡기 합병증 증가

  e. 기립 방사선 촬영이 불가능한 경우 좌위(sitting position) 촬영

06

E. 치료

1. 보존적 치료

보조기는 호흡운동을 방해하여 일반적으로 권장되지는 않음.

2. 수술적 치료

  a. 수술의 목적

    ① Sitting balance

    ② Make hands free

    ③ Pulmonary function 향상

  b. 수술의 적응증 및 시기

    ① Cobbs angle → 20, 조기 수술 권장하는 저자도 있다

    ② 이유

      i. 90% 이상에서 측만증 발생

      ii. 휘어지기 시작하면 1년에 10도 진행

      iii. 교정률 감소

      iv. 늦어지면 호흡 기능 및 전신 상태 저하에 다른 호흡 부전 및 수술 위험도
        증가

      v. Pelvic obliquity 발생 → 수술 범위 커지고 출혈량 증가

  c. 수술 시 또는 수술 후 문제점

    ① 폐, 심장 기능 저하

② 수술 중 다량 출혈
③ 수술 후 상처 감염
④ 마취시 악성 고열증
⑤ 심한 골다공증
d. 유합의 범위 결정
① 주만곡 및 소만곡도 포함
② 골반까지 유합을 연장해야 하는 경우
 i. 만곡 자체가 천추를 포함하고 있을 때
 ii. 보행이 불가능할 때
 iii. 강직형의 환자로 요추에 대한 상대적인 골반 경사가 15도 이상일 때

X. 척추 후만증(Kyphosis)

A. 정의

추체, 추간판 및 주위 근육의 이상으로 인해 척추의 시상면상 정상 만곡이 소실되고 흉부의 후만곡이 더욱 증가하거나, 경부와 요부에서 후만 변형을 보일 때를 후만증이라 함.

1. 정상 흉추부 후만곡

일반적으로 성장기 아동에서 제1 흉추 상연에서부터 제12 흉추 하연까지의 각도를 Cobb 방법으로 측정하였을 때 20~40도의 후만곡을 보일 때 정상으로 판단

2. 경추부, 흉요추부, 요추부

전만을 형성하고 있는 것이 정상이며, 후만을 보이면 비정상 최근에는, 시상면 균형(sagittal balance)이 유지되는지 여부가 환자의 삶의 질 및 요통 등과 관련이 있다는 것이 알려지면서 국소적 만곡의 크기 자체보다 전체적인 균형 유지 여부의 임상적 의미가 큰 것으로 받아들여지고 있다.

B. 분류 및 각각의 특징

1. 선천성 척추 후만증(congenital kyphosis)

  a. 발생 원인(그림 6-77)

    ① 추체의 형성 부전(failure of formation)

    ② 추체의 분절 부전(failure of segmentation)

    ③ 이 두 가지 형태의 복합형

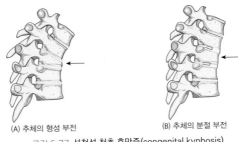

(A) 추체의 형성 부전   (B) 추체의 분절 부전

그림 6-77. 선천성 척추 후만증(congenital kyphosis)

  b. 임상 증상

    ① 요통 : 요추부의 대상 만곡의 증가로 발생

    ② 하반신 마비

      i. 주로 추체 결손이 상부 흉추부인 T4와 T7 사이에 후만증의 첨부가 위치할 때 나타남(critical zone).

      ii. 일단 마비 발생 시 치료 없이 저절로 호전되는 경우는 없으며 계속 악화되어 치료 시기를 놓치면 영구적인 완전 마비로 이행됨.

    ③ 심장이나 폐기능 장해

  c. 치료

    ① 수술이 유일하게 진행을 예방함.

    ② 수술 시기나 수술 방법은 변형의 원인, 환자의 연령, 변형의 정도 및 신경학적 상태 등에 따라 달라짐.

2. 청소년기 후만증(Scheuermann's disease)

a. 정의

원인은 확실하지 않으나 청소년기에 등이 굽은 불량한 자세와 동통을 호소하는 질환

b. 증상

① 후만 변형 : 불량 자세에 의한 후만 변형과 달리 자세로써 쉽게 교정되지 않음.

② 통증 : 후만 변형의 첨부나 요추부의 간헐적인 통증

c. 방사선 소견

① 5도 이상의 설상 변형이 3개 이상의 척추체를 침범하면 전형적

② 추체 간격 감소, 첨부 추체의 전후방 거리 증가, 이환 추체의 높이 감소, 불규칙한 척추 종판, Schmorl 결절 (intravertebral disc heniation)

d. 치료

① 후만증이 심하지 않으면 신전 운동, 중등도의 경우 보조기 치료

② 변형이 심하거나 압박 증상이 있으면 수술적 치료

3. 노인성 후만증(senile kyphosis)

a. 원인

척추의 퇴행성 변화로 인한 추간판의 변화와 근력 약화, 압박 골절

b. 특히 흉추에서 심하게 나타남.

c. 치료

① 자세를 바로 잡도록 하고, 복부 및 배부 근육을 강화시키는 운동

② 경피적 추체 성형술, 경피적 추체 확장 성형술

4. 결핵성 후만증(tuberculous kyphosis)

척추 결핵이 제대로 치료되지 않을 경우 발생

5. 요부 변성 후만증(lumbar degenerative kyphosis)

a. 정의

정확한 원인은 밝혀지지 않았지만 아직 허리가 굽을 나이가 아닌 중년 여성에서 장기간 허리를 구부린 자세를 유지함으로써 발생한 근육 피로의 누적 또는 구획

증후군으로 인해 척추 신전근이 약화되고 추간판의 퇴행성 변화에 의해 발생하는 편평 배부(flat back)을 말함.

b. 임상 증상(4주징)

　① 기립 시 몸이 앞으로 굽어지면서 발생하는 보행 장애(stooping)

　② 몸 앞쪽에서 무거운 물건을 잘 들지 못함.

　③ 주방 일을 할 때나 세수 시 몸이 앞으로 굽어지므로 한쪽 팔꿈치를 세면대나 싱크대에 고여 몸을 받치는 특징적 자세

　④ 평지보다 언덕길이나 계단 등 오르막에서 더욱 보행의 어려움 호소

c. 진단

　① 단순 방사선 검사 : 확진

　　i. 앙와위뿐만 아니라 기립 사진을 반드시 찍어야 함.

　　ii. 일정 시간 서 있거나 걷게 한 후 사진을 찍어야 변형을 제대로 파악할 수 있음.

　② MRI 등의 정밀 검사는 중요하지 않으나 추간판 협착증 등의 증상을 호소할 경우 확인 필요하며, 척추 주위 근육 변성 정도를 파악하는 데도 일부 도움이 된다.

d. 치료

　① 환자의 생활 환경, 습관, 주증상 및 치료에 대한 기대의 파악이 무엇보다 중요하다.

　② 요통에 대해서는 보존적 치료

　③ 약화된 신전근육을 강화시키는 근육 강화 운동

　④ 경우에 따라 수술로서 척추 시상면 불균형을 균형 상태로 복원시킴.

XI. 척추 종양

척주(spinal column)과 척수(spinal cord) 및 경막(meninges)에 발생한 종양을 말하며, 원발성과 전이성 종양이 있다. 임상적으로 의미 있는 원발성 종양으로 가장 흔한 것은 신경초종(약 25%)으로 경막내 수외 종양(intradural extramedullary tumor), 경막내외공간에 연결된 형태(dumbbell tumor), 경막외(epidural) 또는 척추 주위(paravertebral) 공간에 주로 발생하는데, 사지에서 발생하는 경우와 임상적 의미가 매우 달라서 중증 질환으로 분류된다. 척주 또는 척추체를 침범한 악성 종양은 전이성 병변이 가장 흔하며, 양성 종양으로는 혈관종양이 가장 흔하다. 그러나 척추체 혈관종은 임상적으로 의미 없고 특별한 증상 없이 우연히 발견되는 경우가 많다. 척추체의 원발성 종양은 모두 발생 빈도가 극히 드물어서 국내 연간 발생률이 100-200명에 불과하며, 척수 및 경막 기원 원발성 종양은 800-900명 정도로 알려져 있다.

A. 진단

1. 임상 증상
대개, 통증이 가장 흔한 초기 증상이며 병변이 진행할수록 신경근 증상, 척수 증상 (편측 → 양측)의 순서로 나타나게 된다.

a. 통증(m/c)

① 환자의 체위나 활동 정도와 관계없으며, 야간에 심해질 수 있고, 보존적 치료에 잘 듣지 않음.

② 양성과 악성 종양 간에 통증의 차이는 없으나 임상 경과는 양성종양이 진행이 무척 느린 편(수년에 걸치는 경우도 흔함)이고 악성 종양에서는 훨씬 빠른 경과(대개 수개월 이내)를 보임.

b. 신경학적 손상

양성 종양의 35%, 악성 종양의 55%에서까지 나타나지만, 그 정도는 환자 스스로 알아차리지 못할 정도로 경미한 경우도 많다.

c. 변형

paraspinal muscle spasm, bone destruction에 의함.

d. 종괴(mass)

e. 전신 증상

fever, weight loss, fatigue, anorexia 등

2. 병력 및 신체 검사

3. 영상 검사

　a. 단순 방사선 촬영

　　① Lytic lesion : 30-50% 이상의 해면골이 파괴되어야 병변이 단순 방사선 검사
　　　상 확인되므로 조기 진단에 도움 안 됨(척추 전이암의 26%가 단순 방사선 검
　　　사상 확인되지 않았다는 보고가 있다).

　　② Winking owl sign : 전이성 병변에서 특징적으로 전후면 사진상 척추경의 음
　　　영이 없어지는 것(그림 6-78).

　　③ Blastic lesion : prostate, breast, thyroid

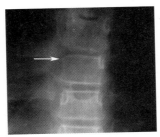

그림 6-78. Winking owl sign

　b. 전신 골주사(whole body bone scan)

　　민감도가 높아 단순 방사선 소견으로 진단이 확실치 않거나 기존의 악성 질환
　　환자에서 병변의 골격 계통 파급(전이) 정도를 알아보는 데 큰 도움 되지만, 외상
　　및 퇴행성 병변과 감별은 안 된다.

　c. 자기 공명 영상(MRI)

　　① 척수 및 기타 연부 조직과 골수 병변의 해상도가 높고 민감도 특이도 높아
　　　종양성 병변의 진단에 있어 절대적인 역할을 한다.

　　② Low signal in T1, High signal in T2

　d. 전산화 단층 촬영(CT)

　　뼈의 밀도 변화를 민감하게 찾아낼 수 있으므로 척추의 작은 병을 찾는 데도 도

움이 됨.

e. 양전자 방출 단층촬영(PET)

f. 혈관 조영술(angiography)

① 수술 계획의 수립에 도움

② 신세포암, 갑상선암 및 간세포암의 척추 전이 병변이나 혈관종 등의 혈관 분포가 풍부한 종양의 절제 수술 시 다량 출혈을 예방하기 위해 혈관색전술을 시행할 수 있음.

4. 임상 병리 검사

a. 혈액학적 검사와 생화학 검사

① CBC, ESR, serum protein, Ca, Alkaline phosphatase

② Serumimmunoelectrophoresis

③ Urinary protein (Bence-Jones protein)

④ Serum BUN, creatinine, calcium

b. 종양 표식 인자(Tumor marker)

① PSA : prostate ca

② CEA : colon c

③ β-hCG : ovarian ca, testis ca

④ αFP : hepatic ca

⑤ catecholamine, VMA : neuroblastoma

5. 생검(biopsy) : 확진

B. 원발성 척수 종양(Spinal cord tumor)

개요 및 분류

1. 전체 중추 신경에 발생하는 종양의 10-15% 차지

2. 기원에 따른 분류

a. 척수의 신경 아교 세포(glial cell of spinal cord) : 성상세포종(astrocytoma), 희돌기세포교종(oligodendroglioma), 상의세포종(ependymoma)

  b. 뇌척수막(meninges) : 수막종(meningioma)

  c. 신경초(nerve sheath) : 신경초종(schwannoma), 신경섬유종(neurofibroma)

  d. 기타 : 혈관모세포종(hemangioblastoma)

3. 해부학적 위치에 따른 분류

  a. 경막외(extradural) 종양(90%)

  b. 경막내(intradural) 종양(10%)

  c. 수질내(intramedullary) 종양 : 경막내 종양의 1/3

  d. 수질외(extramedullary, IDEM) 종양 경막내 종양의 2/3

경막외 종양(extradural or epidural tumor)

1. 정의상 척수 종양이라기보다는 척추 종양, 또는 말초 신경 종양으로 분류되며 아래와 같은 경우가 해당됨.

  a. 척추체에서 발생한 원발성 골종양 또는 전이성 종양이 경막외 공간(epidural space)을 침범하는 경우

  b. 척추 주변의 신경 조직에서 발생한 신경초종(nerve sheath tumor), 신경섬유종(neurofibroma), 수막종(meningioma)

  c. 림프종(lymphoma) 등이 경막외 공간에서 종괴를 형성하는 경우

2. Dumbbell tumor

  a. 척수 종양 중, intraspinal component와 extraspinal component를 모두 가지며, intervertebral foramen을 통해 두 component가 연결된 경우

  b. 신경초종(schwannoma), 신경섬유종(neurofibroma), 수막종(meningioma) 등이 이러한 형태학적 소견을 보일 수 있음.

경막내 수외 종양(intradural extramedullary tumor, IDEM tumor)

1. 개요 및 임상양상

  a. 신경초종, 수막종이 전체의 80%을 차지함.

  b. 대부분 양성, 주변 조직 압박하여 국소 통증 유발

  c. MRI로 병변 부위의 신호 변화, 척수 혹은 마미의 전위 확인

2. 신경초종(nerve sheath tumor, schwannoma)

　　a. 기원 및 발생

　　　　① Schwann cell of nerve sheath(대개 경막 내 발생, 30%는 경막 외에 발생)

　　　　② 주로 배부 신경근(dorsal nerve root)에 발생

　　　　③ 경막내 종양의 25%를 차지(2.5%에서는 악성)

　　b. 역학

　　　　40~60대에 호발

　　c. MRI

　　　　iso/low SI in T1, high SI in T2

　　d. 치료

　　　　완전 절제(불완전 절제 시 재발률 50%)

3. 수막종(meningioma)

　　a. 기원 및 발생

　　　　① 대부분 거미 모자 세포(arachnoid cap cell)에서 발생

　　　　② 주로 흉추부에 호발, 주로 경막 내 위치(10%에서는 경막내외 모두 분포)

　　b. 역학

　　　　50~70대 호발, 여자에 더 많음.

　　c. MRI

　　　　dural tail sign, 석회화, 병변 내 낭종 등

　　d. 치료

　　　　완전 절제(90% 정도에서 가능함)

4. 종사 상의 세포종(filum terminale ependymomas)

　　a. 기원 및 발생

　　　　① 종사(filum terminale)의 뇌실막세포(ependymal cell)에서 발생함.

　　　　② 상의세포종의 40% 차지

　　　　③ 수질외 또는 수질내 발생 가능함

　　b. MRI

　　　　병변 내 낭종, 괴사 및 출혈 나타남.

c. 치료

크기와 마미와의 위치 관계에 따라 달라짐.

① 크기가 작은 경우 : 완전 절제 및 감압을 시행하지 않음.

② 크기가 큰 경우 : 아전절제 시행(CSF으로의 유출 가능성이 높기 때문), 방사
선 치료 병행하기도 함.

수내 종양(intramedullary tumor)

1. 개요 및 임상양상

a. 대부분 원발성 신경아교종양(glial cell tumor, 80%)

b. 통증 및 근력 약화가 주 증상

c. 초기 증상은 3-4년 전 발생, 경막내 출혈이 동반되는 경우 급격한 악화 가능

d. 악성, 전이성 종양의 경우 증상 악화가 매우 빠를 수 있음.

2. 성상 세포종 (astrocytoma)

a. 기원 및 발생

① 기원 : 척수의 성상세포(astrocyte)에서 발생

② 경추부와 경흉추부에서 60% 정도 발생

b. 역학

① 10세 이전의 intramedullary tumor의 90%, 청소년기의 60%

② 성인에서 25%가 악성을 나타냄.

c. MRI

불명확한 경계, 다양한 조영 증강

d. 치료

완절 절제가 가능한 경우도 있지만, 척수로 침범한 경우 완전 절제가 어렵고, 신
경 기능을 보존하기 위해 부분 절제

C. 원발성 양성 척추 종양

1. 골연골종(osteochondroma)

a. 7%가 척추에 발생

    b. 병변 위치에 따라 신경 압박 가능(주로 경추나 제6 흉추 상부)

    c. 신경 증상은 매우 완만한 속도로 진행하므로 단순 절제로 감압하면 신경 증상의 회복도 양호하고 재발도 거의 없으나, 병변의 위치에 따라서는 재발할 경우 재수술이 용이하지 않는 경우가 있을 수 있으므로 초기 치료 시 완전한 절제가 중요.

2. 유골골종(osteoid osteoma)와 골아세포종(osteoblastoma)

    a. 유골을 형성하는 종양

    b. 10~20세, 남자에 호발

    c. Posterior element

    d. 크기에 따라 구분

        ① 2 cm : osteoblastoma

        ② 2 cm : osteoid osteoma

    e. 야간통이 특징 : aspirin에 잘 듣는 것이 특징

    f. 진단 : bone scan, CT

    g. 치료 : osteoid osteoma는 nidus 제거, osteoblastoma는 wide excision

    h. 재발 잘 하고, 병변의 위치에 따라서는 재발할 경우 재수술이 용이하지 않는 경우가 있을 수 있으므로 초기 치료 시 완전한 절제가 중요.

3. 동맥류성 골낭종(aneurysmal bone cyst)

    a. Vascular tumor

    b. 10~20세 호발

    c. Posterior element에 주로

    d. 진단 : MRI with Gd

    e. 치료 : embolization, low dose RTx, surgical resection, curettage

4. 혈관종(hemangioma)

    a. 가장 흔한 양성 척추 종양

    b. 단발성, 무증상인 경우가 80~90%

    c. X-ray : coarse, vertical striation

    d. CT : polka dot appearance(그림 6-79)

e. 치료

① 무증상의 경우 치료 필요 없음.

② 증상 있으면 방사선 치료

③ 척수나 신경 압박 시 수술적 치료 : 술 전 혈관 조영술, 외과적 제거술

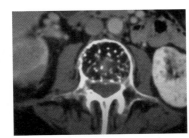

그림 6-79. 혈관종(hemangioma)

5. 거대세포종(giant cell tumor)

a. 20~40세, 여자에 호발

b. 주로 body에 호발

c. Slow growing, locally aggressive

d. 치료 : en block resection with wide margin

e. 50%에 이르는 높은 재발률

6. 호산구 육아종(eosinophilic granuloma)

a. 10세 미만의 어린이에 호발

b. 주로 body에 호발

c. X-ray : vertebra plana

d. Bone scan : cold

e. MRI : flare reaction in T2

f. Self limiting, 생검 이외의 특별한 치료를 요하지 않음.

D. 원발성 악성 척추 종양

1. 다발성 골수종(multiple myeloma)

  a. Plasma cell tumor

  b. 가장 흔한 원발성 악성 척추 종양

  c. 50~70세, 남=여

  d. 전신 증상 : pancytopenia, reverse A/G ratio

  e. 진단

    ① Serum electrophoresis - M spike

    ② X-ray : 20~50% compression fx

    ③ Bone scan : no uptake

    ④ Bence-Jones protein in urine

  f. 치료 : CTx and RTx

  g. 예후 : 5년 생존율 20~30%

2. 골육종(osteosarcoma)

  a. 모든 골육종의 1~3%만이 척추에 발생하며, 원발성 척추 골육종은 연간 발생률이 인구 천만 명당 0.8명 정도로 추산될 정도의 희귀 질환.

  b. 주로 body를 침범

  c. X-ray : mixed lytic & blastic

  d. 치료 : wide resection + CTx + RTx

  e. 예후 : 6~10 M in mean survival time

3. 속발성 골육종(secondary osteosarcoma)

  a. 주로 60세 이상

  b. Previous irradiated bone, Paget's disease, Fibrous dysplasia

4. 유잉 육종(Ewing's sarcoma)

  a. 5~15세 호발

  b. 3.5%만이 척추에 발생. 척추 중에서는 천추에 호발(50%)

  c. 주증상 : pain, fever, mass, neurologic deficit in up to 80%

d. 치료 : debulking + CTx + RTx

e. 예후 : 5년 생존율 20%

5. 척색종(chordoma)

a. 태아기의 척색 잔재(notochordal remnant)로부터 기원

b. 40~60세 호발, 남 : 여 = 2 : 1

c. 호발 부위 : sacrum(50%), clivus(35%)

d. 주로 body를 침범

e. Locally aggressive, slow metastasis(10~30%)

f. 치료 : wide resection

g. 재발 : 28~64%

h. 천추 척색종 절제 시 양쪽 S2 root 이하 희생시킬 경우 bladder symptom 나타
나므로, 절제연 확보와 방광기능 유지의 목표가 상충될 경우가 많음.

6. 연골 육종(chondrosarcoma)

a. 전체 연골 육종의 4~10%가 척추에 발생

b. 40~50세, 남 : 여 = 2 : 1

c. 치료 : wide excision, radioresistant하므로 RTx는 하지 않는다.

7. 림프종(lymphoma)

a. 전신 질환 또는 세망세포육종으로 불리던 단발성 병변으로 발생

b. 치료 : CTx + RTx, 치료 효과 좋음.

c. 예후 : 병소의 크기와 조직학적 특성에 따라 좌우됨.

E. 전이성 종양

1. 빈도

a. 모든 악성종양의 약 90%가 결국 척추 전이를 일으키는 것으로 알려져 있음.

b. 전이 부위 : 흉추(70%), 요천추(21%), 경추(8%)

c. 척추 침범 부위 : body - posterior element, 대부분 bone metastasis(경막내척
수외 전이는 5% 미만, 수내전이는 1% 미만)

    d. 50~60세 호발, M = F

2. 전이 경로

    a. Direct extension

    b. Arterial

    c. Lymphatic

    d. Venous(Batson's plexus)

3. 신경 증상의 기전

    a. 기계적 압박

      ① 종양조직의 직접적인 압박(경막외종괴 형성 등)

      ② 골편의 전위로 인한 압박(병적 골절 등)

      ③ 후만 변형으로 인한 압박

      ④ 척추 정렬부전으로 인한 압박

    b. 혈행 장애

      ① 동맥 색전에 의한 허혈

      ② 정맥 울혈에 의한 부종

4. 치료 결정을 위한 임상적 고려 사항

척추전이암은 종양내과, 종양방사선과, 척추외과의의 긴밀한 의사 소통을 기반으로, 환자 개개인의 상태 및 예후에 맞추어 적절한 치료를 선택할 수 있도록 협조하는 것이 바람직하며, 다음과 같은 사항들을 고려하여야 한다.

    a. 종양의 종류

      ① 원발 병변의 상태와 과거 치료에 대한 반응, 그리고 향후 예측되는 예후

         척추 전이암이 있는 환자는 전신에 암이 파급된 병기이므로 완치를 기대하는 경우는 거의 없다. 즉, 언젠가 사망할 것이 예상되는 환자이지만, 원발암의 진단 이후 투병 기간 및 그동안 치료에 대한 반응과 경과, 그리고 향후 동원 가능한 추가적인 치료 여부 등에 따라서, 적극적인 수술적 치료부터 호스피스 케어까지 선택하여야 한다. 환자의 원발암에 대한 종양내과 및 기타 적극적 치료 옵션이 남아 있는 환자에서 보다 적극적인 수술적 치료가 고려되지만, 그렇지 않은 환자, 즉 호스피스 케어가 필요한 환자에서 장기간 회복 기간이

필요한 수술적 치료는 지양하는 것이 바람직하다.

② 전이 병변의 방사선 치료와 및 기타 약물 요법에 대한 감수성

골수종, 및 림프종의 척추 전이 병변은 방사선 치료 감수성이 매우 우수하여 수술적 치료 이전에 방사선 치료를 고려할 수 있고, 특히 골수종은 스테로이드 치료에도 드라마틱한 반응을 보이는 경우가 있다.

b. 신경 장애

보행 기능(척수 기능) 유지를 최우선 목표로 하며, 자기 돌보기가 가능할 정도의 삶의 질을 유지할 수 있어야, 내과적인 치료도 적극적으로 고려하게 된다. 상기 기능 또는 신경근 마비에 대해서는 환자의 기능적 상태와 요구 정도에 따른 판단이 필요하다. 진단 시 이미 완전마비가 있다면 치료 후 걸을 수 있는 확률은 30% 미만이지만, 경도의 마비가 발생하였을 때 적절한 수술적 치료 시행할 경우 보행 기능 회복 가능성은 90% 이상이므로, 정기적인 경과 관찰 및 초기 증상에 대한 적절한 환자 교육을 통해 적절한 치료 시점을 놓치지 않는 것이 유리하다.

c. 척추 변형 및 안정성

척추 변형과 불안정성은 기계적 척수 압박으로 진행성 척수마비를 일으킬 수 있어 수술적 고정을 고려한다. 척추 전이 병변의 안정성 평가는 SINS (Spinal instability neoplastic score) 시스템을 참고할 수 있다. SINS 13점 이상일 경우 불안정한 병변으로, 6점 이하일 때 안정한 병변으로 평가한다(표 6-19).

d. 동통

전이 병변에 의한 척추의 기계적 불안정성, 또는 신경 압박에서 기인하는 통증이 다른 방법으로 조절되지 않고, 환자의 삶의 질을 심각하게 저해하고 있다면 수술적 치료를 고려할 수 있다.

e. 환자의 전신 건강 및 기능 상태

환자의 기능 정도에 맞게 수술 목표를 정하고 환자의 건강상태가 감당할 수 있는 수술 방법을 결정하여야 함.

f. 여명 기간

대개 6주 이상이면 수술적 치료를 권하지만, 기대 여명의 정확한 예측이 어려우므로 이를 단독으로 고려하여 치료 방법을 결정할 수는 없다.

표 6-19. Spinal instability neoplastic score

SINS Component	Score
Location	
Junctional (occiput-C2, C7-T2, T11-L1, L5-S1)	3
Mobile spine (C3-C6, L2-L4)	2
Semirigid (T3-T10)	1
Rigid (S-S5)	0
Pain*	
Yes	3
Occasional pain but not mechanical	1
Pain-free lesion	0
Bone lesion	
Lytic	2
Mixed (lytic/blastic)	1
Blastic	0
Radiographic spinal alignment	
Subluxation/translation present	4
De novo deformity (kyphosis/scoliosis)	2
Normal alignment	0
Vertabral body collapse	
50% collapse	3
50% collapse	2
No collapse with 50% body involved	1
None of the above	0
Posterolateral involvement of spinal elements†	
Bilateral	3
Unilateral	1
None of the above	0

NOTE. Data adapted
Abbreviation : SINS, Spinal Instability Neoplastic Score.
*Pain improvement with recumbency and/or pain with movement/loading of spine.
†Facet, pedicle, or costovertebral joint fracture or replacement with tumor.

5. 치료

a. 목표

① 통증 경감

② 보행 능력 회복과 최대한의 삶의 질 유지

③ 합병증 예방

b. 비수술적 치료

① Steroid : anti-edema effect

② Hormone : breast, prostate

③ Radiation : lymphoma, myeloma

④ Chemotherapy : 보조적

⑤ Diphosphonate : 고칼슘 혈증의 치료에 사용

c. 수술적 치료

① 적응증 : 전반적 전신 건강과 이환 전 기능 상태(premorbid functional status)가 양호하고 기대 여명이 6주 이상이면서,

  i. 보존적 요법에 반응 없는 심한 통증

  ii. 방사선 요법 후 지속적으로 악화되는 신경 증상이나 재발

  iii. Radioresistant tumor

  iv. 원발암이 진단되지 않고 척추암의 조직학적 진단이 필요한 경우

  v. 골조직의 광범위한 파괴로 인한 불안정성

  vi. 신경증상이나 동통을 유발하는 병적골절이나 변형

  vii. 척추 내의 고립된 병변 등에서 다학제적인 협의 과정을 통하여 수술적 치료의 이익이 위험보다 클 것으로 예상되고, 환자 및 보호자가 적극적인 치료를 원하는 경우

② 부적응증

  i. 다발성 장기 전이 및 전신적 상태가 불량하여 기대 여명이 극히 짧아 수술적 치료의 회복 기간 내에 사망할 것이 우려되는 경우

  ii. 환자 및 보호자의 적극적이 치료 의지가 없거나 치료의 목표와 한계, 발생 가능한 합병증 등을 이해하지 못하고 치료에 협조가 어려울 것으로 생각되는 경우

  iii. 림프종, 골수종 같이 방사선 치료에 효과 좋은 종양에서는 방사선 치료를 우선할 수 있다.

  iv. 척추의 기계적 불안정성, 통증, 마비 등의 증상이 없는 경우 방사선 치료를 하며 경과를 지켜볼 수 있다.

③ 수술 방법

전방, 후방, 전후방 접근법 및 경피적 접근법 등을 활용하여, 척추 안정성 회복 및 유지를 위한 기기고정술 및 척주재건술, 신경 감압을 위한 후궁절제술, 종양 제거술, 척추체 제거술 등을 상황에 맞게 조합하여 수술을 계획한다.

XII. 척추 감염

A. 감염 경로

  a. Direct infection of the disc usually through surgical manipulation directly or percutaneously.

  b. Local spread from contiguous structures

  c. Arterial spread of pyogenic bacteria

  d. Venous spread of tuberculous bacteria, usually at the level of renal vein

B. 진단

1. 임상증상

  a. 통증 : 요통뿐만 아니라 flank pain, chest pain 등의 양상으로 흔히 나타남.

  b. 마비 : epidural abscess로 인한 초기 마비와 significant kyphosis, vertebral collapse, late abscess로 인한 후기 마비

  c. 척추체 변형 : 후기 발생

2. 세균 배양 검사

  확진 수단

3. 단순 방사선 검사

  감염된 후 최소 2주에서 3개월은 지나야 발견 가능

4. CT

  paravertebral soft tissue swelling & abscess, changes in the spinal canal

5. MRI

  a. 정확하고 빠른 효과적인 진단 수단

  b. 단, pyogenic과 non-pyogenic infection을 감별할 수 없으므로 조직 생검의 필요성을 줄이지는 못함.

6. 핵의학 검사

Tc-99m scan, Ga-67 scan, In-111 WBC scan

7. Lab

ESR, CRP, WBC count증가

C. 화농성 척추 감염

1. Disc space infection

a. 원인 : surgical manipulation(m/c), penetrating trauma

b. 1~2.8% after disc surgery

c. S.aureus가 주요 원인균

d. 지속되는 요통, muscle spasm

e. 치료

① 항생제 투여 전 disc space 생검

② ESR 정상화될 때까지 항생제 투여

③ 통증 경감 위해 8~24개월 body cast 고정 고려

2. Epidural space infection

a. Immunosuppressed patient에 흔함

b. Mortality, morbidity 높음

c. osteomyelitis와 감별점

① 신경학적 증상이 더욱 빨리 발생

② More acute febrile illness

③ Meningeal irritation sign

d. 치료 : 36시간 이전 early decompression하고 항생제 사용

3. Postoperative spine infection

a. Redness, swelling, natural pus drainage

b. Mild fever, leukocytosis, elevated ESR, CRP

c. 치료

① Massive surgical debridement, drainage, irrigation
② 척추 고정 기기는 육안적 해리가 없는 한 척추 안정성 위해 제거하지 않는다.
③ 이식골에 농이 고여 있는 경우 충분한 세척 후 농에 의해 완전히 사골이 되었다고 생각되는 이식골만 제거한다.
④ Antibiotics mixed cement bead insertion
⑤ Broad spectrum antibiotics (IV anti 4~5주)

D. 결핵성 척추염

1. 화농성 감염과의 차이
a. 발열, 동통, 종창 등의 증상이 거의 없다. → 한랭 농양(cold abscess)
b. 질병의 진행 과정이 완만하다.
c. 농양 형성이 뚜렷하다.
d. 초기 신생골 형성이 화농성 감염보다 적다.
e. 추간판이 질병의 초기에는 비교적 잘 보존된다.

2. Pott's paraplegia
a. 척추 결핵시 발생될 수 있는 가장 심각한 합병증
b. 흉추부에서 호발
c. 족관절의 간대성 경련(ankle clonus) → 운동 마비 → 감각 마비 순
d. 운동 마비 순서 : 근력 약화 → 긴장성 마비 → 심부 건반사 항진 → 협조 운동 불능 → 신전 근력 약화 → 굴곡 근력 약화 → 배뇨 배변 장애 → 이완성 마비 순

3. 진단 검사
a. Lab : ESR, CRP 증가, WBC 정상
b. 단순 방사선 검사
① 추체의 음영 감소
② 골단판의 불규칙성
③ 추간판 간격의 협소
④ 척추 주위의 연부 조직의 음영 증가

⑤ 후기 후만증, 측만증 등의 척추 기형

c. CT : 골파괴 양상 및 정도를 잘 관찰

d. MRI : 연부조직의 해상도가 우수하여, 염증 조직의 파급 정도를 알기가 쉽고, 주로 T1에서 저신호 강도, T2에서 고신호 강도를 보임.

e. 조직 생검으로 확진 : caseation necrosis

4. 치료

a. 보존적 치료

① 석고 고정이나 보조기를 이용한 병소 부위의 고정과 항결핵제 투여

② 최근 항결핵제 regimen : INH + RFP + PZA + EMB(9개월 경구 투여) + SM(3개월간 근주)

b. 수술적 치료

① 적응증

i. Severe kyphosis with active disease

ii. Sign and symptom of cord compression

iii. Progressive impairment of pulmonary function

iv. Progression of kyphotic deformity

② 수술방법으로는 radical excision of involved vertebral body and anterior spinal fusion이 흔하게 사용됨.

5. 합병증

a. 후만증(kyphosis)

b. 마비

c. 재발

06

외상

I. 쇄골 골절(Fractures of the Clavicle)

A. 임상적 의의

    a. 쇄골은 축 골격(axial skeleton)과 부속 골격(appendicular skeleton) 사이의 주된 안정자로, 상지에 흡수된 에너지는 모두 쇄골을 통하여 흉곽으로 전달됨.

    b. 쇄골 골절은 대개 어깨로 넘어지거나, 직접 쇄골 부위를 부딪히는 것과 같은 견관절 부위의 타격에 의해 발생됨.

    c. 대개는 어린이나 젊은 성인에서 발생하나, 최근 야외 활동의 증가 및 골다공증의 증가로 장년 및 노년층에서의 발생도 증가하고 있음.

B. 진단

1. 증상 및 진찰 소견

    a. 골절 부위의 동통 및 변형을 주소로 내원하는 것이 전형적임.

    b. 반상출혈(ecchymosis)과 골편이 피부를 들어올리는 tenting이 보일 수도 있음.

    c. 가장 흔한 중간 1/3 간부 골절의 경우, 내측 골편은 흉쇄유돌근(sternocleidomastoid)에 의하여 근위로 들리게 되고, 외측 골편은 상지의 무게로 아래 쪽으로 내려가는 것이 전형적인 변형임.

2. 방사선 검사

    a. 쇄골 전후면(AP) 및 사면(obliaue)축 영상을 촬영함.

    b. 골절의 위치, 전위(상하 방향), 겹침(내외측 방향), 분쇄 여부를 기술함.

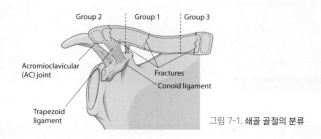

그림 7-1. 쇄골 골절의 분류

C. 분류

1. 그룹 1 : 중간 3분의 1의 골절(fracture of middle third)

2. 그룹 2 : 원위 3분의 1의 골절(fracture of the distal third)(그림 7-2)
a. 제1형 : 비전위 골절 또는 인대 사이 부분의 골절(minimally displaced / interligamentous)

b. 제2형 : 오구쇄골인대 위치 또는 근위부의 전위된 골절(displaced due to fracture medial to the coracoclavicular ligaments)

① 2A형 : 원추양인대와 승모양인대가 모두 원위 골편에 붙어 있는 골절 (both the conoid and trapezoid remain attached to distal fragment)

② 2B형 : 원추양인대가 파열된 골절(either the conoid is torn or both the conoid and trapezoid are torn)

c. 제3형 : 관절면을 침범한 골절(fractures involving articular surface)

d. 제4형 : 어린이에서, 인대는 파열되지 않은 채 골막에 부착되어 있으나, 근위 골편은 전위된 골절(in children, intact C-C ligaments attached to periosteal sleeve, proximal fragment displaced)

e. 제5형 : 분쇄골절(comminuted)

3. 그룹 3 : 근위 3분의 1의 골절(fracture of the proximal third)
a. 제1형 : 비전위 골절(minimal displacement)

b. 제2형 : 전위된 골절(displaced)

c. 제3형 : 관절내 골절(intraarticular)

d. 제4형 : 골단 분리(epiphyseal separation : 25세 이하에서 볼 수 있다.)

e. 제5형 : 분쇄골절(comminuted)

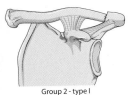

Group 2 - type I   Group 2 - type IIA   Group 2 - type IIB

그림 7-2. 원위 쇄골 골절의 분류

D. 치료

07

1. 비수술적 치료

a. 1 cm 미만의 전위를 보이는 간부 골절은 팔걸이(arm sling)나 sling-and-swathe (그림 7-3)로 치료함. 8자 붕대는 견부를 후방 견인된 자세(retracted position)로 유지하는데 도움이 될 수 있으나, 주로 어린이들에게 효과적임. 8자 붕대를 시행할 때는 너무 꽉 죄어 피부 문제나 상완신경총이 압박을 받지 않도록 함(팔걸이나 8자 붕대 간의 임상적 차이는 없는 것으로 보고됨 ; Anderson, 1987).

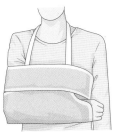

그림 7-3. Sling-and-swathe

b. 원위 쇄골의 관절 내 골절은 오구-쇄골-인대(CC ligament)가 온전하고, 근위 쇄골 간부의 전위가 심하지 않을 경우 보존적으로 치료할 수 있음. 다만, 외상 후

관절염의 발생 가능성에 대해서 환자에게 알려야 함.

2. 수술적 치료

a. 개방성 골절(open fracture)

b. 원위 쇄골 골절에서 오구쇄골인대 파열이 동반되고 전위가 1cm 이상인 경우

c. 겹침이 2 cm 이상인 경우

d. 견갑골 경부 골절이 동반된 경우(부유견 : floating shoulder)

3. 추시 관찰

최소한 수상 2주와 4주에 방사선 검사 시행 후 재활 운동을 시작함. 보통의 경우 수상 3개월 후에는 다치기 전과 같은 생활을 할 수 있음.

E. 합병증

비수술적 치료의 경우, 치료를 시작할 때 유합이 되었더라도 골절 부위가 불룩하게 보일 수 있다고 알려야 함. 불유합 발생률은 0.1 ~ 0.8% 정도임.

F. 요약

쇄골 골절은 이전에는 비수술적 치료가 거의 대부분이었으나, 최근에는 야외 활동, 스포츠 활동이 많아지고, 삶의 질이 향상됨에 따라 수술적 치료로 쇄골의 기능을 보다 온전하게 회복시키려는 경향이 있음. 성인의 경우 8자 붕대와 팔걸이는 정복을 유지하는 것보다는 동통 및 부종을 감소시키는 데 그 기능이 있음.

II. 흉쇄 관절 손상
(Injuries of the Sternoclavicular Joint)

A. 임상적 의의

a. 흉-쇄 관절은 흉골과 쇄골 간의 가동 관절(diarthrodial joint)임. 골성 안정성은 거의 없으나, 흉쇄 인대, 늑쇄 인대, 디스크 인대, 쇄골간 인대와 관절낭이 관절의

안정성을 유지함. 흉-쇄 관절은 축 골격과 부속 골격간의 주요 관절로, 견갑-흉곽 운동의 대부분이 흉-쇄 관절을 통하여 일어나며, 약 45도의 축성 회전이 가능하다. 흉-쇄 관절의 손상은 견관절 손상의 약 3%를 차지함.

b. 흉-쇄 관절 손상은 대개 고 에너지 손상이고, 다른 손상의 발생 여부를 확인하여야 하며, 특히 심장주위의 큰 혈관, 횡격막 신경, 기관 및 식도와 가까우므로 동반 손상 유무는 즉각적으로 확인하여야 함.

c. 손상 기전은 직접 타격에 의한 후방 탈구와 견관절의 외측에서 내측으로 가해지는 외력에 의한 간접 탈구가 있음. 간접 탈구는 방향에 따라 전방 및 후방 탈구가 가능함.

B. 진단

1. 증상 및 진찰 소견

a. 대개 교통사고와 같은 고 에너지 손상에서 발생함. 숨쉬기나 삼키기에 어려움이 있는지를 확인하고, 쉰 목소리나 천명(stridor)이 있는지 확인함. 동통은 흉-쇄 관절 부위에 국한적이며 종창과 반상 출혈이 흔히 동반됨. 흔한 전방 탈구의 경우는 흉골 절흔(sternal notch)의 전방 및 외측에 움직일 수 있는 돌출부를 볼 수 있으며, 후방 탈구의 경우는 앞뒤로 움직임이 있는 피부 꺼짐을 확인할 수 있음. 흉부 청진과 동측 상지의 신경학적 검사를 시행하여야 함.

b. 내측 쇄골의 성장판은 20대 초반까지 열려 있으므로, 25세 이하의 경우 쇄골의 내측 성장판을 골절과 감별하여야 함.

2. 방사선 검사

a. Serendipity 촬영

흉골병(manubrium)을 중심으로 40도 두부 경사(cephalic tilt) 양측 견관절 영상을 촬영함.

b. 2 mm 단면 간격의 CT

탈구의 정도 및 방향, 흉골 뒤 연부 조직 손상, 쇄골 내측부 골절 및 성장판 손상을 파악하는데 도움이 됨.

C. 분류

1. Type 1 : simple strain

2. Type 2 : subluxation

3. Type 3 : dislocation ; anterior, posterior

D. 치료

1. 비수술적 치료
대부분의 흉-쇄 관절 손상은 전방 탈구이며, 보존적으로 치료하여 동통 및 기능 모두에서 양호한 결과를 얻을 수 있음. 다만, 손상 후 외관이 비대칭적일 수 있으며, 정복이 되더라도 유지가 안될 수 있음. 보조기는 효과가 없는 것으로 보고되고 있음.

2. 수술적 치료
a. 급성 후방 탈구 시 전신 마취하에 시행함. 견갑골 사이에 패딩을 하고, 상지를 외전 및 견인하면서, 수건 겸자(towel clip, pointed bone tenaculum)로 쇄골의 근위부를 잡아 당겨 정복함.

b. 정복 후 흉골-쇄골 불안정성에 대한 치료는 여러 가지의 재건술이 보고되고 있음. Smooth K-wire는 수술 후 강선의 이동(migration) 문제로 사용하지 않는 것이 좋음.

3. 추시 관찰
분류에 따라 기간을 조정할 수 있으며, 대략 1개월간 팔걸이를 착용함.

E. 합병증

다발성 손상 환자에서 흉골-쇄골의 후방 탈구는 놓치는 경우가 비교적 흔하며, 흉골-쇄골 손상과 동반된 종격 및 상완 신경총의 손상을 진단하지 못하거나, 늦게 진단하는 경우도 보고되고 있음. 고정 실패, K-wire 이동, 재탈구 등도 보고되고 있음. 흉골-쇄골 관절의 관절염은 흔하지 않으나, 발생 시 쇄골 절제술이 시행될 수 있음.

F. 요약

대부분의 전방 탈구의 경우 보존적으로 치료하며, 후방 탈구의 경우는 종격동 및 상완신경총 등의 동반 손상 유무를 확인하고, 기도를 확보한 상태에서 정복함.

III. 견봉 쇄골 관절 손상
(Injuries of the Acromioclavicular Joint)

A. 임상적 의의

a. 견봉 쇄골 관절 손상은 각종 운동 경기 및 외상에 의해 흔히 발생하며, 전체 견관절 손상의 약 20% 정도를 차지함

b. 팔이 내전된 자세로 어깨 위쪽이 지면에 닿으면서, 견봉에 하향 내측으로 작용하는 외력에 의한 직접 손상이 가장 흔한 원인임.

c. 드물게 손을 짚고 넘어지거나 팔꿈치를 굽힌 채로 넘어지면서 힘이 상완골두를 통해 견봉에 전달되어 간접적으로 견봉 쇄골 관절 손상이 발생할 수도 있음.

d. 외상 이외에도 관절의 불안정성이나 퇴행성 변화에 의해 증상이 발생될 수 있고 견관절의 반복적인 과사용에 의해서도 발생될 수 있음.

B. 진단

1. 증상 및 진찰 소견

a. 환자는 수상 부위의 동통, 부종을 호소하며 점차 부종이 사라짐에 따라 원위 쇄골의 돌출을 인식하게 됨. 동통으로 인한 어깨 관절의 운동 감소, 특히 내전 및 반대쪽 어깨로의 움직임이 감소하게 됨.

b. 견봉 쇄골 관절 손상이 의심될 때는 가급적 서 있는 상태나 의자에 앉아 있는 상태에서 환자를 관찰하는 것이 좋은데, 팔이 무게 때문에 쇄골단이 돌출되고 (그림 7-4) 외상을 받은 견관절 상방 피부의 손상이나 부종 등이 잘 관찰됨. 견봉 쇄골 관절 부위에 압통을 호소하고, 쇄골 원위부의 가동성을 촉지할 수 있음.

그림 7-4. 견봉 쇄골 관절의 손상에 의해 우측 어깨의 원위 쇄골이 돌출되어 있음.

2. 방사선 검사

a. 단순 방사선

검사일반적 견관절 전후방 촬영은 방사선이 견봉 쇄골 관절을 과투과 하게 되어 손상 여부의 판독이 어려운 경우가 많음. 이 경우 방사선 강도를 50% 정도 줄여서 촬영을 하거나 견봉 쇄골 관절의 영상이 견갑골의 극돌기 영상과 겹치지 않도록 견봉 쇄골 관절을 향해 약 10도 내지 15도 머리 쪽으로 촬영을 하는 Zanca의 방법이 널리 쓰임(그림

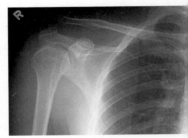

그림 7-5. 견관절 Zanca 영상. 견봉 쇄골 관절 손상 에 의해 우측 쇄골 원위단이 상방 전위되어 있음.

7-5). 개개인마다 견봉 쇄골 관절의 해부학적인 차이가 많으므로 양측 관절이 한 장의 사진에 나오도록 찍는 것이 바람직함. 이 밖에 견봉에 대해 쇄골의 전, 후방 위치를 확인하기 위해 액와상을 촬영하는 것도 도움이 됨. 보다 정확한 평가를 위해 양쪽 손목 관절에 약 5~7 kg의 무게를 매달고 동시에 양측 견관절의 전후 면 촬영을 시행함. 이러한 부하 촬영을 통해 견봉 쇄골 관절의 상태를 관찰하고 양측의 오구 쇄골 간격을 측정하여 손상 정도를 판단할 수 있음. 일반적으로 양측 오구 쇄골 간격이 50% 정도의 차이가 있는 경우는 오구 쇄골 인대의 완전 파열을 의미함.

b. CT

쇄골단의 정확한 전위 방향을 평가하거나 동반 손상을 진단하기 위해 CT 검사
가 필요할 수 있음.

C. 분류

Rockwood에 의한 분류가 널리 사용되며 견봉 쇄골 인대와 오구 쇄골 인대의 손상
의 정도와 방향에 따라 분류됨(그림 7-6).

a. 제1 형 : 견봉 쇄골 인대의 부분 손상만 있는 경우. 심각한 불안정성은 존재하지
   않음.

b. 제2 형 : 견봉 쇄골 인대는 파열되나 오구 쇄골 인대의 손상은 경미한 경우. 전후
   방 불안정성은 있으나 상하 불안정성은 경미함.

c. 제3 형 : 견봉 쇄골 인대 및 오구 쇄골 인대의 파열이 있으면서, 오구 쇄골 간격이
   건측에 비해 25~100% 정도 증가된 경우

d. 제4 형 : 견봉 쇄골 인대 및 오구 쇄골 인대의 완전 파열이 있으면서, 쇄골 원위부
   가 승모근 내로 후방 전위된 경우

e. 제5 형 : 제3 형과 비슷하나 보다 심한 형태로 오구 쇄골 간격이 건측에 비해
   100~300% 정도 증가된 경우

f. 제6 형 : 매우 드문 형태로 견봉 쇄골 인대, 오구 쇄골 인대, 삼각근 및 승모 근
   등이 파열되면서 쇄골의 원위부가 아래쪽으로 전위되어 오구 돌기나 견봉의 아
   래쪽에 끼어 있는 경우

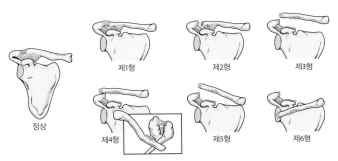

그림 7-6. Rockwood의 견봉 쇄골 관절 손상의 분류

D. 치료

1. 비수술적 치료

일반적으로 Rockwood 분류의 제1 형 및 제2 형에서는 보존적 치료를 시행함. 치료의 목적은 동통 완화 및 견갑부 관절 운동의 회복에 있음. 제1 형의 경우, 통증이 소실될 때까지 약 7~10일간 팔걸이로 고정한 뒤 관절 운동을 시작함. 소염 진통제의 투여, 냉찜질 등을 통해 통증과 부종을 경감시킴. 제2 형의 치료도 제1 형과 비슷하지만 경우에 따라 Kenny-Howard sling(그림 7-7) 등을 3~6주 정도 고정하며 치료하기도 함. 제3 형의 치료에 대해 수술적으로 할 것인지 비수술적으로 할 것인지 논란이 많으나 최근에는 비수술적으로 기우는 경향이 있음. 수술적 치료는 비수술적 치료로 만족할 만한 결과를 얻지 못하였을 경우 시행함. 간혹 야구 투수 등과 같이 어깨 위로의 동작이 많은 운동선수나 무거운 물건을 많이 드는 육체 노동자의 경우에는 수술을 통하여 정확한 관절의 정복을 시도하여, 조기에 발생할 수 있는 관절염을 줄일 수 있음

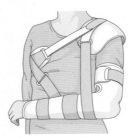

그림 7-7. Kenny-Howard sling

2. 수술적 치료

Rockwood 분류의 제4, 5, 6형은 조기에 수술적 치료를 시행함. 수술 방법은 100여 가지의 수술적 방법이 알려져 있을 정도로 매우 다양하지만 크게 견봉 쇄골 관절을 고정하는 방법, 오구 돌기와 쇄골을 고정하는 방법, 쇄골 외측단을 절제하고 오구견봉인대를 이전하는 방법, 근육을 이전하여 동적인 안정을 꾀하는 방법이 있음. 수술 후 약 2주 정도 팔걸이로 고정하고 진자 운동과 수동 및 능동적 관절 운동을 조

심스럽게 시작함. 6주 후부터 보다 자유로운 능동적 관절 운동과 점진적 근력 강화 운동을 시행하고, 3개월 후부터 무거운 물건을 들도록 허용함. 접촉성 운동은 수술 후 6개월 이후 허용함.

E. 합병증

비수술적 치료의 합병증으로는 보조기에 의한 피부 궤양 발생 및 일상 생활의 장애, 변형의 재발, 관절 운동 범위 감소, 후기 퇴행성 관절염, 후기 근위축 및 근력 약화 등이 있을 수 있고, 수술적 치료의 합병증으로는 감염, 마취 위험, 고정물과 관련된 합병증, 원위 쇄골의 미란 및 골절, 수술 후 통증 및 재활의 장애, 후기 관절염 등이 있을 수 있음.

F. 요약

견봉 쇄골 관절 손상은 팔이 내전된 상태로 어깨를 지면에 부딪히는 직접 손상에 의해 주로 발생함. Rockwood에 의한 분류가 널리 사용되며, 제1 형 및 2형은 보존적 치료를 시행하고 제3 형은 논란의 여지가 있으나 최근 보존적 치료를 시행하는 추세임. 제4, 5, 6형은 조기에 수술적 치료를 시행함.

IV. 견관절 전방 탈구(Anterior Shoulder Dislocation)

A. 임상적 의의

인체 관절의 모든 탈구 중에서 약 45%가 견관절 탈구이고, 이 중 85%가 전방 탈구임. 견관절 전방 탈구는 대부분 간접 외상에 의하며 상지의 외전, 외회전, 신전에 의한 견관절의 전하방 관절와 순과 관절 낭의 파열, 관절와연의 골절 또는 회전근 개 손상에 의해 발생함. 젊은 연령의 급성 외상성 전방 탈구에서는, 대부분 전하방 관절와 순의 파열(방카르트 병변 : Bankart lesion, 그림 7-8) 또는 관절 낭의 파열이 존재하며 관절와 전방 연에 상완골이 압착되어 상완골두 후측방 부위에서 압박 골절이 동반될 수 있음(힐삭스 병변 : Hill-Sachs lesion, 그림 7-9). 파열된 관절 낭 또는 관절와 순이 치유되지 않아 재발성 불안정으로 진행하는 경우가 흔함. 중년 이후(40세 이상)의 환자에서는, 전방 관절낭의 실질 내 파열과 급성 회전근 개 파열을 흔히 볼 수 있음

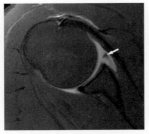

그림 7-8. 방카르트 병변을 보이는 MRI 횡단면 소견 그림

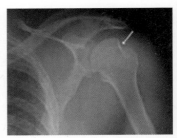

그림 7-9. 힐삭스 병변을 보이는 단순 방사선 전후방 사진

B. 진단

a. 진찰 소견

급성 탈구가 있는 환자들은 통증 때문에 팔을 움직이려 하지 않고 환측 상지를 경도 외전 및 외회전된 상태로 유지하려 함. 정상적으로 둥근 형태를 보이는 삼각근이 편평해지고 견봉 바로 밑 부분이 함몰되어 보이는 등 어깨의 비대칭성이 관찰됨. 때로 전방 그리고 오구 돌기 하방으로 상완골두가 촉지될 수 있음(그림 7-10). 견관절을 움직이려 하면 극심한 통증이 유발됨. 탈구 정복을 시도하기 전에 신경이나 혈관 계통의 문제가 없는지 철저하게 확인해야 함. 탈구된 상완골두에 의해 액와 신경의 손상이 동반될 수 있으므로 견관절 외측면의 감각을 평가하여야 함

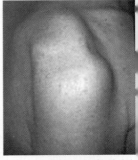

그림 7-10. 견관절 전방 탈구의 사진 소견

2. 방사선 검사

a. 단순 방사선 검사

견관절의 탈구가 의심되는 모든 환자에서 일반 외상 시리즈 검사를 시행해야 함. 이는 전후방 영상, 경견갑 외측 영상을 포함함. 만약 탈구의 유무와 그 방향이 명확하지 않으면 액와면 영상을 촬영함. 이 영상은 환자에게 통증을 유발시켜 촬영이 어렵기 때문에 환자가 자세를 취할 수 있도록 의사의 협조가 필요함. 탈구의 방향과 상완골두의 압박 골절, 관절와 골절 및 탈구와 연관된 결절부의 골절 등을 확인함. 추가적으로 힐삭스 병변을 보기 위한 Stryker notch 촬영, 관절와 전하방 골성 병변을 보기 위한 West point 촬영, apical oblique 촬영 등을 시행할 수 있음.

b. 초음파, CT, MRI

단순 방사선 검사만으로는 치료 방침을 정하기 어려운 경우나 상완골두의 압박 골절 및 관절와 골절 등을 정확히 평가하기 위해 CT 및 MRI를 시행하고, 나이가 많은 경우에는 회전근 개 파열이 잘 동반되므로 이에 대한 평가를 위해 초음파 및 MRI 검사를 시행할 수 있음.

c. 기타 검사

탈구와 동반하여 혈관 손상이 의심되는 경우에는 혈관 촬영술이 도움이 되고 신경 손상의 유무를 확인하고자 할 때에는 근전도 및 신경전도 검사가 도움이 됨.

C. 분류

원인에 따라 외상성, 비외상성, 수의적, 비수의적, 선천성 등으로 나뉘며, 탈구된 기간 및 재발 여부에 따라 급성, 만성, 재발성 등으로 분류함. 상완골두의 해부학적 위치에 따라서는 오구 돌기하(subcoracoid), 관절와하(subglenoid), 쇄골하(subclavicular) 및 흉곽내(intrathoracic) 탈구로 세분할 수 있음. 이 중 오구 돌기하 탈구(그림 7-11)가 가장 빈번하게 발생하며 상완골 대결절 골절을 동반하는 경

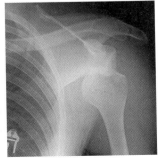

그림 7-11. **오구 돌기하 견관절 전방 탈구**

우도 있음.

D. 치료

1. 최초 탈구의 치료

a. 전신 마취 없이 도수 정복

견관절이 탈구되면 가능한 한 빨리 부드럽게 정복을 하여야 함. 즉각적인 탈구의 정복은 통증을 상당히 많이 경감시킬 수 있음. 일반적으로 valium 등을 투약하여 근육을 이완시키고 정복하는 것이 편리함. 10~20 ml의 1% 리도카인을 탈구된 와상완 관절내에 주입하여 통증을 경감시킨 후에 정복을 시행함. 도수 정복을 하는 방법은 단순 견인, 견인 및 대항 견인, 견인 및 외측 견인, Stimson 방법, Hippocrates 방법 등 여러 가지가 있으며, 견인 및 대항 견인(그림 7-12)이나 Stimson 방법(그림 7-13)이 비교적 안전하여 많이 사용됨.

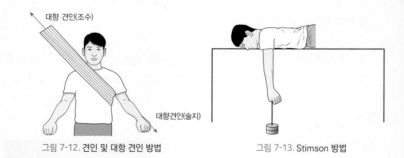

그림 7-12. 견인 및 대항 견인 방법   그림 7-13. Stimson 방법

b. 마취하 정복

탈구가 오래되면 연부 조직의 종창이 심해지고 근육 경련이 증가하여 도수 정복이 어려워지는 경향이 있음. 만약 앞서 말한 방법들이 실패하거나 골절이 존재할 경우에는 완전한 근이완이 동반된 전신 마취하 정복의 적용증이 됨. 마취하 정복을 시행하면 와상완 관절이나 주변 구조물에 추가 손상을 줄 위험이 거의 없이 쉽게 정복되게 됨.

2. 정복 후 고정 및 재활

고정의 기간은 재탈구의 발생과는 관련이 없음. 팔걸이 등을 이용해 고정하며 고정 기간에도 손가락이나 주관절의 운동은 허용하여 강직을 예방함. 일반적으로 젊은 연령에서는 3~4주 정도 보호하고, 고령에서는 1주 정도 보호 후 관절 운동을 시작함. 관절 범위 운동과 회전근 개 강화 운동 프로그램을 단계적으로 시행하고, 조기에는 무리한 전방 거상 혹은 외회전 운동은 피하도록 함. 견관절의 근력이 충분히 회복되고 외전-외회전 동작에서의 불안이 충분히 사라지면 스포츠 활동으로의 복귀가 허용됨.

3. 재발성 불안정증의 치료

외상성 재발성 탈구의 경우에는 보존적 치료로 해결되는 경우가 적기 때문에 흔히 수술의 적응증으로 생각함. 반면 비외상성 재발성 탈구의 경우에는 약 80%에서 견갑골 주위 근육 및 회전근 개 강화 운동 등을 통해 호전을 보임. 수술 방법에는 방카르트 복원술, 관절막 이전술, 관절막 중첩술, 견갑하근 단 축술 및 이전술, 전방골 차단술, 오구 돌기 이전술, 상완골 절골술 등 다양한 방법이 있으며 최근에는 관절경적 술식으로 치료하는 경우가 많지만 관절와 골 결손이 25%가 넘거나 상완골 결손이 40%가 넘는 경우 개방적 수술의 적응이 됨.

E. 합병증

a. 재발성 탈구는 외상성 전방 탈구의 가장 흔한 합병증임. 일반적으로 환자가 어릴수록(통상 20세 이전) 재발성 탈구의 가능성이 더 높아짐. 또한 남자가 여자보다 탈구가 많고, 운동선수에서, 그리고 쉽게 탈구된 경우에 재발성 탈구가 흔한 것으로 알려져 있고 대부분의 재발은 처음 탈구부터 약 2년 이내에 일어나는 것으로 되어 있음.

b. 상완 신경총에서 기시하는 신경손상은 견관절 탈구의 5~14%에서 일어남. 액와 신경과 근피 신경이 가장 흔히 손상받는 신경임. 대부분의 손상은 신경좌상 (neuropraxia)이고 완전 회복이 됨. 수술 후 신경 손상도 가능한 합병증임. 손상된 신경이 회복되는 동안 이차적인 관절 구축이 발생하지 않도록 하여야 함.

c. 회전근 개 파열은 40세 이상의 환자에서 전방 탈구가 발생한 경우 흔히 발생

함. 만약 수상 후 3~4주 내에 충분한 관절 운동 범위와 근력이 돌아오지 않으면 MRI나 초음파로 회전근 개의 상태를 확인할 필요가 있음.

F. 요약

견관절 전방 탈구는 인체 내 탈구 중 가장 흔하게 발생하고 전방 관절와 및 관절와순의 병변(방카르트 병변) 및 후측방 상완골두 압박 골절(힐삭스 병변)을 흔히 동반함. 견관절이 탈구되면 가능한 한 빨리 되도록 부드럽게 견인을 통해 정복하고 단계적인 재활 치료를 시행함. 견관절 탈구 후 어린 나이에서는 재발성 탈구, 중년 이후에서는 회전근 개 파열의 합병증이 동반될 수 있고, 액와 신경 손상이 동반될 수 있으므로 주의를 요함.

V. 견관절의 후방 탈구
(Posterior Shoulder Dislocation)

A. 임상적 의의

팔이 거상 및 내전된 상태에서 떨어지면서 상완 골두가 관절와 후방으로 힘을 받아 발생함. 상완 골두의 전외측면에 압박골절(역 힐삭스 병변 : reverse Hill-Sachs lesion)이 발생할 수 있고 젊은 환자들에서는 후방 관절와순이 관절와 가장자리에 작은 골편을 가지고 견열(avulsion)된 병변(역 방카르트 병변 : reverse Bankart lesion)을 보일 수 있음. 경련이나 전기 감전사고로 인해 후방 불안정성이 발생하기도 함.

B. 진단

임상적으로 뚜렷한 변형이 관찰되지 않을 수 있고 일부 환자들은 단순히 불편감을 호소해 응급실에서 진단을 놓치거나 정복되지 못하는 경우가 많음. 견관절 외회전 시 통증을 호소하고 운동범위가 제한되며 정상측에 비해 관절 후면이 돌출 되어 보일 수 있음. 전후면 방사선 촬영에서는 팔이 내회전 상태로 인해 상완골 근위부가 백열 전구처럼 보이는 소견을 제외하면 정상 소견을 보여 오진되는 경우가 종종 있음. 경견갑골 Y촬영이나 액와면 촬영에서 상완 골두의 후방 탈구를 관찰할 수 있음.

C. 치료

탈구를 정복하기 전 진정제를 정맥으로 투입해 근육을 이완하는 것이 필요함. 부드럽게 잡아당기면서 상완 골두 후방을 전외측으로 밀어 줌. 정복 후 통증 조절 및 재탈구를 방지를 위해 팔을 고정함. 고정 시 팔이 내외전 및 내전되지 않도록 주의함. 이후의 치료 과정은 전방 탈구 때와 비슷하게 진행하도록 함. 만약 정복 후 즉시 재탈구되면 팔을 중립 회전 및 외전된 상태에서 보조기를 4주간 착용하도록 함. 경련 및 감전 사고 때 발생한 후방 탈구의 경우 역 힐삭스 병변으로 인해 재발하는 경우가 많음.

D. 합병증

전위된 소결절(lesser tuberosity) 골절, 후방 관절와 골절, 정복이 불완전하거나 불가능한 경우, 개방성 탈구의 경우 수술이 필요할 수도 있음. 후방 탈구에서 재발하게 되는 가장 중요한 요인은 상완골두 전내측의 결손이며 결손부위가 30%보다 크면 견관절 치환술을 고려할 수도 있음.

E. 요약

견관절 후방 탈구는 전방 탈구에 비해 흔하지 않으나 응급실에서 놓치는 경우가 많아 주의를 요함. 팔이 내전된 상태에서 떨어지거나 경련 환자 및 감전사고 환자에서 후방 탈구를 의심하고 진찰 및 자세한 방사선 검사를 통하여 오진되는 경우가 없도록 해야 함.

VI. 상완이두건 장두의 파열
(Ruptures of the Long Head of Biceps Brachii)

A. 임상적 의의

머리 위에서의 동작이 많은 운동(overhead 스포츠) 선수나 무거운 것을 자주 드는 동작을 하는 사람에서 주관절 굴곡 및 전완부의 회외전에 강한 힘이 작용하면서 발생함. 파열은 근-인대 접합부에서 주로 일어나며 환자의 80%에서 회전근 개 건의 이상이나 충돌 증후군 같은 이상을 동반하고 있음. 스테로이드의 사용이 원인이 될 수 있음.

B. 진단

주관절을 굴곡시키면 이두박근 모양의 비대칭성을 관찰할 수 있고, 환측에서 이두 박근 장두의 파열로 인한 뽀빠이 징후(Popeye sign)를 관찰할 수 있음. 기본적인 방 사선 촬영 외에 초음파나 MRI 검사가 필요하며 이때 회전근 개도 같이 평가하도록 함.

C. 치료

50세 이하의 젊은 환자에서는 조기 봉합이 추천되며 50세 이상이고 활동이 적은 환 자에서는 보존적으로 치료함.

D. 합병증

회전근 개의 파열이 동반된 경우 견봉성형술 및 회전근 개 건 봉합, 이두박건 장두 고정술이 필요할 수 있음.

E. 요약

젊은 환자에서 발생하는 이두박건 파열은 대개 근-인대 접합부에서 일어나며 조기 에 일상생활로 복귀하고 미용상 목적 등의 이유로 인해 봉합이 추천되는 방법이며

나이가 많고 활동성이 낮은 환자에서는 보존적 치료가 추천되지만 충돌 증후군이
나 회전근 개의 병변 동반 여부를 주의 깊게 살펴보아야 함.

VII. 견갑골 골절(Fractures of the Scapula)

A. 임상적 의의

전체 골절의 1% 정도를 차지하고 있지만 고 에너지 손상을 받은 경우가 많아 주의
를 요함. 다른 부위의 골절 유무나 연부조직 손상 정도 및 생명을 위협하는 부상이
있는지 확인해야 함. 폐, 흉곽, 머리, 복부, 상완 신경총 및 대혈관 손상이 가능하므
로 응급실에서 꼭 다른 과와 협진하도록 함.

07

B. 진단

환자의 팔은 주로 내전된 상태이며 모든 범위의 운동 시 저항하려고 함. 국소적 압
통 및 부종, 피하출혈이 관찰됨. 견갑골은 복잡한 해부 구조를 가지고 있어 골절 의
심 부위에 대한 다양한 각도의 방사선 촬영이 필요함. 전후면 및 측면영상 및 액와
영상, 그리고 무거운 추를 달고 찍는 전후면 영상 등이 필요함. 최근 3차원 CT 영상
검사를 통해 복잡한 골절 모양을 잘 이해할 수 있게 되었음.

C. 분류

여러 방법이 있지만 해부학적 위치에 따른 분류를 많이 사용함. 체부(body) 골절
이 약 45%를 차지하고 그 다음으로 관절와 경부(glenoid neck), 관절와 강(glenoid
cavity), 견봉(acromion), 오구돌기(coracoid process), 견갑골 극돌기(scapular
spine) 순으로 발생함.

D. 치료

보존적 치료 방법이 많이 사용되나 관절면의 25% 이상을 침범한 전위 골절, 내측으
로 전위된(1 cm 이상, 45도 이상) 경부 골절에서는 수술적 치료를 요함.

E. 합병증

관절면의 골절이나 관절와 경부 골절은 관절와상완 관절의 불안정성, 관절염 등으로 진행 가능함.

F. 요약

발생 빈도는 낮지만 고 에너지 손상을 받은 경우가 많아 다른 부위의 동반 손상을 진단하는 것이 매우 중요함. 경우에 따라 타과와 협진하여 생명을 위협하는 손상을 빨리 진단하여 치료하는 것이 중요함.

VIII. 근위 상완골의 골절
(Fractures of the Proximal Humerus)

A. 임상적 의의

근위 상완골의 골절은 모든 연령군에서 관찰되나 특히 노인 환자에서 보다 흔함. 젊은 성인의 경우 고-에너지 손상이 많음. 노인 환자에서 치료는 관절와상완 운동 (glenohumeral motion)을 보존하는 것이 목적임. 골절 부위에서 상당한 정도의 각형성도 허용될 수 있음. 견관절 강직을 예방하기 위해 조기에 관절 운동을 시작함.

B. 진단

1. 이학적 검사

목과 흉부에 대한 동반 손상 여부를 확인하며 다음 단계로 신경혈관의 손상 여부를 평가함. 삼각근 부위에 촉각이 보존되어 있더라도 액와신경 손상을 배제할 수는 없음.

2. 방사선 검사

외상 촬영(trauma series : scapular AP, axillary view, 및 scapular lateral Y-view)를 시행하며 필요 시 CT검사를 시행함.

C. 분류 및 치료

Neer는 그림 7-14에 나타낸 바와 같이 근위 상완골 골절을 분류하였으며, 1 cm 이상의 전위가 있거나 45도 이상의 각형성이 있는 경우를 전위 골편으로 보았음. 이러한 개념은 손상에 대한 치료 결정 시 유용함. 수술을 시행하기 어려울 정도로 환자 상태가 위중한 경우에는 아래 맨 처음 기술된 군처럼 치료를 시행함.

1. 전위가 경미한 골절 및 전위된 해부학적 경부 골절

전체 근위 상완골 골절의 약 85%가 이 범주에 해당됨. Neer의 개념에 따라 이 군에 포함되기 위해서는 해부학적 경부의 골절을 제외한 모든 골절 패턴 중에서 전위가 1 cm 미만이어야 함. 각형성 또는 회전 변형은 45도 이내여야 함. 안정성은 일부 감입 및 연부조직 부착에 의해 얻어짐. 선호되는 치료는 팔걸이 붕대임. 즉시 손목과 손의 운동을 시작함. 환자 상태가 허락되는 대로 가급적 빨리, 일반적으로 5에서 7일 이내에 원회전 운동(circumduction exercise)을 시작함. 이때 환자는 팔을 늘어뜨리고 점진적인 원을 그릴 수 있도록 허리를 90도로 굽히게 됨. 누운 자세에서 보조 전방 거상 및 보조 외회전 운동은 수상 후 약 10일에서 14일 후 시작함. 골절 부위는 수상 후 2~3주가 경과하면 통증이 상당히 호전되고, 4에서 6주까지는 완전한 관절 운동 범위를 회복할 수 있음. 6에서 8주 동안 일정한 형태의 보호가 필요할 수도 있음. 이후에는 벽 짚어 올라가며 팔 들기, 도르래에 걸린 끈을 이용한 운동(overhead rope-and-pulley), 수동적 관절운동, 및 회전근 개 강화 운동을 포함하는 보다 강도가 높은 운동을 시작할 수도 있음.

2. 전위된 외과적 경부 골절

이 골절은 일반적으로 팔이 외전된 상태에서 발생함. 회전근 개는 대개 손상을 받지 않음. 상완 골두로 연장된 비전위 선형 골절이 발생할 수 있음. 골절 부위는 종종 45도 이상의 각형성을 나타내거나 또는 회전 이상(malrotation)이 발생할 수 있음. 이런 형태의 골절에서는 간부가 액와로 전위될 수 있기 때문에 신경혈관 손상이 발생할 수 있음. 이는 죽상경화성 동맥을 가진 노인 환자에서 보다 흔함.

a. 치료는 전신 마취 또는 쇄골상 마취(supraclavicular anesthesia) 하에서 폐쇄 정복을 시행하는 것임. 원위부 골편을 근위부에 맞도록 정렬함. 이렇게 하기 위해서는 일반적으로 외전 및 굴곡이 필요함. 소아 환자에서 골절의 정복은 손상되지 않은 후내측 골막(periosteal sleeve)에 의존함. 골절은 sling-and-swathe(그림 7-3)로 고정 유지가 가능할 정도로 충분히 안정한 경우가 많으나 팔을 정복된 자세로 유지하기 위해서 견 수상 석고붕대(shoulder spica cast) 또는 외전 보조기(abduction brace, abduction pillow)가 필요할 수도 있음. 정복을 유지하기 위해 경피적으로 핀을 삽입할 수도 있는데 이는 일반적으로 어린 환자에서 권장됨. 이 치료는 심한 골다공증이 있는 환자에서는 주의해서 선택해야 함. 최소한의 전위만 있는 골절 및 해부학적 경부 골절은 일반적으로 2~3주 정도의 고정 기간이 지나면 견관절의 운동 범위를 확보하기 위한 프로그램을 시작함. 정복이 불안정한 경우에는 경피적으로 핀을 삽입하거나 또는 나사못으로 고정할 수 있음. 협조가 어려운 환자는 고정 후에도 3주간 견 수상 석고붕대로 보호를 해야 할 수 있음. 협조가 잘 되는 환자는, 핀 삽입 이후 가능한 빨리 원회전 운동(circumduction exercise)를 시작하며 수술 후 4에서 6주 후에 핀을 제거하고 운동 프로그램을 더 진행할 수 있음.

b. 폐쇄 정복이 불가능한 경우, 개방 정복 및 내고정(금속판 및 나사고정 또는 인장대 강선 고정 : tension band wiring)이 적응이 됨. 금속판은 AO/ASIF cloverleaf small fragment plate 또는 proximal humeral locking plate가 선호됨. 골감소증이 있는 환자에서는 특히 locking plate가 유용함.

3. 전위된 대결절 또는 소결절 골절, 또는 둘 다

드물게 외과적 경부뿐 아니라 대결절 또는 소결절을 침범한 삼분 골절이 발생함. 만약 골절부위가 전위되면, 회전근 개 기능이 악화되고 개방 정복의 적응이 됨. 골절은 해부학적으로 정복하고 인장대 강선 고정(tension band wiring) 또는 나사못 고정으로 튼튼하게 고정해야 함. 경피적으로 이들 골절을 고정할 수도 있으나, 이는 회전근 개 파열에 대해서는 접근할 수가 없음. 재활 프로그램을 시작한 이후 통증 및 위약이 지속되는 경우 추후에 회전근 개 파열에 대해 치료를 할 수도 있음.

4. 견관절의 골절-탈구

전신 마취하에 폐쇄적 방법으로 정복을 시행할 수 있음. 만약 폐쇄 정복이 실패하면, 개방정복 및 내고정을 시행하거나 인공삽입물로 대체(노인 환자)할 수 있음.

5. Neer는 모든 전위된 삼분 골절이 개방 정복의 적응이 되며, 모든 전위된 사분골절에서 인공삽입물 대체가 선호되는 치료라고 언급하였음. 이는 사분 골절에서 외상 후 상완골 골두의 골괴사 비율이 높기 때문임.

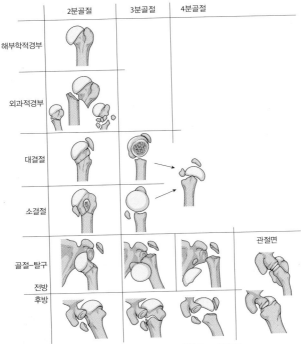

그림 7-14. 근위 상완골 골절에 대한 Neer의 분류

D. 합병증

a. 가장 흔한 합병증은 일부 관절 와 상완 운동의 감소이며, 이는 특히 내회전 및 외전에서 나타남. 이는 종종 대결절의 불량한 정복에 의해 발생함. 관절 와 상완 관절을 재활하는 가장 좋은 방법은 가능한 관절 운동을 조기에 시작하고 일치적인 골 유합을 얻는 것임. 조기에 관절 운동을 시행하기 위해서는 전위된 골절의 적절한 안정성을 확보하기 위한 개방적 치료가 필요할 수 있음.

b. 지연 유합 또는 불유합은 전위된 골절에서 드물지 않으며 특히 외과적 경부 골절에서 그러함. 일단 이런 상태가 발생하면 이후 치료에 관계없이, 일반적으로 어느 정도의 관절 운동 감소가 발생함. 만약 환자가 불유합과 관련된 통증 및 운동범위 감소를 경험하면, 그에 대한 치료는 인공관절 치환술 또는 골이식 및 내고정이 될 수 있음.

c. 전위된 골절에서 동반 신경 및 혈관 손상은 드물지 않으며 조기에 이를 확인해서 즉시, 효과적인 치료를 시작해야 함. 액와, 정중, 요골, 및 척골 신경 손상이 거의 유사한 빈도로 보고되었음.

IX. 상완골 간부 골절
(Fractures of the Humerus Shaft)

A. 임상적 의의

진단은 대부분 자명하며, 전후면 및 측면 방사선 사진을 통해 정확한 골절 패턴을 확인함. 이 골절의 발생은 젊은 성인 및 60세 이상에서 호발하는 이정점 분포 (bimodal distribution)를 나타냄. 비록 골절은 간부의 어느 부분에서도 발생할 수 있으나, 중간 1/3이 가장 호발하는 부위임.

B. 진단

1. 이학적 검사

동반된 신경 또는 혈관 손상을 확인하기 위해 철저하게 시행함. 이 골절에서는 요골 신경의 손상이 흔함. 신경의 이환에 관한 증상발생 시간을 철저하게 기록해야 함.
신경이 손상되는 기전은 대개 3가지로 나뉨.

a. 최초 수상 시 신경 손상 발생

b. 도수조작 및 고정 과정에서 신경 손상 발생

c. 내고정 과정에서 신경 손상 발생

2. 영상검사

대부분의 골절에서 단순 방사선 촬영만으로 충분

C. 분류

널리 통용되는 분류 체계는 없으며 주로 골절 부위 및 골절 패턴에 따라 기술함.

07

D. 치료

1. 보존적 치료의 적응증

보존적 치료의 적응증인 경우 상완부를 석고붕대 접합 부목(plaster coaptation splint)으로 고정하고 전완부를 팔걸이(collar and cuff)로 고정함. 수상 후 2~3주가 경과하면 부목을 제거하고 보다 느슨한 골절 부목을 사용할 수 있음. 이후 견관절 및 주관절의 관절 운동을 허용함. 정렬이 양호하다면 총검 접합(bayonet apposition)도 허용됨. 신연(distraction)은 불유합을 유발할 수 있으므로 반드시 피해야 함. 금속판과 나사못, 확공형 골수강내 정(reamed intramedullary nail), 및 유연성 골수강내 정은 효과가 대등한 것으로 보임. 골수강내 정은 골절 부위를 열지 않고 삽입할 수 있으나, 술 후 견관절 통증의 발생률이 20~30%에 달함. 이런 이유로, 대부분의 경우 금속판을 사용한 고정 방법이 선호됨.

2. 개방정복 및 내고정의 적응증

a. 보존적 치료로 만족스러운 자세 및 정렬을 얻을 수 없는 경우

b. 조기 가동이 필요한 사지의 동반 손상이 있는 경우

c. 분절성 골절

d. 병적 골절

e. 주요 혈관 손상이 동반된 골절

f. 도수조작 또는 석고붕대 또는 부목 적용 이후 요골 신경 마비가 발생한 상 완골 원위부의 나선형 골절(그림 7-15)

g. 동반 손상에 대한 치료로 인해 침상 안정이 필요한 경우

h. floating elbow

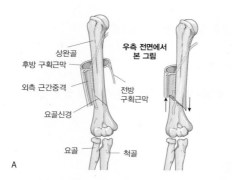

상완골
후방 구획근막
외측 근간중격
요골신경
요골
척골
우측 전면에서 본 그림
전방 구획근막

A

B

그림 7-15. **상완골 원위 1/3의 나선형 골절에서 골편 사이에 감입된 요골 신경**

A. 신경은 상완부의 원위 1/3 지점에서 외측 근간중격(lateral intermuscular septum)을 통과하는 부위에서 움직임이 가장 작음. B. 사선형 골절은 전형적으로 외측으로 각형성을 하며 원위부 골편이 근위부로 전위됨. 폐쇄정복을 시도할 때 외측 근간중격에 의해 근위부 골편에 고정된 요골 신경이 골편 사이에 감입될 수 있음

3. 동반된 요골 신경 손상에 대한 치료

a. 손상 당시에 신경 손상이 발생한 경우는 2~3주 경과 후에도 기능 회복이 없으면 손목과 손가락에 요골 신경 부목을 적용하고 수동적인 관절 운동을 시행함. 예후는 양호해서, 90% 이상의 환자가 완전한 기능을 회복함.

b. 폐쇄정복 시에 발생한 신경 손상은 가능한 한 빨리 신경 탐색술을 시행해야 함.

c. 추후에 발생한 신경 증상도 탐색술 및 신경박리술의 적응증에 해당함.

E. 합병증

지연 유합 및 불유합이 발생할 수 있음. 이런 경우 골이식 및 압박 금속판 고정술로

치료하는 것이 권장됨. 골다공증이 동반된 환자에서는 보다 긴 금속판과 골시멘트 (bone cement : methyl methacrylate) 사용이 필요할 수 있음. 만약 골수강내 정으로 고정한 이후 불유합이 발생하면, 골이식과 금속판 고정으로 치료하는 것이 권장됨. 골수강내 정을 다시 삽입하는 것은 일반적으로 권장되지 않음.

F. 상지 현수 석고붕대(Hanging Arm Cast)의 적응증 및 조절

1. 적응증

사선형 또는 나선형 골절로 골절 부위 면적이 넓을 때 시행하며 단순 횡형 골절 (simple transverse fracture)에서는 신연에 의한 불유합 위험이 커서 사용하지 않는 것이 보통임.

07

2. 상지 현수 석고붕대의 조절

    a. 전방 각형성(anterior angulation) : 끈을 짧게 조정

    b. 후방 각형성(posterior angulation) : 끈을 길게 조정

    c. 내측 각형성(medial angulation) : 수장부의 고리로 연결

    d. 외측 각형성(lateral angulation) : 수배부의 고리로 연결

주요 질환

I. 견봉 하 충돌 증후군
(Subacromial impingement syndrome)

A. 임상적 의의

견봉 하 충돌 증후군은 전방 견관절 통증의 가장 흔한 원인 중 하나로 견관절 전방 거상 시 상완골의 대결절이 견봉의 전연과 오구 견봉 인대 및 견봉 쇄골 관절의 하면과의 마찰로 동통을 야기함. 상지 거상 시 회전근 개 및 상완골 대결절에 반복되는 microtrauma로 인해 염증 반응, 퇴행성 변화로 이행됨. 원인은 내적 요인과 외적 요인이 있음.

B. 진단

1. 증상 및 이학적 소견

견관절 주위나 상완부 통증이 있으며, 야간에 더 심해지는 경향이 보임. 이학적 소견상 견봉의 전연과 오구 견봉 인대 부위에 압통을 호소함. 수동적 관절 운동은 일반적으로 정상 소견을 보이며, 능동적 관절 운동은 90도 전후의 동통 궁(painful arc)을 지날 때 느낄 수 있으며, Neer test나 Hawkins test, Whipple test에서 통증을 호소할 수 있음.

2. 방사선 소견

관절와 상완 관절, 견봉, 견봉쇄골 관절이 잘 보이는 외회전 상태에서의 견관절 전후면 사진, 극상건 출구 사진, 액와면 사진을 찍는데, 극상건 출구 사진에서 Bigliani의 견봉 형태에 따른 분류에 의한 제II 형의 곡선형 혹은 제III 형인 갈고리형 견봉을 흔히 보임. 액와면 사진에서는 Os acromiale를 관찰할 수 있음. 자기 공명 영상은 충돌 증후군의 원인이 되는 미세한 골극이나 견봉 쇄골 관절 관절염, 오구 견봉 인대를 관찰하는 데 필요할 수 있음.

C. 치료

1. 보존적 치료

먼저 보존적 치료를 시행하며, 견관절 주위 근육의 스트레칭 운동을 중심으로 한 자기치료가 기본임. 견봉하 공간으로 부신 피질 호르몬은 단기적인 통증 경감 효과는 있으나, 장기적으로 근육 약화를 초래할 수 있음

2. 수술적 치료

3~6개월간 보존적 치료에 호전이 없으면 수술적 치료를 고려할 수 있으며, 비후된 견봉하 점액낭을 제거하고, 오구 견봉 인대를 분리하며, 견봉 외측 전방의 하면을 편평하게 하는데 목적이 있음. 개방적 술기 혹은 관절경적 술기로 시행할 수 있으나, 현재로서는 관절경적 방법을 통한 견봉성형술이 대세를 이루고 있음. 동반 병변 여부에 따라 재활치료는 달라지나, 일반적으로 술 후 다음날 수동 시계추 운동을 실시하고, 술 후 1주째에 수동적 외전 운동을 30-70도 사이에서 실시하며, 3주 후부터 능동적 관절 운동을 실시한다.

D. 합병증

관절경적 견봉하 감압술 후 발생할 수 있는 합병증으로는 부적절한 감압술 혹은 견봉 골절, 삼각근 파열 등이 있음.

E. 요약

견봉 하 충돌 증후군은 상완골의 대결절이 견봉의 전연과 오구 견봉 인대, 견봉 쇄골 관절의 하면과의 마찰로 유발되는 질환으로 동통 궁을 지날 때 통증을 느끼거나 Neer test, Hawkins test에서 통증을 호소할 수 있음. 대개는 스트레칭 운동을 기본으로 보존적 치료를 하나, 6개월간의 치료에도 호전이 없으면 수술적 치료를 고려할 수 있음. 수술적 치료는 관절경적 견봉 성형술이 대세이며, 견봉하 점액낭을 제거하고, 오구 견봉 인대를 분리하며, 견봉 외측 전방의 하면을 편평하게 하는 데 목적이 있음. 충돌 증후군이 지속될 경우 회전근 개 질환으로 발전할 수 있음.

II. 회전근 개 질환(Disorders of the Rotator Cuff)

A. 임상적 의의

회전근 개(Rotator cuff) 질환은 성인 견관절에 발생하는 만성 통증의 가장 흔한 원인으로, 회전근 개의 문제 때문에 증상이 초래된 상태를 통칭함. 극상근, 근하근, 견갑하근과 소원형근의 근-건 조합이 회전근 개를 이루는데 이들은 견봉하 공간을 지나면서 서로 교차하며 얽혀 하나의 기관인 것처럼 움직임(그림 7-16). 회전근 개는 팔의 회전 운동뿐 아니라 상완골 두를 관절 와 중심에 잘 위치하도록 하는 중요한 기능을 함. 견봉하 공간의 경계는 상방의 견봉 및 견봉쇄골 관절, 전방의 오구견봉인대 및 오구 돌기, 하방의 상완골 두로 이루어지고, 견봉하 공간 내 회전근 개와 견봉 사이에 견봉하 점액낭이 존재함. 회전근 개 질환의 원인은 내재적으로는 회전근 개 자체의 혈액 순환 저하가 거론되고 있고, 외재적으로는 충돌 현상이 가장 많이 인정되고 있음. 견봉 하 공간을 좁게 만드는 어떠한 해부학적 요인도 충돌 현상을 야기할 수 있는데, 특히 극상건의 손상이 흔히 발생하고 또한 견봉하 점액낭염을 발생시키게 됨. 즉, 두꺼워진 점액낭, 견봉쇄골 관절의 하부 골극, 와상완 관절의 불안정성, 혹은 견봉 형태의 변화가 회전근 개 질환의 해부학적 원인이 될 수 있음. 회전근 개 질환은 점액낭염과 가역적인 회전근 개 건증으로 시작해서 점차 시간이 지남에 따라 회전근 개 전층 파열로 진행하게 됨.

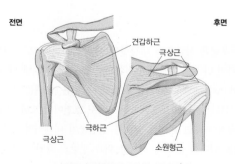

그림 7-16. 회전근 개를 이루는 근육들

B. 진단

1. 증상

대부분 회전근 개 질환은 40세 이후에 나타나 노령이 될수록 그 빈도가 증가함. 특별한 손상이 없이 발생하는 경우가 많고, 병변의 진행 정도와 증상의 경중이 일치하지 않는 경우가 많음. 흔히 팔을 들어올릴 때 증상이 심해지는 양상을 보이고 야간통을 호소하는 경우가 많음.

2. 진찰 소견

관절 운동 제한은 특징적이지 않으나 내회전이 제한되는 경우가 많음. 견관절 후방의 극상근과 극하근이 위치하는 부위에 근위축이 관찰되면 회전근 개의 대파열 및 광범위 파열을 시사하는 소견일 수 있는데(그림 7-17), 견갑상 신경의 마비에 의한 근위축을 감별해야 함. 많은 경우 60~120도 사이의 외전에서 통증이 가장 심한 동통 궁(painful arc)을 보이고, 견봉하 공간에 국소 마취제를 주입하면 통증이 해소되는 것을 확인할 수 있음. 극상근 파열의 경우 Jobe 검사 혹은 empty can 검사(그림 7-18)를 시행하여 극상근 근력의 저하를 확인할 수 있고, 광범위한 후상방 회전근 개 파열이 있는 경우 외회전 지연 징후(external rotation lag sign)가 나타날 수 있음. 외회전 근력 검사에서 상당한 근력 약화는 종종 회전근 개 대파열을 시사함. 견갑하근이 파열된 경우 거상 검사(lift-off test, 그림 7-19) 및 복부 압박 검사(belly-press test, 그림 7-20)에서 양성 소견을 보이는 경우가 많음.

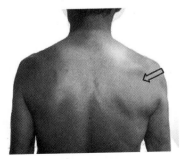

그림 7-17. 광범위 회전근 개 파열에서 보이는 극하와의 함몰 소견

그림 7-18. **Jobe 검사** 그림 7-19. **발진 검사(Lift-off test)** 그림 7-20. **복부 압박 검사**
(Belly-press test)

3. 방사선 검사

a. 단순 방사선 검사

단순 방사선 검사는 견관절의 진성 전후면 촬영, 액와 촬영, 극상근 출구 촬영, 30도 하방 경사 촬영 등이 널리 쓰이며, 견봉쇄골 관절을 보기 위한 15도 상방 경사 촬영의 Zanca 촬영이 시행되기도 함. 대결절의 경화, 견봉-상 완골두 간격이 좁아진 소견, 혹은 견봉쇄골 관절이나 전방 견봉 부위에 골극을 형성하는 소견은 모두 회전근 개 질환이 진행하고 있음을 시사함. 극 상근 출구 촬영 및 30도 하방 경사 촬영을 통해 견봉의 형태를 구분할 수 있음. 견봉의 형태가 앞쪽에서 하방으로 향하는 고리 모양(hook)일 경우 제3 형 견봉(그림 7-21)으로 구분되는데, 이 경우 견봉하 공간을 좁게 하여 전방 회전근 개 병변을 유발하는 요인이 될 수 있음.

b. 관절 조영술

관절 조영술은 와상완 관절에 주입한 조영제가 파열된 부위를 통해 견봉하 점액낭 등으로 퍼지는 양상이 있는지 판단하여 회전근 개 전층 파열 유무를 확인할 수 있음. 그러나 파열의 위치와 크기, 근위축, 혹은 다른 견봉하 동반 병변에 대해 믿을 만한 정보를 주지 못하고 침습적인 방법이어서 점차 사용이 줄고 있음.

c. 초음파

초음파 검사는 비침습적이고 역동적인 실시간 검사이며 가격이 비교적 고가가 아니라는 점 등의 장점이 있으나 검사자에 따라 판독의 정확도 차이가 크고, 검사자 이외에는 정확한 판독이 어렵다는 단점이 있음.

d. MRI

MRI는 견봉하 공간의 병변에 대해 더 자세한 정보를 제공해 줌. MRI는 고가라는 단점이 있으나 비침습적이고 파열의 위치, 크기, 형태, 회전근 개 근육의 지방 변성 정도 및 동반 병변을 정확히 파악할 수 있기 때문에 현재 가장 널리 사용되는 방법임(그림 7-22).

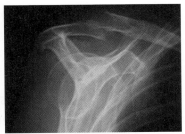

그림 7-21. 극상근 출구 촬영에서 보이는 제3형 견봉의 모습

그림 7-22. 회전근 개 전층 파열 소견을 보이는 MRI 관상면 사진

C. 분류

회전근 개 파열의 경우 부분층 파열 및 전층 파열로 구분할 수 있음. 부분층 파열은 파열의 위치에 따라 관절측, 건내부, 및 점액낭측 파열로 나눌 수 있고, 전층 파열은 최대 직경을 기준으로 소파열(1 cm 미만), 중파열(1~3 cm), 대파열(3~5 cm), 광범위 파열(5 cm 이상)로 나눌 수 있음.

D. 치료

1. 비수술적 치료

파열을 동반하지 않는 회전근 개 질환과 부분층 파열은 비수술적 치료를 위주로 함. 성공적인 치료를 위해 운동 치료가 가장 중요한데 먼저 완전한 견관절 운동 범위를 얻도록 해야 함. 관절 운동 범위가 회복되면 회전근 개 강화 운동을 시행하고 이후 견갑 안정화 운동을 시행함. 모든 운동 치료는 항상 통증이 유발되지 않는 범위 내에서 시행하고, 근력 강화 운동을 너무 과도하게 시행하면 이미 약해진 근육에 더욱 손상을 줄 수 있어 유의하여야 함. 급성 회전근 개 완전 파열 등 조기에 수술을 해야 하는 상황이 아니면 수술 전에 적어도 6~12개월 정도 집중적인 운동 치료를 받는 것이 추천됨. 비급성 견관절 질환의 치료에 있어 스테로이드 주사 요법 또한 중요한 위치를 점함. 가장 흔하게는 견봉하 주사 요법이 있는데 후외측 부위로 접근하여 주사하는 것이 쉽고 안전함. 약이 효과가 없거나 부작용이 심한 경우, 통증으로 운동 치료를 받을 수 없는 경우, 그리고 야간통이 심해 잠을 자기 힘든 경우에 주사 요법으로 많은 효과를 기대할 수 있음. 그러나, 회전근 개 건 자체를 위축시킬 수 있고 치유 반응을 오히려 지연시킬 우려가 있어 그 사용에 주의를 요하고 반복적인 주사는 피해야 함.

2. 수술적 치료

활동량이 많은 젊은 연령의 환자, 외상성 파열, 심각한 기능 소실이나 근력의 저하를 동반한 경우 수술을 고려하는 것이 일반적이며, 환자의 나이, 직업, 파열의 크기, 기능 저하의 정도, 손상 기전, 통증의 정도 등을 고려하여 수술을 결정함. 수술적 치료는 대부분 충돌 현상의 발생을 막기 위한 전방 견봉 성형술과 근력의 회복 및 관절의 안정을 위한 회전근 개 복원술로 이루어짐. 개방적 술기 혹은 관절경적 술기로 시행할 수 있으나, 최근 관절경 술기 및 수술 도구, 삽입물의 발전으로 인해 퇴축이 심한 광범위 파열의 경우를 제외하고는 대부분 관절경 술기로 수술이 시행되는 추세임. 이때 견봉쇄골 관절염이나 이두건 장두의 병변, 와-상완 관절 불안정과 같은 요인도 같이 수술적으로 치료함. 복원이 불가능한 파열의 경우 건이전술을 이용하기도 하고 관절 파괴를 동반한 회전근 개 파열 관절병증이 발생한 경우 역견관절 전치환술이 시행되기도 함.

E. 합병증

회전근 개 파열의 수술 후 합병증으로는 회전근 개 재파열이나 어깨 관절 강직이 있을 수 있고 이 밖에 드물지만 감염이나 신경 손상, 봉합사 및 봉합 나사못과 관련된 합병증이 있을 수 있음.

F. 요약

회전근 개 질환은 성인 견관절에 발생하는 만성 통증의 가장 흔한 원인으로 충돌 현상에 의한 회전근 개의 손상 및 점액낭염이 중요한 병인으로 인정되고 있음. 회전 근 개 질환은 대체로 40세 이후에 나타나 나이가 들수록 빈도가 증가함. 충돌 중후 군 및 회전근 개 파열에 의한 진찰 소견을 숙지하고 있어야 함. 단순 방사선 검사는 충돌 현상을 초래하는 혹은 이차적인 골성 변화를 확인할 수 있으나, 회전근 개 자 체의 상태를 확인하기 위해 현재 MRI 검사가 가장 널리 사용되고 있음. 충돌 증후 군 및 부분층 파열은 보통 운동 치료를 중심으로 시행하고, 보존적 치료에 효과가 없거나 젊은 연령의 외상성 파열, 심한 근력 소실을 동반한 경우에는 수술적 치료 를 고려함. 수술적 치료는 대개 전방 견봉 성형술과 회전근 개 복원술로 이루어짐.

07

III. 유착성 관절낭염(Adhesive Capsulitis)

A. 임상적 의의

동결견은 통증 및 관절 운동 제한이 있는 경우에 다른 질환의 존재를 모두 감별하 고도 특별한 원인을 찾지 못하는 경우에 내리는 진단으로 볼 수 있음. 하나의 독립 된 원인에 대한 진단이라기보다는 여러 원인에서 나타날 수도 있는 상태로 보기도 함. 유착성 관절낭염은 관절낭의 섬유화에서 기인함. 이러한 섬유화의 병적 기전은 아직 잘 밝혀져 있지 않음. 외상 혹은 수술후 발생한 관절낭 섬유화로부터 발생할 수 있고, 당뇨, 갑상선 질환, 경추 추간판 탈출증, 혹은 흉곽의 종양과 관련이 있을 수 있음.

B. 진단

1. 과거력

흔히 특별한 외상이 없거나 경미한 외상 후에 견관절 부위에 깊은 둔통이 시작되 어 서서히 통증이 심해지면서 관절 운동의 제한이 나타남. 보통 통증이 발생하고 수 주 후 관절 운동 범위의 제한을 호소함. 중년에 해당하는 50대에 많이 발생한다고 알려져 있고 좌우의 차이는 뚜렷하지 않음. 야간통으로 수면 장애가 발생하기도 함. 흔히 3~4개월 정도에 걸쳐 통증과 관절 운동 제한이 진행하다가 다시 3~4개월에 걸쳐 통증은 점차 가라앉으면서 관절 운동 제한만 남고 이후 점차 회복되는 경과를 보임. 관절 운동 제한은 여러 방향으로 거의 같은 정도로 진행함. 주의 깊은 과거 병력의 조사를 통해 전신적 요인이 있는지 확인해야 함. 당뇨와 갑상선 질환은 유착성 관절낭염에 종종 선행하는 질환임.

2. 진찰 소견

모든 방향의 능동 및 수동 운동 범위의 감소가 뚜렷함. 특징적으로 내회전과 외회전이 먼저 제한되고, 국소 압통은 보통 존재하지 않음. 회전근 개 근력은 흔히 정상이지만 관절 운동 시 발생하는 통증과 움직임의 제한으로 평가가 어려울 수 있음.

3. 방사선 검사

a. 단순 방사선 검사

골다공증 이외에는 특이 소견이 없음.

b. 관절 조영술

관절강이 좁아져서 아래쪽 액와부에 관절막이 늘어져 보이는 부분(axillary pouch)과 견갑하근 점액낭 부분이 보이지 않게 됨(그림 7-23). 한정된 조영제 주입이 관찰되며 액와낭의 조영이 되지 않음을 관찰할 수 있음.

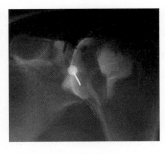

그림 7-23. 유착성 관절낭염 환자의 관절 조영술 소견

c. MRI

관절막이 두꺼워진 소견이 있을 수 있으나 특징적이지 않음. 회전근 개 파열 및 동반 병변을 확인함.

C. 분류

원인을 알 수 없는 특발성 유착성 관절낭염과 외상 및 수술 후 혹은 전신 질환에 동반되어 나타나는 이차성 유착성 관절낭염으로 구분할 수 있음.

D. 치료

1. 비수술적 치료

가장 중요한 치료는 수동적 관절 운동을 통한 관절 운동 범위의 회복임. 집에서 시행하는 스트레칭 운동(그림 7-24)을 통해 90%의 환자에서 성공적인 결과를 보임. 수동적 관절 운동은 따뜻한 물찜질 후에 시행하는 것이 효과적이며 시계추 운동(또는 원회전 운동, 그림 7-25), 손바닥으로 벽 오르기(그림 7-26), 봉 운동(그림 7-27), 도르래 운동 등을 이용함. 통증이 심한 경우 이에 동반하여 약물 치료, 스테로이드 주사 요법을 시행할 수 있고, 마취하 도수 조작을 고려할 수 있음.

수동적 전방 굴곡 운동

수동적 외전 운동

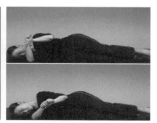

수동적 외회전 운동

수동적 내회전 운동

그림 7-24. 견관절 스트레칭 운동

그림 7-25. 시계추 운동
(또는 원회전 운동)

그림 7-26. 손바닥으로 벽 오르기

그림 7-27. 봉 운동

2. 수술적 치료

여러가지 비수술적 치료에도 효과가 없는 경우 수술적 치료를 고려할 수 있음. 수술적 치료는 관절 운동 범위를 회복하기 위해 순차적으로 구축된 관절 낭을 유리하는 것으로, 관절경적 술식과 개방적 술식이 있을 수 있으며 이때 동반 병변에 대해 같이 치료를 시행함. 개방적 수술은 12~18개월까지 비수술적인 치료로 호전이 없는 경우를 제외하고는 보통 잘 적응이 되지 않음.

E. 합병증

마취하 도수 조작은 특히 고령이고 골다공증이 심한 환자의 경우 상완골 골절이나 견관절 탈구를 유발할 수 있으므로 주의를 요함.

F. 요약

유착성 관절낭염은 통증과 동반하여 모든 방향에서 뚜렷한 관절 운동 범위의 감소를 보이는 질환으로 그 원인이 분명하지 않은 경우가 많음. 방사선학적 검사에서는 특징적인 소견이 없음. 치료로는 수동적 관절 운동(스트레칭)을 통한 관절 운동 범위의 회복이 가장 중요함.

IV. 석회성 건염(Calcific Tendinitis)

A. 임상적 의의

견관절은 석회성 건염이 가장 흔히 관찰되는 관절이며, 견관절에서는 극상건에 가장 흔히 발생함. 혈류 장애 등이 원인으로 제시되고 있으나 정확한 원인은 밝혀지지 않았음.

B. 진단

1. 증상

석회성 건염이 있어도 무증상인 경우가 있으나, 이로 인해 병원을 찾는 환자들은 대개 어깨의 앞쪽 또는 옆쪽의 통증을 호소함. 통증의 시작은 수일 내에 급성으로 시작되는 경우가 많으며, 심한 통증으로 응급실로 내원하는 경우도 있음. 야간통이 있는 경우가 대부분이며, 수동 및 능동 운동 범위의 제한을 보이는 경우가 많음.

2. 검진

이학적 소견은 비특이적이며, 충돌 증후군이나 유착성 관절낭염과 비슷한 소견을 보이기도 함. 어깨 관절의 능동 및 수동 운동 범위의 제한이 관찰되고, 드물게는 침착된 석회가 큰 경우 견봉 바로 앞쪽에서 덩어리가 만져지기도 함.

3. 영상 검사

X-ray는 석회성 건염의 진단에 가장 중요한 검사임. 대개 전후면 사진상 견봉 하 공간의 대결절 바로 위, 즉 극상건 종지부 근처에 타원형 모양의 방사선 비 투과성 음영이 관찰됨(그림 7-28). 그러나 석회 침착은 다양한 모양과 크기로 나타날 수 있으며, 극상건 이외의 다른 건에 발생한 경우에는 내회전 영상이나 액와 촬영에서 잘 관찰되기도 함. 석회성 건염을 진단하기 위해 초음파 또는 CT나 MRI를 촬영할 필요는 없으나, 이들 검사로는 동반된 회전근 개 파열 등을 감별할 수 있음.

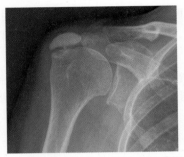

그림 7-28. 석회성 건염 환자의 X-ray. 거대한 석회화 음영이 관찰됨

C. 분류

진행 단계에 따라 석회전기(precalcific stage), 석회기(calcific stage), 석회후기 (postcalcific stage)로 나눌 수 있음. 석회기는 다시 형성기(formative phase), 휴식 기(resting phase), 흡수기(resorptive phase)로 나뉘는데, 주로 흡수기에 심한 통증 이 발생하게 됨.

D. 치료

1. 비수술적 치료

대부분 보존적 요법으로 치료가 가능함. 석회 침착이 있어도 무증상인 경우도 있으 므로 석회 자체를 반드시 제거해야 하는 것은 아님. 일차적 요법은 소염 진통제와 물리치료, 그리고 운동(스트레칭)요법이 있으며, 특히 운동요법은 이차적인 어깨 경 직(이차성 동결견)을 예방하기 위해 가장 중요함. 증상이 심한 경우 스테로이드 국 소 주사를 시행할 수 있음. 이외에 석회의 크기가 크면서 통증이 심한 경우 초음파 유도하 반복 주사 및 흡인(sono-guided barbotage)을 시행할 수 있는데, 석회가 모 두 제거되지 않아도 건 내 압력을 낮추어 증세 호전을 기대할 수 있음.

2. 수술

비수술적 치료에도 증상이 심하면서 주사 제거가 용이하지 않은 경우, 또는 회전근 개 파열 등 동반 병변이 있는 경우 제한적으로 수술을 고려할 수 있음. 수술은 판절경적 석회 제거술을 시행하게 되며, 이때 동반 병변에 대한 치료도 동시에 시행할 수 있음.

E. 합병증

견관절 석회성 건염의 가장 흔한 합병증은 통증으로 인해 어깨를 움직이지 않아 발생하는 어깨 경직 현상(이차성 동결견)으로, 이를 막기 위한 운동(스트레칭) 요법이 치료 과정에서 특히 중요함.

V. 견관절 불안정성(Instability of the Shoulder)

07

A. 임상적 의의

견관절 탈구는 인체에서 가장 흔히 탈구되는 관절로, 모든 관절 탈구의 약 절반을 차지함. 이러한 탈구 또는 아탈구가 반복적으로 일어나거나 탈구될 것 같은 불안이 있는 경우를 견관절 불안정성이라 함. 견관절 불안정성은 방향에 따라 전방, 하방, 후방, 다방향성으로 나누고, 전방 불안정성이 대부분을 차지함. 이외에 onset에 따라서는 급성, 재발성, 만성으로 나뉘며, 원인에 따라 외상성, 비외상성으로 나뉨.
※ 급성 견관절 탈구는 외상 부분을 참조 바람.

B. 재발성 견관절 전방 탈구

1. 위험 요소

재발성 견관절 전방 탈구는 급성 견관절 전방 탈구의 가장 흔한 합병증이며, 대부분 첫 탈구로부터 2년 이내에 발생함. 재발성 탈구의 위험 요소로 가장 중요한 것은 첫 탈구 시의 나이이며, 첫 탈구 시의 나이가 젊을수록 재발성 탈구의 비율이 높음. 20세 이전의 외상성 탈구는 문헌에 따라 재발성 탈구가 55~95%까지 보고되고 있음. 이외에도 남성, 짧은 고정 기간, 운동선수, 적은 에너지로 쉽게 탈구된 경우 등이 위험 요소로 보고되어 있음.

2. 수상 기전

급성 탈구와 유사하게 대부분 간접 손상이며, 팔에 외전 + 외회전 또는 외회전력이 가해져 발생함. 처음 수상 시보다 훨씬 적은 힘으로 탈구가 가능함.

3. 해부학적 병변

재발성 견관절 전방 탈구의 고전적 삼주징(triad)은 Bankart 병변(전하방 관절 와순 및 관절낭 손상), 관절와 전연의 미란(erosion) 또는 골절, Hill-Sachs 병변(상완 골 두 상부 후외측의 함몰)임. 이외에 관절낭의 이완 또는 파열, 관절와 순의 퇴행성 변 화, 회전근 개의 변성 등이 동반될 수 있음.

4. 진단

a. 증상

통증은 대개 급성 탈구 때보다 덜하며, 환자 스스로 정복이 가능한 경우도 많음. 스스로 정복되지 않는 경우에는 급성 탈구 때와 비슷하게 탈구된 어깨를 보호 하려고 반대쪽 손으로 이환된 팔을 지지하거나 몸통에 붙이게 됨. 정복된 후에 는 통증이 별로 없는 경우가 많음.

b. 이학적 검사

① 현재 탈구되어 있는 경우 : 급성 탈구 시와 유사한 소견을 보임.

② 불안 검사(apprehension test) : 환자를 앉히고 검사자는 환자 뒤에 서서 한 손으로 어깨를 고정시키고 다른 손으로 환자의 팔을 잡아 견관절을 90도 외 전 및 90도 외회전시킨 다음 환자의 손목을 뒤로 당겨봄. 환자는 탈구될 것 같다고 호소하며 어깨에 힘을 주어 저항하게 됨.

③ 견인 검사(drawer test, 서랍 검사) : 관절와에 대해 상완 골두를 전방으로 밀 어 보는 검사임. 환자가 앉은 상태에서 전완부를 무릎 위에 놓고 힘을 빼게 함. 검사자는 환자 뒤에 서서 한 손으로 어깨를 고정시키고 다른 한 손으로 상완 근위부를 잡아 상완 골두를 앞으로 밀어 봄. 건측에 비해 전위가 증가되 어 있으며, 탈구가 유발될 경우 click이 촉지됨. 이와 비슷하게 골두를 전위시 켜 보는 검사로 지주 검사(fulcrum test), 장전 이동 검사(load and shift test) 등이 있음.

④ 전신적 인대 이완 검사 : '견관절 다방향성 불안정성' 항목 참조. 전신적 인대

이완이 있는 경우에는 다방향성 불안정성이 있을 가능성이 높음.

c. 영상 검사

① X-ray : 기본적인 견관절 외상 촬영 3가지 외에, 재발성 전방 탈구에서는 관절
와 전하방의 석회화나 골절을 관찰하기 위한 촬영(West point 영상), 상완 골
두의 Hill-Sachs 병변을 관찰하기 위한 촬영(Hill-Sachs 영상, Stryker notch
영상, apical oblique 영상) 등을 추가로 시행함.

② 관절 조영 CT, 관절 조영 MRI : 재발성 탈구의 해부학적 병변을 파악하고 치
료 방침을 결정하기 위해 필요함. 이때 관절 조영 영상을 촬영하여야 관절와
순 등의 세밀한 구조를 정확하게 파악할 수 있음.

5. 치료

외상성 재발성 견관절 전방 탈구의 경우에는 보존적 치료가 도움이 되는 경우가 적
어 흔히 수술적 치료의 적응증으로 생각함. 비외상성 재발성 탈구 또는 다방향성
불안정성의 치료는 '견관절 다방향성 불안정성' 항목을 참조하도록 함.

a. 수술적 치료

외상성 재발성 견관절 전방 탈구의 수술 방법은 150가지 이상이 보고되어 있음.

① Bankart 술식(전방 관절낭 복원술) : 분리된 관절와순 혹은 관절낭을 관절와
에 재부착시키는 방법. 가장 많이 시행되는 방법으로, 최근에는 대부분 관절
경적으로 시행되며, 대개 관절낭 중첩술을 동시에 시행함.

② Bristow 술식(오구 돌기 이전술) : 오구 돌기를 연합 건과 함께 떼어서 관절와
전연에 부착시키는 방법

③ Putti-Platt 술식(견갑하근 단축술) : 전방 관절낭과 견갑하근을 중첩하여 단
축시키는 방법

④ 기타 동반된 병변의 치료 : Hill-Sachs 병변에 대한 골이식술 또는 회전근 개
이전술, 관절와 골절에 대한 내고정 등

b. 수술 후 처치 및 재활

수술 후 처치 및 재활은 급성 탈구의 정복 후와 유사하며, 스포츠 등 완전한 정
상 활동은 대개 수술 후 4~6개월 후에 시작하게 됨.

C. 재발성 견관절 후방 탈구

견관절의 재발성 후방 탈구는 드물며, 전신성 인대 이완을 동반하여 다방향성 불안 정성의 한 증상으로 나타나는 경우가 많음. 주로 근육 강화 운동 치료가 일차적인 치료가 되며, 수술은 전방 탈구의 경우보다 효과가 적은 것으로 알려져 있음.

D. 견관절 다방향성 불안정성

1. 정의 및 분류

견관절이 앞쪽뿐 아니라 아래쪽과 뒤쪽으로도 불안정한 것을 다방향성 불안 정성 이라 하며, 이는 외상성도 있을 수 있으나, 외상이 없거나 매우 경미한 외상에 의해 서 발생하는 비외상성이 대부분임. 자신의 의지로 견관절을 아탈구 또는 탈구시킬 수 있는지 여부에 따라 수의적(voluntary) 불안정성과 비수의적(involuntary) 불안 정성으로 나눌 수 있는데, 수의적 불안정성은 정신과적 문제와 관련이 있을 수 있으 며, 비수의적 불안정성은 Ehlers-Danlos 증후군 또는 Marfan 증후군과 같은 결체 조직 이상 질환과 관련이 있을 수 있음.

2. 진단

a. 증상 및 이학적 소견

다방향성 불안정성의 주된 증상은 불안정성 자체보다는 일상 활동 중의 통증인 경우가 많음. 이학적 소견상 견관절의 육안적 불안정성이 관찰되며, 반대편 견관 절도 이완이 심한 경우가 많음. 전신적 인대 이완이 동반되어 있는 경우가 많은 데, 이를 진단하기 위한 기준에는 중수 수지 관절의 과신 전, 주관절의 과신전, 슬관절의 과신전, 족관절의 과신전, 무지의 끝이 전완 부에 닿을 수 있는 것 등 이 있음.

b. X-ray

일반적인 X-ray에서는 정상 소견을 보인다. 양측 손목에 5 kg의 추를 매달고 찍 는 부하 촬영(stress view)에서 상완 골두가 하방으로 아탈구 또는 탈구되는 소 견을 보임.

3. 치료

우선 수의적인지 비수의적인지 구분하는 것이 중요함.

a. 수의적 불안정성

수술은 효과가 적어 금기로 알려져 있으며, 정신과적 치료 후에 회전근 개 및 견관절 근력 강화 운동을 시행함.

b. 비수의적 불안정성

일차적으로 회전근 개 및 견관절 근력 강화 운동을 시행하며, 치료에 반응이 없는 경우 관절막 이전술 등의 수술을 고려할 수 있음.

VI. 상부 관절와순 파열(SLAP lesion)

07

A. 임상적 의의

1985년 Andrews 등은 투수 집단에서 상완이두근 장두 건이 부착하는 부위의 관절와순 손상에 대해 보고하였음. 1990년 Snyder 등은 이러한 병변을 통칭하여 superior labrum anterior to posterior (SLAP) lesion이라 명명하고, 이를 4가지 아형으로 분류하였음. 이후 여러 저자들에 의해 아형이 추가되어, 현재는 SLAP 병변의 10가지의 아형이 보고되어 있음.

B. 분류(그림 7-28)

a. 제1형 : 상부 관절와순의 마모나 변성

b. 제2형 : 상부 관절와순 및 상완이두근 장두 건이 관절와연에서 떨어진 병변(가장 흔함)

c. 제3형 : 상부 관절와순의 양동이 손잡이형 파열

d. 제4형 : 상부 관절와순의 양동이 손잡이형 파열이 상완이두근 장두 건까지 연장된 것

e. 제5형 : 상부 관절와순 파열이 전방 관절와순까지 연장된 것(SLAP+Bankart lesion)

f. 제6형 : 상부 관절와순의 피판형 파열(flap tear)

g. 제7형 : 상부 관절와순 파열이 중관절와상완인대까지 연장된 것

h. 제8형 : 상부 관절와순 파열이 후방 관절와순까지 연장된 것(SLAP+reverse Bankart)

i. 제9형 : 관절와순 전체가 원주형으로 떨어진 것(circumferential labral tear)

j. 제10형 : 상부 관절와순 파열이 상관절와상완인대까지 연장된 것(그림 7-28)

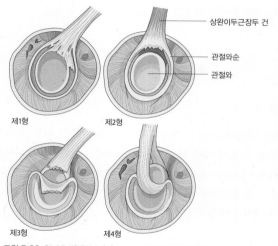

상완이두근장두 건

관절와순

관절와

제1형　　　제2형

제3형　　　제4형

그림 7-28. SLAP 병변의 아형(Snyder의 초기 4가지 분류)

C. 손상 기전

SLAP 병변의 손상 기전에 대하여는 여러 가설이 제시되어 왔음. 대표적인 것으로 견관절에 외전 및 외회전이 갑자기 일어나거나 상완이두근 장두 건의 반복적인 부하가 있을 때 상완 이두 건 - 관절와 순 복합체가 견인되면서 벗겨져 떨어진다는 설, 후방 관절낭 구축 및 내인성 충돌 증후군에 의해 상완 골두 및 극상건이 상부 관절와순 부착부에 전단력을 가해 SLAP 병변을 만든다는 설 등이 있음.

D. 진단

1. 증상

주 증상은 후방 견관절 통증이며, 주로 최대한 외전 및 외회전시에 통증이 발생함. 일부에서는 불안정성과 비슷한 증상을 호소하기도 하며, 견봉하 충돌 증후군이나 회전근 개 파열 등의 동반 병변이 있는 경우에는 동반 병변의 증상을 호소하기도 함.

2. 이학적 소견

SLAP 병변을 위한 많은 이학적 검사법이 보고되어 있으나, 어느 방법도 확진적이지는 못함. 크게 상완이두근 장두 건에 부하를 가해 통증을 유발시켜 보는 검사, 상완 골두 및 극상건과 상부 관절와순의 마찰을 유발해 통증을 유발시켜 보는 검사, 그리고 상완 골두를 전상방으로 전위시켜 통증을 유발시켜 보는 검사로 나눌 수 있음.

3. 영상 검사

a. X-ray

동반 병변이 없는 순수한 SLAP 병변의 경우 X-ray는 정상 소견을 보임.

b. 관절 조영 CT (CT athrography, 그림 7-29) 또는 관절 조영 MRI (MR arthrog- raphy)

SLAP 병변 진단에 가장 유용한 검사임. 관상면상 상부 관절와순이 파열되거나 떨어진 부위에 조영제가 차는 것을 볼 수 있음.

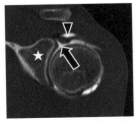

그림 7-29. SLAP 병변의 관절 조영 CT 영상. 이두근 장두 건 부착부의 상부 관절와순(화살촉)이 관절와(별표)에서 떨어져 벌어진 틈에 조영제가 차는 것을 볼 수 있음(화살표).

c. 진단적 관절경 검사

증상과 이학적 소견에서 SLAP 병변이 강력히 의심되나 관절 조영 CT 또는 관절 조영 MRI로도 확실한 진단이 어려운 경우, 관절경 수술을 통해 진단 및 치료를 동시에 시행할 수 있음.

E. 치료

젊고 활동적인 환자에서 SLAP 병변이 확인되고 부합하는 증상이 있을 경우 관절경 적 복원 수술을 시행함. 그러나 증상 없이 우연히 발견된 SLAP 병변에 대하여 반드 시 수술을 시행할 필요는 없음. 노년층이나 비활동적인 환자에서 SLAP 병변이 있는 경우 또는 회전근 개 파열에 동반된 SLAP 병변의 경우 등에 는 수술의 시행 여부나 방법에 논란이 있어, 이두근 장두 건 고정 또는 절제술 을 시행하거나 수술 없이 보 존적 치료를 시행하기도 함. 비수술적 치료로는 후방 관절낭 구축을 치료하기 위한 내회전 운동 등의 운동 요법이 대표적이며, 통증을 유발하는 동작을 하지 않는 방 법도 있음. 비수술적 치료를 시행할 때는 소염진통제나 근육이완제가 도움이 될 수 있음.

외상

I. 원위 상완골 골절

상완골의 원위 골절을 말하며, 다양한 골절의 임상 양상이 나타나는 곳이다. 왜냐하면, 손목 부위와 더불어 가장 복잡한 골성 해부학을 보이는 곳이기 때문이다. 연령별 발생 현황은 bimodal age distribution을 보이며 젊은 연령에서는 고에너지 손상을, 고령의 환자군에서는 저에너지 손상으로 나타난다. 고-에너지 손상은 분쇄 골절의 양상으로 발생하여 해부학적 복원을 어렵게 하며, 고령의 환자들은 골질이 약하기 때문에 적당한 고정 방법을 선택하기 어렵다.

A. 수술 전 평가

혈액 순환과 신경 손상의 가능성이 높기 때문에 이에 대한 자세한 평가와 기록이 필요

B. 방사선적 검사

a. 표준 전후방 사진과 측면 방사선 검사를 일반적으로 시행
b. 골절편의 전위가 있는 골절인 경우에는 정확한 골절 패턴을 파악하기 어려움
c. Gentle traction 후에 촬영한 경우는 정상 정렬을 맞춘 후에 시행하여 골절 패턴을 이해하기 쉬움
d. 통증이 심하기 때문에 보통 수술장에서 마취 후에 견인 후 촬영
e. Computed tomography (CT)가 유용한 골절 패턴 : olecranon fossa 보다 원위

부의 골절 또는 coronal plane에서 일차적으로 발생한 골절

f. 삼차원 재구성 CT : 골절 양상 파악과 수술 전 계획 수립에 도움

C. 골절 손상의 분류법

1. 이전까지의 언급 방식

T 또는 Y 골절(양 column 골절) / unicondylar 골절(단일 column 골절)

2. 아직 완벽한 골절 분류 체계는 없음.

3. 포괄적 분류 체계

a. Column concept

① Jupiter와 Mehne는 원위 상완골을 근위부로부터 벌어지는 두 개의 기둥과 그 사이에 낀 관절 분절의 삼각형 구조로 인식

② Mehne and Matta classification : 세 개의 기본 골절 범주로 나눔.

　i. Intra-articular

　　가. single columnar fracture

　　나. bicolumnar fracture

　　다. capitellar fracture

　　라. trochlear fracture

　ii. Extra-articular + Intra-capsular : 소아의 supracondylar fracture와 같은 형태의 골절

　iii. Extra-capsular: medial 또는 lateral epicondyle을 포함하게 되는 골절

b. AO/ASIF 분류

① 포괄적 분류 체계로서 문자를 이용하여 골절 정도와 형태를 분류하는 방법

② 관절 외 골절(A type), 부분적 관절 내 골절(B type)과 관절 내 골절(C type)으로 분류

③ 관절편의 분쇄 정도에 따라 1, 2, 3의 세부 분류를 정함.

④ C3 type 골절은 가장 중증의 심각한 관절 내 분쇄 골절

D. 관절 내 골절

1. Single column 골절(그림 8-1)

a. 성인에서는 흔하지 않음.

b. 소아에서는 과상부 골절 다음으로 흔히 발생하는 골절.

c. 동반된 내측 또는 외측 측부 인대의 손상 여부 확인이 필수

d. High vs. low; medial vs. lateral column fracture

① High fracture의 기준 : 침범되는 trochlea가 큼, 요척골이 골절된 column의 전위를 따름, 내고정이 쉬움

② Low fracture는 위와 반대의 특성

e. 이전의 Milch의 condylar fracture 분류 : trochlear ridge의 침범 여부를 중시

08

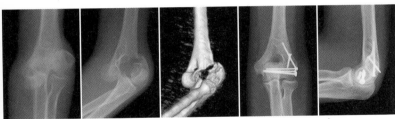

그림 8-1. 외과 골절 : 수술 전후 사진

2. Bicolumn 골절

a. 원위 상완골 삼각형의 모든 세 변을 침범한 골절로 정의됨. 기존의 과간 골절 intercondylar fracture.

b. 임상적 의미

① 가장 복잡하고 치료가 어려운 골절이나 성인에서는 흔함

② 원위 골편의 크기가 작고, 관절 연골을 포함

③ 고정물이 위치할 공간이 부족하고 골질이 불량한 노령 환자가 많음

c. 술 전 평가

골편의 전위가 심할수록 신경, 혈관 손상의 발생률이 높음.

d. 방사선 소견

CT 촬영이 도움을 주며, 전위가 없는 경우에는 단순한 과상부 골절과의 감별을 위해 수직 vertical 골절의 유무를 확인해야 함.

e. 분류(그림 8-2)

① 골절 형태를 묘사하는 방식으로 골절 기술

② T, Y, H and ㅅ (lambda) 형으로 분류

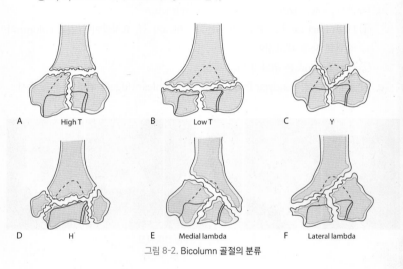

그림 8-2. Bicolumn 골절의 분류

f. 치료(그림 8-3)

① 최근의 수술 기법 및 내고정물의 발달로 수술 치료를 적극적으로 고려함.

② 수술적 정복과 금속판 내고정술이 원칙적으로 적용

③ 분쇄가 심하고 고정이 불가능할 정도의 골질 불량인 노령의 환자인 경우는 인공 관절 치환술이 고려되는 경우도 있음.

④ 최종 방사선 소견이 기능적 결과와 항시 일치하지 않으므로 방사선 소견보다는 기능적 측면을 중시해야 함.

⑤ 골절수술의 단계

i. 주두 절골을 통한 후방 접근

  ii. 관절면의 해부학적 재정렬(골편을 K-강선으로 서로 고정하여 과상부 골절 형태로 변환)

  iii. 전 골절을 상완골 간단부에 금속판을 이용하여 고정

  iv. 골결손 부위에 골이식 충전

⑥ 인공 관절 치환술

  i. 최근 사용 빈도가 증가

  ii. 초기 결과가 비교적 양호하고 빠른 회복이 가능, 관절 운동 범위 제한이 드물어, 노인 환자에서 골절편 고정이 어렵게 분쇄된 complex fracture에서 사용

  iii. 술자의 경험이 많이 필요, 관절에 수명이 있으며, 술 후 감염이 발생 시 해결이 어려워 적응증에 제한을 두고 사용

⑦ 술 후 처치

  i. 견고한 내고정을 얻은 경우, 가능한 빨리 능동적 관절 운동을 시작

  ii. 견고한 내고정이 안 된 경우, 술 후 2-3주 간의 석고 부목 고정 후 운동 시작

  iii. 관절 운동은 항상 능동적 운동을 시행, 무리한 수동적 운동은 관절 경직이나 화골성 근염을 유발하므로 금기

08

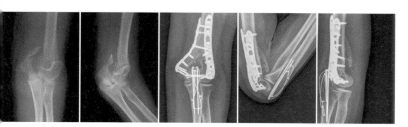

그림 8-3. Bicolumn 골절의 치료

3. 소두 골절 capitellar fracture

 a. 임상적 의미

  관절 내 골절로 연부 조직 부착이 없기 때문에 전위되면 자연적인 골절 유합을

얻기 힘듦

b. 분류

① 기존의 분류는 침범 골절 크기와 활차 침범 여부에 따라 나눔.

소두뿐만 아니라 활차도 포함하여 골절이 일어나서 전위되는 골절 : coronal shear fracture

② 최근의 Dubberley 등이 제안한 분류(그림 8-4)

ⅰ. 술 전 계획에 도움을 준다고 평가받음

ⅱ. 소두 후방 골절부의 지지가 없는 type B는 나사만을 이용한 치료는 어려움.

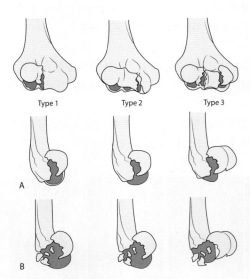

그림 8-4. Dubberley 분류

c. 손상 기전

둥글게 돌출된 소두에 대해 요골두가 충격을 주는 전단력(shearing force)에 의해 발생

d. 신체 검사 및 방사선 소견

① 골편의 전방 전위는 주관절 굴곡 장애 초래

② 소두의 후방 전위는 운동 범위 제한은 없으나 관절막을 긴장시켜 통증 유발

③ 내측에 종창과 압통이 있으면 동반된 내측 측부 인대 손상 동반 의심

④ 측면 단순 방사선 사진에서 소두 골편이 활차 관절면과 이중 원호를 보임 (double-arc sign)

e. 치료

① 대개 수술적 치료를 해야 함(전신 상태 불량자 및 손상 전부터 손상부 기능 저하 상태는 배제 가능). (그림 8-5)

② 후방 지지대가 건재한 경우는 측면 접근으로 정복 후 골절편간 고정이 가능하지만, 그렇지 않은 경우는 후방 접근 후 후방 골 지지대를 정복 재건 후 소두를 정복할 필요가 있음.

f. 합병증

① 관절 운동 기능 제한

② 소두의 무혈성 괴사

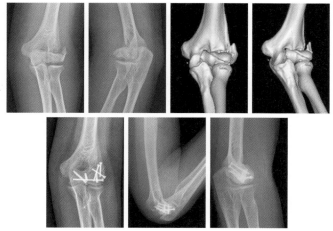

그림 8-5. 소두 골절

4. 활차 골절

   a. 단독 골절은 매우 드물다. 주로 다른 부위와 동반되어 골절

   b. 주두의 semilunar notch안에 보호되어 있으며, 인대나 관절막 등의 부착이 없기 때문에 견인 손상도 받지 않음.

   c. 골절편의 크기가 큰 경우는 수술적 정복 후 내고정, 하지만, 작거나 분쇄 작 제거 후 조기 관절 운동 시작

E. 관절 외 관절막 내 골절(그림 8-6, 8-7)

1. Trans columnar fracture는 부분적으로나 전반적으로 관절막을 걸치지만 관절 면은 침범하지 않음.

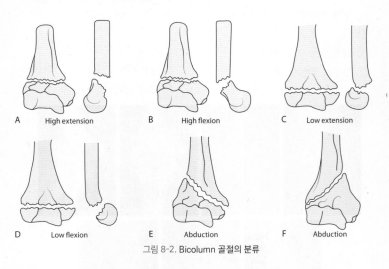

그림 8-2. Bicolumn 골절의 분류

2. High vs. low pattern, flexion vs. extension subgroups

3. 골질이 불량한 노인 환자에서 호발

4. 수술 시 고려 사항

   a. low type은 고정이 어렵고 골질이 불량할 경우가 많음.

b. 비수술적 치료로 과다 가골 형성을 유발하여 olecranon, coronoid와 radial fossa를 막아 운동 범위 제한을 유발

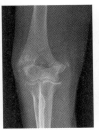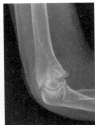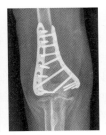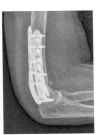

그림 8-7. Trans columnar fracture

F. 관절 외 골절

08

1. 상과 골절(Epicondyle fracture)

a. 외상과 골절

　성인 : 드물고 치료는 통증이 완화될 때까지 짧은 기간 고정 후 조기 관절 운동

b. 내상과 골절

① 임상적 의의

　　i. 외상과 골절보다 흔하지만, 단독 발생은 드물고, 주로 탈구와 동반

　　ii. 골화 중심은 15~19세가 지나야 유합이 되기 때문에 주로 소아나 청소년 층에서 많이 발생, 소아의 상완골 내상과 골절은 전체 소아 주관절 부위 골절의 12% 차지

② 손상 기전

　　대개 손은 짚고 넘어지면서 발생, 전완부 굴곡근의 갑작스런 수축이나 주관절 후방 탈구 시 내측 측부 인대에 의해 발생하는 견인력

③ 신체 검사

　　i 주관절 및 완관절의 능동적 굴곡 시 동통 증가

　　ii. 척골 신경 증상 동반 여부 확인 필요

④ 방사선 소견

   i. 정상 골단판과의 감별이 중요. 건측 방사선 촬영이 도움

   ii. 주관절 탈구 시 관절 내의 골편의 유무 확인

⑤ 치료

   i. 전위가 작은 경우 주관절 및 완관절을 굴곡시키고 전완부를 회내전시키고 7~10일 간 고정

   ii. 1 cm 이상 전위되거나, 주관절의 외반 불안정성을 보이는 경우, 관절 내에서 골편이 감입되는 경우, 척골 신경 압박 증세를 보이는 경우 - 수술 적 치료(대개 K-강선)

2. 과상부 골절 Supracondylar Fracture

a. 임상적 의미 : 소아에서 가장 흔한 골절이나 성인에서는 드묾

b. 분류 : 원위 골절편의 위치에 따라 신전형과 굴곡형으로 나눔

  ① 신전형 : 원위 골편이 근위 골보다 후방에 위치, 훨씬 흔함.

    i. 손상 기전 : 주관절을 신전한 상태로 넘어지면서 손을 짚는 경우 발생.

    ii. 신체 검사

     가. 상지의 신경, 혈관 손상 여부를 반드시 확인 및 기록

     나. 처음에는 정상이더라도 이차적인 부종에 의해 다시 나빠지는 경우가 있으므로 수시로 확인해야 함.

     다. 상완 동맥이 근위부 골편에 의해 손상 초기나 정복 시 파열 가능하며 때로 구획 증후군을 발생시킴.

     라. 골절의 초기 치료 시 주관절의 과도한 굴곡은 상지의 혈액 순환을 차단 가능

     마. 신경 손상은 모든 신경에 발생 가능하나, 정중 신경이 가장 흔함.

    iii. 소아 골절의 분류 : Gartland 분류

     가. Type I : 비전위

     나. Type II : 부분 전위 (후방 피질골은 정상)

     다. Type III : 완전 전위 골절

    iv. 치료

     가. 도수 정복 전 필수 점검 사항

ㄱ. 요골 동맥의 맥박 확인

ㄴ. 주관절, 전완부, 수부의 연부 조직 상태

ㄷ. 요골, 정중, 및 척골 신경의 운동 및 감각 장애 여부

나. 일반적 치료

ㄱ. 비전위 골절 : 정복 없이 3주 정도 석고 고정 또는 부목 고정. 소아에서는 내측 피질골 감입으로 인한 Baumann 각 감소 발견 시- 내반 주 변형을 방지하기 위해 정복 후 K-강선 고정

ㄴ. 부분 전위 골절 : 소아에서는 도수 정복 후 석고 고정, 필요 시 경피적 핀 고정. 성인인 경우는 불필요한 가골 형성으로 인한 운동 범위 감소를 방지하기 위해 수술이 고려될 수 있음.

ㄷ. 완전 전위 골절: 소아는 수술적 치료로 도수 정복 후 경피적 핀 고정술이 표준. 성인은 핀으로는 충분한 고정이 어렵기 때문에 금속판을 이용한 내고정이 필요

다. 견인 치료 : 소아에서 전신 상태가 불량하여 전신 마취를 시행할 수 없거나 핀 삽입부의 피부 손상으로 경피적 핀 삽입술을 시행할 수 없을 때, 아주 심한 분쇄 골절이 있을 때, 아주 심한 연부 조직 부종으로 골절부 조작이 곤란할 때 사용.

② 굴곡형 : 원위 골편이 전방에 위치 전체 과상부 골절의 2-4%를 차지

i. 손상 기전 : 주관절 굴곡 상태에서 후방 직접 타격, 또는 90도 굴곡에서 후방으로 넘어진 경우

ii. 신체 검사 : 2개의 상과와 주두와의 관계는 유지, 그 면이 상완골 간부보다 전방에 위치

iii. 치료 : 적극적인 수술적 치료를 하는 것이 좋은 결과를 보임.

3. 원위 1/3 상완골 간부 골절

원위 상완골 골간단부가 아닌 골간부 골절로서 고정을 위한 방법 선택이 아직 확립되지 않은 골절 형태이다. 일반 간부 골절에서 사용되는 금속판이나 골수강 내 정이 충분히 위위 골절편을 고정하기 어려운 경우가 많다. 또한 접근 방법에 있어서도 전방과 후방 접근 방법이 있어서 술자의 선호도에 따라 선택이 가능하다.

4. 원위 상완골 성장판 골절-분리

a. 손상 기전

신생아에서 출산 시 손상이 주 원인, 상완 신경총 마비와 감별 요함. 간혹 소 아 학대에 의해 발생 가능하지만, 대부분 주관절 신전 시 넘어진 외력에 의해 발생

b. 진단

① 방사선 전후면 검사에서 상완골에 대해 요척골은 전위되어 있으나 요골과 척 골의 상하 관계는 정상. 주관절 탈구, 전위된 외과 골절, 상완골 과상부 골절 등과 감별 요함.

② 소두가 골화되어 있지 않을 때에는 관절 조영술이 도움이 됨.

③ 초음파 검사, MRI 등으로 연골로 된 원위 골절편을 관찰할 수 있음.

c. 치료

과상부 이하의 골막이 두껍기 때문에 대부분 전위가 심하지 않은 안정 골절이 나, 치료 후 내반 주 변형이 많기 때문에 정확한 정복과 핀 고정을 통해 변형 예방

II. 근위 척골 골절

A. 구상 돌기 골절 coronoid process fracture

1. 임상적 의의

a. 주관절 후방 탈구의 전방 지지대 손상, 심한 주관절 손상 의미

b. 단독 손상은 드묾

c. 후외측 회전 손상 (m/c) : 주관절 탈구와 요골 두 골절과 동반되어 발생

d. 내반 후내측 회전 손상 : '외측 측부 인대 파열'과 '전내측 구상 돌기 골절' 동반 발생

e. 상완근에 의한 견열이 아니라 활차에 의한 충격이 원인

2. 분류- 골절편의 전후방 크기/관절 탈구 여부

3. 치료(그림 8-8)

   a. 크기가 작은 경우- 치료가 필요 없음

   b. 크기가 크고, 주관절이 불안정하고 요골두 골절 동반 시, 수술적 고정

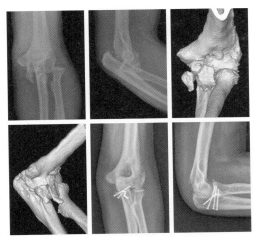

그림 8-8. 구상 돌기 골절 및 주관절 탈구

B. 주두 골절 Olecranon fracture(그림 8-9)

1. 손상 기전

   a. 직접 타격 : 외부 충격- 분쇄 골절 발생

   b. 간접 손상 : 주관절 굴곡 상태에서 넘어지면서 손을 짚는 경우(삼두근의 강한 수
      축으로 횡형 또는 사형 골절 발생)

2. 신체 검사 및 방사선 소견

   a. 관절 내 골절이므로 혈관절증

   b. 주두 돌기 위의 압통

   c. 중력에 대한 능동적 신전 가능 여부 확인은 필수

   d. 척골 신경 기능 검사

  e. 측면 사진에서 주두 근위 골절편의 전위 정도 확인

3. 분류

  a. 전위의 정도(2 mm 기준)와 분쇄 여부를 확인- 치료 방법에 도움

4. 치료

  a. 비전위 골절- 45-90° 굴곡 상태에서 장상지 석고 고정, 3주 후 제한된 관절 운동 시작

  b. 전위 골절- 수술적 치료

   ① 단순 골절- 긴장대 강선 고정

   ② 분쇄 골절- 후방 잠김 금속판 고정

  c. 골질 불량, 비 활동적 환자- 골편 절제술 고려 가능

   ① 분쇄 골절이 관절면의 50% 이하로 침범한 경우, 주두 돌기의 80%까지 제거할 수 있으며, 삼두근을 원위 골편에 견고 고정, 조기 관절 운동 시행. 과도한 굴곡은 수 주간 회피.

   ② 주관절 전방부 손상 동반 시 금기

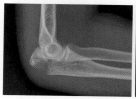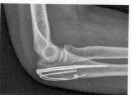

그림 8-9. 주두 골절

C. Sublime tuberosity 골절

  a. 근위 척골의 내측 측부 인대 anterior bundle이 부착하는 부위

  b. 주로 견인에 의해 견열 골절이 발생하며, 투수에게 생기며, 만성주관절 통증의 원인

  c. 골절의 크기가 큰 경우, 수술적 치료가 필요

  d. 골절편의 크기가 작아도 주관절 불안정성이나 만성 통증을 호소하는 경우 수술

적 인대 재건이 필요할 수 있음.

III. 요골두 골절(Radial head fracture)

A. 손상 기전

  a. 신전된 손으로 짚고 넘어지면서 직접적인 축성 부하나 외반력에 의해 요골 두가 소두와 충돌하여 골절 발생

  b. 내측 측부 인대, 구상 돌기 골절, 주관절 후방 탈구, Essex-Lopresti 병변 등과 동반 가능

B. 분류- Mason classification(그림 8-10)

08

  a. 제1 형 : 비전위 또는 최소 전위(< 2 mm) 소형 marginal head 또는 neck 골절로 운동의 기계적 제한 없음

  b. 제2 형 : 전위 골절(> 2 mm)로 ORIF로 재건 가능한 경우.

  c. 제3 형 : 요골 두 전 범위의 분쇄 골절

  d. 제4 형 : 주관절의 후방 탈구가 동반된 경우(요골 두 골절의 3-10%에서 동반). 보통 terrible triad의 형태(구상 돌기 골절 동반)

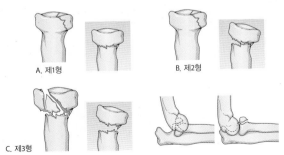

A. 제1형   B. 제2형

C. 제3형   D. 제4형

그림 8-10. Hotchkiss의 처치 근거 분류

C. 신체 검사 및 방사선 검사

a. 관절내 골절이므로 혈종에 의한 관절 팽창

b. 단순 전후면, 측면, 사면 촬영. 필요 시 요골 두-소두 radiocapitellar view 촬영 (환자 머리 방향으로 45도 기울여 찍는 측면 촬영)

c. 요골이 단축되어 원위 요척 관절의 이차 손상이 일어날 수 있으므로(Essex-Lopresti 손상) 손목 관절의 통증을 유의

d. CT : 잘 보이지 않는 유리체나 골편, 동반된 골절 등의 확인에 도움

D. 치료(그림 8-11)

a. 제1 형 및 일부의 2형 골절 : 비수술적 치료(고정 기간은 3-4주 이내)

b. 제2 형 : 전위가 심하고 회전 운동에 제한 발생- 수술적 정복 및 내고정술 또는 요골 두 절제술 및 인공 요골두 치환술

c. 분쇄가 심한 경우에도 일차 수술로 요골두 절제술보다 수술적 정복과 금속 내고정 후 조기 관절 운동을 시행하는 방법이 강조됨

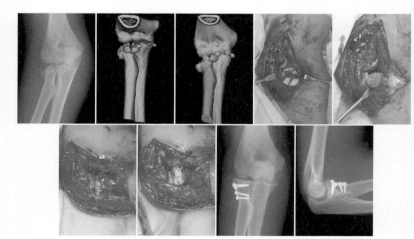

그림 8-11. 요골 두 골절

IV. 주관절 탈구

젊은 연령에서 스포츠 활동 중에 발생함. 함 탈구 다음으로 흔한 상지 탈구, 골절 동반 여부에 따라 단순 탈구와 복합 탈구로 구분함

A. 단순 탈구(그림 8-12)

1. 손상 기전
  a. 용어의 정의상 후방 탈구밖에 없음
  b. 주관절 신전 상태로 넘어질 때, 외반력, 전완부 회외전, 주관절 축성 압박이 작용 하여 발생

2. 신체 검사
  a. 신경 혈관 손상 여부 파악 필수
  b. 원위 요척 관절과 전완부 골간막 손상 여부 확인
  c. 구획 증후군 발생 가능 주의

3. 방사선 소견
  a. 수상 직후 전후면 및 측면 사진 필수- 정복 후 재촬영으로 동반 골절 확인
  b. 사면 촬영 : 작은 골절편의 확인 도움
  c. 3D-CT : 좀 더 입체적인 골절 양상과 골연골 손상 여부 파악

4. 치료
  a. 최대한 빨리 정복 시행, 신경-혈관 상태를 항시 파악하여 정복 후 상태 변화가 생 기면 적절한 조치 시행 준비
  b. 도수 정복법 : 내외측 전위를 먼저 교정 후, 주관절을 굴곡시키면서 전완부를 견 인하여 구상 돌기가 주두 와에서 나오게 하여 근위 척골 부위가 활차보다 원위, 전방으로 위치하여 정복. 이후 관절 운동을 시행하여 제한 없는 관절 운동이 이 루어지는 여부와 해부학적 구조물의 정렬 상태, 신경, 혈관 손상 여부를 점검
  c. 정복 후 고정 : 주관절을 90도 정도 굴곡한 상태에서 후방 부목으로 고정하고 대개 3~5일 이후 통증이 심하지 않은 정도에서 환자 자신의 정상측 손을 이용하여 능동

적 보조 관절 운동을 시행하도록 하며 고정 기간은 가능한 2주를 넘지 않음.

d. 수술적 치료는 드물게 시행되는데, 골연골 골편이나 인대 등의 연부 조직이 관절 내에 끼어 관절 운동이나 정복을 제한하는 경우 등에서 고려

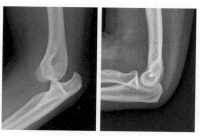

그림 8-12. 주관절 탈구

B. 복합 탈구(그림 8-13)

치료하기 어렵고 부작용이 발생할 가능성 높음.

수술로 견고한 골절 고정 후 조기 관절 운동을 시행하는 것이 일반적 치료법

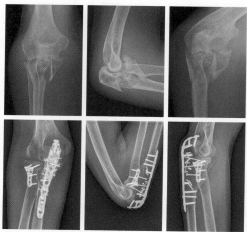

그림 8-13. 주관절 복합 탈구

1. 후외측 회전 손상

LCL 구조가 항상 처음 손상받는 구조물, MCL이 가장 나중에 손상 받는 구조물

a. 요골 두 골절과 동반된 탈구

① 대표적으로 LCL이 origin에서 견열되어 수술적 치료가 되어야 하고 요골 두 골절은 Hotchkiss의 분류에 따라 치료

b. Terrible triad(그림 8-14)

① 주관절 탈구, 요골 두 골절, 구상 돌기 골절의 3가지 조합이 동시에 발생하는 경우

② 주관절 불안정성, 강직 등의 합병증이 쉽게 발생하여 치료가 어려움

③ 치료 원칙 : 주관절의 안정성을 얻기 위한 수술 필요

　i. 구상 돌기 고정

　ii. 요골 두 골절에 대한 고정

　iii. 인대 수술 : 외측 측부 인대 복합체 및 내측 측부 인대 봉합술

　iv. 계속되는 불안정성 : 경첩이 달린 외고정 장치

08

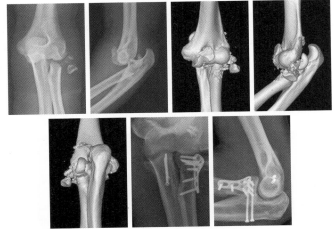

그림 8-14. Terrible triad

2. 주두 골절-탈구

주두의 골절이 발생하면서 주관절의 탈구가 생기는 손상. 전방 손상과 후방 손상
존재

a. 경주두 골절 탈구(Trans-olecranon fracture-dislocation) (그림 8-15)

① 몬테지아 손상과 달리 전완골 관계 손상은 없음.

② 분쇄된 주두 복원 후 전완부 회전은 이상 적음.

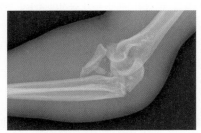

그림 8-15. 경주두 골절 탈구

b. 후방 몬테지아 병변(Posterior Monteggia lesion)

① 일반적으로 골다공증이 있는 고령의 여자에서 흔히 볼 수 있다.

② 요골두 후방 탈구, 근위 척골 골절, 구상 돌기 골절(basal subtype II)과 척·상
완 관절 불안정성

③ 전방 주두 골절 탈구와 달리, 골성 구조 안정 후에도 불안정성이 지속 가능.

3. 내반 후내측 회전 손상(Varus posteromedial rotational injury) (그림 8-16)

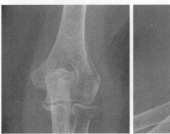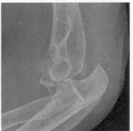

그림 8-16. 내반 후내측 회전 손상

   a. 견관절이 굴곡 외전된 상태에서 팔을 편 채로 넘어질 때 생기는 손상
   b. 구상 돌기 전내측 facet 골절이 주관절 탈구와 동반, 때로는 주두 골절이 생김
   c. 요골 두 골절은 발생 가능 적음
   d. 불안정성이 극명하지 않아서 놓치기 쉽고, 관절염으로 발전 가능

C. 주관절 탈구의 합병증 치료

1. 관절 강직

   a. 가장 흔한 합병증
   b. 주관절 탈구 후의 관절 강직은 주로 고정 기간과 직접적 연관
   c. 원인
      ① 내재적 원인 : 관절 연골면의 불일치나 관절 연골 결손 등의 이상
      ② 외재적 원인 : 관절면은 정상이나 관절막과 인대의 구축, 이소성 골화, 근육 구축
      ③ 이차적 구축 : 원인과 상관없이 전후방 관절막 비후 구축, 측부 인대와 관절 주위 근육의 구축
   d. 치료
   최소한의 치료 목적의 범위 인지 필요- 일상 생활에서 필요한 기능적 운동 범위 (30-130도)
      ① 우선적으로 비수술적 치료 우선
         i. 통증 및 관절 내 염증을 최소화하면서 점진적인 관절 운동 범위 확보
         ii. 환자 본인에 의한 능동적 보조 운동
         iii. 숙련되지 않은 치료자의 무리한 수동적 관절 운동은 금기
         iv. 내재적인 요소가 아닌 경우에 3-6개월 정동의 지속적인 치료에도 관절 운동 범위 회복이 안 되는 경우에는 수술 고려
      ② 수술적 치료
         i. 연부 조직 처리 : 운동 방향에 저항을 주는 관절막이나 인대를 절개, 주관절의 불안정성을 유발하지 않는 범위 내에서 시행
         ii. 골 조직 처리 : 골극이나 골 결합 부위를 절제 또는 분리

08

iii. 관절막의 불일치성에 의한 내재적 구축 : 대퇴 근막 등을 삽입하는 삽입
   관절 성형술이나 인공 관절 치환술 고려

2. 신경 손상

대부분 neurapraxia이므로 일반적으로 6개월 이내 저절로 회복되므로 수술 고려
시 주의

3. 이소성 골화

a. 정상적인 골 구조가 아닌 곳에 뼈가 생기는 현상
b. 원인
   ① 과도한 연부 조직 손상 후. 혈종이 발생한 주위 근육 내에 생기는 경향
   ② 뇌손상, 척수 손상
   ③ 물리 치료 과정에서 과도하게 시행하는 수동 운동
c. 임상적 의의
   ① 대부분의 경우 주관절의 운동 제한 유발
   ② 대개 외상 후 4~8주 경에 방사선 검사에서 보이지만 객관적으로 설명하기 힘
      든 통증, 부종 등의 증상은 그 이전부터 나타나기 시작함.
d. 치료
   ① 관절 운동에 제한이 발생하면 물리 치료나 약물 치료로는 호전 어려움
   ② 수술의 시기
      일단 증상 소실 후 방사선학적으로 골 소주의 형태가 명확하여 성숙된 것으
      로 판단되면 수술을 시행하여 장애 기간과 이차적인 연부 조직 구축을 최소
      화 노력, 대개 6~8개월 정도 경과된 후 수술 시행
   ③ 수술 후 재발 예방
      i. 저용량 방사선 조사, indomethacin 등의 약물 치료- 상처 치유에 불리하
         며 검증되지 못함.
      ii. 또한 방사선 조사는 골절부와 주두 절골부의 불유합을 일으킬 수 있어
         권유되지 않음

4. 외상성 관절염

관절면의 정확한 정복을 얻지 못할 때 생기나, 체중 부하 관절이 아니므로 슬관절보

다 발생 빈도도 낮고, 일상 생활에서 생기는 증상도 심하지 않음.

5. 불유합

요골 두 골절 불유합 시 절제술 고려, 절제 불가 시 골 이식술과 금속판을 이용한 고정 시행

V. 전완부 환의 손상(Forearm bone ring injury)

전완부는 요골과 척골이 주관절과 손목 관절에서 서로 만나면서, 길다란 고리 모양을 이룸. 이 고리가 깨지면서 다양한 형태의 손상이 발현됨. 이런 경우는 골격 구조의 상당한 불안정성이 발생하기 때문에 수술적 치료가 필요함.

A. 몬테지아 골절(그림 8-17)

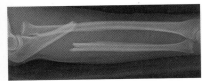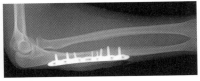

그림 8-17. 몬테지아 골절

1. 발생 빈도

드문 손상으로 척골 골절의 7% 또는 모든 전완골 골절의 5% 이하의 빈도로 발생

2. Bado의 분류

a. 제1 형 : 요골 두의 전방 탈구와 전방 각형성을 동반한 척골 간부 골절- 소아에서 가장 흔함

b. 제2 형 : 요골 두의 후방 또는 후외방 탈구 및 후방 각형성된 척골 간부 골절- 성인에서 더 흔함.

c. 제3 형 : 요골 두의 외측 또는 전외측 탈구 및 척골 간단부의 골절

d. 제4 형 : 요골 두의 전방 탈구, 요골 근위 1/3의 골절 및 같은 부위의 척골 골절

3. 소아의 척골 소성 변형이 요골 골두 탈구와 동반된 경우, 단순한 요골 골두의 탈구로 오진하여 치료에도 재발 가능

4. 신체 검사

신경 손상, 특히 요골 신경의 후골간 신경 분지 손상 동반 가능

5. 방사선 소견

a. 전완부의 어떤 손상에서도 반드시 주관절 완관절 포함

b. 요골 두가 정상 위치에 있을 때는 어떠한 촬영에도 요골 간부와 요골 두의 중심을 지나는 선이 상완골의 소두 중심을 통과- 오진 방지의 유일한 소견

c. 환자 스스로가 전완부를 견인하여 정복된 채로 내원하여 오진 가능, 세심한 문진으로 주관절의 외측 부위 압통 존재 확인 필요

6. 치료

a. 성인

척골 골절을 금속판 고정, 요골 두는 쉽게 정복됨. 요골두의 수술적 정복은 필요하지 않으나 손상된 윤상 인대가 정복을 방해하거나, 정상 윤상 인대에서 빠져 요골이 근위부로 이동할 때 시행 필요

b. 늦게 발견된 골절

① 소아 : 주관절 외반 불안정성, 외반 주, 굴곡 운동 범위 감소, 척골 신경 지연 마비 등이 병발하며, 재건술 필요

② 치료의 방법- 척골 교정 절골술, 요골 두의 수술적 정복을 위해 윤상 인대의 재건 필요

7. 합병증

a. 신경 손상 : 후방 골간 신경 손상이 자주 동반됨. 거의 일시적이며 6-8주 후에 회복

b. 요골 두의 불안정성 : 대부분 척골의 변형 교정이 되지 않아 발생

c. 요척골 골결합 : 손상이 심하여 골이식을 시행한 경우 발생 가능.

B. 전완부 양골 동시 골절

1. 손상 기전

가장 흔한 원인은 교통 사고. 전완부에 직접적인 외력이 가해져 발생

2. 증후 및 증상

두 뼈는 대부분 전위됨. 동통 변형, 전완부와 수부의 기능 장애, 골절부의 압통, 골절편간의 마찰음 발생. 구획 증후군의 발생에 주의 필요

3. 방사선 소견

반드시 주관절 및 손목 관절이 포함되게 촬영. 요골의 nutrient foramen이 비전위 골절과 혼동 가능. Tuberosity view는 요골의 bicipital tuberosity의 방향에 따라 근위 요골의 회전 정도를 파악할 수 있게 함.

4. 치료

a. 비수술적 치료

전위가 없는 경우- 주관절을 90도 굴곡, 전와부를 중립 회전 위치에서 장상지 석고 고정 및 주기적인 방사선 촬영 시행

b. 수술적 치료

전위가 존재- 해부학적 정복 및 견고한 내고정이 중요

① 외고정 장치

   i. 광범위한 연부 조직 결손을 동반한 전완부 개방성 골절에서 초기 치료로 이용

   ii. 내고정 장치로 전환(치료 과정에서 핀 삽입부의 감염 발생하므로 환자 상태나 상처 부위 상태 호전 후 빨리 전환)

② 골수강 내 금속정 고정(그림 8-18)

   i. 폐쇄적 방법으로 수술 가능, 빠른 골유합, 금속정 제거 후 재골절 발생이 적음. 낮은 감염률, 적은 수술 상처 등이 장점

   ii. 요골의 근위 1/4과 원위 1/3 그리고 척골의 원위 1/3에서는 고정이 견고하지 않아 사용 못하고, 골수강 최소 직경이 3 mm 이내일 때는 사용 못 함.

   iii. 전완부를 일종의 관절로 보는 입장에서는 해부학적 정복이 필요하기 때

문에 도수정 정복을 하는 금속정 고정법은 술 후 기능 회복에 부정적이라고 보는 견해가 많음.

그림 8-18. 골수강내 금속정 고정

③ 압박 금속판 고정(그림 8-19)
 i. 가장 널리 이용되는 방법
 ii. 양골을 모두 노출시킨 후 금속판을 대기 전에 정복하는 것이 표준 방법
 iii. 상하에 각각 3개의 피질골 나사로 6개의 피질골을 고정하는 것이 권장됨.
 iv. 골 원주의 1/3 이상이 분쇄된 경우 골이식을 하는 것이 일반적 기준임.
 v. 골 이식은 요척골간의 골결합을 유발하지 않기 위해 골간막쪽으로는 하지 말 것.
 vi. 일반적으로 유합 후 금속판을 제거하지만, 재골절 위험이 있다는 것을 미리 환자에게 경고할 필요 있음.

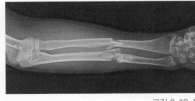 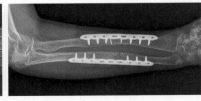

그림 8-19. 압박 금속판 고정

5. 합병증
 a. 부정 유합
  전 운동의 감소와 근력 약화 초래, 부정 유합은 이미 수술 시에 결정되므로 수술

자의 역할이 중요

b. 불유합

상당량의 골 소실이 있는 골절이나 분쇄 골절, 불유합률 2-2.7%로 보고됨

c. 감염

발생한 경우 골절 정복이 유지된 상태에서 내고정물을 유지하여 골절 치유 후 내고정물을 제거하고 잔류 감염에 대한 치료함. 개방성 골절에서 적극적인 개방 성 정복과 내고정 치료를 시행하여도 감염률은 0-3%.

d. 신경 손상

주로 총상과 같은 광범위한 연부 조직 손실을 동반한 골절에서 발생

① 변연 절제술 후 신경 절단단을 표시해 둔 뒤에 상처가 치유되고 감염의 위험 이 없을 때에 복원.

② 상처와 손상된 신경이 깨끗한 경우, 상처 봉합 시 신경 복원도 함께 함.

e. 혈관 손상

요골 또는 척골 동맥 중 하나만 손상을 받은 경우에는, 전완부의 측부 순환이 발 달되어, 심한 장애를 초래하지 않음. 그러나 하나의 동맥만 파열되어도 가급적 이 를 복원하는 것이 추후 발생할 수 있는 cold intolerance와 같은 문제를 예방하 는 데 도움을 줌.

f. 골결합(synostosis)

매우 드물지만, 회전 각도를 감소시켜, 전완부 기능에 막대한 장애를 야기.

① 위험 인자

  i. 개방성 골절, 감염, 두부 손상, 내고정이 수 주 지연된 경우

  ii. 비해부학적 정복 때문에 두 뼈 사이가 좁아진 경우, 과도한 골 이식, 나사 의 길이가 너무 길어져 골간 공간을 지나거나 전완부 근위 1/3을 침범

② 수술적으로 골 결합을 제거 후 근막, 지방을 이식하여 채우기도 함.

g. 재골절

① 금속판을 골절이 충분히 유합되지 못한 상태에서 제거하는 것은 금기

② 증상이 없는 환자에서 금속판을 제거하는 것을 권유하지 않음

③ 증상이 있는 환자에서 수술 후 적어도 18개월 이후에 제거 권유

④ 금속판 제거 후 보호는 적어도 4-6주간 부목으로 보호, 3-4개월간 심한 육체

활동 금지

C.   전완부 골간막 손상(Essex-Lopresti injury)

1. 손목, 전완부, 주관절을 관통하는 강력한 외상
요골 두의 골절, TFCC의 손상, 골간막 파열의 triad

2. 진단
a. 손목 척측에 압통이 있고, 전완부에 골절 없이 압통과 반상 출혈이 관찰됨.

b. 주관절 부위에는 압통과 반상 출혈 발견

c. 방사선 사진 : 요골 두의 분쇄 골절, 손목의 방사선 사진에서 상당한 척골 양성 변이 관찰, 7 mm 이상의 척골 양성 변이-골간막의 완전 파열과 요골의 근위 전위를 의미함.

d. 건측 과의 사진 비교 필수

e. 골간막 손상의 진단에 도움이 되는 영상 촬영 방법

① 초음파 : 골간막의 완전 파열에 임상적으로 도움

② 자기 공명 영상 : 초음파에 비해 특이도가 더 높다.

3. 치료
골간막은 자발적 치유 능력이 거의 없다.

a. 수술적 치료 방법 : 요골 길이의 재건 및 원위 요척 관절의 안정성 회복

① 경피적 요척골 고정, 척골 단축술, Sauve-Kapandji 방법은 불량한 결과

② 골간막 중심대의 복원이나 재건

③ 한 개의 전완골 전환술

b. 요골-척골 해리의 성공적 치료 조건 : 전완부의 길이 유지

① TFCC의 복원과 요골 두의 정복이나 대치술 필요

② 이 구조물들의 복원과 안정 만으로 전완부의 종축 안정성 확보 가능

③ 골간막 중심대의 수술적 복원이나 재건이 필수적인 것은 아님

4. 합병증
a. 주관절과 전완부 운동 범위의 감소

b. 손목 관절 통증 유발 가능 : 잠재된 불안정성 때문-원위 요척 관절의 불안전한
   안정화나 요골 두 고정의 실패는 요골의 종축 불안정성 야기

c. 주관절 퇴행성 관절염

5. 재활

a. 원위 요척 관절과 요골 두 수술 후 3 ~5일간 장상지 석고 부목 안정

b. 이 후 removable splint로 주관절의 가벼운 능동적 혹은 수동적 운동 시작

c. 전완부의 회전 운동 금지, 손목과 손가락의 관절 운동은 장려

d. 3주 후에 k-강선을 제거, 4주 후에 전완부의 가벼운 능동적 운동 시작, 6주 후 수
   동적 전완부 운동 시작하고 보호 부목을 제거

e. 가벼운 저항성 능동성 운동은 술 후 8주에 시작하고 수술 후 6개월까지 모든 활
   동을 허용

D. 갈레아찌 Galeazzi 골절(그림 8-20)

1. 척골 골절이 동반하지 않은 요골의 중간 및 원위부 1/3의 경계에서 발생되는 골절로서 원위 요척 관절의 탈구를 동반한 골절

a. 손상 기전

   수근 관절의 배외측에 작용한 직접 가격과 추락 사고가 흔한 원인

b. 신체 검사

   골절 주위의 종창과 압통, 전위가 심하면 요골이 짧아지고, 후외측으로 각형성,
   원위 요척 관절의 탈구나 아탈구는 척골 두의 돌출과 관절 부위 압통으로 의심
   가능. 대부분은 폐쇄성이며, 신경 혈관 손상은 드물다.

c. 방사선 소견

   다른 전완부 골절과 마찬가지로 방사선 촬영 시 주관절과 완관절을 포함. 요골
   의 골절은 횡적이거나 짧은 사선형이며 분쇄는 드물다.

d. 치료

   대단히 불안정하여 수술이 필수적임. 수술적 정복 후 압박 금속판을 이용한 내
   고정

   ① 척골 원위부가 제 위치에 들어가 안정이 되면 장상지 석고 고정으로 치료

② 요골이 해부학적으로 정복되고 견고한 내고정이 되면, 원위 요척 관절은 자연 정복

③ 요골 내고정 후에도 척골 원위부가 불안정하면 척골 원위부를 도수 정복한 후 두 개 정도의 강선으로 약 3-4주간 일시 고정

④ 원위 요척 관절에 연부 조직 감입- 수술적 정복 필요

⑤ 수술 후 4주째부터 점진적인 관절 운동을 시작하는 것이 일반적

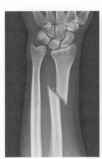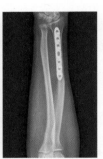

그림 8-20. 갈레아찌 골절

e. 합병증

골절의 각형성과 원위요척 관절의 아탈구 지속-가장 흔함. 급성 골절에서 숙련된 수술적 기법과 견고한 내고정으로 예방 가능

① 요골의 부정 유합으로 회전 운동의 제한이나 통증이 심한 경우 수술 방법들

  i. 원위 척골 부분 절제술(Wafer procedure) : 척골의 양성 변이만큼 원위 척골에서 절제, 원위 요척 관절의 해부학을 변화시키지 않는 것이 장점

  ii. 척골 골두 부분 절제-삽입 성형술 : TFCC 복원 가능하거나 이상이 없을 때, 원위 척골부를 척골 경상 돌기와 그 연결 부분만 남기고 제거한 후 그 빈 공간에 건, 근막, 관절낭을 말아 넣는 술식

  iii. Sauve-Kapandji 술식 : 원위 요척 관절의 관절 고정술 및 그 근위부의 가 관절 형성술. TFCC를 보존할 수 있고, 척골 골두가 남아 있어 ECU의 안 정성을 유지, 전와부의 회전 운동을 보존하나 척골 근위 절단부의 불안정

성이 단점

    iv. 원위 척골 절제술 : 절제된 척골 원위부의 불안정성으로 인한 통증, 근력 약화, 건 파열, 요골 원위부와 충돌 등이 문제되어 여러 변형법이 소개됨.

E. 척골 만의 골절

척골만의 골절이 발견된다고 하더라도 forearm ring이 깨지는 손상이므로 주관절 이나 손목 관절에도 손상이 가해질 수 있다는 점을 주의

1. 대부분 직접 손상

단단한 물체를 머리를 내려칠 때 이를 막기 위해 전완부를 이용하여 막을 때 발생

2. 치료

  a. 비전위성 골절

    전위가 없거나 최소 전위인 경우 : 석고 고정, 기능적 보조기, 팔걸이 등 가능

  b. 전위성 골절

    10도 이상의 각형성, 직경의 50% 이상의 전위, 5 mm 이상의 전위인 경우 고려

    ① 반드시 주관절 및 완관절의 손상 여부 확인 필요

    ② 수술적 정복 및 내고정이 필요 : 대부분 금속판으로 충분히 치료(1/3 tubular plate는 고정력이 떨어져 불유합 발생 주의 필요)

      i. 척골 중간 또는 원위 1/3의 분쇄 및 분절 골절: 골수강내 금속정 시도

      ii. 근위 1/3에서는 골수강의 넓으므로 금속판 고정이 유리함.

F. 요골만의 골절

1. 순수한 의미의 요골만의 단독 골절은 드물고, 가격에 의한 직접 손상, 손을 짚고 넘어지는 경우의 간접 손상

2. 단독 골절은 드물다. 손상 기전은 가격에 의한 직접 손상, 손을 짚고 넘어지는 경우의 간접 손상.

3. 치료

  a. 비전위 골절 : 석고 고정 치료가 가능하나 언제든지 전위 발생 가능하며 수술적

치료로 전환

b. 전위 골절 : 수술적 정복술 및 내고정술- Henry의 전방 도달법이 유용

c. 근위 1/5 이내는 금속판을 대기에는 골편이 너무 짧고, 골수강내 고정은 회전 변형을 조절하지 못해 어려움

주요 질환

I. 외상과염-내상과염

A. 임상적 의미

1. 주관절 외측 및 내측 통증의 가장 흔한 원인이다.

2. 주요 기전 : 과사용(overuse)으로 인한 건 기시부(origin)의 손상과 치유 실패
   a. 외상과(lateral epicondyle) : 공통 신근 기시부(common extensor origin)
   b. 내상과(medial epicondyle) : 공통 굴근-회내근 기시부(common flexor-pronator origin)

3. 병리 : 비 염증성 혈관섬유모세포성 증식(angiofibroblastic proliferation)

4. 침범근육(그림 8-21)
   a. 외상과염 : 단요수근신근, 총수근신근 등
   b. 내상과염 : 원형회내근, 요수근굴근 등

외상과염   내상과염

그림 8-21. 외상과염과 내상과염의 침범구조물

B. 진단

1. 병력
   a. 주관절 외측 및 내측의 통증과 근력 약화
   b. 건의 과사용력
   c. 40대 초반, 남 = 여, 우세팔 > 비우세팔

2. 신체검진

a. 외상과염

① 공통 신근 기시부인 원위 상완골 외상과부의 압통

② 통증 유발검사

  i. 전완부를 회내전, 주관절을 고정한 상태에서 손목을 저항에 반하여 신전 (Cozen's test)

  ii. 전완부를 회내전, 손목을 굴곡시킨 상태에서 주관절을 신전(Mill's test)

  iii. 세 번째 손가락을 저항에 반하여 신전

b. 내상과염

① 공통 굴근 기시부인 원위 상완골 내상과부에 압통

② 통증 유발검사

  i. 전완부의 저항성 회내전 및 손목굴곡

  ii. 전완부를 회외전 시킨 상태에서 주관절과 손목을 신전

3. 방사선 검사

a. 단순방사선 촬영(그림 8-22)

① 외상 및 다른 질환과의 감별을 위해 촬영한다.

② 약 20%에서 건의 석회화와 과상부의 반응성 외골증(exostosis)의 소견이 관찰된다.

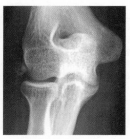

그림 8-22. 총 신근 기시부의 석회화

b. MRI, US

① 변화가 초래된 근육 기시부의 신호 변화를 관찰할 수 있다.

② 병리소견과의 일치도가 높다.

4. 감별진단

a. 외상과염

① 요골관 증후군(radial tunnel syndrome)

② 박리성 골연골염(osteochondritis dissecans)

③ 골관절염

④ 관절내 유리체(loose body)

⑤ 추벽 증후군(radiocapitellar plica syndrome)

⑥ 후외측 관절 불안정성(posterolateral instability)

⑦ 활막염

⑧ 윤상인대 협착(annular ligament stenosis)

⑨ 요골두 주위 점액낭염

b. 내상과염

① 내측 측부인대 손상

② 주관 증후군(cubital tunnel syndrome)

③ 회내근 증후군(pronator teres syndrome)

④ 골관절염

C. 치료

1. 보존적 치료

90% 이상의 환자는 1년 이내에 보존적 치료에 반응한다.

a. 생활습관 교정

건 조직에 손상을 일으키는 동작을 밝혀내고 이를 회피하는 것이 치료의 핵심
이다.

b. 보존적 치료의 단계

① 1단계 : 급성통증 조절(유발행동 회피 + 냉찜질 ± NSAID ± 야간부목)

② 2단계 : 재활치료 시작(등척성 운동, 스트레칭 → 저항성 운동)

③ 3단계 : 유지기(재발 방지를 위해 증상 유발과 관련된 작업, 운동 등을 관리)

c. 스테로이드 주사요법

① 다른 보존적 요법에 반응하지 않고 수술이 어려운 경우 고려할 수 있다.

② 단기간의(2~4개월) 통증 조절 효과가 있는 것으로 알려져 있다.

③ 일년에 3~5회를 초과하지 않는 것이 권장된다.

d. 기타

초음파 치료, 충격파 치료 등이 알려져 있으나 효과는 불분명하다.

2. 수술적 치료

a. 적응증

① 1년 이상 지속되는 통증

② 보존적 치료가 실패한 경우

③ 위축과 근력 약화가 있는 경우

④ 3회 이상 스테로이드 주사요법이 실패

⑤ 의인성 코티손 위축

b. 종류

① 외상과염

i. 개방적 공통 신근 기시부 절제술

ii. 관절경적 술식

② 내상과염

i. 개방적 공통 굴근-회내근 기시부 절제술

II. 박리성 골연골염

A. 임상적 의미

1. 외상과 허혈로 인해 관절연골이 연골하골로부터 분리되는 질환이다.

2. 침범부위

a. 소두(capitellum) : 가장 흔하다.

b. 그 외 : 활차(trochlea), 요골두(radial head), 주두(olecranon)

B. 진단

1. 병력
   a. 11~21세의 운동선수에게 호발

   b. 우세팔 > 비우세팔

   c. 활동에 의해 악화되는 주관절 외측의 통증

2. 신체검진
   a. 주관절의 신전제한

   b. 불안정한 골편이나 유리체에 의한 증상 : 클릭(click), 갈림(grinding), 중단
     (catching), 걸림(locking)

   c. 능동적 요골두 압박검사: 주관절 신전 상태에서 능동적 회내, 회외 시 통증 악화

3. 방사선 검사
   a. 단순방사선 촬영(그림 8-23)

     ① 소두의 투과성(radiolucency)

     ② 소두의 희박성(rarefraction)

     ③ 관절면의 평편함과 불일치

     ④ 유리체 : 45도 굴곡 전후면, 사상면 촬영

   b. CT, CT 관절조영술
     병변의 범위와 유리체의 존재를 평가

   c. MRI
     관절면, 병변의 크기와 범위 평가

08

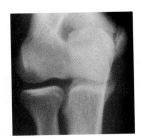

그림 8-23. 소두에 발생한 초기 박리성 골연골염

C. 치료

1. 보존적 치료
　　a. 연골편이 안정적인 경우에 시행한다.
　　b. 경첩보조기를 착용하고 3~6주간 운동을 중지한다.

2. 수술적 치료
　　a. 적응증
　　　① 보존적 치료에도 불구하고 계속되는 증상
　　　② 유리체 형성
　　　③ 연골편이 불안정한 경우(그림 8-24)
　　b. 종류
　　　① 유리체 제거술
　　　② 연골편 제거술
　　　③ 연골편 고정술
　　　④ 연골하골 천공술/미세골절술
　　　⑤ 골연골이식술

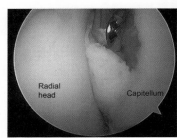

그림 8-24. 관절경에서 관찰되는 소두의 불안정한 연골편

III. 주두 점액낭염(Olecranon Bursitis)

A. 임상적 의미

외상, 반복적 압박, 마찰, 감염, 통풍 등의 원인에 의해 주관절 주두의 후방에 존재하는 점액낭에 염증이 발생하는 질환이다(그림 8-25)

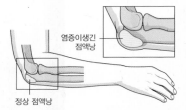

그림 8-25. 정상 주두 점액낭과 염증이 생긴 점액낭

B. 진단

1. 병력
    a. 주두부의 반복적인 마찰과 압박에 의해 증상이 악화
    b. 외상력이 있을 수 있다.

2. 신체검진
    a. 주관절 후방의 경계가 명확한 낭종성 종괴
    b. 보통 통증이나 압통이 없다.
    c. 발적 및 열감이 있는 경우 적극적 치료가 필요한 감염성 점액낭염의 가능성을
       고려한다.

3. 임상병리검사
    a. 혈액검사(CBC, ESR, CRP, RF, uric acid 등) : 감염이나 류마토이드 관절염, 통풍
       등의 염증성 질환이 의심될 경우
    b. 천자 및 활액분석 : 국소적 열감이나 발적 등 감염을 시사하는 소견이 있으면 점
       액낭염 내부의 액체를 흡인해 백혈구 계수 및 세균배양검사를 시행

4. 방사선 검사
    주두 골절이나 삼두박근의 견열 골절 등과 같은 동반 외상 유무를 평가

C. 치료

1. 생활습관 교정
    일상 생활 중 반복적인 기계적 자극을 유발하는 행동을 찾아내고 이를 회피한다.

2. 약물치료
    필요한 경우 소염제를 처방하며 감염이 의심될 경우 적절한 항생제를 이용한다.

3. 흡인요법
    a. 주사기를 이용하여 내부의 활액을 흡인하고 압박 드레싱을 시행
    b. 재발 방지를 목적으로 흡입술 후 스테로이드를 주사하기도 하는데 이때 감염에
       주의해야 한다.

4. 수술적 절제술

a. 수술적 절제술이 필요한 경우는 매우 드물다.

b. 생활습관 교정 및 보존적 치료에 반응하지 않고, 증상이 심하거나 재발성인 경우 수술적 절제술을 고려한다.

IV. 주관절 변형(Deformity of the Elbow)

A. 임상적 의미

1. 일반적으로 경도의 주관절 변형은 증상이 없으며 인지하기 힘들어 임상적인 문제가 되지 않는다.

2. 정도에 따라 외관상 문제 외에도 다음과 같은 합병증이 발생할 수 있다.

a. 척골 혹은 요골 신경병증

b. 척골 신경 탈구

c. 주관절 불안정성

d. 조기 퇴행성 관절염

e. 삼두근 내측두 염발음

3. 내반주(cubitus varus)

a. 팔꿈치를 폈을 때 전완부가 상완부에 비해 내측으로 휜 변형을 지칭

b. 임상적으로 문제가 되는 주관절 부위의 변형 중 가장 흔하다.

c. 소아의 과상부 골절(supracondylar fracture)의 부정유합이 가장 흔한 원인이다.

4. 외반주(cubitus valgus)

a. 팔꿈치를 폈을 때 전완부가 상완부에 비해 외측으로 휜 변형을 지칭

b. 소아의 외과 골절(lateral condylar fracture)의 불유합이나 부정유합 시 흔히 발생한다.

B. 진단

1. 병력 : 외상력

2. 신체검진

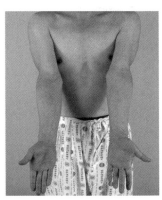

그림 8-6. 운반각의 평가

    a. 운반각(carrying angle): 전완부를 회외전하고 주관절을 신전했을 때, 상완과 전완의 종축이 이루는 각을 뜻한다. 상완에 대하여 전완이 외측을 향하는 것이 정상이며 남자에서 약 5°이고 여자에서 10~15°이다(그림 8-26).

    b. 주관절 운동범위

    c. 동반된 신경병증에 대한 검사

3. 방사선 검사

불유합, 부정유합을 포함한 주관절 부위 외상을 평가(그림 8-27)

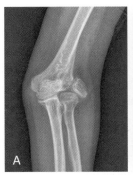 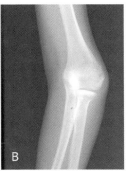

그림 8-27. 외반주 변형(A)과 내반주 변형(B)

4. 신경진단검사

    a. 변형에 의해 발생하는 척골신경이나 요골신경의 지연성 마비를 진단

    b. 신경인성 통증, 감각변화, 운동마비와 같은 전형적인 신경증상 외에도 주 관절 동

통이 있는 경우 속발성 신경이상을 의심해야 한다.

c. 지연성 척골 신경 마비(tardy ulnar nerve palsy) : 외반주 변형이 발생하고 상당 기간의 시간이 흐른 후 발생하는 척골신경병증

C. 치료

1. 관찰
변형이 심하지 않은 경우 합병증 여부를 평가하면서 관찰

2. 교정절골술(corrective osteotomy)
a. 변형의 각도가 크고 환자가 변형을 받아들이지 못하는 경우 시행
b. 지연성 척골 신경 마비를 방지하기 위한 예방적 교정 절골술을 시행하기도 한다.
c. 개방성 쐐기 절골술(open wedge osteotomy)보다 폐쇄성 쐐기 절골술(closed wedge osteotomy)이 선호됨 : 상완골에서의 다소의 단축은 임상적인 문제를 초래하지 않기 때문

3. 신경유리술
신경병증이 동반된 경우

V. 주관절 재발성 불안정성
(Recurrent Instability of the Elbow)

A. 임상적 의미

1. 대부분 후외측 불안정성(posterolateral instability)의 형태로 나타난다(그림 8-28).
a. 주관절 탈구 후 손상된 인대의 불완전한 치유로 인해 다양한 정도의 후외측 불안정성이 발생할 수 있다.
b. 그 외 원인 : 심한 조직 이완, 만성 과부하(하지마비 환자의 목발 보행), 수술 시 발생한 외측 척골측부인대의 손상(외상과염 수술, 요골두 골절 수술)

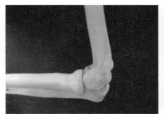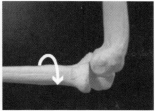

그림 8-28. 후외측 불안정성의 모식도

B. 진단

1. 병력

   a. 주관절 외상(탈구/염좌), 하반신마비 여부, 수술력, 직업, 스포츠 활동 등

2. 증상

   a. 반복되는 통증과 잠김(locking), 팅김(snapping), 걸림(clicking), 불안정성

   b. 유발 자세: 주관절을 회외전한 상태에서 신전

3. 신체검진

   a. Lateral pivot-shift test(그림 8-29)

     환자가 앙와위로 눕고 머리위로 팔을 올려 신전시킨 상태에서 시행한다. 검사자
가 환자의 주관절에 축성부하와 회외전, 외전력을 주면서 굴곡시킬 때 40~70° 굴
곡 위에서 주관절이 최대로 아탈구되고 더 굴곡하면 정복되는 것이 양성소견
이다.

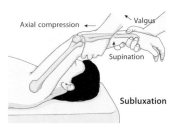

그림 8-29. Lateral pivot-shift test

b. Lateral pivot-shift apprehension test

Lateral pivot-shift test는 의식이 있는 환자에게는 근긴장에 의해 아탈구를 유발하기 힘들다. 대신 같은 방법으로 검사를 시행할 때 환자가 주관절이 빠질 것 같은 불안 반응을 나타내면 이를 양성소견으로 간주한다.

c. Posterolateral rotatory drawer test

환자가 앙와위로 눕고 머리위로 팔을 올려 주관절을 40° 굴곡시킨다. 환자의 전완부를 외회전시킨 상태로 잡고 요골두를 뒤로 미는 힘을 가할 때 내측 측부 인대를 축으로 해 주관절 외측의 후방 아탈구가 일어나면 양성소견이다. 환자가 의식이 있는 상태에서는 불안 반응만 나타날 수도 있다.

d. Push up/chair test

의자에 앉아있는 환자가 전완을 회외전시킨 상태에서 손잡이를 잡고 몸무게를 지탱해 일어나려고 할 때 주관절에 아탈구나 불안반응이 발생하면 양성이다.

4. 방사선 검사

a. 전후방 및 측면 X-ray

b. Stress X-ray

c. CT

소두의 감입 골절 등의 동반손상 판별에 도움

d. MRI

외측 척측 측부 인대(lateral ulnar collateral ligament), 관절연골을 평가

C. 치료

a. 일반적으로 외측 척측측부인대 재건술만으로 성공적으로 치료된다.

b. 후외방 관절막 및 건이식을 이용한다.

c. 외상과의 기시부에서 등척성 위치(isometric placement)에 재건하는 것이 중요

d. 골 결손이 있는 경우 결손 부위를 재건한다.

VI. 주관절 강직(Stiff Elbow)

A. 임상적 의미

1. 임상적으로 흔히 관찰되는 질환이다.

2. 원인

  a. 외상

    외상 후 관절 구축을 가져오는 주요 연부 조직 구조물

      i. 신전 제한 : 전방 관절막(anterior capsule)의 구축

      ii. 굴곡 제한 : 내측 측부 인대 후방속(posterior band of MCL)의 구축

  b. 관절염

  c. 활막 연골종증(synovial chondromatosis) 등의 관절 내 종양

  d. 선천성 질환

    선천성 주관절 결합(congenital elbow fusion), 선천성 요척골 결합(congenital radioulnar synostosis)

  e. 기타

    마비성 질환의 최종단계, 화상 반흔 구축과 같은 연부 조직 구축, 장기간의 고정 등

3. 강직 자체는 통증을 유발하지 않는다. 통증이 동반된 경우 다음을 의심한다.

  a. 외상 후 관절증이나 관절면 불일치

  b. 척골신경 포착

  c. 관절염에 의한 골극형성

B. 진단

1. 병력

  a. 외상력

  b. 상지를 오랜 기간 동안 과용한 과거력 : 관절염

  c. 류마토이드 관절염, 감염성 관절염의 병력

08

2. 신체검진

   a. 관절운동 범위

   b. 통증을 유발하는 관절위치 평가

   c. 동반된 신경병증 확인 : 척골 신경병증이 동반되는 경우가 많다.

3. 방사선 검사

   a. 관절의 구조와 연골의 상태, 움직임을 방해하는 내고정물 여부, 이소성 골 형성 (heterotopic ossification), 골절의 유합여부를 평가(그림 8-30)

   b. X-ray, CT, MR 등

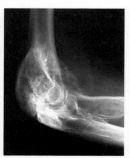

그림 8-30. 이소성 골형성에 의해 강직이 발생한 주관절

C. 치료

1. 관찰

강직의 정도가 심하지 않고 환자가 생활의 불편을 느끼지 않는 경우 관찰

2. 비수술적 치료

일차적인 치료방침

3. 수술적 치료

   a. 수술의 시기

     ① 원인을 조기에 해소해 다른 조직에도 영구적인 이차 변화가 오는 것을 방지

한다.

② 가능하면 구축기간이 6개월 ~ 1년을 경과하지 않도록 한다.

b. 수술의 적응증

① 굴곡구축 40도 이상

② 운동범위 100도 미만

③ 환자의 동기와 치료에 대한 순응도가 높아야 한다.

④ 목표 : 기능적 운동범위 회복(30~130°)

c. 수술의 방법

① 관절경적 관절 유리술

전방 관절막의 구축으로 신전 제한이 있을 경우에 관절경적 전방 관절막 유리술을 시행할 수 있다.

② 관절박리술(arthrolysis) : 구축된 인대를 늘려주면서 변형된 골성 구조를 제거

③ 주두성형술(olecranoplasty), 요골두 절제술(radial head resection)

④ 전주관절성형술(total elbow arthroplasty) : 완전한 골성 강직이 발생한 경우, RA

08

VII. 주관 증후군(Cubital Tunnel Syndrome)

A. 임상적 의미

1. 척골 신경이 주관절 부위에서 압박되어 발생하는 신경병증이다.

2. 수근관 증후군 다음으로 흔한 상지의 압박성 신경병증(compressive neuropathy)이다.

3. 원인

a. 대부분 특발성이다.

b. 속발성인 경우 척골 신경의 아탈구, 외반주 변형, 이소성 골화, 수술 중 신경 압박, 결절종, 골관절염에 의한 골극 형성 등이 선행 원인이 될 수 있다.

4. 주관절의 굴곡이나 반복적인 압박에 의해 악화된다.

5. 척골신경의 압박이 흔히 일어나는 부위

    a. Medial intermuscular septum

    b. Arcade of Struther's

    c. Osborne's ligament

    d. FCU 2 heads arcade

    e. Deep flexor-pronator aponeurosis

B. 진단

1. 증상

    a. 수부 척측 부위의 감각저하 및 저린감

    b. 근위축 및 집는힘(pinch) 약화

    c. 정밀한 손 동작 능력 저하

2. 신체검진

    a. 감각이상 : 제4 수지의 척측 절반과 제5 수지, 손등의 척측

    b. 근위축(그림 8-31) : 골간근, 소지구

    c. 근력약화 : 내전근, 제4 & 5 심수지굴근, 척수근굴근

    d. 4, 5 수지 갈퀴지 변형(claw deformity) (그림 8-32)

    e. 주관 부위의 틴넬 징후(Tinel's sign)

    f. Froment sign : 제1, 2 충양근과 무지 내전근의 마비로 물건을 잡을 때 장무지 굴근이 작용하여 무지 지간 관절이 과굴곡 되는 현상(그림 8-33)

    g. 주관절 굴곡 검사(elbow flexion test) : 전완을 회외전하고 완관절을 신전한 상태에서 주관절을 90° 이상 굴곡했을 때 60초 이내에 척골신경 압박 증상이 재현되는지를 보는 검사

3. 신경진단검사

    a. 척골신경의 신경전도 지연 소견이 주관을 전후하여 관찰된다.

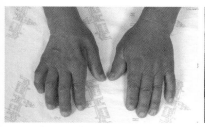

그림 8-31. 우측 수부의 내재근 위축 소견

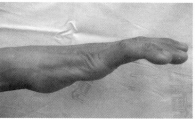

그림 8-32. 갈퀴지 변형 소견

그림 8-33. Froment sign

08

4. 방사선 검사

a. X-ray : 주관절 변형, 퇴행성 골극, 이소성 골화

b. 초음파 및 MRI : 주관에 발생한 공간점유 병소나 척골신경의 형태학적 변화를 평가한다.

C. 치료

1. 보존적 치료

a. 척골신경을 압박할 수 있는 반복적인 주관절 굴곡을 회피한다.

b. 소염 진통제

c. 야간부목 : 주관절을 약 40° 정도 굴곡한 상태에서 장상지 부목을 착용한다. 증상이 심한 경우에는 낮에도 착용할 수 있다.

d. 재활운동 : 0~45° 굴곡 상태에서 주관절의 굴곡근 및 신전근에 대하여 등장성

(isotonic) 및 등척성(isometric) 강화운동

2. 수술적 치료

a. 단순 감압술(in site decompression)

감압술 후에 주관절 굴곡시켜보았을 때 척골신경이 아탈구되면 추가로 내상과절
제술이나 전방전위술을 고려해야 한다.

b. 내상과 절제술(medial epicondylectomy)

굴곡시 척골 신경의 긴장을 완화 하는 장점이 있으나 내측 측부인대 손상에 주
의해야 한다.

c. 척골 신경 전방 전위술(anterior transposition)

신경의 주행경로를 짧게 하고 척골신경이 주관으로 다시 돌아가는 것을 차단하
는 장점이 있으나 과도한 박리로 척골 신경의 혈류가 차단되거나 전방으로 전위
된 신경이 다시 연부조직 내에서 포착될 수 있는 단점이 있다.

VIII. 상지 구획증후군
(Compartment Syndrome of the Forearm)

A. 임상적 의미

1. 구획증후군

폐쇄된 공간인 특정 구획 내의 조직압(tissue pressure)이 증가하여 일차적으로 순
환장애가 발생하고 이차적으로 구획내의 근육과 신경이 괴사되는 현상을 의미한다.
괴사된 조직은 점차 반흔조직(scar tissue)으로 대치되면서 구축(contracture)이 발
생하는데 이로 인해 구축과 반대된 방향으로의 운동에 큰 지장을 초래한다.

2. 상지에서는 전완부의 전방구획과 수부의 내인구획에 호발한다.

a. 전완부(그림 8-34)

① 전방구획

② 후방구획

③ 헨리의 가동성 뭉치(mobile wad of Henry)

b. 수부 내인근 구획
   ① 골간근 구획(interosseous compartment)
   ② 모지근구 구획(thenar compartment)
   ③ 내전구획(adductor compartment)
   ④ 소지근구 구획(hypothenar compartment)

B. 분류

1. 임박형 구획증후군(Impending compartment syndrome)

조직압이 높아져 근육과 신경조직에 허혈 상태가 진행되면서 극심한 통증이 발생하는 상태

2. 확정형 구획증후군(Established compartment syndrome)

조직의 괴사과정이 완료되어 통증과 부종 등의 급성 증상이 사라진 상태를 뜻한다. 괴사부위는 수 주 내지 수 개월에 걸쳐 반흔 조직으로 대치되면서 반흔성 구축이 발생하게 된다.

a. 볼크만 허혈성 구축(Volkmann ischemic contracture) : 전완부의 전방구획에 구획증후군이 발생해 구축된 상태를 지칭한다(그림 8-35).

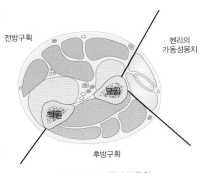

전방구획

헨리의 가동성뭉치

요골

척골

후방구획

그림 8-34. 전완부의 구획

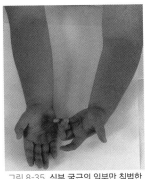

그림 8-35. 심부 굴근의 일부만 침범한 경도의 확정형 볼크만 허혈성 구축

C. 진단

1. 병력

    a. 외상, 지나치게 조이는 압박붕대나 캐스트, 지혈대, 횡문근 융해 등 다양한 잠재
        적 선행 요인에 대하여 확인

2. 증상 및 신체검진

    a. 5P 징후 : 통증(pain), 창백(pallor), 이상감각(paresthesia), 마비(paralysis), 무 맥
        (pulselessness)

    b. 이중 근육의 괴사로 인해 발생하는 심각한 통증이 가장 중요한 증상이며 이는
        진통제로도 진정이 되지 않는 경우가 많다.

    c. Passive stretching test : 침범부위의 근육을 수동적으로 신전시킬 때 통증이
        악화

        ① 전완부 전방구획 : 수지를 능동적으로 신전

        ② 전완부 후방구획 : 손목과 중수수지관절을 굴곡

        ③ 내인근 구획 : 중수수지관절을 신전시킨 상태에서 지간관절을 수동적으 로
          굴곡

3. 구획압 측정

    a. 의식저하 등의 원인으로 인하여 판단이 어려운 경우, 기타 진단이 모호한 경우
        측정한다.

    b. 구획압이 30 mmHg 이상이거나, 이완기 혈압과의 차이가 30 mmHg 이하인 경
        우에 진단할 수 있다.

4. 혈액 및 소변검사

    CBC, 혈액응고검사, CK(근육괴사), BUN/Cr(횡문근 융해로 인한 신장기능 저하 평
    가), 전해질(Na, K, bicarbonate, phosphate -대사성 산증 평가), U/A(신장 기능
    평가)

D. 치료

1. 근육은 허혈 후 6시간, 신경은 12시간 내에 비가역적인 변화가 발생하므로, 구획
   증후군이 조금이라도 의심되면 즉시 신속한 조치를 취해야 한다.

2. 임박형 구획증후군
   a. 조이는 석고붕대나 솜붕대, 스타키넷이 있으면 이를 제거한다.
   b. 허혈상태를 개선하기 위해 이환된 사지를 심장 수준으로 낮추어 주며, 환자가 저
      혈압 상태이면 이를 교정해 혈류순환의 개선을 도모한다.
   c. 이러한 조치에도 증세가 호전되지 않으면 즉시 근막절개술(fasciotomy)을 시행
      한다(그림 8-36).
   d. 진단이 불명확하면 구획압을 측정하고 30 mmHg 이상이면 즉시 근막절개술을
      시행한다.

그림 8-36. 전완부 전방구획 감압술을 위한 S자형 피부절개

3. 확정형 구획증후군
   a. 확정형 구획증후군으로 넘어간 이후에는 수술적 감압의 대상이 되지 않는다.
   b. 늦은 시기에 근막절개술을 시행하면 오히려 괴사조직에 감염이 생길 수 있다.
   c. 섬유화가 진행하는 6개월~1년 이내에 동적 부목, 스트레칭 등으로 굴곡 구축을
      최소화한다.
   d. 이후 신경 혹은 근육 유리술, 건이전술, 혈관부착성 근육 이식술 등의 다양한 방
      법으로 기능의 개선을 위한 수술적 치료를 시행한다.

외상

I. 원위 요골 골절(Distal Radial Fracture)

A. 임상적 의미

　　a. 전체 골절 중 15~20%를 차지하는 골절로 신체에서 발생되는 골절 중 가장 흔한
　　　골절임.

　　b. 성인은 60대에서 가장 많고 여자에게 주로 발생되며, 폐경 후 골다공증이 주 원
　　　인으로 생각되며, 그 외에 노년층에서 자세 불안정성도 부수적인 원인임.

B. 진단법

1. 단순방사선 사진(Wrist PA, lateral)

　　a. 골절편의 전위 위치를 알 수 있으며, 정복 후에 골절의 양상, 분쇄 정도 및 골절
　　　의 안정성 등 파악 가능

　　b. Facet lateral view : 관절 내 골절인 경우 요측 경사와 같은 각도로 원위에서 근
　　　위로 약 20도의 각을 주어 측면사진을 촬영하는 것

2. 3D CT

3. 50세 이후 환자의 경우 골다공증 검사 시행(골다공증성 골절)

4. 정중 신경의 압박 여부 관찰(Acute carpal tunnel syndrome)

C. 분류

1. Gartland and Werley classification(그림 9-1)

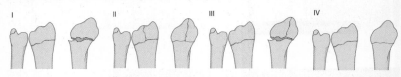

그림 9-1. Gartland and Werley 분류

2. Frykman's fracture classification(표 9-1)

표 9-1. Frykman's fracture classification

Type I	Extra-articular fracture
Type II	Extra-articular fracture with ulnar styloid fracture
Type III	Radiocarpal articular involement
Type IV	Radioulnar involvement with ulnar styloid fracture
Type V	Radioulnar involvrment
Type VI	Radioulnar involvement with ulnar styloid fracture
Type VII	Radioulnar and radiocarpal involvement
Type VIII	Radioulnar and radiocarpal involvement with ulnar styloid fracture

3. Melone classification(그림 9-2)

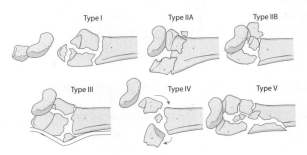

그림 9-2. Melone 분류

4. AO classification(그림 9-3)

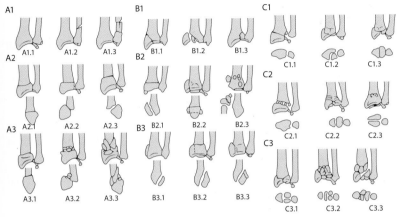

그림 9-3. AO 분류

5. Fernandez classification(그림 9-4)

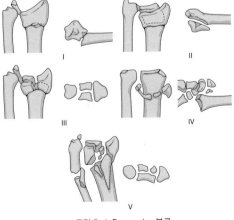

그림 9-4. Fernandez 분류

D. 치료

1. 관절 외 원위 요골 골절

a. 보존적 치료

① 도수 정복 후 설탕 집게 부목(sugar tong splint : volar 쪽은 proximal palmar crease의 바로 근위부까지, dorsal 쪽은 중수 지간 관절까지)

② EPL (extensor pollicis longus) rupture 확인 필요

③ 수장 경사(volar tilt)와 요골길이(radial length)가 가장 중요한 예후 인자임.

b. 수술적 치료

① 적응증 : 도수 정복에 실패한 경우, 후방 피질골의 분쇄가 심하거나, 전방 피질골의 분쇄가 동반된 경우, 젊고 활동적인 환자인 경우

② 수술 방법 : percutaneous pinning, external fixation, open reduction and internal fixation (columnar fixation, dorsal plating, volar plating)

2. 관절 내 원위 요골 골절

a. 골절편의 전위가 경미하고 골간단부의 지지가 안정되어 있으면 도수 정복 후 보존적 치료

b. 골절편의 전위가 있어 고정이 필요한 경우 외고정술, 경피 핀고정술, 금속판 고정술과 함께 필요에 따라 관절경 사용

c. 외고정 장치 고정 시 과도하게 수근 관절을 신연 또는 굴곡하거나 척측 변위 시키게 되면 수근관 증후군, CRPS, intrinsic tightness 발생 가능

d. 관절 내 골절은 전위가 2 mm 이상 있는 경우 외상 후 관절염 발생과 관련이 있어 중요한 인자임.

e. 관절 내 골절의 불량한 예후 인자

① 요골의 10 mm 이상 단축

② 배측 경사가 20도 이상

③ 요측 경사가 0도 이하

④ 관절면의 부조화가 5 mm 이상

⑤ 원위 요척 관절의 불안정성

f. 만족할 결과로 허용할 수 있는 지표
　① 중립의 척측 변이
　② 수장 경사 0도 이상
　③ 요측 경사 5도 이상
　④ 관절면의 부조화 2 mm 이내
　⑤ 원위 요척 관절의 안정성

II. 원위 요척 관절 손상
(Distal Radioulnar Joint Injury)

A. 임상적 의미

원위 요척 관절은 요골 및 척골의 원위부 결합으로 회전 운동의 중심이 되는 관절
이므로 요골 및 척골의 골절 형태 중 Colles, Smith, Essex-Lopresti 등의 골절에서
탈구 및 아탈구로 나타날 수 있으며, 관절의 안정에는 골격 구조보다는 삼각섬유연
골복합체(Triangular fibrocartilaginous complex : TFCC)가 안정에 기여하고 있어,
TFCC의 손상이 있을 수 있으며, 척골 경상돌기 골절이 동반될 수 있음.

B. 진단법

a. 손목에서 척수근굴곡건(flexor carpi ulnaris : FCU), 척골 경상돌기(ulnar
styloid process)와 삼각골(triquetrum) 사이에 약간 들어간 곳에 압통이 있으면
TFCC 파열을 의심할 수 있음.

b. 관절판 파열 및 척수근 관절의 관절염 의심 시 증세 유발 검사 : 전완부를 탁 자
위에 세우고 환자의 손을 잡고 수근 관절에 압력을 가한 상태에서 굴곡-신 전 및
척측-요측 변위로 수동적으로 움직일 때 통증의 유무를 관찰하는 방법

c. ECU의 아탈구 : 회외(supination) 위치에서 손목을 척측 변위시킬 때 잘 나타남.

d. 영상 진단 : arthrography, CT, MRI, 관절경

C. 분류 : (표 9-2)

표 9-2. Palmer's classification of TFCC lesions

Class 1 : Traumatic
A. Central perforation
B. Ulnar avulsion With styloid fracture Without styloid fracture
C. Distal avulsion (from carpus)
D. Radial avulsion With sigmoid notch fracture Without sigmoid notch fracture

Class 2 : Degenerative(Ulnar impaction syndrome)
A. TFCC wear
B. TFCC wear + Lunate and/or ulnar head chondromalacia
C. TFCC perforation + Lunate and/or ulnar head chondromalacia
D. TFCC perforation + Lunate and/or ulnar head chondromalacia + lunotriquetral ligament perforation
E. TFCC perforation + Lunate and/or ulnar head chondromalacia + lunotriquetral ligament perforation + Ulnocarpal arthritis

D. 치료

a. 단순 탈구는 도수 정복을 시행하여 정복이 되면 전완부를 회전시켜 보아 불안정성을 관찰

b. 안정된 위치에서 3~4주 정도 장상지 석고 붕대 고정을 시행하고, 그 이후 필요하면 2~3주간의 단상지 석고 붕대 고정을 연장

c. 척골두를 기준으로 후방 탈구인 경우 회외 위치에서, 수장측 탈구이면 회내 (pronation) 위치에서 고정하게 된다.

III. 주상골 골절(Scaphoid Fracture)

A. 임상적 의미

a. 대부분이 젊고 활동적인 사람에서 일어나며, 운동 중에 팔을 뻗은 상태에서 넘어지거나 직접 부딪치는 사고와 모터 사이클 교통사고 등에 의해 흔히 발생함.

b. 수근골 골절 중 가장 흔한 골절로 주상골은 수근 관절의 생역학적인 면에서 근

위 수근열과 원위 수근열을 연결하여 관절의 안정에 중요한 역할을 하고, 주상골의 불유합시에는 수근 관절의 불안정성으로 인해 관절증으로 진행하므로 수상 초기의 정확한 진단과 치료가 필수적임.

c. 전위된 골절에서 후방 각형성인 'humpback' 변형을 일으킬 수 있음. (CT에서 intrascaphoid angle이 35° 이상)

d. 발생기전 : 넘어지면서 팔을 뻗은 손으로 짚을 때 수근 관절이 과신전되면서 전완부가 회내 위치에서 압력을 받는 것이 가장 흔함.

B. 진단법

a. 해부학적 취약함(anatomical snuff box)의 압통(tenderness)

b. 수근 관절의 최대 굴곡이나 신전운동의 제한

c. 수근 관절의 굴곡 및 요측 변위 시 통증 유발, 파악력 감소

d. 초기 방사선상 골절선이 보이지 않아도 진찰상 의심이 되면 부목 고정을 해야 하며, 2주 후 2차 방사선 사진 촬영 확인 필요함.

e. X-ray : wrist PA view, scaphoid view (wrist 30도 extension, 20도 ulnar deviation), clenched fist view

f. CT, MRI : 초기 진단에 유리함.

C. 분류

1. Russe의 분류

horizontal oblique (HO), transverse (T), vertical oblique (VO)

2. Mayo 분류

fracture of tubercle, distal articular surface, distal 1/3, middle 1/3, proximal pole

3. Fernandez 분류

a. Stable : occult, incomplete, complete nondisplaced

b. Unstable : complete displaced, comminuted, dislocated

4. 일반적인 분류(그림 9-5)

요부 골절(70~80%)

근위 극 골절(10~20%)

원위 극 또는 결절 골절(rare)

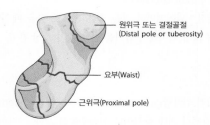

그림 9-5. 해부학적 위치에 따른 분류

5. Herbert and Fisher's classification(그림 9-6)

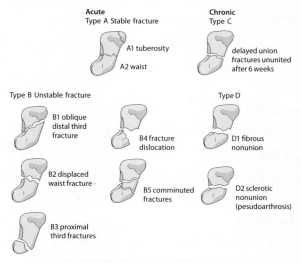

그림 9-6. Herbert & Fisher 분류

D. 치료

1. 급성 비전위 주상골 골절

a. 비전위 골절은 위치와 관계없이 석고 붕대 고정으로 대부분 골유합을 얻을 수 있음.

b. 15% 정도에서 골절의 전위가 일어나 불유합으로 이행될 수 있음.

c. 근위 극 골절 시 3~6개월 정도 고정기간 필요

d. 골절이 요부나 근위 극에 있는 경우 전위가 없더라도 불안정성으로 간주하고 수술적 치료로 골절을 안정화시켜 4주 내에 관절의 운동을 시작할 수 있게 하는 방법도 최근 받아들여지고 있음.

2. 급성 전위 주상골 골절

a. 요부와 근위 극 골절에서 전위 골절은 방사선 사진(AP 또는 Oblique view)에서 1 mm 이상의 전위가 있는 경우로 정의함.

b. 비수술적 치료 시 50% 정도 불유합 발생

c. 전위된 주상골의 요부 및 근위극 골절 시 수술적 치료 필요함.

d. 수술 방법

① 수장 도달법 : 요부 및 원위 1/3 골절에서 이상적. 주상골의 혈액 순환에 중요한 배측 능선으로 들어가는 혈관 손상 없음. 근위부 골절에 가까울수록 근위 골절편 고정이 어려움.

② 후방 도달법 : 근위 극 골절에 유용함. 배측 능선 혈관 손상 가능. 유도 장치의 사용이 불가능함.

3. 주상골 불유합

a. 대부분 주상골의 요부와 근위 극 골절에서 일어남.

b. 불유합이 오래되어 주상골 불유합 진행성 붕괴(SNAC : Scaphoid Nonunion Advanced Collapse)가 있는 경우 치료가 어려움.

c. Watson and Ballet의 SNAC의 진행성 단계

① 1단계 : 요골 경상돌기의 관절염

② 2단계 : 주상골과 관절염

③ 3단계 : 유두월상 관절염

④ 4단계 : 수근골 전체 관절염

d. 치료 방법

① 혈관 분포가 정상일 경우 : 수장 도달법으로 골이식술 시행

② 혈관 분포가 불량할 경우 : vascularized bone graft가 필요하면 후방 도달법 사용

③ 혈관 부착 골이식술은 1, 2 intercompartment supraretinacular artery (ICSRA)나 2, 3 ICSRA, second dorsal intermetacarpal artery 이용

④ 후방 각형성(humpback deformity) 교정하려면 수장 도달법 사용(anterior wedge grafting)

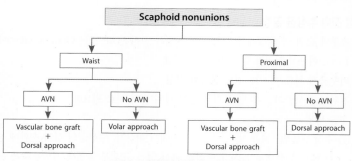

그림 9-7. 주상골 불유합 치료방법의 결정

IV. 월상골 주위 탈구 및 골절 탈구
(Perilunar Dislocation and Fracture-Dislocation)

A. 임상적 의미

a. 월상골 주위 탈구는 월상골 주위로 골절 없이 인대의 손상과 함께 탈구만 되는 것으로 소 궁 손상(lesser arc injury)이라고 부른다.

b. 월상골 주위 골절 탈구는 월상골(lunate) 주위로 골절과 함께 탈구가 일어나는 것으로 대궁 손상(greater arc injury)이며, 주상골 골절(scaphoid fracture)이 가

장 많고 그 외에 요골 경상돌기(radial styloid process), 유두골(capitate), 삼각골 (triquetrum) 및 척골 경상돌기(ulnar styloid process)의 골절을 동반 또는 경유하여 탈구되는 손상이다.

B. 진단법

a. 단순 방사선 사진으로 진단 가능하며 Wrist PA, lateral, both oblique 사진이 필요 함.

b. PA view에서는 수근골의 요수근 관절면과 중수근 관절면에서 수근골의 관절면을 연결하는 부드러운 곡선인 Gilula씨 선이 끊어져 있는지 여부를 확인한다(그림 9-8).

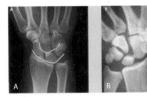

그림 9-8. (A) 정상적인 Gilula선. (B) Gilula 선이 붕괴되어 있다.

09

3. AP

lunate는 정상에서 rectangular 해야 하나 triangular 하면 anterior dislocation을 의미

4. 견인한 상태에서의 방사선 촬영도 도움이 됨.

5. CT

C. 분류

1. 진행성 월상골 주위 불안정성(Mayfield의 사체실험)

a. 1단계 : 주상 월상 인대(scapholunate ligament)와 요주상유두 인대(radio

scaphocapitate ligament)의 파열로 주상골(scaphoid)과 월상골간(lunate) 손상

b. 2단계 : 월상골에서 주상골과 유두골이 탈구되는 것

c. 3단계 : 주상골, 유두골(capitate), 삼각골(triquetrum)이 월상골로부터 분리되는 것

d. 4단계 : 다른 수근골은 측면에서 보아 요골의 종축 선상에 있으면서 월상골 이수장측으로 탈구되는 것으로 가장 마지막 단계

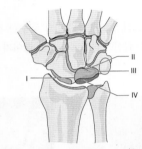

그림 9-9. 월상골 주위 불안정성의 병기

D. 치료

a. 목표 : 탈구와 골절의 해부학적인 정복

b. 대부분의 경우 수술적 정복 후 골절에 대해서는 내고정과 필요하면 인대 봉합이나 복원을 위한 임시 관절 고정을 하는 것이 권장

V. 요수근 탈구(Radiocarpal Dislocation)

A. 임상적 의미

a. 요수근 관절에서 탈구가 일어나는데 근위 수근 열 자체의 인대 손상을 동반할수도 있으며, 요골 경상돌기의 골절을 동반할 수 있는 고 에너지에 의한 매우 드문 손상임.

b. 탈구에 의해 수장측의 요주상유두 인대, 장 요월상 인대 및 단 요월상 인대와 후
   방으로 후방 요수근 인대가 파열될 수 있음.

B. 치료

손상된 인대의 봉합으로 해부학적인 복구를 하는 것이 권장됨.

VI. 수근관절 불안정성(Carpal Instability)

A. 임상적 의미

a. 정상은 요골, 월상골, 유두골 및 3번째 중수지골이 일렬로 약 15도 내로 정렬되어
   있어야 함.
b. DISI (dorsal intercalated segment instability) : 측면 사진에서 월상골의 유
   두 골측 관절면이 배측으로 향하는 신전한 상태를 보임, 주상 월상 인대 파열,
   radiolunate angle > 15
c. VISI (volar intercalated segment instability) : 측면 사진에서 월상골의 유두골
   측 관절면이 수장측으로 향하는 수장 굴곡된 상태를 보임, 월상 삼각 인대 파열,
   radiolunate angle < -15

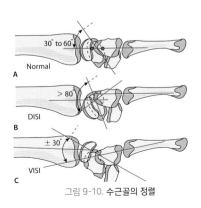

그림 9-10. 수근골의 정렬

B. 진단법

a. X-ray : PA view (Gilula line) and lateral view, Ulnar deviation and radial deviation view, flexion and extension view

b. CT, MRI, arthrography, fluoroscopy, arthroscopy

C. 분류

1. Chronicity

acute (1 week), subacute, chronic(> 6 weeks)

2. Constancy

predynamic, dynamic, static

3. Cause

선천성, 외상성, 염증성, 종양성, 의인성

4. Location

요수근, 근위 수근골간, 중수근, 원위 수근골간, 수근중수골간, 특별한 골

5. Direction

DISI, VISI, ulnar translocation, radial translocation, dorsal trans- location

6. Pattern

a. carpal instability dissociative(내재 인대의 파열)

b. carpal instability non-dissociative(외재 인대의 손상)

c. carpal instability complex(①, ②가 같이 있는 경우)

d. carpal instability adaptive(수근골 내부가 아닌 외부의 병변에 의하여 발생하는 것으로 원위 요골 골절에서 관절면이 정상과 반대로 후방 경사 된 경우가 대부분으로 월상골은 신전되는 DISI 양상을 보임)

VII. 무지 중수골 기저부 골절
(First Metacarpal Base Fracture)

A. 임상적 의미

a. 제1 수근-중수 관절은 안장형 관절로 내전, 외전, 굴신, 대립 등 여러 방향의 운동이 일어나고 운동 범위가 아주 넓은 관절임.

b. 무지가 약간 굴곡된 위치에서 축성 압박력과 외전력에 의해 비교적 흔하게 발생함.

B. 진단법

무지 중수골 기저부의 부종 및 압통이 있고, 무지를 움직일 때 통증이 있다면, X-ray 촬영을 통해 진단할 수 있음.

C. 분류

09

1. 제1형

Bennett 골절

a. 제1 중수골 기저부의 전내측 골편은 해부학적 위치에 있으나 나머지 중수골이 외측 후방 그리고 근위부로 탈구 또는 아탈구되는 것

2. 제2형

Rolando 골절

a. 제1 중수골의 기저부에 발생한 분쇄상의 T형 또는 Y형 관절 내 골절

3. 제3형

횡형 혹은 사형의 중수골 근위부의 관절외 골절

4. 제4형

소아 골절(Salter-Harris 제2형의 성장판 손상)

D. 치료

a. Bennett 골절과 Rolando 골절은 관절 내 골절이고, 대다각-중수 관절은 무지의 관절 중 대립이 일어나는 가장 중요한 관절이므로 관절면을 정확하게 정복하고 유지하는 것이 매우 중요함.

b. Bennett 골절 : 두 개의 건에 의해서 탈구가 조장되는데 장무지 외전건 (abductor pollicis longus : APL)에 의해 근위부 및 외측으로, 무지 내전근(adductor pollicis)에 의해 내측으로 당겨져 요배측으로 전위됨(그림 9-11).

c. 도수정복 : 술자가 네 손가락으로 환자의 엄지를 잡고 엄지로 기저부를 누르는 자세에서 환자의 엄지를 종으로 견인함과 동시에 간부에 외전, 신전 및 회내전력을 가하면 쉽게 정복됨. 정복을 유지하기 힘들어 대부분 K-강선을 경피적으로 제1 중수골과 제2 중수골 또는 제1 중수골과 대다각골(trapezium)로 삽입하여 골절이 유합될 때까지 고정하는 것이 필요함(그림 9-12).

d. Rolando 골절 : 정확한 정복과 유지를 위하여 수술이 대부분 필요함. 수술 적 정복과 견고한 내고정이 원칙이나 아주 심한 분쇄로 불가능하다면 외고정 기구를 이용한 견인도 하나의 방법임.

e. 제3 형 골절 : 수근-중수 관절의 운동범위가 크기 때문에 수부에서 전위에 대한 허용 범위가 가정 넓으며 따라서 수술 적응증이 되는 경우는 매우 드묾. 30도까 지의 각형성도 허용할 수 있으며, 다른 수지와 달리 단축, 회전 변형에 대한 내성 도 강함. 전위가 있을 경우 무지를 외전, 내회전시켜 도수 정복하고 석고 고정하 면 대부분 치료 가능함.

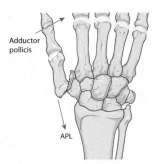

그림 9-11. Bennett 골절

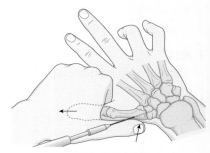

그림 9-12. 도수정복

VIII. 제2-5 수지 중수골 골절
(2nd~5th Metacarpal Fracture)

A. 임상적 의미

a. 무지를 제외한 다른 중수골은 많은 근육과 인대들이 붙어 있고 골절 후에도 비교적 안정성을 유지하며 혈액 공급이 좋아 골절 치유 기간도 빠른 편임.

b. 제2, 3 중수골은 해부학적으로 원위 수근골과 요철이 맞물려 있어 수근-중수 관절의 운동이 거의 없으나, 제4, 5 중수골은 수근-중수 관절에서 각각 15~20도, 25~30도가량의 전후방 운동이 가능하므로, 제2, 3 중수골의 골절은 정확한 해부학적 정복이 요구되지만 제4, 5 중수골은 수근-중수 관절의 운동에 의해 보상이 되기 때문에 어느 정도 각형성이 허용됨.

c. 각형성과 더불어 중수골의 단축 변형도 비록 수지 길이가 짧아지고 주먹을 쥐었을 때 중수골두가 함몰되는 외관상의 문제는 있지만 기능적으로는 어느 정도 허용이 되는 반면에, 회전 변형은 손을 폈을 때는 거의 문제가 되지 않지만 손가락을 구부렸을 때 서로 겹치거나 벌어지는 문제가 발생하기 때문에 정복을 할 때 가장 주의를 기울여야 하는 요소임.

d. 회전 변형을 점검하는 방법은 환자로 하여금 주먹을 쥐게 하여 수지가 가지런하게 모이면서 손가락 끝이 주상골의 전방 결절(scaphoid tuberosity) 쪽으로 자연스럽게 향하는지 확인하는 것이 가장 정확하며, 골절 환자들이 주먹을 제대로 쥐지 못할 경우에는 환자로 하여금 손가락 끝을 구부리게 한 후 손톱들이 동일 평면에 있는지를 확인하면 됨(그림 9-13).

그림 9-13. 회전, 변형 점검

09

B. 진단법

1. 중수골 기저부 골절(metacarpal base & fracture)

a. 제2, 3 중수골 기저부 골절 : 제2, 3 수근-중수 관절은 강하게 맞물린 상태로 되어 있고, 움직임이 거의 없어 골절 혹은 탈구가 되는 경우는 드물며, 대개 안정 골절임.

b. 제4, 5 수근-중수관절은 20~30도 정도의 정상 운동이 일어나고 관절 모양도 상당히 편평하고 경사가 있어 무지 관절처럼 골절-탈구가 잘 발생함.

c. Reverse Bennett 골절

① 주먹으로 물체를 가격하여 제5 중수골에 축성 외력이 가해질 경우, 기저부의 요측 골편만 유구골(hamate) 및 제4 중수골에 연결되어 있고 나머지 중수골은 유구골의 경사진 관절면을 따라 배척측 및 근위로 전위되는 골절

② 주로 척수근 신건(extensor carpi ulnaris : ECU)과 보조적으로 척수근 굴건에 의해 근위로 잡아당겨지고 소지구근(hypothenar muscle)에 의해 제5 중수골이 내전되면서 탈구가 더욱 조장되어, 제5 중수골 기저부가 골절되어 후내측으로 아탈구됨(그림 9-14).

d. 제5 중수골 단독 골절보다는 제4, 5 중수골이 같이 배척측으로 골절-탈구되는 형태가 더 흔하게 발생함.

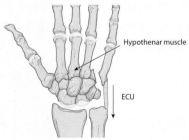

Hypothenar muscle

ECU

그림 9-14. Reverse Bennett 골절

e. 제4, 5 중수골 기저부 골절은 방사선 검사를 하여도 눈에 잘 띄지 않음. 대부분 주먹으로 가격하면서 축성 외력의 작용에 의해 발생하므로 주먹 가격 후 척측

손등이 심하게 붓고 압통이 있으면 의심을 하여야 함. 방사선 사진은 반드시 45
도 회내전한 위치로 내사면(internal oblique) 사진을 촬영하여 확인하여야 함.

 f. X-ray로 진단이 불확실한 경우, 투시 영상장치 하에서 각도를 돌려가면서 관찰하
거나 CT를 시행할 수도 있음.

2. 중수골 간부 골절(metacarpal shaft fracture)

골절 모양에 따라 횡골절, 사선 골절, 분쇄 골절로 나눌 수 있음.

3. 중수골 경부 골절(metacarpal neck fracture)

 a. 중수골에서 가장 흔하게 골절되는 부위임.
 b. 주로 주먹을 쥔 상태에서 중수-수지 관절에 가격을 하여 발생함.
 c. 항상 후방 각형성이 일어남.
 d. 중수골 골두의 후방에 충격이 가하여져 중수골 경부의 전방에 분쇄가 발생하며,
중수-수지 관절의 회전축보다 전방으로 지나는 내재근이 중수골 골 두를 굴곡시
킴.
 e. Boxer's fracture : 제5 중수골 경부 골절, 골절의 유합은 잘 되나 부정 유합이 흔
한 것이 가장 문제임. 반드시 치료 전에 부정 유합 가능성 설명하여야 함.
 f. 골절의 각형성은 측면사진에서 중수골이 겹쳐 보이므로, 내사면 촬영을 하 는 것
이 편리함.

4. 중수골 골두 골절(metacarpal head fracture)

 a. 드물고, 보통 축성 압박력이나 전단력, 또는 직접 외상에 의하여 발생하는 관절
내 골절임.
 b. 제2 수지에서 가장 흔하게 발생함
 c. 반드시 사면 사진을 함께 찍어 관찰하여야 하며, 필요하면 투시 영상 장치하에서
관찰하거나, CT를 시행해서라도 골절 여부를 확인하여야 함.

C. 분류

 1. 중수골 기저부 골절
 2. 중수골 간부 골절
 3. 중수골 경부 골절

09

4. 중수골 골두 골절

D. 치료

1. 중수골 기저부 골절

a. 제2, 3 중수골 기저부 골절의 경우 보존적 방법으로 잘 치료됨.

b. Reverse Bennett fracture

① 골절-탈구이기 때문에 정확한 정복과 유지가 필요함. Bennett 골절보다는 도수 정복 후 석고 고정을 적절하게 하면 내고정하지 않고도 성공적인 치료가 가능한 경우가 많음.

② 초기에는 자주 X-ray를 찍어 확인하여야 하고, 정확한 정복이 되지 않았거나 재전위가 되면 수술을 하는 것이 바람직함.

③ 수술은 대부분 도수 정복 후 경피적 핀고정으로 충분함.

2. 중수골 간부 골절

a. 제5 중수골은 약 30도, 제4 중수골은 약 20도의 각형성이 허용되나 제2, 3 중수골은 10도 이상의 각형성이 있으면 정복을 요함. 왜냐하면 지나친 후방 각형성은 중수골 골두가 수장부에서 촉지되어 물건 잡을 때 압통을 유발할 수 있으며, 중수-수지 관절의 과신전을 유발하여 secondary pseudoclaw deformity가 생길 수 있으며, 중수골의 단축과 함께 후방 돌출이 눈에 잘 띄어 미관상 좋지 않음 (그림 9-15).

b. 도수 정복 및 석고 고정으로 대부분 치료 가능함. 고정은 정복을 유지할 수 있게 molding을 하며, 가능한 내재근 양성 위치(intrinsic plus position)로 약 3~4주간 시행함.

c. 도수 정복은 되나 불안정하여 유지가 어려운 경우, 다발성 중수골 골절이 있는 경우 등 내고정이 필요하다면 경피적 K-강선 내고정 혹은 골수강내 핀 고정을 할 수 있음.

d. 수술적 정복 및 내고정은 개방성 골절, 다발성 골절, 핀 고정으로 불충분한 불안정 골절, 적절한 정복이 실패하였을 때 적응이 됨. 금속판을 가장 많이 사용하며, 골 결손이 심하면 골이식을 같이 시행하는 것이 좋음.

그림 9-15. 중수골 골절 시 변형

3. 중수골 경부 골절

a. 제5 중수골은 30도, 제4 중수골은 20도, 제2, 3 중수골의 경부 골절은 10도 이내로 각형성을 정복하는 것이 바람직함.

b. 도수 정복은 PIP joint를 extension 한 상태에서 distal fragment를 digit을 이용하여 조정하면서 시행함(그림 9-16).

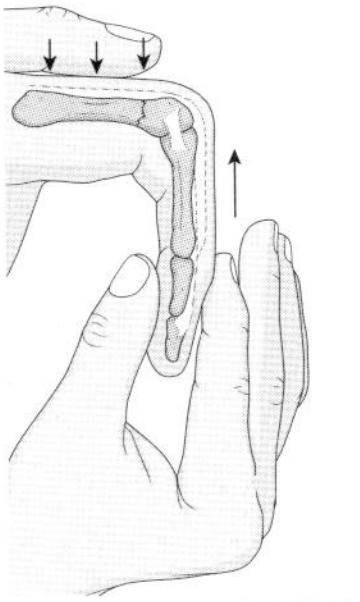

c. Radial gutter splint나 ulnar gutter splint로 고정하는데, 정복된 정상 모양을 계속 유지하기가 힘든 경우가 많음.

그림 9-16. 중수골 경부 골절 시 정복

d. 고정 후 관절 강직을 예방하기 위해서는 중수-수지 관절을 굴곡할수록 좋다는 것은 다 아는 사실이지만 실제로 중수골 경부 골절에서 이것을 지키기는 어려움. 하지만, 적어도 중수-수지 관절이 과신전되는 것은 반드시 피해야 함.

e. 석고 고정으로 유지가 힘들면 도수 정복 후 경피적 K-강선 내고정, 혹은 골 수강 내 K-강선 고정을 할 수 있으며, 정복이 안 될 경우 수술적 정복 후 K- 강선 내고정, 금속 나사 내고정, 금속판 및 나사 내고정 등을 할 수 있음.

4. 중수골 골두 골절

a. 전위가 없으면 보존적 치료를 하고, 2~3개의 큰 골편이 있으면 수술적 정복과 내고정을 시행함.

b. 골편이 작고 많아 고정이 어려울 때에는 견인 등을 이용한 외고정을 시도해 볼 수 있음.

c. 가장 흔한 합병증은 수지 관절의 강직이며, 드물게 무혈성 괴사 등이 발생할 수 있음.

IX. 제2-5 수지 골절
(2nd-5th phalangeal fracture)

A. 수지골의 관절 내 골절

1. 수지골 골두를 침범한 관절 내 골절

a. 진단: 일반적으로 단순 촬영 영상(X-ray)를 이용하여 골절을 진단하며, 수술적 치료까지 고려한다면 CT를 통하여 뼈의 상태를 조금 더 정확하게 확인할 필요가 있음.

b. 수지골과 골절(condylar fracture of middle and proximal phalanx)의 분류(그림 9-17)

① 제1형 : 전위가 없는 안정 골절

② 제2형 : 불안정한 일측과 골절

③ 제3형 : 양측과 혹은 분쇄 골절

c. 치료 : 1~2 mm 이상의 관절면 전위는 반드시 정복을 하여야 하며, 수지의 골절을 오래 고정할수록 관절 강직 등의 합병증이 발생할 확률이 커지므로 가능한 한 견고한 고정을 시행하고 조기 운동을 할 것을 권장함.

① 제1형 : 최소한의 고정 후 동반 테이프 방법(buddy taping)을 이용한 조기 관절 운동을 시행하는 것이 좋으나 전위가 초래될 수 있어 자주 관찰하는 것이 중요함

② 제2형 : 대개 관혈적 정복 및 2개 이상의 K-강선 혹은 나사못을 이용하여 고정을 한 후 가능한 조기에 관절 운동을 시작하는 것을 권장함.

③ 제3형 : 골편이 작아 효과적으로 고정하기가 불가능한 경우가 대부분임. 외고정 장치를 이용하여 약 3-4주간 견인 고정 후 관절 운동을 하는 것이 보편적임. 보다 조기에 관절 운동을 하기 위해서 소형의 금속판이나 경첩 장치

(hinged)가 달린 외고정 장치를 사용할 수 있음.

그림 9-17. 수지골과 골절의 분류

2. 수지골 기저부의 관절 내 골절

a. 견인 손상에 의한 건열 골절

① 수지에서는 특징적으로 관절의 원위쪽 관절면에 잘 발생하며, 관여된 구조물의 기능에 따라 치료 방침이 결정됨

　i. 근위 지간 관절(PIP joint)에서는 측부 인대에 의해 중위 지골(middle phalanx)의 측면 기저부 건열 골절(avulsion fracture)이 잘 발생함. 이외에도 중위 지골 기저부의 수장측 연(volar rim)이 수장판(volar plate)에 의해 견인되어 발생하는 골절이 흔함. 그러나 신전 기전의 중앙대(central slip)에 의한 배측 연 골절(dorsal rim)은 드물게 발생함.

　ii. 원위 지간 관절(DIP joint)의 배측연 골절은 외측대(lateral band)에 의해, 수장측 연 골절은 심수지 굴건(FDP)에 의해 발생함.

② 건열 골절의 공통적 특징은 관절면 가장 자리에 골절이 생기면서 골편이 작아 관절면의 대부분은 침범되지 않기 때문에, 관절의 골 일치성(congruency)에 의한 안정성이 거의 훼손되지 않음

③ 치료

　i. 전위가 2 mm 이상이면 수술적 치료의 적용이 됨. 전위가 적으면 보존적 치료 가능

　ii. 내고정 방법은 골편이 크면 나사 고정이 가능할 수도 있으나 대부분 골편이 작기 때문에 K-강선 고정을 하기도 하고, 보다 안정된 유지를 위해서 pull-out고정 방법이나 tension-band wiring을 사용함.

      iii. 보존적 치료를 할 경우 골 유합은 대부분 3주 이내에 이루어짐. 불필요한 장기간 고정은 관절 강직을 초래하므로 고정은 2주 이내로 하는 것이 바람직 함.

      iv. 대부분의 경우 관절의 안정성이 확보되어 있으므로 조기 운동이 가능함

b. 전단력과 축성력에 의한 골절-탈구

  ① 특징

    i. 원위부 골의 기저부 관절면 1/3 이상을 포함하는 비교적 큰 골편을 가진 골절이 발생함

    ii. 주로 PIP joint and DIP joint에서 흔히 볼 수 있음

    iii. 단순한 관절 내 골절이 아니고 관절의 골성 지지가 소실되어 아탈구 또는 탈구를 동반함

    iv. PIP joint에서는 전방 골절 및 후방 탈구가 대부분임 DIP joint에서는 후방 골절 및 전방 아탈구가 대부분임

  ② 치료

    i. 골절의 전위가 거의 없다면 보존적 치료를 먼저 고려

    ii. 만일 아탈구나 탈구가 있으면 관절 정렬을 정확하게 회복하는 것이 필수적임

    iii. 도수 정복으로도 골절 전위가 남아 있으면 수술적 정복과 내고정이 필요함

    iv. 치료의 목적은 어긋난 관절을 제자리에 정렬시키는 것임

c. 심한 축성력(axial force)에 의한 기저부 분쇄 골절

  ① 족관절의 pilon골절과 유사한 형태의 골절임.

  ② 심한 축성 외력에 의해 관절면이 심하게 분쇄되는 골절로 정확한 정복과 내고정은 거의 불가능함

  ③ 대부분 중위지 골의 기저부에서 발생하는데, 작은 골이 분쇄가 되었기 때문에 직접 고정하는 것은 매우 어려움

  ④ 이상적인 치료 방법은 관절 운동이 가능한 경첩 장치가 달린 외고정 장치를 사용하거나 K-강선을 이용한 특수한 형태의 외고정 장치를 만들어 사용하는 것인데, 골 크기가 작아 부피가 큰 장치를 부착하고 효과적으로 조기 관절

운동을 하기가 쉽지 않음

B. 수지골의 관절외 골절

1. 경부 혹은 골두하 골절

a. 성인에서는 드물게 발생하나 보행기 소아의 경우 문에 끼이는 직접 타격에 의하여 잘 발생함

b. 건 부착이 되어 있지 않아 골두가 후방으로 전위되며 90도 회전되어 골절면은 전방으로, 관절 연골면은 후방으로 향하게 됨.

c. 정확한 측면 방사선 사진 확인이 필요함.

d. 상당히 불안정한 골절로 불유합 또는 부정유합의 확률이 매우 높고, 성장판과 거리가 멀어 생각보다 자연 교정이 잘 되지 않기 때문에 경피적 핀 고정 등의 적극적인 치료 방법이 필요함.

e. 전위가 심하면 관절내로 감입된 수장판 때문에 지골 골두의 도수 정복이 어려워 수술적 정복 및 K-강선 내고정을 필요로 하는 경우가 많음.

2. 간부 골절

a. 특징

대부분 어느 정도의 각 변형을 동반함

① 근위 지골 골절 : 근위 지골 기저부에 부착하는 골간근(interossei)에 의해 근위 골편은 굴곡되고, 중위 지골 배측에 부착하는 중앙 신건(central tendon)에 의해 원위 골편은 과신전되어 전방 각형성이 일어남

② 중위 지골 골절 : 천수지 굴곡건(FDS)부착 부위보다 원위부 골절 시에는 천수지 굴곡건의 견인에 의해 근위 골편이 굴곡되어 전방 각 형성이, 천수지 굴곡건 부착 부위보다 근위부 골절 시에는 중앙 신건이 근위 골편을, 천수지 굴곡건이 원위 골편을 잡아 당겨 후방 각형성이 발생함.

b. 분류

횡, 나선, 사선형 및 분쇄 골절(그림 9-18)

① 사선 골절은 근위 지골에, 횡 골절은 중위 지골에 더 흔함.

② 횡 골절은 각형성 및 회전 변형을 초래하는 경우가 많기 때문에 단순 촬영 검

사에서 더욱 주의 깊게 관찰해야 함.

③ 각형성은 측면 사진에서, 회전 변형은 임상적 검사를 통해 꼭 확인해야 함.

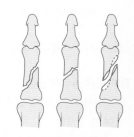

사선 골절　횡 골절　나선 골절
그림 9-18. 수지골 간부 골절의 분류

c. 치료

① 전위가 없는 경우에는 최소 기간 고정 후 골절을 보호하면서 동반 테이핑(buddy taping)을 하고 조기에 능동적 운동을 시작하여 치료함. 일반적으로 고정 기간은 2주 이내로 하며, 점차적으로 운동 범위를 넓혀갈 수 있도록 교육함. 고정 기간이 2주 이상을 길어질 경우 합병증으로 관절 강직이 올 가능성이 매우 큼.

② 전위된 경우 도수 정복을 시행하여 정복이 잘 유지되면 수지 부목이나 석고 붕대로 고정하여 치료함. 하지만 이 경우 최소 2주 이상의 고정이 필요하고, 장기 고정 후 합병증으로 관절 강직이 올 가능성이 큼. 따라서 최근에는 경피적 또는 관혈적 정복술을 바로 시행 후 조기 운동을 시키는 추세임.

③ 정복이 안되거나 정복 후 골편이 불안정하여 다시 전위되는 경향을 보일 경우 경피적 핀 삽입, 수술적 정복 후 K-강선 고정, 골내 강선 고정, 금속판 고정술 등을 시행할 수 있음.

④ 사선 골절이나 나선형 골절의 경우 회전 변형이 생기지 않도록 주의하여야 함.

d. 합병증

① 강직 : 예방이 중요함. 고정 시 수지의 위치를 중수 수지 관절을 약 70-80도 굴곡하고, 지간 관절은 약간 굴곡한 고유근 양성 위치(intrinsic plus position)로 고정함. 이때 고정은 2주 이내로 최소화하는 게 중요한데, 관절 내 골절의 경우 관절의 구축이 주된 강직의 원인이지만 관절외 골절은 건 유착이 주 원인이기 때문. 수지 골절은 원칙적으로 4주 이상 완전 고정을 하는 것은 금기임.

② 불충분한 각 변형 교정

i. 근위 지골의 전방 각 변형이 충분히 교정되지 않으면 골의 길이가 단축되고 상대적으로 신전건 기전이 늘어나게 되면서 근위 지간 관절의 능동적 신전이 약해지고, 중수 수지간 관절이 과신전되는 가성 갈퀴 변형(pseudo-claw hand deformity)을 초래하게 됨.

ii. 중위 지골의 전방 각 변형이 남으면 원위 지간 관절의 굴곡에 이어 근위 지간 관절이 과신전되는 백조목 변형이 발생할 수 있음.

③ 부정유합, 불유합 : Serial X-ray f/u 필요.

C. 원위 지골 골절

1. 특징

a. 수부에서 골절이 가장 흔한 골임.

b. 중지에서 가장 많이 발생하고, 무지가 두 번째로 흔함.

2. 분류

Tuft 골절, 간부 골절, 관절 내 골절(그림 9-19)

그림 9-19. 원위 지골 골절의 분류

3. 골절의 치료 방법 및 특징

a. Tuft 골절

① 일반적으로 압궤 손상에 의하여 잘 발생하며, 분쇄 골절의 형태로 손톱과 주변 연부 조직의 손상을 흔히 동반함.

② 폐쇄성 골절의 경우 손톱 밑에 고인 혈종을 손톱에 구멍을 내어 배출시켜 동통을 경감시켜 주는 것이 가장 먼저 하여야 할 조치임.

③ 증상 완화를 위해 2-3주간의 고정이 필요하며, 거의 대부분 내고정의 필요는 없음.

④ 동반된 손톱 손상의 치료: Nail bed를 섬세하게 봉합하고 손톱을 제자리에 끼워 유지하는 것이 밑에 있는 골편의 정복을 돕고, 손톱의 기형을 최소화할 수 있는 방법임.

b. 간부 골절

① 분류 : 횡골절, 종골절

② 근위 1/3 지점에서 골절이 일어나면, 신전건은 원위 지골 근위 골편에 부착되어 있고, 심지 굴곡건은 원위 골편에 부착되어 있으므로 후방 각형성이 초래됨.

③ 비전위 횡골절은 내고정을 요하지 않으나 전위가 있는 경우, 개방성 골절이나 손톱에 손상이 있는 경우가 많아 K-강선이나 나사못의 내고정이 필요하기도 함.

c. 관절 내 골절

관절 내 골절은 굴곡 건 손상 및 신전 건 손상에서 다시 다루기로 함.

X. 수근-중수 관절 탈구 및 인대 손상(Carpometacarpal Joint Dislocation and Ligament Injury)

A. 무지 수근-중수 관절 손상

a. 골절을 동반하지 않은 순수한 탈구는 상대적으로 드문 편임.

b. Bennett 골절과 같은 기전으로 중수골이 굴곡된 상태에서 축 방향의 힘을 받아,

주로 후외측 탈구가 일어남.

c. 치료 : 도수 정복 및 석고 고정 혹은 K-강선을 이용한 고정을 일반적으로 시행하면 되나 지속적인 아탈구가 남을 가능성이 높아 요수근 굴곡건(FCR)을 이용한 조기 인대 재건을 권하기도 함.

B. 제2-5 수근-중수 관절 손상

a. 제2-5 수지의 수근-중수 관절은 횡 중수 아치의 기저부를 이루고 있으며, 강한 중수 골간 인대, 전 후방 수근-중수 인대와 함께 수지 굴곡건과 신전건에 의해 부가적인 안정성이 유지되고 있고, 특히 2, 3중수골은 소다각골(trapezoid), 유두골(capitate)와 깍지끼듯 관절을 이루고 있어 아주 강한 외력이 작용하지 않는 한 탈구는 거의 발생하지 않음.

b. 제4, 5 중수골은 유구골(hamate)과 부분적인 안장 관절을 이루어 20-30도의 굴신 운동과 약간의 회전 운동 등이 가능함.

c. 수근-중수 관절은 여러 연부 조직에 의해 안정성이 강화된 관절로 대개 골절을 동반한 탈구가 발생하고 단독 탈구는 드물다.

d. 손상 빈도는 무지가 가장 흔하며, 제5지, 제4지 순으로 발생함.

e. 단독 탈구는 거의 후방으로 발생하며, 치료는 도수 정복 후 3-4주간 석고 부목을 하는 것으로 충분함.

XI. 중수 수지 관절 탈구 및 인대 손상(Metarcarpophalangeal joint dislocation and ligament injury)

A. 무지 중수-수지 관절 손상

1. 거의 대부분 간접적인 외력에 의하여 발생하며, 가장 흔한 손상은 과신전 손상이며, 다음으로는 외전력에 의한 척측 측부 인대 손상(ulnar collateral ligament)임.

2. 가장 흔한 탈구는 과신전에 의한 후방 탈구임.

3. 탈구 시 도수 정복은 종적 견인으로 용이하게 이루어지는데, 10-20도 굴곡 위치에서 약 2-3주간의 무지 석고 고정이 필요함.

4. Gamekeeper's thumb or skier's thumb

   a. 무지 중수-수지 관절의 척측 측부 인대 손상을 뜻함.

   b. Valgus stress test : 중수-수지 관절을 신전 상태와 약 30도 굴곡 위치에서 시행하며, 30도 이상 벌어지고, 건측과 비교하여 15도 이상 차이를 보이면 완전 파열로 진단함.

   c. 척측 측부 인대는 대부분 근위 지골의 부착부에서 파열되며, 완전 파열 시 근위 지골에서 떨어진 인대가 제자리로 가지 못하고, 무지 내전근(adductor pollicis) 건막 위로 위치하면서 결과적으로 파열된 인대 사이에 건막이 끼어 인대의 치유를 방해하는 상황이 자주 발생하는데, 이를 Stener 병변이라고 함(그림 9-20).

   d. 척측 인대의 불완전 파열 시에는 3-4주간 부목이나 석고 고정으로 보호하며, 완전 파열 시에는 Stener 병변이 80%에서 있을 수 있고, 보존적 치료 시 인대의 이완으로 불안정성이 지속될 가능성이 높으므로 수술적 치료가 바람직함.

   e. 요측 측부 인대의 손상은 척측 측부 인대에 비해 집게력 등 무지 기능에 미치는 영향이 적고 치유가 잘 되기 때문에 거의 대부분 보존적 치료로 충분함.

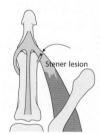

그림 9-20. Stener lesion

B. 제2-5 중수-수지 관절 손상

1. 발생 빈도는 적지만, 인지와 소지에서 종종 발생함.

2. 기전

   a. 중수-수지 관절이 과신전되어 수지의 전면에 긴장력이 발생하면 가장 경한 경우 수장판(volar plate)에 손상이 일어남.

   b. 외력이 큰 경우는 양측의 부측부 인대(accessory collateral ligament)의 손상이 일어남.

   c. 손상이 더 심해지면 근위 지골이 중수골 골두 후방으로 전위되어 60-90도로 과신전되는 아탈구 상태가 되는데 이를 단순 후방 탈구라고 하고 비교적 정복이

쉬움(그림 9-21 (A)).

d. 더 심한 경우에는 고유 측부 인대의 부분 혹은 전체가 파열되면서 근위 지골이 후방으로 완전히 탈구가 되는데, 탈구된 골 사이에 수장판이 끼어 도수 정복이 불가능하면 복잡 탈구라 함(그림 9-21 (B)). 특징적으로 탈구된 골두는 원위부로 수영 인대(natatory ligament)와 수장판(volar plate), 근위부로 수장 건막 횡인대 (superficial transverse ligament), 척측으로 수지 굴건(flexor tendon), 요측으로 충양건(lumbricalis)에 둘러싸여 정복이 되지 않는데 이를 Kaplan변형이라고 부르며, 수술적 방법으로만 정복이 가능함. 임상적으로 근위 수장선 부근이 특징적으로 돌출되면서 피부 함몰이 관찰됨.

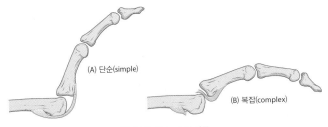

그림 9-21. 중수-수지 탈구

3. 치료

a. 도수 정복은 손목을 굴곡시켜 수지 굴건을 이완시키고 근위 지골을 원위, 전방으로 조심스럽게 힘을 가하여 시행함.

b. 만약 도수 정복이 불가하면 관혈적 정복 술 및 인대 재건술을 시행하여야 함.

c. 중수 수지 관절의 측부 인대 손상은 주로 소지의 요측 측부 인대에서 잘 발생하며, 동반 테이핑(buddy taping) 등의 보존적 치료를 시행함.

C. 수지간 관절 손상

1. 측면 손상 – 측부 인대 손상

  a. 손상 기전 및 특징

    ① 대개 수지가 신전된 상태에서 외전 혹은 내전의 힘을 받을 때, 발생함.

    ② 수지 관절에서 가장 흔한 인대의 손상으로 운동 중 손상이 가장 많으며, 척측 보다는 요측 인대의 손상이 많음.

    ③ 무지를 제외하고 인지와 소지에서 많이 발생함.

  b. 급성 인대 파열의 진단

    ① 압통, 측방 스트레스 검사 시 불안정 및 동통 발생

    ② 스트레스 검사에서 20도 이상의 변형을 보이면 완전 파열 의심

    ③ 측부 인대의 파열과 함께 적어도 수장판의 부분적 손상이 있음을 의미함

  c. 치료

    ① 대부분 보존적 방법으로 손상 정도에 따라 약간씩 고정 기간을 달리하는데, 대개 1-2주의 부목 고정 후 3-6주 동안 테이핑을 하고 관절 운동을 시작하는 것이 가장 널리 받아들여지는 치료법임.

    ② 경우에 따라 수술적 봉합을 선택할 수 있으나 인대를 튼튼하게 만들기 위하여 유연성을 상실한 관절을 만드는 우를 범하여서는 안됨.

    ③ 수술 적응증 : 아급성 혹은 만성 측부 인대 파열로 심한 불안정 및 기능 장애를 호소하는 경우

2. 후방 탈구(Posterior dislocation, hyper-extension injury)

  a. 지간 관절 탈구 중 후방 탈구가 가장 흔함.

  b. 주로 과신전과 어느 정도의 축성 부하가 가해져서 발생함.

  c. 분류

    ① 1형 : 과신전으로 중위 지골 기저부에서 수장판 파열이 발생하는 경우, 작은 골편이 있을 수 있으나 관절 안정성 측면에서는 문제 없음.

    ② 2형 : 후방 탈구로 수장판 파열 및 측부 인대 손상이 동반된 경우로 거의 대부분 도수 정복이 쉽게 됨.

    ③ 3형 : 중위 지골 기저부에 축성 압박력과 전단력에 의해 관절면을 40% 이상

차지하는 골편을 동반한 골절 및 탈구가 발생하는 것.

    d. 치료

      ① 1, 2형 : 1-2주의 부목 고정 후 3-6주 동안 동반 테이프(buddy taping) 방법으로 능동적 운동을 하면서 과신전을 방지하면 좋은 결과를 얻을 수 있음.

      ② 거의 대부분 일단 정복이 되면 조기 운동이 가능할 정도의 안정성이 확보되므로 파열된 수장판이나 측부 인대를 개방적으로 봉합하는 것은 의미가 없을 뿐 아니라 강직을 초래할 위험만 높아짐.

3. 과굴곡 손상-전방 탈구

    a. 손상 정도에 따라 중앙 신건이 파열되거나 건열 골절이 동반될 수 있으며, 중위 지골이 전방으로 탈구됨.

    b. 드문 손상으로 탈구 및 건열 골절이 동반되지 않으면 중앙 신건의 파열을 간과하여 단추구멍 변형(button hole deformity)을 초래할 수 있음.

    c. 전방 탈구가 있는 경우 종적인 견인으로 정복을 하며, 4주 정도 근위 지간 관절만 완전 신전하여 고정함.

09

XII. 굴곡건 손상(flexor tendon injury)

A. 임상적 의미

    a. 수부의 굴곡건 손상은 정형외과 영역에서 흔하게 접하는 질환이나 치료 후 병발증이 비교적 많은 손상이며, 수지 굴곡건을 봉합 또는 재건한 경우 만족스러운 결과는 70-80% 정도밖에 안됨.

    b. 인종적인 차이에 의한 유착 등의 가능성도 동양인에게서 더 높은 것으로 알려져 있기 때문에 적절한 치료 방침의 결정이 매우 중요함.

B. 진단

1. 시진

굴곡건이 파열된 수지는 다른 수지보다 더 신전된 위치에 있게 됨.

2. FDP (flexor digitorum profundus) tendon의 검사
   a. PIP joint를 신전 고정시킨 상태에서 DIP joint의 능동적 굴곡 여부를 관찰함으로서 확인 가능(그림 9-22 (A))

3. FDS (flexor digitorum superficialis) tendon의 검사
   a. 검사하고자 하는 수지에 인접된 두 개의 수지를 능동적으로 완전 신전시켜 FDP tendon의 작용을 배제한 상태에서, 검사하는 수지를 능동적으로 굴곡하게 하여, 굴곡이 가능하면 검사하는 FDS tendon이 정상적인 것을 의미함(그림 9-22 (B))

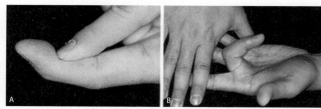

그림 9-22. 굴곡건 손상의 진단

C. 분류(그림 9-23)

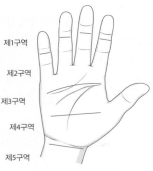

제1구역
제2구역
제3구역
제4구역
제5구역

그림 9-23. 굴곡건 구역

    a. Zone. 1 : Distal to FDS insertion

    b. Zone. 2 : A1 pulley to FDS insertion

    c. Zone. 3 : Distal to carpal tunnel to A1 pulley

    d. Zone. 4 : Carpal tunnel

    e. Zone. 5 : Proximal to carpal tunnel

    f. Thumb의 경우 zone. 1은 distal to IP joint이며, zone. 2는 A1 pulley to IP joint, zone 3은 thenar eminence area이다.

D. 치료

1. 치료 시기

    a. 일차 봉합(primary repair) : 수상 후 12-24시간 이내의 봉합

    b. 지연 일차 봉합(delayed primary repair) : 수상 후 24시간-10일 이내의 봉합

    c. 조기 이차 봉합(early secondary repair) : 수상 후 10일-4주 이내의 봉합

    d. 만기 이차 봉합(late secondary repair) : 수상 4주 이후의 봉합

09

2. 봉합사 선택

    a. 튼튼하면서도 조직 반응이 적은 비흡수성 봉합사를 이용한다.

    b. Nylon, Prolene

3. 많이 쓰이는 봉합 방법

    a. Modified Kessler, Tsuge, Strickland, Modified Becker, Savage 등(그림 9-24)

4. 수술 후 고정 방법

    a. 주관절 90도 굴곡, 수근 관절 45도 굴곡, 수지 관절 운동은 부분적으로 제한을 두면서 자유롭게 움직이도록 함(Kleinert dynamic motion, Duran controlled passive motion방법)

5. 고정 기간 : 6-8주

E. 합병증

    a. 감염, 건 유착, 건의 재파열, 충양근 양성 수지(그림 9-21), 사두마차 효과

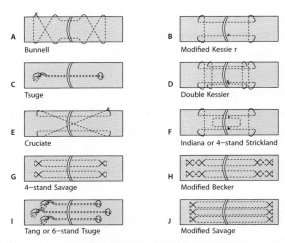

그림 9-24. 굴곡건 손상 시 사용하는 봉합 방법

XIII. 신전건 손상(Extensor tendon injury)

A. 임상적 의미

a. 신전건은 손등의 천층에 위치하여 굴곡건보다 많은 빈도로 손상을 입으며, 열상 및 개방성 창상에 의한 파열뿐 아니라 비개방성으로도 흔히 발생함.

b. 비 개방성 파열의 원인 : 타박상에 의한 파열, avulsion fracture에 의한 파열, 원위 요골 골절의 후유증, 건의 염증성 질환이나 류마토이드 관절염

B. 진단법

1. 해당 수지의 신전 운동 제한

C. 분류(그림 9-25)

a. I구역 : 원위 지절의 배측부

b. II구역 : 중위 지골의 배측

c. III구역 : 근위 지절의 배측부

d. IV구역 : 근위 지골의 배측

e. V구역 : 중수 수지 관절

f. VI구역 : 중수골 부

g. VII구역 : 손목 배측의 신전 지대 부분

h. VIII구역 : 신전지대 근위부

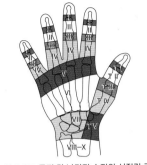

D. 치료

그림 9-25. 무지 및 나머지 수지의 신전건 구획

1. I, II 신전 구역 손상

a. I구역 손상

① 망치 수지(mallet finger) 변형 초래

② 건성 망치 수지: 원위 지절을 신전위로 6-8주간 고정 후 운동 요법 시행

③ 망치 수지 변형에서 수술 적응증: 골절과 동반된 원위 지절의 수장부 아탈구가 심한 경우, 골편의 크기가 관절면의 1/3 이상이면서 도수 정복이 실패한 경우, 3 mm 이상의 골편 전위를 보이면서 도수 정복이 안 되는 경우

④ 수술적 치료 방법: 강선을 이용한 골편의 고정술, 신전 방지(extension block) 강선 고정술, 지연 나사를 이용한 고정술, 8자형 긴장 강선을 이용한 고정술, 골수강내 강선 고정술, 내부 봉합술

⑤ 만성 망치 수지(6-8주 이상 경과한 경우): 이차 봉합술, 건 단축술, 건 중첩술, 건피부 고정술, 건 이식술, 중앙 신전 부분 절제술, 사선 망상 인대(Oblique retinacular ligament) 재건술

b. II구역 손상

① 중위 지골 배측부는 해부학적 구조상 얇고 연부 조직에 의한 보호가 적어서 망치 수지 기형 초래 가능

2. III, IV 신전 구역 손상

a. 근위 지절에 저항을 가했을 때, 신전력의 약화

① 단추 구멍 변형(buttonhole deformity) 가능

② 근위 지절은 신전 상태로 4-6주 정도 고정하고, 원위 지절은 자유롭게 운동시킨다.

3. V, VI 신전 구역 손상

a. 중수골의 두부 및 경부에서 외재 신전 건이 절단되면서 중수 수지 관절만의 신전이 불가능함.

b. 중수골 경부의 근위 부위에서는 총 수지 신건이 보조건으로 연결되어 있으며, 정상인에서도 다양한 해부학적 변이를 보이고 있으므로 유의하여 진단 및 치료에 임해야 함.

c. 중수 수지 관절부에서 신전 건의 탈구도 비교적 흔한 질환임.

4. VII, VIII 신전 구역 손상

a. 건 봉합 후 배측 수근 인대 내에서의 유착을 방지하기 위하여 인대를 절제하기도 하며, 활줄 현상(bow string effect)은 그렇게 심하게 나타나지 않음.

b. 신전 지대 근위부 손상 시는 건 손상뿐 아니라 신경 손상을 항상 염두에 두어야 함.

5. 무지의 신전건 손상

a. 무지의 신전 구역(그림 9-25)

① I구역 : 지간 관절의 배측부

② II구역 : 근위 지골의 배측부

③ III구역 : 중수 수지 관절의 배측부

④ IV구역 : 중수골의 배측부

⑤ V구역 : 완관절의 배측부

⑥ VI구역 : 전완부

b. 무지 신전건 손상의 특징 및 치료

① 무지의 지간 관절 부위에서 장무지 신건이 손상받는 경우에는, 무지의 신전 기전 때문에 절단된 근위단이 심하게 후퇴하지 않아 단단 문합을 시도할 수 있음. 하지만 이와 같은 경우에도 수상 후 1개월 이상 경과하여 늦게 발견될 경우 단단 문합보다는 건 이전술로 치료해야 함.

② 중수 수지 관절 근위부에서 손상될 경우 근위단이 심하게 근위부로 당겨지게 되고, 수상 후 1개월 이상 지나게 되면 근육의 구축이 발생하여, 단단 문합술이 불가능함.

③ 따라서 rerouting을 이용하여 단단 봉합을 시도하거나, 고유 인지 신건(EIP) 등을 이용한 건 이전술을 고려해야 함.

XIV. 손의 절단(Hand Amputation)

A 임상적 의미

a. 상지는 손의 섬세한 기능을 발휘하기 위하여 존재함.

b. 손의 절단에 대한 치료 계획시 손 전체에서 없어진 부분에 대한 중요도, 없어진 부분에 대한 대치 가능성 여부가 고려되어야 함.

c. 절단되고 남은 부분이 손의 잔여 기능에 방해가 되는지, 절단을 당한 환자의 직업과 취향도 같이 고려해야 함.

B. 진단법

a. 손 절단의 진단 시 가장 중요한 것은 절단된 후 경과 시간임.

b. 절단 부위가 어디인지, 즉 절단 level을 정확하게 파악하는 것이 치료 방침의 결정에 매우 중요함.

C. 분류

a. 수지단의 절단

b. 수지단을 제외한 수지의 절단

c. 중수골의 절단

d. 무지의 절단

e. 다발성 수지 절단

f. 손목의 절단

D. 치료

1. Replantation

a. 상온에서 6-12시간이 경과하지 않은 신선 절단에 대하여, 절단이 원위 지절보다 근위부에서 발생한 경우 시행.

b. 비교적 많은 환자에서 무지나 두 개 이상의 기타 수지가 절단된 경우

replantation의 가지가 있음.

2. 수지의 기능 평가

a. 무지 - 수부의 전체 기능 중 40-50% 정도를 차지

b. 인지 - 수부의 전체 기능 중 20% 정도를 차지

c. 소지 - 수부의 전체 기능 중 10-20% 정도를 차지

d. 중지, 약지 - 각각 수부의 전체 기능 중 10% 정도를 차지

3. 절단 여부, 방법 및 범위를 결정하기 전 고려 사항

a. 이 시점에서 절단술이 꼭 필요한가를 우선 고려해야 함.

b. 절단 후 길이를 가능한 길게 남겨야 함. 특히 무지의 경우 길이가 매우 중요함.

c. 사지를 구성하는 데에 필수 불가결한 피부, 건, 신경 및 골과 관절 중 몇 가지가 손상되었는지를 확인.

① 이 중 3가지 이상이 심하게 손상되어 복원이 불가능할 경우 절단 고려

② 소아의 경우는 거의 절단술의 고려 대상이 아님.

d. 다른 수지가 이미 손상을 당한 상태라면 수지의 절단을 피하는 방법을 선택하여야 한다.

e. 절단의 대상이 되는 경우라도 절단될 부분이 나중에 재건술에 이용될 수 있다면 절단을 늦추는 것이 좋다.

4. 수지 단(Finger tip)의 절단

a. 크기가 0.5-1 cm 이내의 결손 : 이차적 반흔에 의한 자연 치유 고려.

b. 일차 봉합: 소실된 폭이 좁아서 과도한 긴장력 없이 봉합이 가능한 경우

c. 피부 이식(Skin graft) : 일차 봉합이 불가능한 피부 결손이 있는 경우

d. 손 끝의 경우 부분 층(Split thickness) 피부 이식보다는 전층 피부(full thickness) 이식 고려.

e. 골이 노출된 수지 단 손상 : Reamputation, triangular advancement flap of Atasoy, Kutler V-Y flap (그림 9-26), pedicled dorsal flap, cross finger flap, thenar flap, reversed flap, neurovascular island flap 등으로 치료.

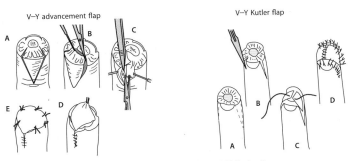

그림 9-26. V–Y advancement flap, V–Y Kutler flap

5. 수지 단을 제외한 수지의 절단

a. 절단이 DIP joint보다 원위부에 발생한 경우

  ① Distal to FDP insertion : DIP motion이 있으므로 더 이상의 골절단은 안 하는 것이 바람직함.

  ② Proximal to FDP insertion : DIP motion이 없으므로, DIP disarticulation 고려.

b. 절단이 DIP joint에서 disarticulation된 경우

  필요한 만큼의 중위 지골의 원위부를 잘라내고 끝을 둥글게 다듬어 주며, 고유 수지 혈관은 결찰하거나 소작함. 고유 수지 신경은 가장 근위부에서 잘라주고, 굴곡 및 신전 건도 잡아당겨 절단하여 위로 밀려 올라가게 한다.

c. 절단이 middle phalanx에서 일어난 경우

  ① Distal to FDS insertion : PIP motion가능

  ② Proximal to FDS insertion : 굴곡 근이 소실되기 때문에 남아 있는 중위 지골은 단지 미용적인 가치만을 가지게 됨.

d. 절단이 PIP joint에서 disarticulation된 경우

  DIP disarticulation과 동일하다.

e. 절단이 proximal phalanx에서 일어난 경우

  ① 근위 지골은 내인근과 공통 수지 신건의 작용에 의해 완전 신전에서부터 약

45도의 굴곡이 가능.

② 이 같은 이유 때문에 남아 있는 신전 기전은 절단된 골의 후방에 다시 부착할 것을 권장.

6. 중수골의 절단

a. 인지나 소지가 중수골에서 절단될 경우 : ray amputation

b. 장지나 환지가 근위 지골의 1/4보다 상부에서 잘려나가게 되는 경우 : ray amputation with ray transfer

7. 무지의 절단

a. 무지의 대립 기능을 유지하기 위하여 가능한 엄지를 더 잘라내지 말고, 길이를 보존한 상태에서 적절한 재건술을 시행하여 노출된 중요 구조를 피복해야 함.

b. Replantation : 절단으로부터 6-12시간이 경과되지 않은 경우, 절단 부위가 손톱보다 근위부인 경우, 특히 10세 이하의 소아인 경우에 반드시 시도해 보아야 한다.

c. 절단으로부터 24시간이 경과되었거나 절단된 원위부가 소실된 경우 : Skin graft, Advancement pedicled flap, local or distant flap operation 고려

d. 절단이 무지의 distal to proximal phalanx에서 발생한 경우

① 환자가 무지의 모양을 심각하게 생각하지 않는다면, 단순 또는 이중 Z-plasty를 시행하여, 1st web space의 deepening을 고려.

② 엄지의 정상적인 모양을 요구하는 경우 엄지 끝 부분에 골 이식 후, 엄지 발가락의 피부로 덮어주는 wrap-around flap 사용 고려.

e. 절단이 무지의 proximal phalanx보다 근위에서 발생한 경우 : 엄지 중수골의 수지화, 무지 연장술, 인지의 무지화(pollicization) 등을 시행할 수 있다.

8. 다발성 수지 절단

a. 여러 개의 수지가 절단된 경우 생존 가능한 모든 조직을 남겨두어 나중에 재건을 위해 사용해야 함.

b. 여러 수지와 함께 무지가 절단된 경우

① 중수골의 원위부나 중수 수지 관절 이하에서 절단된 경우: wrap-around flap, lengthening and 1st web space deepening.

② 중수골 중간보다 상부에서 절단된 경우
  i. 수지가 두 개 이상 남아 있는 경우 : 가장 무지쪽에 남아 있는 수지로 pollicization 시행
  ii. 수지가 하나만 남아 있는 경우 : 무지 연장술
③ 중수골의 근위부에서 절단된 경우 : 무지나 수지의 재건 시 재건된 결과물이 기능적이지 않기 때문에 이 경우 재건은 바람직하지 않다.

9. 손목의 절단

a. 적절한 의수의 사용이 고려되어야 함.
b. 의수를 착용하더라도 남은 상지의 길이가 길수록 지렛대의 팔이 길기 때문에, 의수의 기능이 우수함. 따라서 절단지는 가능하면 길게 남기는 것이 바람직함.
c. 원위 요척 관절도 전완의 엎침과 뒤침 기능 보존을 위하여 가능하면 남기는 것이 좋다.

E. 합병증

a. 혈종, 감염, 피부 괴사, 통증성 신경종(painful neuroma), 환상통(phantom pain), 관절의 구축, 반흔 구축(scar contracture)
b. 통증성 신경종(painful neuroma) 발생 시 치료 : Desensitization, steroid injection, surgical neuroma excision.
c. 절단 시 관절 구축의 방지를 위하여 2주 이상의 고정은 시행하지 말 것.
d. 수지 절단에서 FDP 때문에 발생할 수 있는 합병증 : 사두마차 효과(Quadriga effect) (그림 9-27), lumbrical plus finger

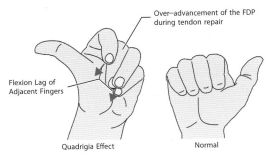

그림 9-27. **사두마차 효과**

XV. 손의 피부 손상(Skin injury)

A. 임상적 의미

    a. 응급실에서 가장 흔하게 보는 수부의 손상임

    b. 단순 피부 손상의 경우도 적절히 치료되지 않으면, 감염이나 심부 손상으로 진행
하여 손상의 범위가 커지므로 초기의 정확한 진단 및 치료가 매우 중요함.

B. 진단법

1. 신체 검진

    a. 동반된 손상 파악 - 심부의 건, 인대 및 혈관, 신경 손상의 유무

    b. 각 조직별로 세밀한 신체 검진이 필요함

2. 단순 촬영 검사(X-ray)

    손상의 형태, 심한 정도 및 범위 파악

3. 필요할 경우 초음파, CT, MRI 등의 추가 영상 검사 시행

4. 손상 평가 후, 재건 가능한지 혹은 조기 절단이 필요한지 결정

C. 분류

1. 기계적 손상

    a. Laceration

    b. Compression wound

    c. Stab wound

    d. Avulsion wound

    e. Crushing wound

2. 기타 외적 손상

    a. Thermal injury

    b. Electrical injury

① 겉으로 보이는 것에 비하여 조직 손상의 정도와 손상 조직의 범위가 광범위함.

② 동맥의 delayed rupture 가능성을 염두에 두어야 함.

c. Chemical injury

d. Radiation injury

e. Cold injury

D. 치료

1. 수술 전 과정

a. 이물질 제거 후 소독

b. 베타딘 비누액 ⇒ 생리 식염수 irrigation (10 L 이상) ⇒ 베타딘 비누액 ⇒ 하이진 소독(알코올은 노출된 연부 조직을 죽이므로, 상처가 있는 곳에서 사용되어서는 안됨)

2. Exploration

a. 일차 검진에서 손상되었을 것으로 추정되었던 구조들 확인

b. 피부 및 피하 조직 및 심부 근막의 상태를 먼저 관찰 ⇒ 뼈나 관절, 근육과 건 ⇒ 신경 및 혈관 순으로 검진(철저한 변연 절제술 병행)

3. Repair

a. 피부 봉합 및 재건

① 깨끗한 열상으로 깊지 않고 12시간 이상 지연되지 않은 상처는 원래 상태로 봉합 가능

② 상처 부위에 괴사와 오염이 심한 경우 ⇒ 우선 최소 변연 절제술 시행 후, Delayed repair 함.

③ 손의 전면 피부 : 피부의 절개는 지그재그형, S형 또는 손금과 평행이 되도록 하는 것을 권장, 피부의 결손은 적어도 전층 피부 이식술, 그리고 되도록 피부판을 사용하는 것이 바람직함.

④ 손의 후방 피부 : 비교적 얇으며, 여유가 많아 어떠한 절개도 가능, 부분층 피부 이식술 시행 결과도 만족스러움. 수근 관절을 신전한 상태에서 봉합하고

이 상태를 1-2주간 유지.

⑤ 피부가 심하게 압축을 당하거나 연결된 경우 : 지혈대를 푼 후, 피부상태의 확인이 필요함.

⑥ 오염이나 조직의 괴사가 심한 경우 및 고름이 관찰되는 상처 : 철저한 변연 절제술로 괴사된 조직과 이물을 제거하고 충분한 세척을 시행한 후 상처를 개방시켜 두는 것을 권장함.

⑦ 환부가 심하게 부어 있는 경우 : 긴장 완화를 위해 추가적인 절개 시행 후, 24-48시간 후에 상처를 확인하여 깨끗하다면 이차 봉합 혹은 피부 이식 시행.

⑧ 중요 조직이 노출되었거나, 연부 조직으로 덮을 수 없는 경우에는 피부판 사용이 권장됨

b. 뼈와 관절의 치료

① 오염이 심한 경우에는 확정적인 골절 치료를 연기해야 함.

② 골절부를 K-강선으로 임시 내고정하여 골절면에 의한 연부 조직 손상을 예방함.

③ 만약 상처가 깨끗하고 손상으로부터 6-12시간이 경과하지 않은 경우에는 확정적 치료로서 견고한 내고정 시행 후, 조기 관절 운동을 계획함.

c. 건과 근육의 치료

① 건막 내 혈종은 건 손상 가능성을 나타내는 지표이므로, 만약 혈종이 관찰된다면 exploration이 필요함.

② 건의 절단이 확실하다면 추가적인 피부 절개를 통하여 건의 절단단을 찾아야 함. 이때, 원위부의 절단단은 손목과 손가락을 완전히 굴곡시킨 후 찾아야 함.

d. 말초 신경과 혈관의 치료

① 탄력에 의해 1-3 cm 정도 근위 및 원위부로 수축 가능함.

② 척골 동맥과 요골 동맥 중 어느 한쪽만 손상된 경우는 손의 혈액 순환은 비교적 좋은 것이 일반적이나, 두 혈관 사이에 교통이 없거나 나쁜 경우에는 문제가 발생할 수 있음.

③ 척골 동맥만 손상된 환자에서 cold intolerance 발생 가능.

④ 고유 수지 동맥의 양측성 손상은 손가락 괴사가 발생 가능하나, 편측성으로 손상된 경우에는 큰 문제가 없는 것이 일반적임.

⑤ 성공적으로 동맥 문합을 할 경우 cold intolerance 및 교감 신경 이영양증이 적게 발생하기 때문에 손상된 혈관을 가능한 이어주는 것이 권장됨.

09

손목 및 수부의 주요 질환

I. 기초적 검사(Basic Examination)

A. 과거력(History)

환자가 상지 문제(upper extremity problem)로 의사를 방문할 때 환자의 과거력은 매우 중요하다. 과거력은 가족력, 사회력, 근골격계와 무관한 개인의 의학적 과거력, 그리고 감염 과거력 등을 포함한다. 그리고 손 환자에게는 다음의 몇 가지 추가사항이 있다.

1. 잘 사용하는 손(handedness)

환자는 오른손잡이인가 혹은 왼손잡이인가?

2. 일 관련성(work-relatedness)

어떤 문제나 일련의 사건이 환자의 일과 관련이 있다고 환자가 생각한다면, 의사는 인용하는 형식으로 환자의 진술을 기술해야 한다. 주소(complaint)의 진실성에 의문을 갖는 것은 의사의 일이 아니다.

3. 발생 기전(mechanism of injury)

사건이나 사고를 가능한 자세히 기록한다. 이는 특히 자동차 사고와 관련하여 그러하며, 환자가 차 안에 있었는지, 에어백은 작동하였는지, 그리고 자동차는 얼마나 손상되었는지 등에 관하여 자세히 기록한다.

4. 최근의 파상풍 예방 접종 날짜(date of most recent tetanus booster)

이는 어떠한 직접 외상에서도 중요하다. 첫 검사자가 이 문제를 해결했을 것이라고 가정해서는 안 된다.

B. 이학적 검사(Physical Examination)

1. 손목(wrist)

a. 수근골은 근위 수근골(scaphoid, lunate, triquetrium, pisiform)과 원위 수근골 (hamate, capitate, trapezoid, trapezium)로 구분된다. 손목 관절은 굴곡-신전,

요측-척측 변위가 일어나므로 다축성이다. 수근 관절에서 수근골 자체에 외인성 근육이나 건의 직접적인 부착은 없다. 따라서 수근골의 움직임은 전적으로 중수골 기저부에 부착하는 근육의 작용에 의해 수근골들이 움직여서 일어나고 있다.

b. 굴곡, 신전, 요측 변위, 척측 변위에 대한 수동적, 능동적 운동 범위를 기록해야 한다. 명백한 통증이나 염발음(crepitance)이 있는지도 기록해야 한다.

c. 방사선 검사는 후전상(PA), 측면상(lateral view)을 포함한다. 만약 주상골을 평가할 경우에는 추가적인 검사(척측 변위에서 후전면 영상(PA with ulnar deviation) 혹은 사면 영상(billiards view)이 필요하다.

2. 수부(hand)

a. 굴곡, 신전의 수동적, 능동적 운동 범위를 기록해야 한다. 무지에 대한 검사는 추가적으로 내전, 외전, 대립의 능력을 포함해야 한다. 관절의 안정성을 검사해야 하며, 어떤 종물이나 압통이 확인되면 기록해야 한다.

b. 방사선 검사는 후전상(PA), 측면상(lateral view)을 포함한다. 수지의 측면상을 얻기 위해서 인접 수지를 굴곡시켜야 하며, 무지는 수부에 대하여 경사를 갖는 것을 고려해야 한다. 항상 반대측 혹은 이환되지 않은 측을 검사해야 한다. 이는 특히 관절 안정성을 평가할 때에 중요하다.

09

II. 수부 선천성 기형
(Congenital Anomalies of the Hand)

A. 다지증(Polydactyly)

1. 임상적 의미

손에 생기는 가장 흔한 선천성 기형 중 하나임.

a. 호발 부위 : 손에서는 무지에 압도적으로 많이 발생, 발에서는 제5 족지에 흔함.

b. 축전성 다지증(preaxial polydactyly) : 무지가 중복된 경우

축후성 다지증(postaxial polydactyly) : 소지가 중복된 경우

중심성 다지증(central polydactyly) : 2, 3, 4수지 중에서 중복된 경우

c. 다지증은 남자에서 두 배 흔히 나타난다.

2. 축전성 다지증(preaxial polydactyly) : 전체의 85%

a. 동양권에서 가장 흔한 수부 선천성 기형

b. 대개 산발성(sporadic)이며, 일측성이며, 약 20%에서 양측성으로 발생한다.

c. 축전성 다지증과 동반되어 나타날 수 있는 기형 : 합지증, 단지증, 경골 결손 (absent tibia), 구개열 및 구순열 (cleft palate and lip), 청각 장애(deafness), 폐쇄 항문 (imperforate anus), 척추 이상, 조갑 이영양증(nail dystrophy) 등이 있다. Apert 증후군, Fanconi's anemia, Holt-Oram 증후군, Rubinstein-Taybi 증후군, VACTER 증후군, trisomy 21 등에서도 동반되어 나타날 수 있다.

3. 검사

수부 후전면(PA view) 및 사면 영상(oblique view)을 촬영하며, 중복된 손가락의 후전면(PA view) 영상 및 측면(lateral view) 영상을 촬영한다(그림 9-28).

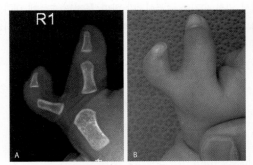

그림 9-28. (A) 무지 다지증 (Wassel type IV)의 술전 사진, (B) 방사선 사진

4. 수술적 치료

엄지와 손가락 사이로 집기(pinch)를 시작하기 전인 1세 이전에 시행하는 것이 좋다. 단순히 절제하면 되는 경우도 있으나, 복잡한 재건술이 필요한 경우가 대부분이다.

B. 합지증(Syndactyly)

1. 임상적 의미

 a. 수지들이 분리가 불완전하여 선천적으로 붙어 있으며, 그 물갈퀴가 정상적인 위치보다 원위부로 내려가 있는 경우를 합지증이라 한다(그림 9-29).

 b. 발생학적으로 수부판(hand plate)은, 세포 사멸(apoptosis)에 의해, 그 끝부분에 네 개의 괴사 지역(necrotic zone)이 발생하여 태령 6~8주에 걸쳐 다섯 개의 수지를 만드는 것으로 알려져 있다. 분리는 원위부에서 근위부로 진행된다. 합지증은 수지 분리 과정의 부전으로 발생한다고 알려져 있다.

 c. 약 반이 양측성이며, 남자에서 두 배 더 많이 발생한다. 가족력은 10~40%에서 양성이다.

 d. 합지된 범위에 따른 분류

  ① 완전 합지증(complete syndactyly)

  ② 불완전 합지증(incomplete syndactyly)

 e. 합지된 정도에 따른 분류

  ① 단순형(simple type) : 연부 조직만 붙어있는 경우

  ② 복잡형(complex type) : 골 조직까지 붙어있는 경우로, 골, 신경, 혈관 및 건 등의 이상 동반이 흔하다.

09

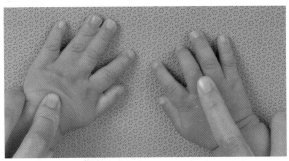

그림 9-29. 합지증. 제3, 4수지에서 가장 호발한다.

2. 검사

의학 사진(medical photo)을 찍어놓는 것이 추천되며, 수부 후전면(PA view) 영상 및 사면(oblique) 영상을 촬영한다.

3. 수술적 치료

a. 적절 시기 : 영유아의 마취에 문제가 없고 loupes 등을 이용한 확대경 수술이 가능하면, 수술 시기는 빠를수록 좋다. 생후 6개월 내지 1년 사이에 수술을 하는 것이 일반적이다. 하지만, 어린 나이에 수술할 경우 시간이 경과함에 따라 web이 원위부로 자라 내려가는 문제점이 발생할 수 있다.

b. 정교한 피판 설계가 필요하고, 전층 피부 이식이 요구되는 경우가 많다.

C. 파열수(Cleft hand, Lobster-claw Hand)

1. 임상적 의미

a. 선천성으로 제2, 3, 4지에 단독 혹은 복합하여 나타나는 결함을 칭한다. 제3지의 결손이 가장 흔하다.

b. 전형적 파열수(typical cleft hand)와 비전형적(atypical) 파열수의 두 가지 형태로 나눌 수 있다.

2. 전형적 파열수(그림 9-30)

a. 경도의 피부 파열만 있는 경미한 형부터 수지 네 개가 모두 결손되어 소지 하나만 남은 형까지 매우 다양한 형태를 보인다.

b. 상염색체 우성의 유전성을 보이는 경우가 많고, 파열족(cleft foot)을 동반하기도한다. 이른바 'V'형의 결손(V-shaped cleft)을 보이며, 흔적지(nubbins)는 없다. 결손된 부위에 깊은 물갈퀴를 남긴다.

c. 모양이 흉하나 손의 기능은 좋아 Flatt는 'a functional triumph, but a social disaster'라고 표현한 바 있다.

3. 비전형적 파열수(유합단지증(symbrachydactyly)

산발성으로 나타나며, 한 손만 이환된다. 중수골은 있는 경우가 많아 'U'형의 결손(U-shaped cleft)을 보이며, 흔적지(nubbins)가 있을 수 있다.

그림 9-30. **파열수로 환지의 소실이 관찰된다.**

4. 검사

의학 사진(medical photo)을 찍어놓는 것이 추천되며, 수부 후전면(PA view) 영상 및 사면(oblique) 영상을 촬영한다.

5. 치료

기능과 모양을 모두 고려해야 한다. 기능이 좋더라도 손의 모양이 너무 흉해서 사회 생활에 지장이 많으므로, 깊이 파인 cleft를 교정하는 수술적 치료가 필요하다.

6. 요약

a. Typical : central V-shaped cleft with deficiency of middle ray, bilateral and associated with foot deformities.

b. Atypical : severe U-shaped cleft with, unilateral and without associated foot deformities.

D. 거대지(Macrodactyly)

1. 임상적 의의

하나 또는 둘 이상의 수지가 전반적으로 비대되는 드문 선천성 기형으로 "banana finger"라고도 한다. 한 손가락만 이환된 경우 제2지에 가장 흔하다. 두 개가 이환 된 경우, 제2, 3지가 가장 흔하다. 거대지는 건의 발달이 미약하여 이환된 손가락이 능동적으로 움직이지 않는 경우가 흔하며, 지간 관절의 강직도 흔히 관찰된다. 경미한 경우가 아니면, 수술로써 만족스런 결과에 도달하는 것은 매우 힘들다. 출생 시부터 특정 수지가 크며, 같은 비율로 성장하는 형태인 정적 형태(static type)와, 처음에는 그리 크지 않으나 아이가 자라면서 이환된 수지가 점점 더 커지는 진행형(progressive type)이 있다(그림 9-31).

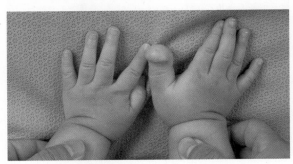

그림 9-31. 거대지. 우측 무지의 거대지증이 관찰된다.

2. 검사

의학 사진을 찍어두고, 수부 후전면 및 측면 방사선 영상을 촬영하는 것이 도움이된다.

3. 치료

아주 경증인 경우, 연부 조직 절제술만으로 크기를 줄일 수 있다. 그러나 대부분의경우, 연부 조직 절제술과 더불어 골단 유합술, 수지골 중간부 절제 등이 필요하다.

4. 감별 진단

혈관종, 동정맥 기형, 지방종, 선천선 임파부종(congenital lymphedema), Ollier씨병, Maffucci 증후군 등에서 나타나는 이차적인 수지의 거대화와 구분이 필요하다.

E. 선천성 무지 저형성증(Congenital Hypoplasia of the Thumb)

1. 임상적 의의

무지(엄지, thumb)는 수부 전체 기능의 약 40%를 차지하며, 주요 기능으로는 다양한 pinch (precision, pulp, key, chuck pinch 등) 기능과 grasp (span, power 등) 기능이 있다. 따라서, 무지의 결손은 수부의 현저한 기능 저하를 초래하며, 재건술에 의한 기능 회복을 필요로 한다. 무지의 저형성은, 단순히 크기가 작은 경우부터 아예 무지가 없는 경우까지 다양하게 나타날 수 있다(그림 9-32).

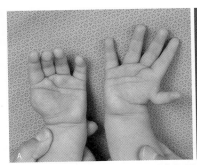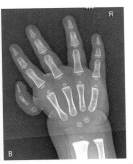

그림 9-32. (A) 우측 무지는 부유 무지 형태이며 좌측은 무지가 발생하지 않았다. (B) 부유 무지의 방사선 사진

2. 검사

의학 사진(medical photo)을 찍어놓는 것이 추천되며, 수부 후전면(PA view) 영상 및 사면(oblique) 영상을 촬영한다.

3. 치료

수술 시기는 집도의의 능력이 닿는 한도에서 빠를수록 좋다. 생후 2세 전에는 시행해야 새로운 엄지에 대한 대뇌의 적응을 충분히 기대할 수 있다.

F. 굴지증(Camptodactyly)

1. 임상적 의의

희랍어로 굽은 손가락(bent finger)을 의미하는, 근위 지 간 관절의 선천성 굴곡 구축을 말한다(그림 9-33). 수지 굴곡증이라고도 한다. 소지에 호발하며, 약 2/3가 양측 성으로 발생한다. 임상적 발현 양상에 따라 유아기에 나 타나며 남녀가 비슷한 조기 발현형(early type)과 사 춘기에 여자에서 호발하는 지연 발현형(delayed type)의 두 가지로 나눌 수 있다.

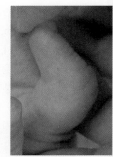

그림 9-33. 굴지증. 우측 제 2수지 근위 지간 관절의 굴곡 구축이 관찰된다.

2. 검사

의학 사진(medical photo)을 찍어놓는 것이 추천되며, 수부 후전면(PA view) 영상, 사면(oblique) 영상 및 해당 수지의 후전면 및 측면 영상을 촬영한다.

3. 치료

구축이 경미한 경우, 부모가 수동적 신전 운동을 해주면 상당히 호전될 수 있다. 구 축이 심한 경우 혹은 전방 피부가 부족한 경우, 수술이 필요할 수 있다. 수술은 천 수지 굴곡건 절제술 및 Z-성형술(z-plasty)을 이용한 전방 피부 연장술을 흔히 시행 한다.

G. 측만지(Clinodactyly)

1. 임상적 의의

수지가 요척 방향으로 굽은 (radioulnar curvature) 변형으로, 소지 근위 지간 관절 에 호발한다. 수지 측만증이라고도 한다(그림 9-34).

2. 치료

소지에 발생한 경우, 대부분 기능이 좋아 치료가 필요 없다. 심한 각변형을 보이거 나 환자가 원할 경우, 교정 절골술을 시행할 수 있다.

H. 선천성 윤상 수축대 증후군(Congenital Constriction Band Syndrome)

이 질환은 양막대 증후군(amniotic band syndrome)이라고도 하며, constriction ring syndrome, ring constrictions, amniotic disruption sequence 등으로도 불린다. 자궁 내에서 형성된 양막대에 의해 태아에 일어나는 병변을 통칭하는 용어이다.

1. 임상적 의의

양막대는 사지뿐만 아니라 두개 안면부나 장기에도 발생할 수 있다. 선천성 윤상 수축대는 피부와 피하 조직이 원형 또는 반지를 낀 것과 같은 모양으로 수축되어 내부로 말려들어가, 마치 고무줄로 묶은 것과 유사한 상태가 되는 현상이다(그림 9-35). 수축대가 360도를 걸쳐 전부 있는 경우도 있으며, 일부만 있는 경우도 있다. 수축대의 피부는 정상적인 피부금과 비슷하나, 피하 조직은 지방성 조직이 줄어들고 섬유성 조직으로 대치되며, 이 섬유성 조직은 대부분 심부 근막(deep fascia)까지 침범하나 드물게 골막에까지 도달하기도 한다.

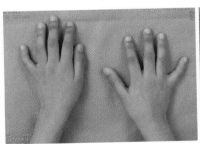
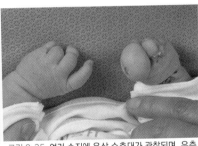

그림 9-34. 양측 제 5수지의 측만지가 관찰된다.

그림 9-35. 여러 수지에 윤상 수축대가 관찰되며, 우측 제2수지 원위부의 임파부종이 관찰된다.

2. 빈도

남녀비는 비슷하며, 수지와 족지에 가장 호발하고, 그중에도 제3지에서 가장 많이 발현하는 것으로 알려져 있다.

3. 치료

매우 경한 경우가 아니면 외모나 기능의 호전을 위하여 수술적 가료가 권장된다. 특히, 수축대 원위부의 부종이 심하거나 혈액 순환 장애 증상이 있는 경우에는 응급

수술이 필요할 수 있다. 단순 수축대의 경우 수축대의 제거 및 Z-성형술로 잘 치료
된다.

I. 소아성 방아쇠 수지(Pediatric Trigger Digits)

1. 임상적 의의

소아성 방아쇠 수지는 거의 대부분 무지에 발생한다(그
림 9-36). 과거에는 선천성 질환으로 분류되었으나, 최근
에는 발달성 질환으로 받아들여지고 있다.

2. 빈도

약 1/4 정도에서 양측성으로 발생한다. 제13삼염색체
(trisomy 13)에서 흔히 선천성 방아쇠 무지가 나타난다
는 보고가 있지만, 많은 경우에는 동반 질환 없이 단독으
로 발생한다.

그림 9-36. 선천성 방아쇠 수
지. 주로 무지 지간 관절의 굴
곡 변형을 보인다.

3. 증상

성인과 달리 'triggering' 보다는 지속적인 'flexion
deformity'를 보이는 경우가 많다.

4. 자연 경과 및 치료

많은 경우 특별한 치료 없이 호전된다.

III. 수부의 건 질환(Tendon Disease)

A. 방아쇠 수지 및 무지(Trigger Finger or Thumb)

1. 임상적 의의

수지 굴곡건에 결절(nodule)이나 방추상 종창(fusiform swelling)이 생기거나, 중수
골 경부의 전방에 있는 A1 활차가 비후되어 A1 활차 아래로 건이 힘겹게 통과하기
때문에 발생되는 현상으로 수지를 움직일 때에 건이 병변 부위를 통과하면서 심한

마찰이나 통증이 느껴지다가 어느 순간 갑자기 툭 소리가 나면서 움직임이 용이하게 되는 질환이다.

2. 원인

매우 흔한 질환으로 45세 이상의 성인에서 호발하며, 무지, 중지 및 환지에 호발한다. 당뇨병 환자에서 더욱 흔하며, 대개는 특정한 원인을 발견할 수 없으며 손잡이 자루가 달린 기구나 운전대 등을 장시간 손에 쥐는 직업이나, 골프 등의 운동에 의한 반복적인 손바닥의 마찰에 의해 발생되기도 한다.

3. 진단

특정 수지 A1 활차 부위에서 통증, 압통, 탄발음, 잠김 현상(locking)에 근거하여 이루어진다.

4. 치료

성인에서 급성으로 발생한 경우에는 비스테로이드성 소염제를 투여하여 효과가 있을 수 있다. 스테로이드를 건막 내로 주입하면 통증 조절 및 기능 개선을 얻을 수도 있지만, 반복적으로 주사를 시행할 경우 건 파열 및 감염과 같은 합병증이 발생할 수 있으므로 주의를 요한다. 보존적 치료에 효과가 없거나, 지속적으로 재발하는 경우에는 수술적 치료가 권장된다. 수술은 중수 수지 관절 근위부에 횡이나 사형으로 피부절개를 넣고 A1 활차를 종방향으로 절개하여 치료한다.

09

B. 드페르벵 씨 병(de Quervain's Disease)

1. 임상적 의의

손목의 요측에서 요골 경상 돌기와 신전 지대에 의해 형성되는 골섬유관의 제1신전 구획을 통과하는 장 무지 외전건(abductor pollicis longus)과 단 무지 신건(extensor pollicis brevis)의 협착성 건막염이다. 협착의 원인은 대개의 경우 수부나 수근 관절을 과도하게 사용하는 반복적 활동에 의해 발생하고, 이차적으로 신전 지대의 섬유화가 진행되어 섬유막이 비후되어 발생하는 것으로 되어 있다. 30~60세 사이의 여성에서 호발하고, 특히 임신 말기나 수유기에 흔하다.

2. 증상

요골 경상 돌기 주위의 동통과 압통이 흔한 증상이고 주변으로 방사통을 호소하기도 한다.

3. 진단

환자의 무지를 굴곡한 후에 수근부를 척측으로 내전시켜 이환된 건의 긴장을 유발시키면 심한 통증을 호소한다(Finkelstein test).

4. 치료

a. 대부분의 환자는 보존적 치료에 반응하며, 특히 임신과 관계 있는 경우에는 분만 후 수개월 이내에 증세가 소실되는 것이 일반적이다. 환자의 손목과 엄지를 부목으로 고정하여 휴식하게 하고, 간헐적으로 풀어서 운동하게 하면 증세의 호전을 기대할 수 있다. 스테로이드를 주사하면 약 60% 정도의 환자에게서 치료 효과를 얻을 수 있으나, 피하 지방이 얇은 부위이므로 스테로이드가 골섬유관 주변으로 샐 경우에는 피부 탈색, 지방 위축 등의 부작용이 생길 수 있으므로 주의를 요한다.

b. 수술적 치료는 6개월 이상 보존적 치료에도 불구하고 증상이 지속되는 경우나, 재발한 경우 시행할 수 있다. 수술적 치료 시 피부 절개는 반흔 구축이 생기지 않도록 횡 절개나 곡선, 사형 절개를 할 것을 권장하는 학자가 많으며, 건의 전방 탈구를 방지하기 위해 신전 지대의 후방 절개가 권유된다. 수술 중 건 자체의 이상 유무를 확인하고, 단 무지 신건을 싸고 있는 중격 구조가 있으면 반드시 이를 제거하여야 한다.

5. 수술의 합병증

건의 탈구, 표재 요골 신경 분지의 손상으로 인한 신경통(neuralgia) 등이 발생할 수 있지만, 표재 요골 신경 분지 관련 증상은 3개월 이내에 대부분 좋아진다.

IV. 수부의 신경 질환(Nerve Disease)

A. 수근 관 증후군(Carpal Tunnel Syndrome)

1. 임상적 의의

수근 관 증후군은 손목 부위에서 정중 신경(median nerve)의 압박에 의해 발생하는 증상군을 말하며, 상지에 발생하는 가장 흔한 신경 압박 질환이다.

2. 증상

가장 흔한 증상으로 야간 통증(night pain)이 있다. 수부의 정중 신경 지배 영역인 무지, 시지, 중지 및 환지의 요측부의 감각 이상, 무감각이나 무지 구(thenar eminence)의 동통을 호소할 수 있고, 장기간 압박이 심한 경우에는 단, 무지 외전근(abductor pollicis brevis)과 무지 대립근(opponens pollicis)의 약화나 위축 소견을 보인다(그림 9-37). 추위에 노출되었을 때 수지 혈관이 수축하는 레이노드 현상(Raynaud phenomenon) 또는 한랭 불내성(cold intolerance)도 흔히 동반된다.

09

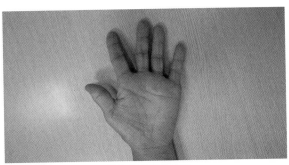

그림 9-37. 무지구의 위축

3. 원인

특발성인 경우가 대부분이나 수근 관 증후군의 알려진 원인은 크게 세 가지로 구분할 수 있다.

a. 수근 관 내부의 해부학적 구조의 변화를 들 수 있다. 수근 관절과 요골 원위부

골절이나 탈구의 후유증, 류마토이드 관절염이나 결핵으로 인한 건막염에 의한 부종, 수근 관 내에서 발생한 종양 등이 그 예이다.

b. 대부분의 경우 특별한 동반 질환 없이 발생하나, 당뇨병이나 알코올 중독, 갑상선 기능 저하증과 같은 질환이 있거나 투석 환자의 경우 호발한다.

4. 검사

a. 감각 검사

① Semmes-Weinstein monofilament test : 나일론 단섬유를 이용하여 압력에 대한 피부 감각 역치를 측정

② 진동 수용 역치(vibration reception threshold) : 음차(turning fork)를 이용하여 진동에 대한 역치를 측정.

b. 운동 검사

무지 구 근육 특히 무지 대립근의 약화나 위축을 검사하는데 이는 수근 관 증후군이 가장 진행된 경우에 나타나는 소견이다.

c. 유발 검사

① 팔렌 검사(Phalen's test) : 손목을 1분 정도 수동적으로 굴곡시켜 정중 신경 분포 영역에 저린 감각과 감각 이상의 여부를 확인(그림 9-38).

② 티넬 징후(Tinel's sign) : 손목 부위에서 정중 신경을 타진하여 통증이나 감각 이상의 여부를 확인(그림 9-39).

③ 전완 압박 검사(forearm compression test) : 손목 부위나 수근 관 부위에서 직접 정중 신경 부위를 20초 정도 압박하여 이상 감각의 여부를 관찰.

그림 9-38. 팔렌 검사

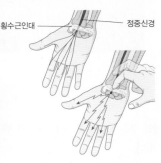

횡수근인대 — 정중신경

그림 9-39. 티넬 징후

5. 진단

증상과 이학적 검사를 토대로 대부분 가능하나, 가장 객관적인 검사로는 손목 부위의 신경 전달 속도의 지연과 무지 구근의 근전도 이상을 확인하여 진단할 수 있다. 신경 전도 검사에서 보통 terminal motor latency가 4.5 mm/sec 이상, terminal sensory latency가 3.5 mm/sec 이상인 경우이다.

6. 치료

a. 보존적 치료

경한 경우에는 중립 위치에서의 부목 고정, 대개는 야간 부목을 시행해 볼 수 있지만, 근전도 검사를 통해 수근관 증후군으로 진단된 경우에는 일반적으로 시간이 지남에 따라 병변이 진행하므로 수술적 치료가 필요한 경우가 많다.

b. 수술적 치료

보존적 치료에 반응하지 않는 경우, 증상이 심하거나 6개월 이상 지속된 경우, 무지 및 수지의 지속적인 무감각과 무지 구 근의 위축이 있는 경우에는 수술적 치료를 시행하는 것이 좋다. 수술은 정중 신경 위에 있는 횡수근 인대(transverse carpal ligament) 및 근위부의 굴곡건 건막(flexor retinaculum)을 종방향으로 절개하고 신경 유리술을 시행한다.

B. 척골 관 증후군(Ulnar Tunnel Syndrome)

a. 척골 관 증후군은 수장부 소지 구에 있는 척골 관에서 척골 신경이 압박되어 제4, 5수지의 감각 이상 및 동통, 척골 신경에 의해 지배되는 내재근의 마비 등이 나타나는 질환이다. 원인으로는 급성 및 반복적인 외상, 결절종, 척골 동맥의 혈전 및 가성 동맥류 등의 공간 점유 병변 등이 있다. 척골 관 증후군이 의심되는 경우에는 초음파 검사 및 자기 공명 영상(MRI)과 같은 검사가 필요하다.

b. 수술적 치료는 종양이나 척골 관 주위의 골절 탈구가 원인이 된 경우, 또는 6개월 이상의 보존적 치료에도 반응이 없는 경우에 시행한다.

C. 표재 요골 신경의 포착

a. 표재 요골 신경은 외부의 압력(손목, 시계, 옷소매)에 눌리기 쉬우며, 전완의 반

복된 회내-회외전 동작으로 상완요근(brachioradialis)과 요 수근 신근(extensor carpi radialis) 사이에서 압박을 받거나, 손목이 과도하게 오래 척측 굴곡되어 있는 경우 신경 포착이 발생할 수 있다.

b. 손목을 회내전시키고 척측으로 굴곡시키면 증상을 유발시킬 수 있다. 대개 스테로이드 국소 주사와 활동 제한으로 호전되나 부목 고정은 손목을 회외전 상태로 유지하기 힘들어 추천되지 않는다.

D. 말초 신경의 마비(Peripheral Nerve Palsy)

1. 정중 신경 마비(median nerve palsy)

정중 신경 마비가 있는 경우는 수부의 가장 중요한 기능인 감각 기능을 소실하게 된다. 손목 이하의 하부 정중 신경 마비의 경우는 운동 신경 마비에 의해 무지의 대립 기능에 장애가 오며, 상부 정중 신경 마비의 경우는 무지, 인지, 중지의 굴곡 기능까지 장애가 오며, 약지와 소지는 척골 신경에 의해 굴곡 기능이 유지된다. 신경 봉합으로 다소간의 감각을 회복하는 것이 중요한데, 이는 감각의 회복이 없으면 건이전술의 효과도 현저히 떨어지기 때문이다.

2. 요골 신경 마비(radial nerve palsy)

요골 신경 마비가 있는 경우 손목의 신전, 무지와 수지의 신전 기능에 장애가 오며 감각 기능 소실에 의한 장애는 거의 없다. 건 이식술로 효과적으로 재건이 가능하며, 주로 원형 회내근(pronator teres)을 손목 신전근(extensor carpi radialis brevis)으로, 손목 굴곡근 (flexor carpi radialis 또는 flexor carpi ulnaris)을 수지 신전근(extensor digitorum communis)으로, 그리고 장 장근(palmaris longus)을 장 무지 신전근(extensor pollicis longus)로 옮기는 술식을 시행하게 된다.

3. 척골 신경 마비(ulnar nerve palsy)

척골 신경의 마비가 있는 경우 소지와 약지 일부의 감각을 소실하며, 수부 내재근의 마비를 초래하여 갈퀴 수지 변형(clawing)이 나타나고 손의 힘이 떨어지게 된다. 내재근이 마비되면 물건을 잡을 때 중수지 관절부터 굴곡되지 않고 지간 관절부터 굴곡되어 효과적인 파악이 불가능하며 무지 내전근의 마비로 집기 기능이 떨어진다. 재건은 주로 갈퀴 수지 변형을 교정하기 위해 중수지 관절의 굴곡 기능을 회복하기 위한 내재근 재건술, 무지의 내전근 재건술을 시도할 수 있다.

E. 뇌성 마비 수부 (Cerebral Palsy, Spastic Hand)

뇌성 마비는 아동기의 가장 흔한 신체 장애의 원인이며, 미성숙한 두뇌의 결함이나 병변의 결과로 나타나는 운동 장애 그룹으로 정의된다. 뇌성 마비를 가진 아동은 중추 신경계 기능 손상의 규모와 영역에 따라 다양한 정도의 기능적 한계를 보인다. 가장 흔한 근골격계 증상은 관절 구축을 야기하는 운동 강직이다. 상지에서 강직 관절 변형의 전형적인 패턴은 견관절 내전, 내회전, 주관절 굴곡, 전완부 회내, 수근관절 굴곡 및 척측 전위, 수장 내 무지 변형, 백조 목 변형 등이 있다.

1. 주관절
a. 45° 이하의 주관절 굴곡 구축은 기능적인 도달(reach)에 심각한 제한을 나타내지 않지만 45° 이상의 구축은 교정의 대상이 될 수 있다.
b. 이두박근 건의 Z 성형술, lacertus fibrosus의 유리술, 상완근의 건막 절단으로 구성된다.

2. 전완골
a. 회내 구축은 강직을 가진 환자에서 흔한 문제이며, 원형 회내근과 때때로 방형 회내근의 구축에 기인한다.
b. 전완부 중간 외측의 종절개에 의한 원위 유리술 또는 요골 주위의 방향 이전술 (redirectional transfer)을 시행하여 회내근을 회외근으로 전환할 수 있다. 심한 사례에서는 전완골의 절골술이 필요할 수 있다.

3. 손목과 수지의 굴곡 변형
a. 손목과 수지의 굴곡 변형은 상지의 가장 흔한 변형이다. 이 변형은 주로 전완골의 회내, 주관절의 굴곡, 수장 내 무지 변형과 동반된다.
b. 손목 신전근이 약한 경우는 손목 굴곡근(flexor carpi ulnaris)을 extensor carpi radialis brevis로 이전할 수 있다. 굴곡 구축이 심하고 근육이 약한 경우는 수부의 외향을 개선시키고 청결을 위해 수근관절 유합술과 건 유리술을 시행할 수 있다.

09

4. 수장 내 무지 변형

a. 수장 내 무지 변형에 기여하는 것으로는 장 무지 굴곡근(flexor pollicis longus), 단 무지 굴곡근(flexor pollicis brevis), 무지 내전근(adductor pollicis), 그리고 제1배측 골간근(first dorsal interossei)의 강직과 장 무지 신전근(extensor pollicis longus), 단 무지 신전근(extensor pollicis brevis), 그리고 장 무지 외전근(abductor pollicis longus)의 약화이다.

b. 치료는 단축되어 있는 무지 물갈퀴 공간의 연장, 강직되어 있는 내전 또는 굴곡 근육의 연장술, 약한 신전 근육의 보강술을 시행할 수 있다.

F. 경추 손상 후 사지 마비(Tetraplegic Hand)

경추 손상 후에 척수 손상이 회복되지 않는 경우 손상 수준 이하에서 신경근이 나오는 근육의 마비가 초래된다. 자발적인 척수 손상이 기대되지 않는 경우 남은 근육을 이용하여 상지 근육의 일부를 재건할 수 있는데, 대표적으로 주관절 신전근의 재건과 열쇠 집기능(key grip)의 재건이 있다.

V. 수부 감염(Hand Infections)

A. 손톱주위염(Paronychia)

1. 임상적 의의

손톱 관리를 잘못하여 손톱 주위에 포도 구균에 의한 농양이 형성된 경우이다.

2. 치료

적당한 항생제를 수 주간 투여하면 비교적 잘 낫는다. 그러나 손톱 뿌리 한쪽 모서리에 농양이 고인 경우에는, 그쪽 모서리 손톱을 제거하여 배농하는 것이 좋고, 농양이 양쪽 모서리로 파급되었을 때는 손톱의 근위 1/3을 제거하여 배농하는 것이 치료 기간을 단축시킬 수 있고, 손톱 모양을 정상으로 유지시킬 수 있다(그림 9-40).

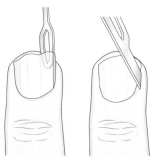

그림 9-40. 독립 절개를 사용한 배농. 손톱의 측방으로 폭이 약 1/4 정도 되는 부분을 제거하고, 피부 절개는 손톱 기질에서 좀 떨어진 부위에서 시행한다.

B. 생인손(Felon)

1. 임상적 의의

수지의 원위 단부에 감염으로 인한 종창이 있으면, 구획 내 압력을 증가시켜 심한 통증이 발생한다. 오래 방치하면 수지단의 괴사나 원위 지골에 골수염이 합병되기도 한다.

2. 치료

항생제를 투여하며, 감염 후 24시간 이상 경과된 경우는 수지단의 전방 중앙에 짧게 세로 절개를 넣어 정확히 배농시켜야 한다.

C. 물갈퀴 공간의 감염(Web Space Infection)

1. 임상적 의의

물갈퀴 공간은 중수 수지 관절 부위에 있는 표재 횡 인대(superficial transverse ligament)의 바로 근위부에 지방으로 채워진 공간이다. 이곳에 농이 고이면 충양근이 지나가는 충양관(lumbrical canal)을 통해 중수장 공간(mid-palmar space)까지 퍼지기도 한다.

2. 치료

중수골 골두 부위의 전방 및 후방에서 각각 절개하여 배농시켜야 한다. 물갈퀴 공
간의 절개 배농은 창상 치유가 더디고 피부 괴사가 잦아 절대 피하여야 한다.

D. 수지의 교합상(Bite Injuries of Finger)

1. 임상적 의의

사람에 의하여 물린 수지 교합상은 포도 구균(Staphylococcus)이 제일 흔하고, 그
외 연쇄 구균(Streptococcus), Eikenella 등 다양한 균주 감염이 예상된다. 물린 정
도에 따라 인대손상에서 골절까지 발생되며, 평균 50시간 이상 치료가 지연되는 수
가 많다. 합병증도 골수염, 골절, 동통, 영구 관절 강직, 수지 절단, 패혈증 및 사망까
지 다양하며, 그 빈도도 25~50%로 상당히 높아 주의를 요한다(그림 9-41).

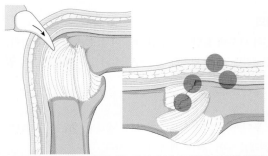

그림 9-41. 중수지 관절이 굴곡된 상태에서 치아가 피부, 건, 관절막을 통과한 후, 관절이 신전되면, 각 연부 조직
은 각기 다른 곳에 위치하며, 폐쇄적이고 독립적인 관절 내 상처가 존재할 수 있게 된다.

2. 치료

방사선 촬영으로 관절내 손상이나 수지골의 골절 유무를 확인하여야 하며, 관절 탐
색술, 특히 Eikenella corrodens에 대한 균 배양 검사, 항생제 투여와 함께 며칠간
주의 깊은 창상 및 전신 상태 관찰이 필수적이다.

3. 개에 물린 상처

포도 구균 및 연쇄 구균의 bacteroides 균주나 pasturella multocida 등의 균 감염

을 예상하여 penicillin 제재를 투여하고 파상풍(tetanus) 예방도 필수적이다.

4. 고양이에 의한 교합상

P. multocida 감염이 흔하여 penicillin을 투여한다.

E. 급성 화농성 건막염(Acute Suppurative Tenosynovitis)

1. 임상적 의의

대개 수지의 관통상(penetrating wound)으로 감염이 시작되며, 건막의 해부학적 특성으로 인하여, 짧은 시간에 건막의 전장에 파급될 수 있다. 염증으로 건막 내의 압력이 상승하면, 이차로 혈류 장애가 발생하고 활액 확산 작용도 저해되어 건의 괴사가 일어나기 쉽다. 가장 흔한 병원균은 포도상 구균이며, 감염과 동시에 격심한 동통이 있다.

2. 증상

소위 Kanavel의 4 주요 징후인 굴곡 건 주위의 격심한 압통(tenderness), 이환 수지의 반 굴곡 자세, 이환 수지의 균일한 종창, 그리고 이환 수지를 신전시킬 때의 심한 동통이 특징적으로 나타나서 진단에 도움이 된다(그림 9-42).

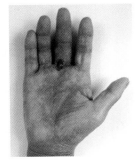

그림 9-42. 화농성 건막염

3. 치료

진단 즉시 시작해야 하며, 발병 후 48시간 이내의 경우에는 이환된 수부를 고정하여 안정시키고, 항생제를 투여하여 보존적으로 치료한다. 이에 잘 반응하지 않는 경우와, 발병 48시간 이후의 경우에는 수술적 치료를 요한다. 수술적 치료는 A1 pulley의 근위부와 A4 pulley의 원위부에 2개의 절개를 통하여 근위에서 원위로 drain을 삽입한다(그림 9-43).

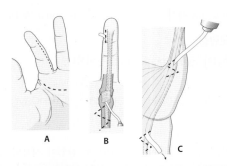

그림 9-43. 수지 굴곡 건막염의 배농. (A) 개방성 배농의 절개 (B) 건막의 폐쇄성 관주법 (C) 척골 점액낭의 폐쇄성 관주법

F. 마이코박테리아 감염 (Mycobacterial Infection)

1. 결핵(tuberculosis)

a. 임상적 의의

수부 결핵의 가장 흔한 표현형은 건초염이다. 수장측의 '결절종(ganglion)' 형태로 나타나면서, 수근관 안에서 정중 신경의 압박을 초래할 수 있다. 수부에서 비록 흔하지는 않지만, 설명되지 않는 건초염을 보게 되면 결핵 감염을 고려해야 하고, mycobacterium tuberculosis에 대한 조직 배양과 표본 검사를 해야 한다(그림 9-44).

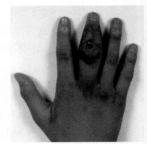

그림 9-44. **수부의 결핵**

b. 치료

건활액막 절제술 시행후 항결액제 약물 치료를 시행하는 병합 치료가 주로 권유된다. M. tuberculosis는 또한 수부의 골수염, 화농성 관절염, 수지염의 양상을 나타낼 수도 있고, 손목의 뼈와 관절을 침범할 수 있다. 손과 손목의 뼈와 관절을 침범하면, 뼈와 관절의 변연 절제술과 관절 유합술을 필요로 한다.

VI. 수부 종양
(Tumors and Tumorous Conditions of the Hand and Wrist)

손의 종양은 대부분이 양성이며, 흑색종(melanoma)과 같은 피부를 제외한 기타의 손 조직으로부터 발생하는 원발성 악성 종양은 매우 드물다. 손의 연부 조직에 발생하는 양성 종양으로는 결절종(ganglion)과 건막의 황색종(xanthoma) 등이 가장 흔하며, 양성 골 종양으로는 내연골종(enchondroma)이 흔하며, 악성 골 종양으로는 연골 육종(chondrosarcoma)이 드물지만 가장 흔하다. 전이암은 매우 드물어서 약 0.1%의 빈도라고 하며, 폐암으로부터의 전이암이 가장 흔하며, 그 외 신장암, 전립선암, 자궁, 유방, 위 및 직장암의 수부 전이가 보고 되고 있으며 근위 및 원위 지골을 잘 침범한다.

A. 결절종(Ganglion)

1. 임상적 의의

a. 손에서 가장 흔한 양성 종양(그림 9-45)

b. 원인은 불명하나 외상이나 관절염으로 관절액이나 건막의 활액이 새어 나와 고여서 종괴를 형성하거나, 연부 조직의 유점액 변성(mucoid degeneration)으로 발생된다고 한다.

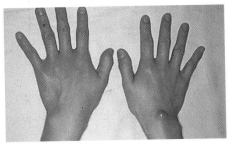

그림 9-45. 결절종

c. 가장 호발하는 부위는 손목의 후방에 총 수지 신건(extensor digitorum communis)의 바로 요골 측이며, 다음은 손목의 수장 측에 요 수근 굴건(flexor carpic radialis)과 장 무지 외전건(abductor pollicis longus) 사이이다. 간혹 중수지 관절 주위의 굴곡건 건막에서 발생하여 방아쇠 수지의 원인이 되기도 한다.

d. 결절종의 특이 증상은 만져지는 물렁한 종괴 이외에는 없는 것이 보통이나, 수지 신경이나 혈관을 종괴가 누르면 통증이나 감각 둔마, 근력 약화 등이 나타날 수 있고, 종양이 만져지기 전에 압통이나 수지 운동 시 불쾌감을 먼저 느낄 수도 있다.

2. 치료

결절종은 종종 자연 소실되기도 하나, 다양한 크기로 다엽성(multilobular) 구조로 되어 있기도 하여 주사기로 흡입 시 재발률이 제법 높다. 대부분의 경우 증상이 없으며, 수술을 통해 제거하더라도 재발을 잘하기 때문에 단순 경과 관찰이 추천된다. 만약 수술을 시행할 경우, 재발 가능성에 대한 충분한 상담이 필요하다.

B. 점액낭종(Mucous Cyst)

1. 임상적 의의

점액낭종은 종종 여성의 원위 지절 배부에서 발견된다. 이들은 피부 각질층의 점액종성 변성(myxomatous degeneration)에서 기원한다고 생각된다. 덮고 있는 피부는 얇고 투명해서 종종 속의 맑은 점액질이 보이기도 한다. 점액낭종은 가끔 헤버덴 결절(Heberden nodes)과 연관이 있다. 방사선 영상에서 거의 항상 낭종 근처의 골극(osteophyte)을 발견할 수 있다.

2. 치료

골극은 관절과 연결된 낭종의 줄기를 따라서 찾아서 제거한다. 덮고 있는 피부를 절제하면, 작은 부분 피부 이식술이나 국소 피판술이 필요하다.

C. 표피 낭종(Epidermoid Cyst)

표피 낭종은 외상(trauma)에 의한 표피 세포(epithelial cell)의 이식에 의해 발생할 수 있다고 현재 널리 받아들여지고 있다. 딱딱하고, 탄력이 있으며, 압통이 없는 피하 종물이 발견되었을 때는 수개월 전 손바닥이나 손가락 끝에 관통상의 과거력과 관련이 있다. 원위 지골이 가장 흔한 골성 부위이다. 낭종은 손톱 기저부에 나타나며 방사선상 내연골종처럼 보인다. 피질골은 확장되어 있으며, 중심부의 용해성 병변이 유일한 골성 반응이다. 낭종의 외과적 제거로 치료할 수 있다. 골 조직에서 발견된다면, 소파술 및 골 이식술도 고려될 수 있다.

D. 건막 거대 세포종(Giant Cell Tumor of Tendon Sheath)

1. 임상적 의의

손의 연부 조직 종양 중 두 번째로 흔하게 발생한다. 일명 황색종(xanthoma)이라고 하며, 수지의 굴곡건초에 호발하며, 신전건초를 침범하기도 한다. 대개는 하나 또는 여러 개가 함께 발생하기도 하여, 여러 해를 두고 서서히 자라며 고무를 만지는 정도의 소 결절로 만져지고, 절제 후 잘라보면 황색이나 갈색을 띤다.

2. 치료

양성 종양이지만 건이나 건막을 둘러싸고 있어, 부분 절제되는 경우가 많으며 약 10% 정도에서 재발될 수 있다. 다발성 황색종은 고지혈증(hypercholesterolemia)과 동반되는 경우가 대부분이어서 내과적 치료를 병행하여야 한다.

E. 사구종(Glomus Tumor)

1. 원인

피부의 정상 조직이며, 체온 조절을 돕는 기능을 갖고 있는 꼬인 형태의 동정맥 문합(arteriovenous anastomosis)인 사구의 이상

2. 임상적 의의

특히 손톱 밑에 1 cm 크기 미만의 작은 자주빛의 종괴로 생긴다(그림 9-46). 통증과 극심한 압통, 그리고 한냉에 민감한 것이 주 증상이다. 증상이 심할 경우 수술적 치료를 시행할 수 있으며, 위치 확인을 위하여 초음파 검사 혹은 자기 공명 영상(MRI) 검사가 필요할 수 있다.

그림 9-46. 사구종 병소와 이를 완전히 절제한 모습

3. 치료

일반적으로 수술적 치료가 추천되며, 완전 절제 시 재발되는 경우는 드물다.

F. 내연골종(Enchondroma)

1. 임상적 의의

손에 발생하는 양성 골종양 중 가장 흔하다. 신체의 다른 부위보다 수지골과 족지골에 호발하며, 골의 내부에서 연골을 형성하여 피질골을 밖으로 팽창시키며, 피질골을 뚫고 나오는 경우도 있다(그림 9-47). 따라서 사소한 외력에 의한 병적 골절을 흔히 동반한다.

Cf. Maffucci syndrome : 내연골종이 혈관종들과 동반

Ollier's disease (enchondromatosis) : 다발적으로 발생

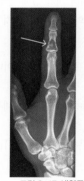

그림 9-47. 내연골종 (enchondroma)의 방사선 사진

2. 골절

골절은 정상적으로 잘 치유되며, 골 소파술 및 자가 골이식술로 치료한다.

G. 골연골종(Osteochondroma)

1. 임상적 의의

골간단 또는 원위 지골에 가장 흔하다. 드물지만 수지 골에 간혹 발생. 골 성장이 끝날 때까지 함께 자라며, 동통, 수지 변형 및 기계적인 주위 조직 압박 증상 때문에 수술로 제거하게 된다.

VII. 손목 및 수부의 만성 관절염(Chronic Arthritis)

A. 퇴행성 관절염(Degenerative Arthritis)

퇴행성 관절염은 수지의 원위 지간 관절과 무지의 지간 관절에서 가장 흔하게 발생하며, 다음으로 무지의 기저 관절(basal joint of the thumb)에서 호발한다.

1. 원위 지간 관절의 퇴행성 관절염(degenerative arthritis of the DIP joint)

통증과 조조 강직, 지간 관절의 후방으로 골극이 튀어나와 형성된 헤버딘 결절(Heberden's node), 그리고 변형 등의 증세가 있다.

a. 통증 : 그리 심하지 않은 무딘 통증이며 대부분 NSAIDs를 투여하면 경감된다.

b. 헤버딘 결절이 심하면 마치 망치 수지 같은 변형을 초래하게 되며 간혹 헤버딘 결절에 의해 신건이 종말부가 끊어지면서, 실질적인 망치 수지가 발생하는 경우도 있다. 관절 간격의 감소나 소실, 관절면이 파괴되면서 측방 변형이 발생하기도 한다.

c. 치료 : 가장 중요한 치료는, 노쇠 변화에 의한 것이며 특별한 치료가 있을 수 없다는 사실을 환자 자신으로 하여금 이해하게 하는 것이다. 환자가 헤버딘 결절을 참을 수 없는 경우 제거해 줄 수 있으며, 간혹 변형이 심한 경우에는, 이 관절의 관절 고정술을 시행하기도 한다.

2. 무지 수근 중수 관절의 퇴행성 관절염(basal joint arthritis of the thumb)

무지의 수근 중수관절은 basal joint라고도 불리며, basal joint는 큰 가동성을 가지지만, 그 안정성은 인대 구조에 의존하고 있다.

09

a. 임상적 의의

무지구 주위로 통증이 있으며 집기 파악력이 떨어지고 심하면 외전 범위가 감소하면서 중수지 관절에서 과신전 변형이 생길 수 있다.

b. 치료

① 보존적 치료 : 약물 치료, 무지 고정 부목이나 관절 내 스테로이드 주사가 있다.

② 수술적 치료

ⅰ. 인대가 느슨해져서 관절 움직임이 많고 활막염이 있지만 관절 연골의 상태가 양호한 초기 관절염 : 인대 재건술 또는 관절의 안정성을 높이는 중수골의 신전 절골술, 관절경적 활막 절제술 등을 할 수 있다.

ⅱ. 관절 연골의 손상이 진행되고 골극이 형성된 진행된 관절염 : 대다각골 절제술 또는 대다각골을 절제한 후의 공간에 건을 말아 넣거나 건 고정을 하는 방법으로 관절 움직임을 보존할 수도 있고, 관절 고정술을 시행할 수도 있다.

B. 류마티스 관절염(Rheumatoid Arthritis)

류마티스 관절염은 최근 항류마티스 약제의 발전으로 심한 변형을 동반한 환자는 줄어들고 있는 실정이다. 주로 수지의 중수지 관절에서 흔히 발생하며, 손목 관절과 원위 요척골 관절에도 흔히 발생한다. 류마티스 활막염이나 관절염에 의해 건이 파열되는 경우도 흔히 있으며, 주로 척측 수지 신전건이나 장무지 굴곡건에 발생한다. 손목의 척측 변위, 원위 요척 관절의 탈구, 손목 관절의 진행성 파괴, 중수지 관절의 척측 변위 또는 탈구, 무지나 수지 관절의 단추 구멍 변형(button hole deformity) 또는 백조 목 변형(swan neck deformity)이 흔한 소견이다. 건의 파열이 있는 경우 조기에 재건하는 것이 결과가 좋으며, 항류마티스 약제에 반응하지 않는 활막염에 대한 활막 절제술이 병의 경과를 늦출 수 있는지는 아직 확실하지 않다. 진행된 손목 관절 관절염에 대해서는 부분 또는 완전 고정술이나 관절 치환술을, 원위 요척 관절 관절염에 대해서는 척골 두 절제술 또는 척골 두를 요골에 고정하고 근위부에 가관절을 만드는 방법을 사용할 수 있다. 중수지 관절의 척측 변위나 관절염은 관절 치환술로 비교적 효과적으로 교정할 수 있다. 단추 구멍 변형이나 백조 목 변형에 대해서는 건 수술을 시행할 수 있다.

VIII. 수부의 혈관성 질환(Vascular Disease)

A. 볼크만 허혈성 구축(Volkmann's Ischemic Contracture)

소아 과상 골절 후 부종이나 외부 압력으로 전완부 동맥 특히 전 골간 동맥 (anterior interosseous artery) 등이 손상되면 전완부 근육에 대한 혈액 공급의 차단으로 근육 괴사, 섬유화 및 굴곡 구축 등이 오게 된다. 최초에는 심 수지 굴건과 장 무지 굴건을 침범하여, 점차 전완부 전체로 진행되고, 정중 및 척골 신경 마비까지 초래될 수 있는, 심각한 전완부 및 수지들의 굴곡 구축 변형이다.

B. 월상골의 무혈성 괴사(키엔벡 병, Kienböck's Disease) (그림 9-48)

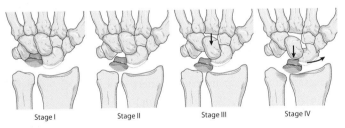

| Stage I | Stage II | Stage III | Stage IV |

그림 9-48. 키엔벡 병(Kienböck's Disease)의 분류 (Lichtman 1982)

1. 임상적 의의

원인을 알 수 없이 월상골(lunate)에 무혈성 괴사가 발생하여, 수근 관절에 동통과 운동 범위의 감소를 일으키는 질환을 말한다. 15~40세 사이에 잘 발생하고, 육체 노동을 하는 남자의 우성(dominant) 팔에 잘 생긴다. 무혈성 괴사 초기 진단에는 방사선 골 주사나 자기 공명 영상이 도움이 될 수 있다.

2. Lichtman의 분류(Lichtman classification)

a. Stage I : There is normal architecture with no plain radiographic changes or with evidence of a linear or compression fracture. MRI with gadolinium enhancement may show changes not seen on plain radiographs.

b. Stage II : The outline is normal, but definite density changes are present within the lunate.

c. Stage III : Collapse or fragmentation of the lunate and proximal migration of the capitates (carpal height ratio: 0.54 ±0.03) are present. Weiss et al. subdivided stage III into IIIA-sclerosis with fragmentation or collapse or both - and IIIB - radioscaphoid angle of more than 60 degrees that had no good or excellent results when treated with radial shortening or scaphotrapeziotrapezoid fusion, according to Condit et al.

d. Stage IV : There are generalized degenerative changes within the carpus.

3. 치료

관찰과 간헐적인 보조기 착용에서부터 수술적 치료까지 70여 종 이상이 고안되어 있으며, 환자의 연령, 직업, 성별 및 병변의 진행 정도 등을 고려하여 선택하여야 한다.

a. Lichtman Stage I or Stage II의 경우 : 척골 연장술, 요골 단축술, 수근 골 삼주상 유합술(triscaphe or scapho-trapezio-trapezoidal fusion), 3, 4 intercompartmental supraretinacular artery (3, 4 ICRSA)를 이용한 혈관 부착 생골 이전술, 혈관 이전술 등이 시술되고 있다.

b. 많이 진행된 Lichtman Stage III or IV의 경우 : 월상골 제거술, 월상골 제거 후 근막 충전술이나 방형 회내근 피판술, 근위 수근골 절제술을 포함한 여러 가지 관절 성형술이나 제한 관절 유합술(limited wrist arthrodesis) 등을 시행해 볼 수 있다.

C. 혈관 수축 질환(Vasospastic Disease) – 레이노드 현상 (Raynaud's Phenomenon)

1. 임상적 의의
정상적인 사람에서 동맥의 혈관 수축은 말초혈관의 저항을 조절하여 혈압을 유지시키고, 영양 모세 혈관으로 혈액을 보내고, 체온을 조절하며 외상(trauma) 시 과도한 출혈을 막는 기능을 한다. 그러나 부적절하게 혈관 경련(vasospasm)이 일어나면 동통을 느끼고 추위를 견딜 수 없어 일상 활동에 지장을 받으며 심지어는 수지의 궤양과 괴저가 발생하기도 한다.

2. 특징
아래의 삼상(triphasic : 백색-청색-적색) 변화를 레이노드 현상이라 한다
a. 추위에 노출되거나 교감신경의 자극에 의해 사지의 소동맥이나 세동맥이 수축되면 수지나 족지에 허혈이 일어나면 수지는 차가워지고 창백해진다.
b. 잠시 지나면 혈관 연축으로 인해 탈산소화된 혈액(deoxygenated blood)의 정체에 의해 청색(cyanosis)으로 된다.
c. 혈관의 경련(vasospasm)이 풀리면 혈관이 확장되고 반응성 충혈(reactive hyperemia)이 일어나면서 피부가 붉게 변하고, 동통과 이상 감각이 동반되기도 한다.

3. 구분
a. 일차성 레이노드 현상(primary Raynaud's phenomenon) 또는 레이노드 병 (Raynaud's disease) : 특정한 원인이 발견되지 않은 경우
b. 이차성 레이노드 현상 또는 그냥 레이노드 현상 : 이차적으로 발생.

4. 치료
a. 일차성 레이노드 현상
동맥의 구조는 정상이며, 동맥 재건은 필요하지 않지만 때때로 내과적 치료에 반응하지 않는 환자에서 cervical sympathectomy 또는 digital sympathectomy 를 고려할 수 있다.

b. 이차성 레이노드 현상

기저 질환의 심한 정도에 의존적이며, 허혈에 대한 수술적 치료는 digital sympathectomy와 arterial reconstruction을 필요로 한다.

IX. 기타(Miscellaneous Disorders)

A. 척측 충돌 증후군(Ulnar Impaction Syndrome)

1. 임상적 의의

a. 척골과 수근골 중 월상골 및 삼각골과의 과부하가 반복적으로 일어나 결국 척골두, 월상골, 삼각골, 월상삼각 골간인대(lunotriquetral[LT] interosseous ligament), 삼각 섬유 연골 복합체(TFCC) 중 관절판 등에 마모가 있어 결국 관절의 퇴행 변화로 진행하는 질환이다. 척수근 충돌(ulnocarpal impingement or abutement) 증후군이라고 하기도 한다.

b. 원인 : 손목 관절에서 척골이 요골보다 긴 양성 척골 변이(positive ulnar variance), 원위 요골 골절 후 요골 길이의 단축 또는 각형성, Essex-Lopresti 손상, 원위 요골의 외상성 성장판 정지 등

c. 신체 검진 : 주먹을 쥔 채로 척측 변위를 하는 유발 검사(ulnar impaction test)를 하면 증상이 나타난다.

2. 치료

a. 척골 변이가 중립이면, 관절경으로 관절판, 관절면의 연골 및 월상-삼각 골간 인대 등에 변연 절제술을 시행하는 것이 효과적이다.

b. 척골 변이가 양성이면, 척골 간부에서 척골 단축술(ulnar shortening)이나 척골두에서 수근골과의 관절면을 절제하는 원위 절제술인 Wafer 술식으로 척골 두와 수근골간의 압력을 낮추게 된다.

B. 듀피트렌 구축(Dupuytren's Contracture)

1. 임상적 의의

a. 피하의 수장 건막(palmar aponeurosis)의 섬유 모세포에 이상 증식이 일어나 결절이나 줄이 생기면서, 수지 관절의 구축으로 진행하는 섬유종증(fibromatosis)의 일종이다(그림 9-49).

b. 노년층에게서 주로 발병하며, 남자에게서 약 7배 이상 많이 발생한다. 유색 인종보다는 백인종에게서 흔한 질병이며, 간질(epilepsy), 당뇨병 및 알코올 중독자에게서 자주 발생하고 증상도 더 심한 경향이 있다. 환지와 소지가 가장 잘 이환되며, 대체로 양쪽 손에 구축이 일어난다. 원인은 아직까지 잘 알려지지 않았으며, 유전적 및 가족적인 인자와 수부에 가해지는 반복적인 외상 및 HIV 양성 등이 원인일 것이라고 생각된다.

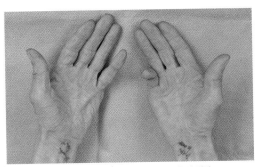

그림 9-49. 듀피트렌 구축 환자의 양측성 병변

2. 치료

a. 초기 보존적 치료

비타민 E 투여, 스테로이드 국소 주사, 방사선 치료 및 부목 고정을 시도할 수 있으나 그 효과가 미미하다. 최근에는 교원질 분해 효소(collagenase)를 주사하기도 한다.

b. 수술적 치료

증식 비대된 수장 근막이나 건막을 절제하거나 제거한다. 피하 근막 절단술 (subcutaneous fasciotomy), 근막 부분 절제술, 근막 전 절제술, 피부와 근막 절제 후 피부 이식 등이 있다.

외상

I. 골반골 골절(Pelvic Fractures)

A. 임상적 의의

a. 주로 고 에너지 외상에 의해 발생하며, 복부 및 두부나 흉부 등 신체 다른 부위의 생명에 위급한 동반손상이 흔해 사망률이 높은 손상으로 진단 및 치료가 늦어지는 경우가 자주 있다.

b. 골절 시 골반 내 혈관이 손상된 경우뿐만 아니라 골절 자체만으로도 쇽에 빠질 정도의 출혈이 발생할 수 있으므로 이에 대한 철저한 대비가 필요하다.

c. 골반골이 골절되면서 요도, 질, 직장 등 회음부 구조물의 손상이 자주 발생하기 때문에 이를 염두에 두고 진찰 및 처치를 하여야 한다.

d. 요천추 신경근 및 신경총과 좌골신경이나 대퇴신경 등 손상이 동반되는 경우가 흔하므로 모든 환자에서 꼭 신경학적 검사를 주의 깊게 시행하고 기록해 놓는다.

B. 쇽 처치법

a. 가장 먼저 할 일은 빠른 수혈이다. 이때 맥박, 혈압, 중심정맥압, 소변량 등을 감시한다.

b. 외부 출혈이 없더라도 상당량의 출혈이 발생한다.

c. CT angiography 등으로 출혈 부위를 확인할 수 있다.

d. active bleeding이 있는 경우 Angiography로 출혈부위 혈관에 색전술을 시행하여 출혈을 줄일 수 있다.

e. 기타 복강 내 출혈을 평가하는 방법 : diagnostic peritoneal lavage, 복부 CT, 초음파

f. 적당한 정복과 골절부의 안정화가 출혈 감소에 도움이 된다.

g. 외고정기 또는 상용화된 pelvic binder를 이용하여 골반의 용적을 감소시키는 것이 도움이 된다.

h. 최근에는 pelvic packing 등이 출혈 시에 도움이 된다는 보고도 있다.

C. 회음부 구조물 손상

a. 개방창이 있는지, 감각 이상이 있는지를 확인하고, 수지 직장 검사로 전립선의 위치와 괄약근의 톤을 평가한다.

b. 개방창이 없더라도 혈액이 관찰되는 경우 요도나 질, 직장의 손상을 의심하여야 하고, 요도 입구에 혈액이 관찰될 경우 도뇨관 삽입전에 역행성 요도조영술이 필요할 수 있다.

c. 직장 손상이 동반된 경우 감염에 이어 패혈증으로 진행될 수 있으므로 응급 colostomy를 요한다.

D. 분류

1. Tile 분류법

가장 흔하게 사용되며, 치료 방침을 정하는 데 유용하다(그림 10-1).

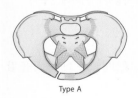 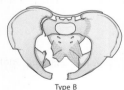 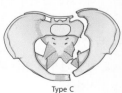

Type A   Type B   Type C

그림 10-1. Tile 분류

a. Type A : stable

b. Type B : rotationally unstable, but vertically and posteriorly stable

c. Type C : rotationally and vertically unstable

E. 진단법

1. 방사선 검사

대개 환자의 전신상태가 불안정하므로 환자는 그대로 둔 채 다음을 촬영한다.

a. Pelvis AP view

b. Pelvis inlet view

후방 골반환 평가에 용이(전후방 전위나 회전, 천골 손상평가)(그림 10-2)

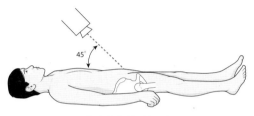

그림 10-2. Pelvis inlet view

c. Pelvis outlet view

전방 골반환 평가에 용이(수직 전위나 천장관절, 좌골 조면, 천골 신경공 손상 평가(그림 10-3)

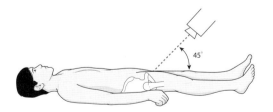

그림 10-3. Pelvis outlet view

2. 수직 불안정성을 의미하는 방사선학적 소견 : 수술적 치료 필요

a. 제4 또는 5 요추 횡돌기 골절

b. 두부방향으로 전위 > 1 cm

c. 천골 외측부 또는 좌골극 건열 골절

d. 치골결합이개 > 2.5 cm

e. 전위된 천골 골절

f. Push-pull test 상 1 cm 이상의 두부 방향으로의 전위

3. Pelvis CT

후방 골반환 평가에 우수하며, 환자가 안정화된 후 후방 구조물의 평가를 위해 반드시 시행한다.

F. 치료

a. Type A : 통증 치료가 주

b. Type B : 환자의 연령, 전신 상태, 동반 손상의 유무 및 종류, 골절의 양상과 해부학적 위치, 외력의 작용 방향과 골반환의 안정성 정도, 치료 의사의 경험과 능력 등을 고려하여 선택적인 수술 시행

c. Type C : 대부분 불안정하여 전위가 진행되므로 내고정 필요. 숙련된 술기가 필요

G. 합병증

a. 폐색전증 또는 지방색전증

b. 골반 변형에 의한 하지 길이 부동이나 앉는 자세의 불안정

c. 만성적 요통

d. 불유합에 따른 천장관절 주위의 불안정성

e. 신경손상에 따른 근육 마비와 이에 따른 하지 변형. 남성의 경우 발기부전이 흔하게 발생.

f. 동반손상의 후유증(요도협착, 장루 등)

H. 요약

1. 진단

Pelvis AP view, inlet view, outlet view, CT

2. 치료

출혈 관리, 골절의 불안정성 정도에 따라 수술적 치료의 필요성 결정

3. 수술 적응증

a. 급성 출혈기에 외고정기 이용이 도움이 됨
b. 수직 불안정성 소견 시 수술

II. 고관절 탈구(Hip Dislocation)

A. 임상적 의미

1. 교통 사고 등의 고 에너지 외상에 의해 발생함.

2. 동반 손상이 흔하므로 이를 염두에 두고 평가하여야 함.

a. 대퇴동맥, 대퇴 신경 손상(전방 탈구 시)
b. 좌골 신경 손상(최대 20% : 대부분 비골 신경 부분이 손상됨)
c. 대퇴골두 또는 경부 골절
d. 비구 골절(주로 후벽골절)
e. 동측 슬개골 골절 및 슬관절 인대 손상

3. 대퇴골두 무혈성 괴사의 합병 빈도를 줄이기 위하여는 가능한 한 빨리 정복을 하여야 함(정형외과적 응급에 해당함).

B. 진단

1. 하지의 위치로 진단을 예측할 수 있으나 방사선 검사로 평가하여야 함.

a. 손상 당시 고관절의 위치가 탈구의 방향을 결정함.

2. 단순 방사선 촬영

a. Hip의 AP와 translateral view
b. 정복 후 비구 골절 평가를 위해 pelvis AP와 both oblique views

3. CT

정복 후에 동반된 비구, 대퇴골두의 골절 및 관절 내 유리체의 존재를 확인하기 위해

C. 분류

탈구의 방향, 동반된 비구 및 대퇴골두의 골절 유무에 따라 분류한다.

1. 후방 탈구

a. 가장 흔함

b. 자주 비구 후벽 골절과 동반

c. 대퇴골두 전방 골절과 동반

d. 고관절이 굴곡, 내전, 내회전 상태에서 수상 시 발생

2. 전방 탈구

a. 흔하지 않음

b. 고관절 신전, 외전, 외회전 상태에서 수상 시 발생

D. 치료

1. 응급-도수 정복

a. Gravity method of Stimson

환자를 테이블에 엎드리게 한 후 보조자가 골반을 안정되게 고정하고 고관절과 슬관절을 90도 굴곡한 후 슬관절에 견인력을 가하면서 부드럽게 내회전 또는 외회전하여 정복(그림 10-4)

b. Allis maneuver

환자를 앙와위로 눕힌 후 보조자가 전상장골극을 눌러 골반을 안정되게 고정하고 고관절에 견인력을 가하면서 고관절을 90도 굴곡 후 부드럽게 내회전 또는 외회전하여 정복(그림 10-5)

c. Bigelow maneuver

환자를 앙와위로 눕힌 후 보조자가 전상장골극을 눌러 골반을 안정되게 고정하

고 한 손은 굴곡된 슬관절 아래에, 다른 한 손은 발목을 잡고 내전을 유지하면서 고관절을 90도 이상 굴곡 견인한 후, 부드럽게 정복 후 고관절을 외전, 외회전, 신전하여 내려놓는 방법(그림 10-6)

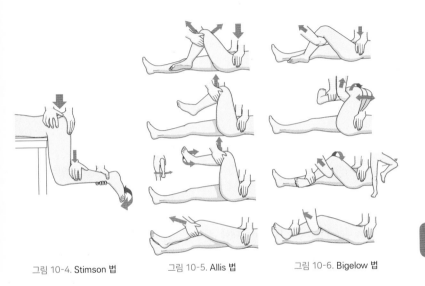

그림 10-4. Stimson 법　　　　그림 10-5. Allis 법　　　　그림 10-6. Bigelow 법

2. 응급-도수 정복이 실패하면 수술적 정복

3. 정복 후에는 안정성을 평가

4. 정복 후 단순방사선 사진(pelvis AP와 both oblique views), CT scan을 촬영하여 고관절의 안정성을 평가하고, 동반된 비구 골절, 대퇴골두 골절, 관절 내의 유리체 유무를 확인해야 함.

5. 만약 고관절이 안정적이고 동반 손상이 없다면 가능한 범위에서 체중 부하 시작함.

E. 합병증

    a. 좌골 신경 손상(최대 20% : 대부분 비골 신경 부분이 손상됨)

    b. 대퇴골두 괴사(최대 15%)

    c. 외상 후 관절염 : 후방 탈구에서 더욱 흔함.

    d. 재발성 탈구(드묾)

III. 대퇴골두 골절(Femoral Head Fracture)

A. 진단

    a. 단순 방사선 : hip AP와 lateral view

    b. CT scan : 골절편의 위치와 크기를 평가하고 동반된 비구 골절을 확인하기 위해

B. 분류

Pipkin classification. Fovea에 대해 골절의 상대적인 위치와 비구 및 대퇴 경부의 손상 유무에 의해 분류(그림 10-7).

    a. Type I : fovea 이하 부위 골절

    b. Type II : fovea 상부 골절

    c. Type III : 대퇴 경부 골절과 동반

    d. Type IV : 비구 골절과 동반

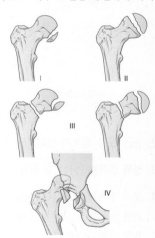

그림 10-7. Pipkin 분류

C. 치료

1. 일반 원칙

    a. 체중 부하 부위의 관절 congruity와 안정성을 회복한다.

    b. 동반된 유리체를 제거한다.

    c. 동반된 비구 골절을 치료한다.

d. 대퇴골두에 혈액을 공급하는데 연관된 구조의 손상을 방지한다.

2. 비수술적 치료

a. 적응

① Pipkin type I : 골절편이 작거나 congruent joint 또는 골절편이 크지만 비전
위 골절인 경우

② Pipkin type II : 비전위 골절인 경우 ; 3~4주 동안 자주 x-ray 추시를 해서 추
가적인 전위가 없는지 확인해야 함.

b. Protected weight bearing 4~6주

3. 수술적 치료

a. 적응

① 1 mm 이상의 step-off(작은 Pipkin type I 제외)

② 동반된 관절 내 유리체

③ 수술을 요하는 경부 골절 및 비구 골절

b. Headless countersunk lag screw로 고정

① 수술을 요하는 비구 후벽 골절이 없다면 type I, II fracture는 전방 도달법
으로

② Type IV는 후방 도달법

c. 기존의 고관절 질환(퇴행성 변화 등)이 있거나 고령의 환자는 처음부터 인공 고
관절 치환술을 고려함.

D. 합병증

a. 관절 탈구와 같음

b. Pipkin type III에서 대퇴골두 무혈성 괴사의 발생률이 가장 높음.

IV. 비구 골절(Acetabular Fracture)

A. 임상적 의의

    a. 교통 사고 등의 고에너지 손상으로 발생

    b. 고관절의 위치와 외력이 가해지는 방향에 의해 골절부위나 탈구 방향이 결정됨.

    c. 대개 고관절이 굴곡된 상태에서 axial load (dashboard injury)에 의해 손상

    d. 해부학적으로 정복될수록 결과가 좋다.

B. 진단

1. 단순 방사선 사진

    a. Pelvis AP

        6 cardinal lines가 중요(그림 10-8)

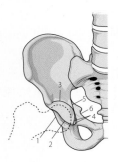

그림 10-8. Pelvis AP

Six cardinal radiographic lines of the acetabulum.
1. Posterior wall. 2. Anterior wall. 3. Roof. 4. Teardrop.
5. Ilioischial line. 6. Iliopectineal line.

b. Obturator foramen view

anterior column과 posterior wall (그림 10-9)

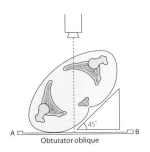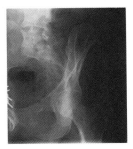

그림 10-9. obturator foramen view

c. Iliac wing view

posterior column과 anterior wall (그림 10-10)

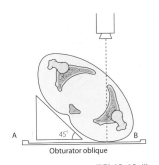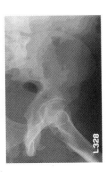

그림 10-10. Iliac wing view

d. Roof arc angle

비구 골절에서 정상 상부의 정도를 평가하는 방법(그림 10-11) 대퇴골두 중심에서 수직선과 비구 골절선과 비구 중심을 연결한 선 사이의 각도로 측정한다. 전후면 사진에서 내측 roof arc angle을, iliac wing view에서 전방 roof arc angle

을, obturator foramen view에서 후방 roof arc angle을 측정한다.

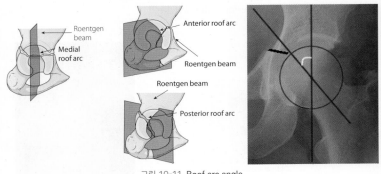

그림 10-11. Roof arc angle

e. Spur sign

양주 골절(both column fracture)의 특징적 소견으로 Obturator foramen view 에서 관찰할 수 있다(그림 10-12).

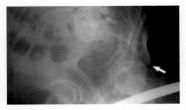

그림 10-12. Spur sign

2. CT scan

a. 1~2 mm 간격의 axial 영상이 유용함.

b. 대퇴골을 뺀 상태로 3D로 재건하여 평가할 수 있음(그림 10-13).

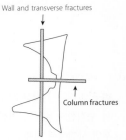

그림 10-13. Isolated CT reconstruction of acetabulum

C. 분류

1. Letournel classification

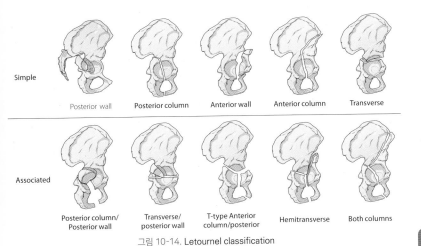

그림 10-14. Letournel classification

D. 치료

1. 일반 원칙

  a. 관절면의 일치성(congruity)와 고관절 안정성의 회복

  b. 대퇴골두로의 혈행공급에 손상을 주지 않는다.

  c. 심부정맥 혈전증 screening 및 예방

2. 비수술적 치료

  a. 적응증

    ① 전위가 없거나 2 mm 이내의 소량의 전위만 있는 경우

    ② Roof arc angle이 pelvis AP, inlet, outlet view 에서 45° 이상

    ③ 비구 후벽 골절이 불안정성이 없을 때(< 20% of post. wall)

④ 분쇄가 심한 양주 골절에서 secondary congruence가 있을 때

⑤ 고령의 환자에서 심한 분쇄골절인 경우. 골절 유합 후에 고관절 전치환술을 시행

b. 하지 골 견인을 이용하여 골절을 정복하여 유지시킨다.

c. 하방 견인을 12주간 유지하며 견인한 채로 능동적 관절 운동과 근육 강화 운동을 시작한다.

d. 견인 제거 후에도 3~6개월간 전 체중부하는 금지한다.

3. 수술적 치료

a. 적응증

① 보존적 치료의 적응증에 해당하지 않는 경우

② Roof angle 45° 미만(어떤 view에서도) 혹은 stress 검사에서 불안정성이 증명될 경우

③ 20% 이상을 침범한 비구 후벽 골절, 혹은 불안정한 비구후벽 골절

④ 관절 내 유리체

⑤ 도수 정복이 불가능한 골절-탈구

b. 수술의 상대적 비적응증

① 병적 비만인 경우

② 고령, 보행이 불가능하던 환자

③ 심부 정맥 혈전증이 있고 IVC filter를 못하는 경우

④ 지저분한 상처가 있어서 수술적 접근에 어려움이 있는 경우

⑤ 4주 이상 수술이 지연된 경우

c. 수술적 도달법

① 후방 도달법 (Kocher-Langenbeck approach) : 후벽골절, 후방골주 골절, 후방골주와 후벽의 골절, 횡골절과 후벽골절의 경우

② 장서혜 도달법 (ilioinguinal approach) : 전방 도달법. 전벽골절, 전방골주 골절, 전방골절과 반횡 골절의 경우 고려.

③ 횡골절, T형골절, 양측 골주 골절의 경우는 양상에 따라 적절한 도달법을 선택.

④ 최근에는 전방 도달법 시 modified Stoppa approach의 사용이 증가하고

있음.

E. 합병증

a. 연부 조직 손상(Morel-Lavalle lesion) : 감염율이 높다.

b. 심부 정맥 혈전증 : 수술 전 선별 검사 후 있을 때는 IVC filter

c. 폐색전증 : 심부 정맥 혈전증과 유사하게 치료

d. 이소성 골화 : 광범위 도달법에서 잘 생김. Indomethacin, radiation therapy로 예방 시도할 수 있음

e. 신경 손상 : 좌골 신경 손상이 고관절 후방 탈구와 동반. 고관절 신전, 슬관절 굴곡으로 좌골 신경의 긴장을 감소시킬 수 있다. 전방 도달법 시 lateral femoral cutaneous nerve 손상 가능하므로 주의

f. 대퇴골두 괴사 : 비구 후벽 골절에 동반. Medial femoral circumflex a. 손상 시 발생하기도 함.

g. 외상 후 조기 퇴행성 관절염 : 상부 천장에 전위성 골절 시 특히

h. Malreduction : 수술이 지연되면 될수록

i. 기능 장애 : 특히 외전근 약화(후방 도달법의 경우 특히)

j. 불안정성(비구 후벽 골절의 30~40%)

10

V. 대퇴 경부 골절(Femoral Neck Fracture)

A. 임상적 의의

주로 골다공증을 동반한 고령의 노인에서 낙상 등의 저 에너지 손상에 의해 발생하며 1년 내 사망률이 12~18%에 이른다. 노령층 환자에 있어 치료의 주된 목적은 통증을 없애서 조기 거동을 가능케 하여 욕창, 폐렴, 요로 감염 등의 합병증을 방지하는 것으로 가능한 빠른 수술적 치료를 요한다. 정복하여 내고정하는 경우 가능한 빨리 시행하여야 불유합 및 골두 괴사의 합병증을 줄일 수 있어 응급수술을 요한다.

B. 분류

1. Garden 분류법

골절의 전위 정도에 따라 분류(그림 10-15)

a. type Ⅰ : 불완전 혹은 감입 골절

b. type Ⅱ : 전위가 없는 완전 골절

c. type Ⅲ : 부분적 전위가 있는 완전 골절 - 대퇴골두의 소주 방향과 비구의 소주 방향이 일치 하지 않는다

d. type Ⅳ : 전위가 있는 완전 골절- 대퇴골두의 소주 방향과 비구의 소주 방향이 일치

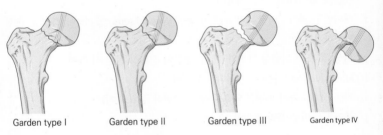

Garden type I   Garden type II   Garden type III   Garden type IV

그림 10-15. Garden 분류

2. Pauwel 분류법

골절선이 수평선과 이루는 각도를 기준으로 30도 이하를 1형, 30~70도를 2형, 70도 이상을 3형으로 구분하며 3형으로 갈수록 골절부에 전단력이 증가하여 불유합 위험성이 증가

C. 증상

a. 하지를 움직일 수 없고 고관절을 움직이면 심한 동통

b. 전위되면 하지가 약간 단축되고 외회전된다.

c. 비전위 시 서혜부나 대퇴부 또는 고관절 외측부에 동통을 호소할 뿐 하지의 변

형도 없고 능동적으로 고관절을 움직일 수 있어서 진단이 어려울 때도 있다.

D. 치료

1. 보존적 치료

a. 죽음을 앞둔 환자나 보행이 불가능한 환자 등 고관절 회복의 의미가 없는 경우
b. 압박형의 피로 골절
c. 6~8주간 운동을 엄격히 제한하며 주의 깊게 관찰해야 한다.

2. 수술적 치료

a. type I : 감입 골절의 경우 15%가 나중에 결국 전위된다.
b. type II : 비전위 골절 - 내고정술
c. type III/IV : 전위성 골절의 경우 도수 정복 후 정복의 질을 평가하여 수술방법을 결정한다.

3. 도수 정복

a. McElvenny 방법 : 고관절 신전상태에서 견인 후 내회전, 외전하여 정복
b. Deyerle 방법 : 고관절, 슬관절을 90도 굴곡한 후 골반을 고정한 뒤 대퇴골을 견인하고, 대퇴를 45도 내회전, 외전하여 정복 후 신전 자세로 유지

4. 수술적 정복

도수 정복으로 만족할 만한 정렬을 얻지 못하는 경우

E. 수술 방법

1. 다발성 핀삽입술(multiple pinning)

a. 내고정하는 가장 간단한 방법으로 경피적 방법으로 시행할 수도 있다.
b. 전신 상태가 안 좋거나 와상 상태의 환자에서 합병증을 줄이면서 시행할 수 있다.
c. 해부학적 도수 정복이 불가능한 경우 수술적 정복 후 시행한다.

10

2. 압박 고 나사못(compression hip screw)

Pauwel 3형의 경우나 하경부 골절형의 경우 압박 고 나사못의 사용이 다발성 핀삽
입술보다 생역학적으로 더 안정적이다.

3. 고관절 치환술(arthroplasty)

a. 전위성 대퇴 경부 골절의 경우 관절 치환술이 내고정술에 비해 재수술률이 낮은
장점이 있어 고령의 환자의 경우 우선적으로 고려한다.

b. 고정술에 비하여 심부 감염, 탈구, 재치환술의 가능성이 있어 이를 염두에 두고
결정해야 한다.

c. 고관절 치환술 시 반치환술(hemiarthroplasty)에 비해 전치환술(total hip
arthroplasty)이 기능적으로 좋은 결과를 보이나 탈구 가능성은 전치환술에서
더 높다.

F. 재활

a. 치료의 목적은 수상 이전의 상태로 복귀시키는 것

b. 내고정술 후 하지 직거상 및 회전 운동은 골절부위에 응력이 가해질 수 있어서
피한다.

c. 정복이 잘 이루어진 경우 술 후 전체중부하를 허용하며, 안정성이 불확실한 경
우 6주간 부분체중 부하를 하도록 한다.

G. 합병증

1. 고정 실패

a. 정복 소실, 나사못 관통, 대퇴골두 무혈성 괴사

b. 인공 고관절 치환술로 전환

2. 불유합

a. 전위성 골절의 경우 10~30%에서 발생

b. 대개 4개월 이내 유합

c. 대퇴 경우 골절에서 불유합이 잘 생기는 이유

① 골막이 얇고 cambium layer가 없다.

② 관절강 내 골절로 관절액이 혈종을 씻어내는 효과

③ 해면골이 충분하지 못하다

④ Ascending cervical artery (retinacular a.)의 손상으로 무혈성 괴사가 호발한다(그림 10-16).

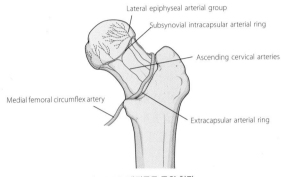

그림 10-16. 대퇴골두 주위 혈관

10

3. 무혈성 괴사

   a. Retinacular artery의 손상에 의해 발생함(빈도 : 12~35%).

   b. 손상 초기에 골두에 허혈이 발생하여 예후를 결정함.

   c. 전위성 골절의 경우 괴사 발생 가능성이 높고 감입 골절의 경우 가능성이 12% 정도로 생각됨.

   d. 증상에 따라 치료 여부를 결정함.

4. 감염

5. 폐색전증

6. 사망률

   a. 대개 술 후 1년에 사망률이 12~30% 정도

H. 요약 정리

a. 연령 및 Garden type에 따라 치료를 결정

b. 다발성 핀삽입술, 인공 고관절 치환술 중 선택

c. 골절 형태, 연령, 수술 전 병력, 보행 능력 등을 종합적으로 고려해야 함.

VI. 대퇴 전자간 골절(Intertrochanteric Fracture)

A. 임상적 의의

대퇴 경부 골절보다 더 노령층에서 발생하며 동반 질환의 수가 많고 적절한 치료에도 불구하고 40% 정도만이 병전 보행상태로 돌아갈 수 있음. 노령층 환자에 있어 치료의 주된 목적은 대퇴 경부 골절과 마찬가지로 통증을 없애서 조기 거동을 가능케 하여 욕창, 폐렴, 요로 감염 등의 합병증을 방지하는 것으로 가능한 빠른 수술적 치료를 요한다.

B. 수상 기전

넘어지면서 대전자 외측이나 후방에서의 직접적인 외력이나, 추락 또는 발이 걸려 넘어지면서 회전이 강요될 때 소전자부의 장요근(iliopsoas)과 대전자부의 외전근(abductor)의 상반된 근육의 작용으로 발생되는 간접적인 외력에 의해 발생함.

C. 진단

1. 단순 방사선 사진

a. Hip AP와 translateral view

b. Femur AP와 lateral view

c. Pelvis AP

2. 골절이 의심되나 단순 방사선 사진상 분명치 않을 때 MRI나 bone scan이 도움이 된다.

D. 분류

1. 안정성 여부에 따른 분류(Evans classification)(그림 10-17)

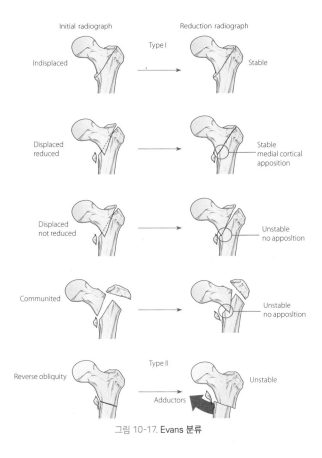

그림 10-17. Evans 분류

a. 안정성 골절

① 정복 시 대퇴골의 내측 피질골의 연속성을 얻을 수 있는 경우

② 소전자부 골절편이 있으나 크기가 작아 골절의 안정성과는 관계가 없는 경우

b. 불안정성 골절

① 정복 후에도 골절 편의 밀착이 없는 경우

② 후내측 피질골의 분쇄 골절 : 소전자부의 크기와 전위 정도가 중요

③ 골절선의 역전

④ 전자하부로 골절선이 연장된 경우

2. 골절편의 개수에 의한 분류

a. Two-part : 대개는 안정성

b. Three part : 중등도의 안정성. 후내측 골절편의 크기가 중요

c. Four-part : 가장 불안정

E. 치료

1. 일반 원칙

a. 견고한 내고정을 하고 조기 거동 및 체중 부하 시행

b. 고정물 실패의 가능성을 최소화한다.

2. 비수술적 치료

a. 마취 및 수술 자체의 위험이 더 큰 경우로 사망이 임박한 환자

b. 병전 보행 불가능하면서 수술에 절대적인 금기인 경우

c. 위 경우 8주 동안 비체중 부하

3. 수술적 치료

a. 적응

① 전위성 골절

② 대부분의 비전위성 골절

b. 대부분 내고정을 시행할 수 있음.

① 압박 고 나사

i. 불안정성 골절을 제외하고 대부분 적용 가능

ii. 높은 유합률

iii. 불안정성 골절의 경우 함몰, 하지 단축, 내측 전위가 중등도로 발생할 수 있다.

iv. 골수내 정(intramedullary nail)에 비해 함몰이 많음.

v. 지연 나사의 위치가 중요(전후방 및 측방 방사선 사진에서 계측한 지연 나사의 끝과 대퇴골두 관절면 사이의 간격을 합산한 수치(TAD, Tip Apex Distance)가 25 mm 이하인 경우 골두 천공 가능성이 낮아짐) (그림 10-18).

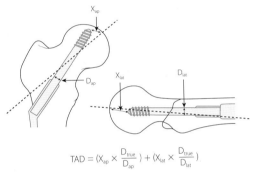

$$TAD = (X_{ap} \times \frac{D_{true}}{D_{ap}}) + (X_{lat} \times \frac{D_{true}}{D_{lat}})$$

그림 10-18. Calculation of tip-apex distance (TAD). For clarity, peripherally placed screw is depicted in anteroposterior (ap) view, and shallowly placed screw is depicted in lateral (lat) view. D_{true}'Known diameter of lag screw(From Baumgaetner MR, Curtin SL, Lindskog DM, Keggi JM: J Bone Joint Surg 77A: 1058, 1995).

② 골수내 정

　i. 대부분 골절에 적응이 됨.

　ii. 함몰이 비교적 적음.

　iii. 삽입물 주위 골절 가능성이 상대적으로 높음.

　iv. TAD < 25 mm 역시 중요함.

③ 고관절 치환술 : 다음의 경우 고려할 수 있음

　i. 무혈성 괴사, 퇴행성 관절염, 류마티스 등으로 인한 심한 관절의 손상이 수상 전부터 있었던 경우

　ii. 분쇄가 심한 경우

iii. 전위된 대퇴 경부골절이 동반된 경우

iv. 골다공증 등으로 인하여 안정적인 고정이 불가능한 경우

F. 합병증

1. 과도한 함몰

견고하지 않은 고정 후 조기 보행을 시행한 경우

a. 하지 단축, 내측 전위 초래

b. 외전근의 moment arm 감소로 기능 장애

c. 소전자부 전위

d. 골수내 정보다 압박 고 나사에서 함몰이 큼

e. 삽입물이 돌출되어 통증을 초래할 수 있음.

2. 골두 천공(cutting-out)

특히 TAD 25 mm 이상인 경우

3. 삽입물 주위 골절

골수내정이 압박 고 나사보다 흔함. 그러나 현대적인 골수내 정에서는 원위부 교합 나사못이 작아지고 골수내 정 끝에서도 멀어져 드물어짐.

4. 감염

5. 사망률

대개 수술 후 1년 사망률이 12~30% 정도임.

G. 요약 정리

a. 환자의 불안정한 내과적 상태를 수술 전 최대한 교정하는 것이 중요함.

b. 욕창이 발생하지 않도록 하는 것이 중요함.

c. 정맥 혈전증의 발생 여부를 확인하고 예방할 수 있도록 조치를 취해야 함.

VII. 전자하 골절(Subtrochanteric Fracture)

A. 임상적 의의

   a. 전자간 골절에 비해 큰 에너지 손상

   b. 대퇴 경부 골절 및 전자간 골절에 비해 젊은 연령대에 발생

   c. 전자간 골절이 전자하부로 연장된 경우에는 높은 연령대에 발생

   d. 주로 피질골로 형성되어 분쇄 골절이 많고 골유합력이 떨어지며 생역학적으로 스트레스를 많이 받는 지역으로 골 유합이 일어나기 전에 내 고정물 실패의 가능성이 높다.

B. 진단법

1. 단순 방사선 사진

   a. Hip AP와 translateral view

   b. Femur AP와 lateral view

C. 분류

10

1. Russell-Taylor의 분류

가장 실용적임. 소전자와 piriformis fossa의 침범 여부에 따라(그림 10-19)

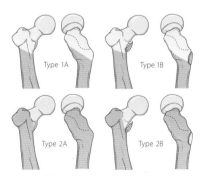

그림 10-19. Russel-Taylor 분류

a. Type IA : 소전자 이하의 골절

b. Type IB : piriformis fossa는 괜찮고 소전자를 침범

c. Type IIA : piriformis fossa를 침범, 소전자는 괜찮음

d. Type IIB : piriformis fossa와 소전자 모두 침범

D. 치료

1. 일반 원칙

a. 하지 길이, 정열, 회전을 맞춘다.

b. 골절편의 혈류를 보존하면서 견고한 내고정을 하는 것이 중요함.

2. 비수술적 치료가 가능한 경우는 거의 없다.

3. 수술적 치료

삽입물은 내측 압박력과 외측 긴장력을 견뎌야 한다.

a. 적응

대부분의 전자하 골절

b. 골수내 고정

① 비수술적 정복으로 골절편의 혈류를 보존 가능

② 근위 골편은 외전근(abductor muscle)에 의해 외전되며 장요근(iliopsoas)에 의해 굴곡, 외회전되고, 골간은 내전근(adductor-muscle)에 의해 내전된다(그림 10-20).

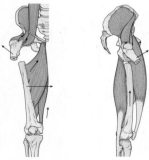

그림 10-20. 대퇴골 근위 골편의 전위

③ 따라서 골절부가 내반 및 굴곡되어 정복되는 경우가 흔하게 발생

④ 도수정복이 안 될 때는 최소한으로 절개하여 경피적으로 정복 후 골수 내 정 삽입

c. 골수내 정의 장점

① moment arm이 짧아서 하중 전달에 효과적

② 기구 실패 위험 감소

③ 단축이 적고, 골절부위 과도한 변형 발생 감소

④ 금속판이 load sparing되는 반면 골수내 정은 load sharing으로 골절부에 지속적으로 압박이 가해짐.

⑤ 짧은 수술 시간, 작은 절개 부위

d. 금속판 나사못 고정

근위부의 분쇄가 심한 경우 다양한 금속판을 사용하기도 함.

① 압박 고 나사

② 역동적 과상 나사

③ 고정각 칼날 금속판

E. 합병증

10

a. 지연 유합 및 불유합 : 골수내정의 사용으로 감소하였으나 주의하여야 함.

b. 부정 정열 : 내반 및 굴곡 변형의 가능성이 높아 처음에 정복을 잘 해야 함.

c. 감염 : 연부조직 박리가 많은 경우

F. 요약 정리

a. 고에너지 손상일 경우가 많으며

b. 하중이 집중되는 부위로 수술 후에도 지연 유합, 불유합의 가능성이 높아 주의해야 한다.

주요 질환

I. 대퇴 골두 무혈성 괴사

A. 역학

1. 발생 빈도
   a. 미국 : 10,000-20,000명/년(Lavernia et al. J Am Acad Orthop Surg, 1999)
   b. 일본 : 11,400명/년(Fukushima et al. Clin Orthop Relat Res, 2010)
   c. 한국 : 14,103명/년(Kang et al. J Arthroplasty, 2009)

2. 호발 연령 : 30대-50대

3. 성비 : 남자 > 여자

4. 양측성 : 42-72%

B. 원인 및 위험인자

1. 외상성
   대퇴 경부 골절, 고관절 탈구 등

2. 비외상성
   a. 알코올 : 주(week)당 알코올 섭취 400 mL를 경계로 급격히 발병 빈도가 증가하여 비음주인의 9.4배(Matsuo et al. Clin Orthop Relat Res, 1998)
   b. 부신피질호르몬 : 복용 기간과 용량이 중요한 위험 인자
   c. 이압증(Dysbarism) : 터널 근로자, 심해 잠수, 고도 비행 등
   d. 겸상 적혈구 빈혈(Sickle cell anemia)
   e. Gaucher 병
   f. 방사선 조사(Radiation therapy)
   g. 흡연
   h. AIDS

3. 특발성(Idiopathic)

C. 발생 기전

정확한 병리기전이 아직 규명되지 않음
a. 경색(Infarction)
b. 지방 색전(Fat embolism)
c. 세포 스트레스 축적(Accumulative cell stress)
d. 점진적 허혈(Progressive ischemia)
e. 혈액 응고 이상(Coagulopathy)

D. 임상 소견

a. 초기에는 증상이 없다가 괴사부위에 골절이 발생하면서 활동에 의해 악화되는 서혜부 동통이 발생함
b. 둔부, 대퇴부 및 슬관절부의 동통을 호소하는 경우도 있기 때문에 요통과 좌골 신경통으로 오진할 위험이 있음
c. 함몰이 진행할 경우 통증이 악화되고 파행이 생길 수도 있음

E. 진단

1. 병력 청취
a. 원인 및 위험인자에 대한 자세한 병력 청취
b. 이전의 치료 병력

2. 이학적 검사
a. 관절 운동 범위 측정 : 굴곡 구축, 외전 및 내회전의 제한이 있을 수 있음.
b. Patrick 검사상 양성
c. 골두 함몰이 심할 경우 환측 하지의 단축이 있을 수 있음.

3. 단순 방사선 검사
a. 초기에는 골두 음영 감소 이외에 이상 소견이 없다가 시간이 지나면서 점차 괴

사부 외연을 따라 골음영이 증가하고, 괴사부 내 골음영도 불규칙하게 변함.
b. 대퇴 골두 연골하 골절이 있을 경우 crescent 징후가 관찰되고, 괴사 부위가 함몰될 경우 골두가 납작해지면서 이차적인 퇴행성 변화가 생길 수 있음(그림 10-21).

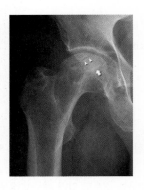

그림 10-21.
대퇴골두 무혈성 괴사증의 단순 방사선 사진으로 괴사부 외연을 따라 골음영이 증가되어 있고 (화살표), 연골하 골절 소견(화살촉)과 함께 대퇴골두가 함몰된 것을 관찰할 수 있다.

4. 자기 공명 영상 검사(MRI)

a. 괴사가 생기고 3-4주 후에야 MRI상 이상 소견이 관찰됨.
b. 괴사 발생 후 최초에 관찰되는 MRI 이상 소견
 ① T1 강조 영상에서의 저신호 강도 띠(low signal intensity band) (그림 10-22)
 ② 병리 소견 상 괴사부 외연의 반응지역(reactive zone)에 해당됨.
c. 이중선 징후(Double line sign) : 반응지역이 T1 강조 영상에서 외측 정상 부위 경계의 저신호 강도 띠, T2 강조 영상에서 내측 괴사부위 경계의 고신호 강도 띠(육아조직층)로 보이면서 소위 이중선으로 나타남(그림 10-23).
d. MR crescent sign : MRI 상에서 관찰되는 연골하 골절 소견으로 T1 강조 영상에서는 저신호 강도로, T2 강조 영상에서는 다양한 신호 강도로 관찰됨.
e. 골수 부종(Bone marrow edema) : 괴사부에 골절이 생기면서 그 반응으로 골수 부종이 발생하는 것으로 해석되는데, 괴사부 밖의 살아있는 부위에서만 관찰이 되고 괴사부에서는 관찰되지 않기 때문에(그림 10-24A), 골두 전체에서 부종이 관찰되는 일과성 골다공증이나 연골하 스트레스 골절(그림 10-24B)과 뚜렷한

차이가 있음.

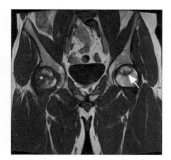

그림 10-22.
T1 강조 영상에서 관찰되는 저신호 강도 띠(화살표). 괴사부 외연의 반응지역에 해당됨. 우측 대퇴골두에서 저신호 강도로 보이는 골수부종 소견(*)이 괴사부 내측에는 관찰되지 않음.

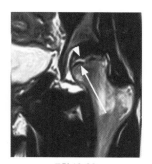

그림 10-23.
T2 강조 영상에서 관찰되는 이중선 징후 소견으로, 저신호 강도 띠(화살표) 안쪽으로 고신호 강도띠가 관찰됨(화살촉).

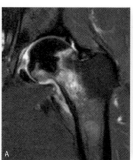
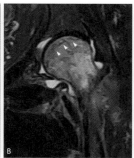
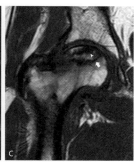

그림 10-24. 무혈성 괴사(A)에서는 괴사부 밖에만 부종이 관찰되는 반면, 대퇴골두 연골하 스트레스 골절(B)에서는 연골하 골절선(화살촉)만 있을 뿐, 괴사부 외연에 해당되는 이상 신호 강도 띠가 없고 대퇴골두 전반에 걸쳐 부종 소견이 관찰됨. C는 그림 10-21과 동일한 환자의 T1 강조 자기 공명 영상 사진 소견으로 연골하 골절에 해당하는 저신호 강도선(화살촉) 밖으로 괴사부 외연에 해상하는 저신호 강도선(화살표)이 같이 관찰되어 대퇴골두 연골하 스트레스 골절(B)에서의 소견과 구분됨.

F. 병기(Staging)

1. Ficat & Arlet staging

표 10-1. Ficat & Arlet staging

병기	증상	단순 방사선 소견
I	없거나 경도	정상
II	경도	대퇴 골두 음영 증가
IIA	경도	대퇴 골두 내 경화 소견 및 낭종 형성이 관찰됨
IIB	경도	Crescent 징후가 관찰되거나 골두가 평편해짐(flattening)
III	경도 및 중등도	대퇴 골두가 함몰됨
IV	중등도 및 중증도	병변이 비구까지 확장, 관절간격 감소 등 관절 파괴 소견

G. 치료

1. 치료에 영향을 주는 인자
  a. 괴사 병변의 크기와 위치
  b. 대퇴 골두 함몰의 정도
  c. 비구의 침범 유무와 퇴행성 변화 진행 정도

2. 괴사 발생 후의 경과
  a. 괴사가 확인된 후 괴사부가 없어지거나 크기가 작아졌다는 보고가 있지만 매우 드문 것으로 알려짐.
  b. 대부분 괴사된 대퇴 골두는 골절이 발생하면서 함몰로 진행되지만, 괴사의 크기가 작은 경우 골절이나 함몰이 생기지 않고 통증 없이 지낼 수 있는 것으로 알려져 있음.
  c. 크기가 어느 정도 크더라도 병변이 골두 내측에 위치하거나 골두의 중앙에 있는 경우에는 골절이나 함몰이 발생하지 않는 것으로 알려짐.
  d. 일단 골절이나 함몰이 발생하여 통증이 생기더라도 약 20%의 환자에서는 별다른 치료 없이 상당 기간을 지낼 수 있음.

e. 한쪽에만 괴사가 있는 경우 최초 MRI상 괴사가 없었던 골두에서 새롭게 괴사가 발생하는 경우는 매우 드문 것으로 알려짐.

3. 비수술적 치료 방법

a. 단순 관찰 : 증상이 없고 괴사 병변의 크기가 전체 골두의 30% 미만인 경우 단순 경과 관찰할 수 있음(Nam et al. J Bone Joint Surg, 2008).

b. 약물 치료 : 발병 원인이나 기전에 대한 가설을 바탕으로 lipid-lowering agent, anticoagulant, vasodilator, bisphosphonate 등을 사용한 예들이 보고되고 있으나 아직 명확한 효과는 입증되지 않았음.

c. 비약물적 치료 : 전자기장 요법, 체외충격파 치료, 고압산소치료 등을 사용한 예들이 보고되었으나 역시 효과가 입증되지 못했음.

4. 수술적 치료 방법

a. 관절 보존 치료

① 재생 수술

   i. 괴사 부위의 압력을 낮추고 재생을 유도하기 위해 중심 감압술(Core decompression, 그림 10-25)과 다발성 천공술(Multiple drilling)이 시도된 적이 있음.

   ii. 이외에 괴사된 골조직을 제거하고 골반골, 경골, 비골 등을 이용한 골 이식을 시행하기도 하며, 미세수술로 혈관과 함께 혈류가 통하는 뼈를 이식하기도 함(그림 10-26).

   iii. 재생 수술은 제I, II기에 시행하는 것이 이상적인데, 골 이식을 첨가하는 경우에는 III기에서도 시행할 수 있음

② 구제 수술 : 대퇴 골 근위부에 절골을 시행하여 괴사된 부위를 회전시켜 대퇴 골두의 온전한 부위가 체중부하를 견디도록 대치시키는 방법

   i. Sugioka 대퇴전자간 회전 절골술(그림 10-27) : 괴사 부위가 전방이고, 대퇴 골두의 후방이 살아있는 경우에 절골 후 대퇴골두를 전방으로 회전시키는 술식

   ii. 대퇴전자간 후방 회전 절골술 : 괴사 부위가 후방이고, 대퇴 골두의 전방이 살아있는 경우에 시행

10

iii. 대퇴 골두의 함몰이 발생한 III기까지 시행할 수 있음.

b. 인공관절 치환술

대퇴 골두가 함몰되고 고관절의 퇴행성 변화가 진행하여 정상적인 관절 기능을 하지 못하면서 심각한 통증이 있는 환자에서 인공관절 치환술을 시행함

① 양극성 반치환술 : 비구 관절연골이 온전한 경우 괴사된 대퇴골두 쪽만 인공 관절로 교체하는 반치환술을 시행할 수 있음. 하지만, 환자들의 연령이 비교적 젊은 대퇴 골두 무혈성 괴사에서는 인공관절 전치환술에 비해 수명이 길지 않고 비구 관절연골의 마모와 퇴화를 야기시켜 재치환술을 하게 되는 경우가 많아 치료 선택에 주의가 필요함.

② 인공 고관절 전치환술 : 과거에는 활동이 왕성한 젊은 연령의 대퇴 골두 무혈성 괴사 환자들에서 시행한 고관절 전치환술에서 실패율이 비교적 높다고 보고되었으나, 최근에는 관절면의 소재로 세라믹, 금속, 강화 폴리에틸렌이 사용되면서 마모가 줄어 내구성이 크게 향상되었음.

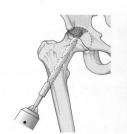
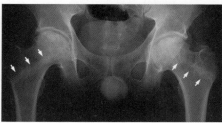

그림 10-25. 중심 감압술을 시행한 사진

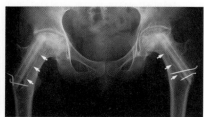

그림 10-26. 혈관부착 자가 비골 이식술을 시행한 사진

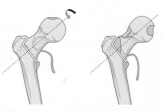

그림 10-27. Sugioka 대퇴전자간 회전 절골술.
괴사부위를 전하방으로 옮기고 온전한 부위를 체중부위로 이동시킴.

II. 발음성 고관절(Snapping Hip, Coxa Saltans)

A. 임상적 의미

고관절을 움직일 때 근육 및 건이 뼈의 융기 부분을 지나거나 관절 내부의 이상 병변으로 인해 탄발성 음이 발생하는 일련의 상태

B. 원인

1. 관절 외부의 원인(Extra-articular type)

a. 외부형(External or lateral type)

장경대(Iliotibial band)나 중둔근 및 대둔근건(Gluteus medius or maximus tendon)이 대전자 위에서 미끄러져 움직일 때 탄발음이 발생하는 경우

b. 내부형(Internal or medial type)

장요근건(Iliopsoas tendon)이 대퇴 골두 앞쪽과 관절낭 또는 장치융기 (iliopectineal eminence) 위를 지나가면서 탄발음이 발생하는 경우(그림 10-28)

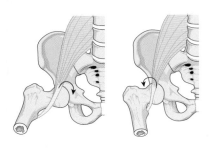

그림 10-28. 고관절이 굴곡, 외전, 외회전된 상태에서 내회전, 신전하게 되는 경우 장요근 건이 대퇴 골두 앞쪽과 관절낭 또는 장치융기 위를 지나가면서 탄발음이 발생하게 됨.

2. 관절 내부의 원인(Intra-articular type)

a. 유리체(Loose body)

b. 관절순 병변(Labral pathology)

C. 임상 소견

a. 탄발음은 본인만 인지할 정도로 작거나 곁에 있는 사람이 들을 수 있을 정도로 소리가 큰 경우까지 다양함.

b. 동통은 없거나 간헐적으로 발생할 수도 있고, 만성적으로 지속되는 경우도 있음.

c. 장경대의 구축이 심한 경우에는 고관절의 내전이 제한되어 심한 경우 다리를 벌리고 걷거나 정상적인 보행이 어려울 수도 있음.

d. 관절 내부의 원인인 경우 고관절을 움직일 때나 보행 시 잠김(locking) 증상을 호소할 수 있음.

D. 진단

1. 이학적 검사

a. 외부형인 경우

① 전자부 외측의 압통을 호소할 수 있음.

② 탄발이 유발되는 동작에서 청진, 시진, 촉진을 통해 인지할 수도 있음.

③ 구축이 심한 경우에는 앉은 자세에서 반대쪽 무릎 위로 다리를 교차시키지 못함.

④ 원인이 되는 근육 및 건의 구축을 진단하기 위한 수동적 내전 검사(측와위 상태에서 시행)

    i. 장경대 구축 검사 : 무릎을 신전한 상태에서 검사자는 고관절을 신전한 상태에서 내전시킴(그림 10-29A).

    ii. 중둔근 구축 검사 : 무릎을 굴곡시켜 장경대의 영향을 최소화시킨 상태에서 고관절을 내전시킴(그림 10-29B).

    iii. 대둔근 구축 검사 : 검사하고자 하는 쪽의 어깨를 바닥에 닿게 회전한 상태에서 슬관절은 신전시키고 고관절을 굴곡 내전시킴(그림 10-29C).

b. 내부형인 경우

① 장치융기 부위의 압통을 호소할 수 있음.

② 그림 10-28과 같이 고관절을 굴곡, 외전, 외회전시킨 상태에서 내회전, 신전시켜 탄발을 유발시킴.

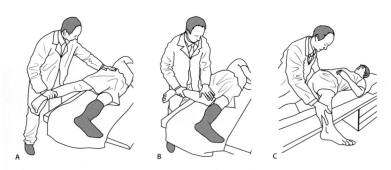

그림 10-29. 측와위 상태에서 장경대, 중둔근 및 대둔근의 구축을 진단하는 수동적 내전 검사

2. 영상 검사

a. 단순 방사선 검사

대부분 별다른 이상 소견이 없는 경우가 많은데, 이상적인 골성 융기가 관찰되거나 만성적인 경우에는 전자부 점액낭이나 장요 점액낭 부위에 석회화 소견이 관찰되기도 함.

b. 초음파 검사(Dynamic sonography)

검사자가 탄발이 유발되는 동작을 시키면서 동시에 초음파 상에서 비후된 건을 관찰하거나, 건이 골융기 부위 위를 지나가면서 탄발음이 발생하는 것으로 진단할 수 있음(그림 10-30).

c. 자기 공명 영상 검사

발음성 고관절에서 MRI를 시행하는 경우는 드물지만, 원인이 되는 근육 및 건의 비후가 관찰되거나 주변의 점액낭염이 관찰되기도 함.

E. 치료

1. 비수술적 치료

a. 대부분 병에 대해 정확하게 인지시키고 안심시키면서 탄발을 유발하는 동작을 피하게 하는 것만으로 증상을 개선시킬 수 있음.

b. 보존적 치료로 활동제한, 온열 치료, 물리 치료를 시행할 수 있고, NSAID 복용

및 스테로이드 제제의 국소 주사 등 약물적 치료를 시행할 수도 있음.

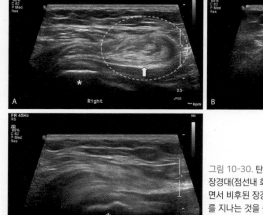

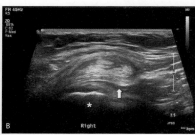

그림 10-30. 탄발을 유발하기 전 초음파 사진상 비후된 장경대(점선내 화살표)가 관찰됨(A). 고관절을 굴곡시키면서 비후된 장경대(화살표)가 대퇴 골 전자부(별표) 위를 지나는 것을 볼 수 있음(B). 굴곡을 진행하면 탄발음이 발생하면서 비후된 장경대(화살표)가 대퇴 골 전자부(별표) 위를 빠르게 지나는 것을 관찰할 수 있음(C).

2. 수술적 치료

a. 수술은 보존적 치료에도 불구하고 탄발음이 지속적으로 발생하면서 통증으로 인해 일상 생활에 제한이 있거나 심한 구축으로 인하여 보행에 제한이 있는 경우에 시행할 수 있음.

b. 구축된 근육 및 건을 찾아 길이를 연장시키거나(Z-plasty) 비후된 장경대 후방부를 전방으로 이동시키는 방법 등 다양한 수술적 술기가 있음.

c. 최근에는 관절경적으로 수술을 시행하는 방법도 보고됨.

III. 고관절 주위의 염증성 질환

A. 일과성 고관절 활액막염(Transient Synovitis of the Hip)

1. 임상적 의미
- a. 소아기에 발생하는 고관절의 비특이적 염증질환으로 대부분 특별한 치료 없이도 후유증이 생기지 않고 저절로 치유됨.
- b. 10세 이하 소아에서 발생하는 고관절 통증의 가장 흔한 원인
- c. 발생 연령은 유아기에서 청소년기까지 어느 연령에서든지 발생할 수 있으나, 주로 3-8세 사이에 주로 발병
- d. 성인에서도 과도한 운동 후에 발생할 수 있음.
- e. 재발률은 4-6% 정도로 비교적 높은 것으로 알려짐.

2. 원인
감염, 외상, 알레르기성 과민증 등이 원인적 요인인 것으로 보고되고 있으나 현재까지 정확한 원인은 밝혀지지 않음

3. 임상 소견
- a. 주된 증상인 동통은 갑자기 시작되는 경우가 많은데, 상기도 감염 등 바이러스 감염이나 가벼운 외상 후에 생기기도 함.
- b. 서혜부나 고관절 부위의 동통을 호소하고 파행이 있으나 대퇴 내측이나 슬관절의 동통을 호소하는 경우가 자주 있어 진단에 주의가 필요함.
- c. 미열을 동반하는 경우가 있지만 38도 이상의 열이 나는 경우는 드묾.
- d. 증상은 수일에서 수주간 지속되는데, 평균 10일 정도이며 대부분 4주 이내에 소실됨.

4. 진단
- a. 혈액 검사 : 백혈구 수나 ESR, CRP가 약간 증가될 수 있지만, 대부분 정상 소견
- b. 단순 방사선 검사 : 대부분 정상이지만, 관절 내 삼출액이 증가할 경우 내측 관절 간격이 증가한 소견이 관찰될 수도 있음.
- c. 초음파 검사 : 관절 내 삼출액의 유무를 알 수 있는 가장 좋은 방법

d. 골 주사 검사(Bone scan) : 정상이거나 고관절 부위의 흡수가 전체적으로 약간 증가된 소견이 관찰될 수 있음

e. 자기 공명 영상 검사 : 대부분 관절 내 삼출액의 증가 외에 이상 소견이 관찰되지 않으나 Legg-Calve-Perthes 병과의 감별이 필요한 경우 유용한 검사 방법

5. 감별 진단

a. Legg-Calve-Perthes 병

b. 화농성 및 결핵성 관절염

c. 대퇴 골 근위부 골수염

d. 연소기 류마토이드 관절염(Juvenile rheumatoid arthritis)

e. 대퇴 골두 골단 분리증(Slipped capital femoral epiphysis)

f. 유골 골종(Osteoid osteoma)

6. 치료

a. 동통이 소실되고 관절 운동 범위가 완전히 회복될 때까지 체중 부하를 하지 않고 침상 안정 가료를 해야 함.

b. 동통은 안정 가료를 하면 대개 좋아지며 관절 운동 범위는 일주일 이내에 호전됨.

c. 관절 운동 범위가 회복된 후에도 2주 정도 체중 부하를 금함.

d. 필요할 경우 NSAIDs를 사용하여 증상 호전을 기대할 수 있음.

e. 견인

① 통상적인 보존적 치료에도 증상이 호전되지 않고 자주 재발하는 경우 이외에는 시행하지 않음.

② 견인할 경우에는 관절강 내 압력이 높아지지 않도록 고관절을 30-45도 굴곡시킨 상태에서 견인을 시작함.

B. 고관절 주위 석회화 건염(Calcific Tendinitis Around the Hip)

1. 임상 소견

a. 견관절에 발생하는 석회화 건염과 유사하게 고관절 주위 근육의 골부착 부위에도 석회성 건염이 발생할 수 있음.

b. 증상은 대개 갑자기 발생하며, 이환된 부위의 동통과 압통이 극심해서 고관절 운동 범위가 제한되기도 함.

c. 발생 부위 주변의 국소 부종이나 열감이 생기기도 함.

d. 발생 부위 : 중둔근의 대전자 부착부위(그림 10-31A)나 대둔근의 대퇴골 부착부위(Gluteal sling, 그림 10-32)에 주로 발생하고, 대퇴직근 기시부에서 발생하기도 함.

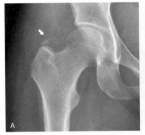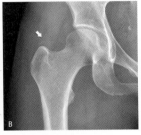

그림 10-31. 우측 대퇴 골 전자부 중둔근 부착부에 발생한 석회화 건염
단순 방사선 사진상 증가된 골음영의 석회 침착 소견(화살표)이 관찰됨(A).
4개월 후 추시 방사선 사진상 희미한 골음영(화살표)만 관찰되고 대부분 흡수되어 없어짐(B).

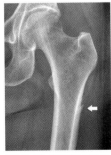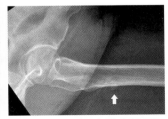

그림 10-32. 대둔근의 대퇴 골 부착부위(Gluteal sling)에 발생한 석회화 건염

2. 진단

a. 단순 방사선 검사

① 근육의 골부착 부위에 전형적인 석회 침착 소견으로 진단할 수 있음.

② 석회 침착이 있어도 증상이 없는 경우도 많음.

b. 자기 공명 영상 검사

① 석회화 건염의 진단을 위해 시행하는 경우는 드물지만, 감염, 골절이나 종양성 질환과의 감별을 위해 시행하기도 함.

② 대개 T2 강조 영상에서 주변 연부 조직의 신호 증가 소견이 관찰되고, 골수부종 소견이 관찰되기도 함(그림 10-33).

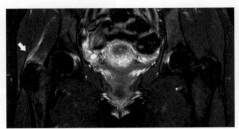

그림 10-33. **석회화 건염의 자기 공명 영상 소견**
T2 강조 영상에서 우측 중둔근 주변의 신호 증가 소견이 관찰됨(화살표).

3. 임상 경과

a. 성인 경우 통증은 대개 2주 이내 소실되고, 단순 방사선 사진상 석회 침착 소견은 4주에서 8개월 사이에 소실됨.

b. 대부분 저절로 치유되지만, 만성인 경우에는 경도 및 중등도의 동통이 2개월에서 24개월까지 지속되는 경우도 있음.

4. 치료

a. 비수술적 치료

① 대부분 보존적 치료로 증상이 호전됨.

② NSAIDs

③ 스테로이드 국소 주사 : 초음파 유도하에 시행하기도 함.

b. 수술적 치료

① 보존적 치료에도 장기간 증상이 호전되지 않는 경우 관혈적 또는 관절경적으로 병소를 제거하는 수술을 시행하기도 함.

IV. 대퇴-비구 충돌 증후군
(Femoroacetabular Impingement Syndrome, FAI)

A. 임상적 의미

a. 선천적 또는 후천적 원인에 의한 골성 변형 때문에 비구와 대퇴 골 사이의 반복적인 충돌이 발생하여, 통증을 유발하거나 비구순(acetabular labrum) 및 관절 연골의 손상이 초래되는 상태

b. 고관절의 퇴행성 관절염 환자에서 고관절 충돌을 유발하는 골성 변형이 자주 관찰되기 때문에, FAI가 이차성 퇴행성 고관절염의 원인 중의 한 가지라는 가설이 제기되고 있음.

B. 분류

1. Cam type

a. 이른바 "권총 손잡이형 변형(pistol-grip deformity, 그림 10-34)"과 같이 대퇴 골두의 모양이 구형이 아닌 것으로 인한 "cam 효과" 때문에 고관절 운동 시 대퇴 골두의 튀어나온 부분과 비구연(acetabular rim)과의 충돌이 발생하게 됨(그림 10-35B).

b. 대퇴 골두 골단 분리증이나 LCP 등에 의해 후천적으로 대퇴 골두의 모양이 변형된 경우도 있지만, 정확한 원인은 아직 밝혀지지 않음.

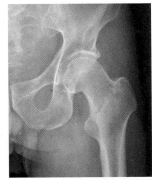

그림 10-34. 대퇴 골의 권총 손잡이형 변형(pistol-grip deformity)

c. 돌출된 대퇴 골이 비구 내로 들어오면서 outside-in의 형태로 먼저 비구연골이 abrasion되고, 계속된 충돌에 의해 전상방 비구순 및 연골하골의 손상이 생기게 됨(그림 10-35A).

2. Pincer type

a. Coxa profunda, acetabular protrusion, acetabular retroversion에서와 같이 비구 전연부가 대퇴 골두를 과도하게 덮고 있는 상태에서는 고관절 운동 시 비구연과 대퇴 골두 및 골두-경부 경계 부위의 충돌이 발생하게 됨(그림 10-35C).

b. 퇴행성 및 류마티스 관절염에서와 같이 후천적인 비구 모양의 변화가 원인일 수도 있고 선천적으로 비구의 anteversion이 감소되어 있거나 retroversion인 경우

c. Cam type과는 달리 충돌에 의해 비구순의 손상이 먼저 발생하고 지속될 경우 충돌 부위 비구순의 퇴행성 변화가 생기거나 지렛대 효과에 의해 충돌 반대쪽 비구 연골의 손상이 생기기도 함(반충손상, countercoup region) (그림 10-36B).

3. 혼합형(Mixed type)

a. 대퇴 골두 및 골두-경부 경계부위의 이상과 비구의 이상이 동시에 존재하는 상태(그림 2D)

그림 10-35.
정상 고관절(A). 대퇴 골두-경부 offset이 감소된 cam type(B). 과도하게 돌출된 비구 전연부로 인해 비구의 전경각이 감소된 pincer type FAI(C). 두 가지가 혼재하는 혼합형 FAI(D).

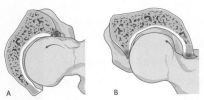

그림 10-36.
Cam type에서는 돌출된 대퇴 골에 의해 비구연골의 손상이 선행되는 반면(A). pincer type에서는 비구순의 손상이 직접적으로 먼저 발생하게 되고, 지렛대 효과에 의해 반대쪽 비구 연골의 손상이 생기기도 함(B).

C. 임상 소견

a. 젊거나 중년 성인에서 점진적으로 발생한 서혜부 동통을 호소할 경우 FAI의 가능성을 염두에 두어야 함.

b. 고관절 부위의 locking, catching, giving-way와 같은 mechanical symptom을 호소하는 경우에는 비구순 파열이나 관절 연골의 delamination 손상이 있을 수 있음.

c. 동통은 간헐적으로 생기고, 고관절의 과도한 굴곡이 필요한 동작에서 악화되는 경우가 많음.

D. 진단

1. 이학적 검사

a. Impingement 검사 : 고관절을 굴곡, 내전, 내회전할 때 동통을 호소하는 경우 FAI를 의심할 수 있으나, 고관절의 이상이 있는 다른 질환에서도 검사가 양성일 수 있기 때문에 검사의 특이도는 높지 않음(그림 10-37).

b. 대퇴 골의 주된 cam 병변이 외측에 있는 경우에는 고관절을 외전, 외회전할 때 동통을 호소하기도 함.

c. 고관절의 운동 범위는 주로 굴곡 상태에서의 내회전이 제한됨.

10

그림 10-37. Impingement 검사. 고관절을 굴곡, 내전, 내회전시켜 동통을 유발함.

2. 단순 방사선 검사

a. 대퇴 골의 이상은 권총 손잡이 변형(그림 10-34)과 같이 골반 전후면 사진에서

관찰되는 경우도 있지만, cam 병변이 주로 전면에 위치하는 경우 전후면 사진에서는 정상으로 보일 수도 있기 때문에 측면 방사선 사진에서 평가해야 함.

b. 측면 방사선 검사는 cross-table lateral, frog-leg lateral, 또는 Dunn view를 시행함.

c. 단순 방사선 사진상 cam 병변이 있어도 증상이 전혀 없는 경우도 있기 때문에 병력 및 이학적 검사를 종합하여 진단 및 치료 방법을 정해야 함.

d. 대퇴 골두의 구형(sphericity) 정도를 평가하는 방법

① Alpha angle (그림 10-38)

   i. 대퇴 골두 외연을 따라 그린 원의 중심에서 대퇴 경부 축을 잇는 선과, cam 병변이 원 밖으로 돌출되기 시작하는 점에서 원의 중심을 잇는 선이 이루는 각을 측정함.

   ii. 정상 alpha angle에 대해서는 논란의 여지가 있지만 대부분 50도 이상인 경우 cam 병변이 있는 것으로 판단함

② 대퇴 골두-경부 offset 및 offset ratio(그림 10-39)

   i. 대퇴 경부 축과 평행한 선을 대퇴 경부 전면과 골두 전면 경계에 접하도록 긋고 이 두선 사이의 수직 거리를 대퇴 골두-경부 offset이라 정의하고, 대퇴 골두-경부 offset을 대퇴 골두 직경으로 나눈 값을 offset ratio라 정의함.

   ii. 정상 수치 : offset ≥ 9 mm, offset ratio ≥ 0.17

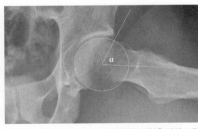

그림 10-38. Alpha angle: 대퇴 골두 외연을 따라 그린 원의 중심에서 대퇴 경부 축을 잇는 선과, cam 병변이 원 밖으로 돌출되기 시작하는 점에서 원의 중심을 잇는 선이 이루는 각을 측정. 정상 α angle 〈 50°

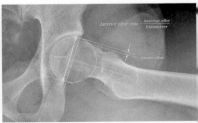

그림 10-39. 대퇴 경부 축과 평행한 선을 대퇴 경부 전면과 골두 전면 경계에 접하도록 긋고 이 두 선 사이의 수직 거리를 대퇴 골두-경부 offset이라 정의하고, 대퇴 골두-경부 offset을 대퇴 골두 직경으로 나눈 값을 offset ratio라 정의함. 정상 수치: offset ≥ 9mm, offset ratio ≥ 0.17

e. Acetabular retroversion을 시사하는 소견

① Crossover sign : 비구가 정상적으로 anteversion일 경우에는 비구 전벽 경계가 후벽 경계의 내측에 위치하지만, retroversion일 경우에는 비구의 근위부에서 전벽 경계가 후벽 경계의 외측에 위치함(그림 10-40).

② Posterior wall sign : 비구가 정상적으로 anteversion일 경우에는 대퇴 골두 중심이 비구 후벽 경계 상 또는 내측에 위치하지만, retroversion일 경우에는 후벽 경계의 외측에 위치함(그림 10-40).

③ 상기 소견은 고관절의 위치에 따라 달라지기 쉽기 때문에 무엇보다 정확한 방사선 사진의 촬영이 중요하며 해석에 주의를 요함.

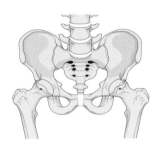

그림 10-40. 정상(anteverted) 비구인 우측에 비해, 좌측 고관절에서는 acetabular retroversion을 시사하는 소견인 crossover sign과 posterior wall sign이 관찰됨.

10

3. 전산화 단층 촬영(CT) 및 자기 공명 영상 검사(MRI)

a. CT 사진의 3차원 재구성을 통해 cam 병변의 정확한 위치를 파악할 수 있고, pincer type에서 비구의 retroversion 정도를 파악할 수 있음.

b. 관절 조영 CT를 시행할 경우 비구순 및 관절 연골 손상을 파악할 수 있고 MRI에 비해 비용상 저렴함.

c. MRI는 단독으로 시행하기도 하지만, 관절 조영 MRI를 시행할 경우 비구순 및 관절 연골 손상 등을 파악하기 쉽고, 대퇴 골두-경부 경계 형태를 파악하는 데 더 용이함.

4. 진단적 관절강 내 마취제 주사

국소 마취제를 관절강 내 주사한 후 동통이 없어질 경우 동통의 기원이 관절강 내

이상인 것으로 진단하는 데 도움을 줄 수 있음

E. 치료

1. 비수술적 치료
a. 충돌을 유발할 수 있는 생활 습관의 교정
b. 과도한 고관절 움직임의 제한
c. NSAIDs

2. 수술적 치료
a. 이학적 검사상 FAI가 의심되고 영상학적 검사상 명백한 비구순 및 관절 연골의
손상이 있으면서 상당 기간의 보존적 치료에도 동통이 호전되지 않는 경우 수술
적 치료를 고려할 수 있음
b. 수술적 치료 방법
① 관절경적 수술
i. 골격 견인과 특수하게 고안된 수술 장치를 사용함으로써 고관절강 내 접
근이 용이해짐에 따라 손상된 비구순 및 관절 연골의 관절경적 치료가 가
능해졌고, 필요할 경우 파열된 비구순의 봉합까지 시행할 수 있음
ii. 관절경 접근을 위해 전방, 전측방, 후측방 portal을 사용하고 필요에 의해
전측방 portal의 근위부 및 원위부에 추가할 수 있음(그림 10-41).

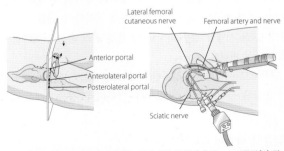

그림 10-41. 고관절 관절경 수술에서 주로 사용하는 전방, 전측방 및 후측방 portal들과(A) 각 portal에 인접한
주요 신경 및 혈관들의 위치 관계(B)

　　iii. 비구순을 경계로 중심 구획(central compartment)과 변연 구획 (peripheral compartment)으로 구분하고 비구순의 관절면, 관절 연골, 원형 인대 등의 손상에 대한 치료는 중심 구획에서, 파열된 비구순의 봉합, cam 병변의 제거, 비구벽 성형술 등의 치료는 변연 구획에서 시행할 수 있음(그림 10-42).

② 고관절 탈구를 포함한 관혈적 수술

　i. 장점 : 수술 시야가 좋고 수술 중 계측을 통해 정확한 교정이 가능함.

　ii. 단점 : 침습적이고 탈구로 인해 발생할 수 있는 대퇴 골두 무혈성 괴사의 위험이 있으며 원형 인대를 절제해야 함.

③ 관절경적 수술과 최소 절개 관혈적 수술의 혼용

　i. 중심 구획에 대해서는 관절경적으로 수술을 시행하고, cam 병변의 제거 및 비구순 봉합 등 변연 구획에 대한 치료를 위해서는 8 cm 미만의 피부 절개 후 Smith-Peterson interval로 접근

　ii. 고관절을 탈구시킬 필요가 없고, 관절경적 수술에 비해 좋은 수술 시야를 확보할 수 있어 보다 정확한 교정이 가능함.

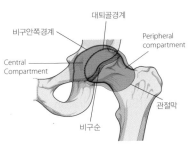

그림 10-42. 고관절 관절경적 수술에서의 구획. 비구순을 경계로 중심 구획과 변연 구획으로 구분함.

V. 대퇴 골두 연골하 스트레스 골절(Subchondral Stress Fracture of the Femoral Head)

A. 임상적 의의

a. 대퇴 골두 연골하 스트레스 골절은 비교적 드문 질환으로 임상 소견 및 영상학적 검사 소견이 대퇴 골두 무혈성 괴사와 유사하지만 임상 경과 및 예후 치료 원칙이 다르기 때문에 감별 진단에 유의해야 함.

b. 피로 골절(fatigue fracture)과 부전 골절(insufficiency fracture)의 두 가지 형태로 발생함.

B. 분류

1. 대퇴 골두 연골하 피로 골절(Subchondral fatigue fracture of the femoral head)

a. 비교적 젊은 연령의 정상 골밀도를 가지고 있는 성인에서 고관절에 반복적으로 과도한 부하가 가해졌을 때 발생함.

b. 주로 입대 후 신병 훈련을 받은 군인이나 태권도 훈련과 같이 강도 높은 운동을 한 후 발생한 고관절 동통을 호소하는 젊은 성인에서 진단되는 경우가 많음.

c. 30-40대의 건강한 성인에서 특별한 활동의 증가나 외상 없이 발생할 수 있다고 보고되기도 함.

d. 대부분 일측성이지만 드물게 양측성으로 발생하기도 함.

2. 대퇴 골두 연골하 부전 골절(Subchondral insufficiency fracture of the femoral head)

a. 별다른 기저 질환이 없이, 골다공증이나 골연화증과 같은 원인에 의해 골밀도가 감소되어 있는 비교적 고령의 여성에서 주로 발생함.

b. 특별한 외상 없이 일상적인 생활에서 과도한 활동의 증가 없이 갑작스럽게 서혜부 및 고관절 부위의 통증을 호소하는 경우가 많음.

c. 동통은 체중 부하 시 악화되고 점차 심해지지만, 안정 시 호전되는 양상을 보임.

d. 신장 또는 간 이식을 받은 환자들, 류마티스 관절염이나 SLE 환자들처럼 스테로이드를 복용한 병력이 있는 경우에도 발생할 수 있다고 보고됨.

e. 대부분 일측성으로 발생하지만 드물게 양측성으로 발생하기도 함.

C. 진단

1. 단순 방사선 검사

a. 증상 발생 직후에는 단순 방사선 사진상 골음영의 감소나 연골하 부위의 골경화 소견 이외에 특별한 이상이 관찰되지 않을 수 있음.

b. 대퇴골두 무혈성 괴사에서 연골하 골절이 발생했을 때 보이는 것과 같은 'crescent sign'이 관찰되기도 하고, 처음부터 대퇴골두의 붕괴 소견이 관찰되기도 함.

c. 처음부터 대퇴 골두의 붕괴 소견이 관찰되기도 함(그림 10-43).

d. 대체로 관절 간격은 유지되지만, 일부에서는 시간이 경과되면서 점차 관절 간격 이 좁아지는 소견이 관찰되기도 하며, 처음부터 관절 간격 감소를 보이는 경우도 있음.

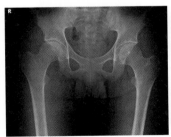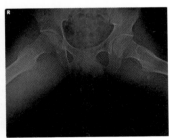

그림 10-43. 우측 고관절의 대퇴 골두 스트레스 골절이 있는 환자의 단순 방사선 사진으로 경도의 골두 붕괴 소견 이 관찰됨.

2. 골 주사 검사

a. Tc99m-MDP를 이용한 골주사 검사에서 모든 경우에 대퇴 골두에 강한 흡수 증 가 소견이 관찰됨.

b. 단순 방사선 사진에서 이상이 없는 경우에도 조기에 이상 소견을 보이기 때문에 조기 진단에 도움이 될 수 있음.

3. 자기 공명 영상 검사

a. 대퇴 골두와 경부에 걸쳐 부분적 또는 광범위하게 T1 강조 영상에서는 저신호 강도, T2 강조 영상 또는 지방 억제(fat-suppressed) 영상에서는 고신호 강도로 나타나는 경계가 불명확한 이상 소견을 보여 전형적인 골수 부종 소견으로 관찰됨(그림 10-44).

b. 연골하 골판 부위에 평행하게 주행하면서 T1 강조 영상에서는 저신호 강도, 다른 강조 영상에서는 다양한 신호 강도로 나타나는 이상 신호 강도선(연골하 골절선, MR crescent sign)을 관찰할 수 있음.

c. 대부분 대퇴골두의 전상방에서 관찰되지만 일부에서는 상후방에서 관찰되기도 함. 이러한 골수 부종 양상과 연골하 골절 소견은 대퇴골두 무혈성 괴사에서도 관찰되기 때문에 감별 진단에 주의해야 함.

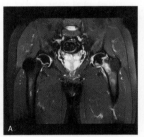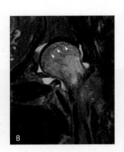

그림 10-44.
MRI T2 강조 영상에서, 무혈성 괴사(A)에서는 괴사부 밖에만 부종이 관찰되는 반면, 대퇴 골두 연골하 스트레스 골절(B)에서는 연골하 골절선(화살촉)만 있을 뿐, 괴사부 외연에 해당되는 이상 신호 강도 띠가 없고 대퇴 골두 및 경부 전반에 걸쳐 부종 소견이 관찰됨.

D. 치료 및 예후

1. 대퇴 골두 붕괴 소견이 없는 경우

a. 대퇴 골두 연골하 스트레스 골절로 진단받을 당시에 방사선 사진상 골두 붕괴 소견이 없는 경우에는 피로 골절이나 부전 골절 모두에서 일단 비체중 부하의 보존적 치료를 시행하는 것이 일반적임.

b. 보존적 치료는 목발이나 보행기를 사용한 비체중 부하로 시작하여 점차 환측의 체중 부하를 허용하게 하는데, 치료 시작부터 증상이 호전되기까지의 기간은 수 개월에서 1년 이상까지 문헌상 다양하게 보고되고 있음.

2. 대퇴 골두 붕괴 소견이 있는 경우

처음부터 대퇴 골두의 붕괴 소견이 관찰되거나 보존적 치료 중에 골두 붕괴가 발생하는 경우에는 골절의 양상이 부전 골절인지 피로 골절인지에 따라 치료 방법이 달라짐.

a. 대퇴 골두 연골하 부전 골절

① 주로 골질이 불량한 환자에서 발생하기 때문에 피로 골절에 비해 대퇴 골두의 붕괴가 더 심하게 나타나는 경향을 보임.

② 골두의 붕괴가 진행하여 증상이 악화되는 경우에는 인공관절 치환술을 시행함.

b. 대퇴 골두 연골하 피로 골절

① 피로 골절 양상에서도 대퇴 골두의 붕괴 소견이 관찰될 수 있지만, 부전 골절과는 달리 골두의 붕괴가 있다고 하더라도 비교적 예후가 양호하여 붕괴가 진행하는 경우는 드물고, 골절에 의한 통증도 대부분 점차 호전되어 일상 생활이나 가벼운 운동을 하는 데 지장이 없을 정도라고 알려짐.

② 골두 붕괴의 정도가 심하거나 조기에 발견되는 경우에는 압박 골 이식술 (impaction bone graft)이나 자가 비골을 사용한 지주 골 이식술(strut bone graft)을 시행하여 붕괴된 골두를 수복시키는 수술적 치료를 시도해 볼 수 있음(그림 10-45).

10

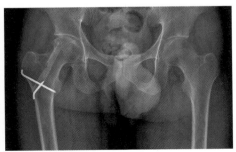

그림 10-45. 우측 대퇴 골두 연골하 피로 골절 환자에서 자가 비골 이식술을 시행한 사진

11

대퇴골 및 슬관절

외상 I. 골절 및 탈구

I. 대퇴골 원위부 골절(Distal Femoral Fracture)

A. 수상 기전

고령과 젊은 연령의 두 개의 호발 연령 분포를 가짐. 고령의 환자에서는 저에너지 손상으로도 가능. 젊은 연령층에서는 대개 고 에너지 손상에 의해 발생하며, 관절 내 손상, 대퇴간부 골절, 혈관 손상 및 심한 연부조직 손상이 동반되는 경우가 흔함.

B. 진단

1. 이학적 검사

골절 이하 부위의 혈관, 신경 상태를 세심히 살피는 것이 중요. 일반적으로 골절이 발생하면 골절 원위부가 내반 및 신전상태로 단축됨. 무릎 주위 연부조직 손상의 정도와 골절이 관절 내로 연장되었는지 확인해야 하나 골절 고정 전에 인대 안정성을 검사하는 것은 통증을 유발하므로 마취 후 평가해야 함.

2. 방사선 검사

전후면, 측면, 경우에 따라서 사면(oblique view) 촬영 필요. 관절 내 골절이 있는 경우 CT 및 3D 영상이 도움이 됨.

11

C. 분류

1. AO/OTA 분류법(그림 11-1)

   a. A형(33-A) : 관절 외 골절, 골간단부 분쇄 정도에 따라 소분류

   b. B형(33-B) : 부분 관절 내 골절, 골절 방향에 따라 소분류

   c. C형(33-C) : 관절 내 골절, 골간단부와 골단부의 분쇄 정도에 따라 소분류

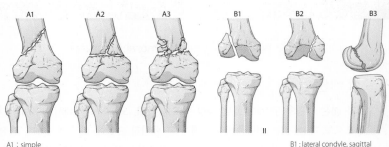

A1 : simple
A2 : metaphyseal wedge
A3 : metaphyseal complex

B1 : lateral condyle, sagittal
B2 : medial condyle
B3 : frontal

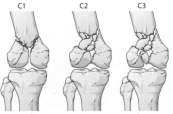

C1 : articular simple, metaphyseal simple
C2 : articular simple, metaphyseal
    multifragmentary
C3 : articular multifragmentary

그림 11-1. AO/OTA 분류법

D. 치료

   a. 전위된 B형 골절 : 개방성 정복 및 내고정 시행해야 함. 역동적 과 나사(dynamic condylar screw) 또는 칼날 금속판(blade plate)와 같은 고식적 방법이 가능하나 잠김과 금속판(locking condylar plate) 고정이 골다공증이 심한 경우 유리.

   b. 비전위 A1형 또는 1 mm 이하 전위 B형과 C1형 골절에서 cannulated screw를

이용한 경피적 나사 고정이 가능. 경첩 무릎 보조기 또는 석고 보조기를 사용할 수 있으나, 초기에 잦은 방사선 검사를 시행해야 하며, 조기 관절 운동이 필요함.

c. 관절 외 골절(A형), 인공 치환물 상부 골절에서 역행성 과상부 정 또는 전향적 골수내 정을 사용할 수 있음.

d. 전위된 관절 내 또는 과상부 골절은 내고정이 필요함. 외측 또는 전외측 도달법을 이용한 관절면의 개방성 해부학적 정복이 필요하나, 관절 외 골편에 대한 연부조직 박리를 최소화해야 함. 95도 칼날 금속판이나 역동적 과나사의 경우 칼날이나 나사 삽입부위 근위부에 1.5-2.0 cm 정도 정상적인 골조직이 필요한 제한점이 있음. 분쇄 정도가 심한 경우 원위 골편에 보다 많은 나사를 고정할 수 있는 과 지지 금속판(condylar buttress plate)가 필요할 수 있음. 고정각 잠김 금속판(fixed-angle locking plate)의 경우 내측 골절부 함몰에 따른 내반 변형을 막고, 골다공증이 심한 경우에 고정력이 우수한 장점이 있으나 경도의 부정 유합이 흔함.

e. 수술적 치료를 시행할 수 없는 경우, 골견인으로 치료.

E. 술 후 재활

3주 이상의 고정(Immobilization)은 영구적인 관절강직을 야기할 수 있음. 안정된 내고정이 된 경우 지속적 수동 운동을 3주간 시행. 경첩 무릎 보조기를 6주간 착용. 술 후 4주에 90도 굴곡이 목표이며, 술 후 6주에 완전 신전과 120도 굴곡이 목표임. 전 체중 부하는 8-12주까지 제한하며, 이후 강화 운동을 시작함.

II. 슬개골 골절(Patellar Fracture)

A. 해부학적 고려 사항 및 골절 기전

a. 신전 기전에 포함되는 종자골로써, 신전 기전의 역학적 기능을 향상시키는 지렛대 역할을 하며 특히 최종 30도 신전에 작용함. 감속 시 하지를 안정화하는 데 도움을 줌.

b. 낙상, 운전자 교통사고 등의 직접손상에 의한 골절은 종형, 방사상, 분쇄상 골절의 형태를 보이며 전위정도가 크지 않음. 간접손상은 대퇴사두근의 강한 수축과 함께 슬관절이 굴곡되는 경우 발생하며 횡골절 및 슬개골 원위극의 견열골절 양상을 보임.

B. 분류

a. 횡 골절 : 직접 및 간접 손상 모두에서 가능하며, 신전 기전의 파열과 동반되는 경우가 흔함. 신전 기능의 회복을 위하여 수술적 치료가 필요할 수 있음.
b. 종 골절 : 직접 손상에 의한 경우가 흔하며, 과사용 손상에서도 드물게 발생함. 전위가 없거나 적은 경우 신전 기능에 이상이 없어 보존적 치료가 가능함.
c. 내측 연의 조각 골절 : 슬개골 탈구 시 흔히 동반됨.

C. 치료

1. 비전위 또는 최소 전위 골절

비수술적 치료 가능하며, 추가 손상으로부터 보호 필요. 무릎 고정기(knee immobilizer)를 이용해 완전 신전상태에서 4~6주간 고정하고, 조기 체중 부하를 허용. 대퇴사두근 등장성 운동 가능함. 환자의 증상 정도에 따라 지속적 수동 관절 운동 시행. 관절 운동 시행 1주 후에는 방사선학적 검사를 시행하여 전위 여부를 확인.

2. 관절면을 침범한 전위 골절

해부학적 정복이 필수. 인장 대 강선 결박술(tension band wiring)이나 지연 나사(lag screw)를 이용한 개방성 정복 및 내고정술 시행.

3. 분쇄 골절

골편들이 고정이 가능할 정도로 큰 경우는 인장 대 강선 결박술, 원형 강선 결박술, 지연 나사 등을 이용하여 고정하고, 슬개골의 절반 이하에만 심한 분쇄가 있는 경우는 분쇄 골편을 제거 후 슬개건이나 대퇴 사두건을 남은 큰 골편에 봉합할 수 있음. 슬개골 전체가 심한 분쇄가 된 경우 슬개골 절제술이 필요할 수 있음.

4. 골연골 골절

관절경으로 관절 내를 관찰하여 슬개골 탈구에서 흔히 발생하는 작은 골연골편은 제거함. 직접 손상에 의한 큰 골연골편의 경우 흡수성 고정물을 이용한 개방성 혹은 관절경적 고정을 시도함.

D. 술 후 재활

골절의 종류와 고정의 안정성에 따라 개별화해야 함. 견고한 고정이 이루어졌고, 환자가 잘 수행할 것으로 기대될 경우, 조기 수동 관절 운동을 시작할 수 있음. 보편적으로 골절의 치유를 위하여 6주의 고정이 필요하며, 능동적 관절 운동은 술 후 1~2주 후 시작할 수 있으며 체중 부하 관절운동을 시행할 수 있음. 이 기간에 대퇴 사두근력 운동이 시행되어야 함.

E. 예후

관절 연골 손상의 정도와 대퇴 사두근력의 회복 정도에 좌우됨.

III. 슬개골 탈구(Patellar Dislocation)

11

A. 수상 기전

직접 손상에 의해서도 가능하나, 대퇴사두근의 강한 수축과 경골의 외회전이 동시에 발생하는 회전 손상에서 보다 흔함. 내측 지대(medial retinaculum)의 파열로 인해 외측으로 탈구됨. 다리를 펼 때 자연 정복되는 경우가 흔하며, 정복되면서 슬개골 내측 관절면이 대퇴골 외과와 부딪히며 골연골편이 발생(그림 11-2).

그림 11-2. 슬개골 골연골편 종류

B. 진단

1. 이학적 검사

내측 지대와 대퇴골 내과에 압통, 혈관절, 굴곡 시 불안정성을 보일 수 있으며 탈구된 슬개골을 촉지할 수 있음. 슬개골을 외측으로 전위시키려 하면 환자가 저항함(patellar apprehension test). 하지 직거상을 요구하면 통증을 호소하나 다리를 들수 있음. 약간의 신전 지연(extension lag)이 있을 수 있음.

2. 방사선 검사

슬개대퇴 관절과 신전 기전의 손상을 평가하기 위하여 축성 사진(axial view)이 필요. 자연 정복 후에도 슬개골의 잔여 경사(residual tilt), 아탈구, 골연골편이 관찰될수 있음. Laurin's 20-degree views 또는 Merchant's 30-degree views와 같이 무릎 굴곡 각도가 적은 상태에서 촬영한 사진에서 경도의 아탈구를 놓치지 않을 수있음.

C. 치료

a. 슬개골이 탈구된 상태이면 통증 감소를 위해 우선적으로 정복을 시행해야 함. 정복 전에 morphine과 hypnotic으로 통증을 경감시켜 환자의 근육이 이완되면 무릎을 완전 신전시킨 후 조심스럽게 내측으로 정복시켜야 함. 정복 중에 슬개골 내측 연을 살짝 들면서 시행해야 함. 대퇴과와 슬개골이 끼어 정복이 어려운 경우 피부 소독을 시행하고 큰 towel clip으로 슬개골을 잡아들어 올려 정복할 수 있음. 다량의 혈종이 흔히 발생하고, 내측 지대의 파열이 있으므로 국소 관절강 내 마취는 권장되지 않음.

b. 다량의 관절 내 혈종은 통증 완화를 위해서 천자하여 제거해야 함.

c. 골연골편이 관찰되면 관절경적 세척, 변연 절제술 및 고정술이 필요함. 내측 지대의 봉합이 술 후 기능에 도움이 되는지는 아직 입증되지 않음.

d. 골절이나 지속되는 방사선 사진상의 아탈구/이상 경사가 없을 경우 보존적 치료를 시행함. 초기에는 완전 신전상태에서 고정 및 목발을 1~2주간 사용하고 이후 보조기로 변경하여 조심스럽게 관절 운동을 시킴, 혈관절증이 심한 경우 움직임이 편해질 때까지 압박 드레싱과 신전 위에서 고정을 시행함. 4-6주간 knee sleeve를 착용하고 이후 대퇴사두건 재활을 적극적으로 시행함. 수상 후 처음 6주간에 대퇴 사두근력의 회복이 중요함.

D. 합병증

1. 습관성 탈구
대퇴 사두근력 약화가 흔하며, 근력이 회복된 후에도 지속될 경우 수술적 치료 요함.

2. 슬개대퇴 관절 퇴행성 변화

IV. 슬관절 탈구(Dislocation of the Knee)

A. 손상기전 및 진단

교통사고 등과 같은 고 에너지 손상에 의해 주로 발생하며 미식축구와 같은 저 에너지 손상에 의해서도 발생. 저에너지 손상에서는 무릎의 과신전에 의한 경우가 많으며 50도 이상 과신전되는 경우 슬와동맥이 파열된다고 함. 매우 드물지만 빠른 정복이 필요하며 관절 안정성에 대한 평가가 이루어져야 함. 마취하 정복이 종종 필요함. 혈관 상태에 대한 즉각적이고 지속적인 평가가 중요하며, 맥압이 떨어지거나 없어지는 등 혈액 공급에 문제가 있을 경우 혈관조영술을 즉시 시행. 혈관 손상에 대한 봉합이 수상 후 6시간 이상 지연된 경우 구획 증후군의 예방을 위하여 예방적 근막 절개술을 고려. 혈관 손상과 심한 인대 파열로 인한 관절 불안정성이 동반된 경우 인대 수술 전에 혈관 보호를 위하여 외고정 장치를 사용.

B. 치료

탈구된 슬관절은 즉시 정복을 시행하며 15~20도 굴곡위치에서 부목 고정 후 최소 일주일 정도 혈관손상 유무에 대한 평가가 필요. 혈관손상이 발생한 경우 응급으로 치료하고 추후 인대의 치료를 시행. 도수정복이 불가능한 탈구의 경우 관혈적 정복이 필요하며 주로 경골의 후외방탈구를 동반하면서 대퇴내과골이 내측관절낭에 끼어(Buttonhole) 발생함.

C. 예후

일상생활로의 복귀는 가능하나, high-level activity가 가능한 경우는 드물다.

V. 경골 고평부 골절(Tibial Plateau Fracture)

A. 분류(Schatzker's System, I–VI) (그림 11-3)

a. 비전위 골절(고평부 수직 골절)
b. 분리 골절 [Type I] (전위 골절, 분쇄 유/무) : 젊은 사람에서 흔함.

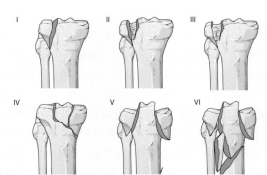

그림 11-3. Schatzker's classification system. I, split; II, split with depression; III, depression; IV, medial condyle; V, bicondylar; VI, bicondylar with shaft extension

c. 분리-함몰 골절 [Type II] (변연부 보존) : 가장 흔한 형태이며, 내측측부인대 손상이 잘 동반됨.

d. 함몰 골절 [Type III] (중앙부 함몰) : 주로 골다공증이 있는 고령에서 발생

e. 골간단부 또는 간부 침범 [Type IV-VI] : 반월상연골 등의 동반손상이 흔하며 불안정골절임.

B. 진단

1. 이학적 검사

다른 무릎 손상과 달리 의심되면 방사선 촬영을 먼저 시행 후 자세한 이학적검사를 시행. 주요 인대 손상 및 무릎 탈구 여부를 확인해야 함. 창상 검사, 원위부 혈액 순환 확인, 신경 검사를 시행. 관절 운동과 인대 안정성에 대한 검사는 반드시 필요한 경우가 아니면 시행하지 않음.

2. 방사선 검사

일반적인 전후면, 측면 촬영 외에 사면 촬영을 시행. 3D-CT 검사가 단순 방사선 촬영에서 놓치기 쉬운 골절이나 함몰을 확인하는데 도움이 됨. MRI는 인대손상 동반이 의심될 경우 시행.

C. 치료

1. 비전위 골절

비전위 또는 2 mm 이내의 관절면 전위가 있는 경우, 그리고 심한 골다공증이 있는 환자에서 비수술적 치료 가능(부목 고정, 24~48시간 하지 거상, 혈관절증이 심할 경우 관절 천자, 지속적 수동 운동, 관절 운동 시작 후 방사선 추시, 8주간 touch-down 체중 부하)

2. 전위 골절

a. 분리 골절

3~5 mm 이상의 내외측 전위가 있을 경우 개방성 정복 및 내고정술 시행. 내고정은 관절 운동이 가능할 정도로 견고해야 함(예, 지주 금속판 또는 역동적 압

박 금속판; 다공성 골인 경우 잠김 금속판). 환자가 젊고 단단한 골을 가진 경우 다발성 경피적 cannulated screws 고정 가능.

b. 분리-함몰 골절

관혈적 전방 혹은 전외방 접근법 사용하여 거상, 골이식, 이후 지지 금속판이나 잠김 금속판을 이용한 고정. 함몰부위에 대해서 관절경을 이용한 정복이 가능함, 견고한 고정 후 조기 관절 운동이 중요. 12주간 toe-touch 체중 부하 필요.

c. 중앙부 함몰 골절

함몰 정도가 5 mm 이상인 경우, 특히 신전위에서 외반 불안정성이 10도 이상인 경우 함몰부 거상, 골 이식, 내고정이 필요. 관절경으로 확인하며 경피적으로 가능.

d. 골간단부/간부 침범 골절

분리-함몰 골절과 같이 지지 금속판 고정, 골이식 필요. 경골 양과 골절의 경우 전방 접근법을 이용한 양과 연부 조직을 모두 박리하는 것은 불유합과 감염의 발생률이 높아 피해야 함. 보다 불안정한 과(주로 외측)에 지지 금속판 고정을 하고 반대측은 경피적 나사 혹은 작은 지지 금속판 고정, 또는 외고정을 4~6주간 시행. 수술실에서 골절 고정이 되면 반드시 인대 불안정을 검사. 석고 보조기 착용, 12주간 touchdown 체중 부하. 심한 신경 문제 또는 골다공증이 있는 경우 장하지 석고 고정, 3~4개월간 체중 부하 제한, 0~90도 관절 운동 목표로 재활.

D. 합병증

a. 강직

b. 조기 퇴행성 관절 변화

c. 감염

d. 신경 및 혈관 손상, 구획 증후군

외상 II. 인대, 연골, 연골판

I. 전방 십자 인대 손상
(Anterior Cruciate Ligament Injury)

A. 개요

  a. 신체의 인대 손상 중 수술적 치료를 시행하는 가장 흔한 인대 손상.

  b. 미국의 경우 2000년대 연간 평균 약 10만 건의 전방 십자 인대 재건술이 시행됨.

  c. 다각도의 손상 예방 프로그램의 도입에도 불구하고 수술 건수는 매년 증가 추세

  d. 전방 십자 인대 손상은

    ① 무릎의 불안정성을 유발하여 운동 능력을 저하시킬 수 있으며,

    ② 증가된 회전 불안정성으로 인해 반월상 연골 손상이나 관절 연골 손상 등의 이차적인 손상이 발생할 수 있고,

    ③ 손상 후 10~20년이 지나면 약 50%의 환자에서 증상이 동반된 조기 퇴행성 관절염을 유발시키는 것으로 알려져 있다.

B. 진단

  a. 전방 십자 인대 손상 자체는 손상기전을 포함한 특징적인 병력과 이학적 검사를 통하여 대부분 진단할 수 있다.

  b. 하지만, 동반 손상이 매우 흔하고, 부분 손상의 경우 진단이 어려울 수 있어, 자기공명영상 검사를 통하여 전방 십자 인대 손상의 객관적인 진단과 손상의 정도 및 양상, 그리고 동반 손상 유무를 진단하는 것이 일반적인 방법이다.

1. 손상기전, 병력, 이학적 검사

  a. 전방 십자 인대는 pivot shift 기전, 즉 외반력이 가해진 굴곡된 슬관절에 과도한 회전력(경골에 대하여 대퇴골의 과도한 내회전력)이 가해지는 경우 가장 흔하게 손상이 일어나게 되며, 그 외에도 과신전, 과도한 외반 혹은 내반력, 경골의 과도한 전방 전위 등 여러 가지 기전에 의해 손상이 일어날 수 있다.

  b. 전방 십자 인대 손상은 직접적인 가격과 같은 접촉성 손상(contact injury)보다

는 불안정한 상태에서의 착지 등 비 접촉성 손상(non-contact injury)이 2배 이상 더 흔한 손상의 원인이며, 특히 여성의 전방 십자 인대 손상의 대부분은 비접촉성 손상에 의하여 일어나게 된다.

c. 전방 십자 인대의 파열 시 환자의 전형적인 병력은 급작스럽게 무릎이 어긋나는 느낌과 함께 'pop sound'를 느끼고, 심한 통증으로 더 이상의 운동이나 보행이 불가능해지며, 빠른 속도로 hemarthrosis가 생기게 된다.

d. 하지만 부분 손상의 경우 이러한 전형적인 병력이 발생하지 않을 수 있으며, 부종이 심하지 않거나 어느 정도의 운동이나 보행이 가능할 수 있어, 추가적인 검사를 통하여 감별 진단을 해야 한다.

e. 전방 십자 인대 손상은 두 가지 대표적인 이학적 검사, 즉 Lachman 검사와 pivot shift 검사로 진단을 보다 명확히 할 수 있다. 90도 굴곡에서의 전방전위검사(anterior drawer test)도 유용한 검사로 알려져 있으나, 급성기에는 무릎 굴곡이 어렵고 근육이 긴장하여 거의 시행하기 어렵고, 만성기에도 특히 손상된 전방 십자인대가 후방십자인대에 붙어있는 경우 위 음성으로 나올 수 있어 효용성이 다른 두 검사에 비하여 떨어진다.

f. 손상 후 급성기에는 통증과 염증 반응, 근육의 불충분한 이완으로 이러한 이학적 검사들을 하기 어렵거나, 위 음성으로 나타날 수 있으며, 특히 전방십자 인대 손상의 치료 방침의 결정에 중요한 역할을 하는 pivot shift 검사는 급성기에는 근육의 불충분한 이완과, 환자가 손상 당시 경험한 pivot shift에 대한 기억으로 검사 시 환자가 본능적으로 저지할 수 있어 위 음성으로 나타나거나, 적절한 검사를 할 수 없는 경우가 흔하다.

g. 또한 pivot shift 검사 시 pivot의 축이 되는 내측 대퇴-경골 관절 구획이 고도의 내측 측부 인대 손상으로 이완된 경우 위 음성으로 나타날 수 있어 주의해야 한다.

2. 영상 진단

a. 전방 십자 인대 손상 시 단순 방사선 사진에서 segond 골절이나 deep sulcus sign이 보이는 경우 진단에 추가적인 도움을 줄 수 있으나, 빈도가 흔하지 않거나 발견하기가 쉽지 않다. 따라서 자기공명영상을 시행하여 진단을 좀 더 명확히 하고, 동반 손상 유무를 확인하는 것이 보편적이고 추천되는 방법이다.

b. 자기공명영상은 전방 십자 인대 손상의 객관적인 진단뿐 아니라 손상의 정도와 양상을 평가할 수 있고, 동반 손상을 진단하는 데 매우 유용하여, 치료방침 결정에 도움을 줄 수 있다.

c. 자기공명영상에서는 전방 십자 인대 손상의 직접적인 소견(direct sign)과 간접적인 소견(indirect sign)에 의하여 전방 십자 인대 손상 유무를 판단할 수 있으며, 급성기의 특징적인 직접적인 소견은 인대연결의 소실(discontinuity of ACL fiber), 비정상적인 인대경사(abnormal ACL slope), 인대 부착부, 특히 경골극의 견열(avulsion of tibial spine) 등이 있다. 간접적인 소견은 혈관절증(hemarthrosis), 특징적인 외측 대퇴과 전방과 외측 경골과 후방의 골좌상(bone contusion - kissing contusion), segond 골절, 외측 대퇴과 전방 연골하골의 함몰(deep sulcus sign) 등이 있다(그림 11-4).

d. 또한 인대 손상의 양상을 파악하는 데도 도움을 줄 수 있는데, 특히 전방 십자 인대의 관상면에서의 주행각도에 맞춰 얻는 oblique coronal 영상은 전방 십자 인대의 부분 손상이나 전내측(anteromedial) 혹은 후외측 다발(posterolateral bundle)의 단독손상을 평가하는 데 유용하다(그림 11-5).

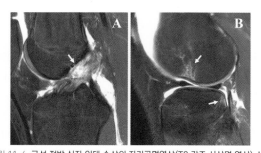

그림 11-4. **급성 전방 십자 인대 손상의 자기공명영상(T2 강조 시상면 영상) 소견**

A: 전방 십자 인대의 연결이 소실되어 있으며(화살표) 급성 손상으로 인하여 파열된 인대의 음영이 증가되어 있다.
B: 급성 전방 십자 인대 손상의 특징적인 외측 대퇴과 전방과 외측 경골과 후방의 골좌상 소견(화살표)과 함께 대퇴과 부위의 연골하골의 함몰, 즉 deep sulcus sign이 관찰된다.

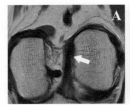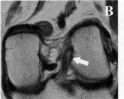

그림 11-5. 전방 십자 인대 부분 손상의 Oblique coronal 자기공명영상 소견
(A) 전방 십자 인대의 전내측 다발(anteromedial bundle)은 잘 유지되어 있다.
(B) 전방 십자 인대의 후외측 다발(posterolateral bundle)은 대퇴 부착부에서 손상되어 있다(화살표).

e. 또한, 육안상 하지의 관상면에서의 부정 정렬이 동반된 경우, 특히 뚜렷한 내반 정렬(varus alignment)이 있는 경우, 기립 하지 전장 방사선 사진을 통하여 하지 의 관상면 정렬(coronal alignment)에 대한 평가가 필요하다.

f. 하지의 기계적 축이 경골 고평부의 내측연 이상 벗어날 정도의 심한 내반정렬이 동반된 경우(대개 10도 이상의 기계적 축의 내반 정렬), 혹은 내반정렬과 더불어 후외측 불안정성 및 내반 thrust (varus thrust)가 동반된 경우에서는 전방 십자 인대 재건술의 지연 실패의 가능성이 높아 근위 경골 절골술을 선행하여 재정렬 수술을 시행하는 것이 추천된다.

3. 동반 손상

a. 동반 손상은 전방 십자 인대 재건술 후 통증, 기능 및 조기 관절염의 빈도 등 주 요 임상 결과에 영향을 줄 수 있으므로, 전방 십자 인대 손상 시 동반손상의 정 확한 평가는 수술 계획과 환자와의 수술 후 활동 및 결과에 대한 상담에 매우 중 요하다.

b. 급성전방십자인대 손상의 15~40%에서 반월연골판 손상이 동반되며 만성 전방십 자인대 손상 시 빈도가 훨씬 증가함. 급성 전방 십자 인대 손상 시에는 상대적으 로 외측 반월상 연골 손상이 더 흔하며, 적절한 치료가 되지 않은 만성 전방 십 자 인대 손상에서는 내측 반월상 연골 손상이 증가하게 된다.

c. 동반인대 손상은 내측측부인대손상이 흔하며 가끔 외측 및 후외측 손상이 동반 되는 경우 전방십자인대 재건술과 함께 수술적 치료가 필요한 경우가 많다.

d. 내측 측부 인대 손상과 전방 십자 인대 손상이 동반된 경우, 전방 십자 인대재건

술 시 내측 측부 인대 봉합술을 병행해야 하는가에 대하여는 다소 이견이 있으나, 여러 연구에서 내측 측부 인대 봉합술의 시행 유무에 상관없이 전방 십자인대 재건술만으로 우수하고 동등한 관절 안정성을 얻을 수 있으며, 내측 측부 인대 봉합술을 시행하는 것이 오히려 관절 운동 범위의 소실을 유발할 수 있다고 보고하고 있다.

e. 전방십자인대 단독손상 환자의 10~20%에서 재건술 이후 골관절염이 발생하며 수상 6개월이 경과한 경우 반월연골판 손상의 빈도가 높고 1년이 지나면 관절연골 손상의 위험도가 증가함.

C. 치료

a. 급성 전방 십자 인대 손상시 초기 치료는 슬관절의 혈관절증(hemarthrosis)의 최소화, 관절 운동 범위의 회복, 대퇴사두근의 조절 능력 회복, 위치 감각(proprioception)의 회복, 그리고 정상적 보행 양상의 회복에 중점을 두고 시행해야 한다.

b. 특히 수상 후 48시간 이내의 급성기에는 스포츠 손상의 급성기 치료 원칙인 RICE(Rest, Ice, Compression, Elevation) 원칙에 따라 혈관절증과 급성 염증 및 조직의 이차적인 손상을 최소화하는 것이 중요하며, 진통소염제 투여가 도움이 될 수 있다.

c. 전방 십자 인대는 손상 이후 치유의 첫 단계인 섬유소 응고(fibrin clot)가 잘 이루어지지 않아 자연치유능력이 매우 제한되어 있어있는 것으로 알려져 있다. 따라서 완전 단절된 전방 십자 인대 손상은 충분한 시간이 경과하여도 대부분 고도의 불안정성이 발생하게 된다.

d. 수상 초기 자기공명영상에서 부분파열의 소견이거나, 설령 완전파열의 소견이 보이는 경우라도 불안정성이 많지 않은 일부의 선별된 전방 십자 인대 손상 환자(Lachman 및 Pivot shift grade 1 이하)에서는 수상 2주간 부목고정 후 운동제한보조기 착용을 포함한 재활치료로 좋은 결과를 얻을 수 있으므로 보존치료를 우선 시행한다.

e. 설령 자연 치유의 기회를 잃어버리는 일이 다소 발생하더라도 전방 십자 인대 손상 환자를 수주간 석고 고정을 하는 것은 바람직하지 않으며, 급성기의 수일 동

안만 부목 고정을 하고 이후에는 탈부착이 가능한 보조기 등을 착용시켜 수시로 관절 운동을 하도록 권유해야 하며, 특히 완전 신전이 되도록 신전 운동을 점진적으로 하도록 교육시킨다.

　f. 목발은 통증이 심하고 leg control이 되지 않는 상황에서는 사용해야 하지만 부종 및 통증이 줄어들고 leg control이 가능하면 전 체중부하를 허용한다. 대개 급성 수상 후 약 3주 이후면 가능하다.

1. 수술 적응증 및 수술시기

　a. 수술 적응증

　　① 전방 십자 인대의 수술 적응증은 불안정성의 정도, 동반 손상의 종류, 환자의 나이와 수상 전 관절염의 정도, 환자의 수상 전 활동의 정도와 회복 이후 활동에 대한 기대치 등을 종합적으로 고려하여 결정해야 한다.

　　② 급성 손상기에는 이학적 검사를 통한 불안정성의 정도를 파악하기 어려울 수 있기 때문에, 관절 운동이 회복되고 급성 염증이 소실된 이후 불안정성을 재평가하는 것이 필요하다.

　　③ 일반적으로 신체검사 및 관절운동측정기를 통한 측정 결과 5 mm 이상의 차이가 관찰되며 재발되는 휘청거림(giving way) 및 불안정성이 지속되는 경우(Lachman 및 Pivot shift 검사상 grade 2 이상) 수술의 적용이 됨.

　b. 수술 시기

　　① 수술 시기에 대한 정립된 의견은 없으며 수상 후 너무 조기에 수술을 시행하는 경우 관절섬유증(arthrofibrosis)로 인해 관절운동범위의 소실이 생길 수 있으며 6개월 이상 수술이 지연되는 경우 내측 반월연골판 및 골연골 등의 동반손상이 증가하여 임상결과에 영향을 줄 수 있음.

　　② 수술 전 관절 운동이 정상 범위로 회복되고, 심한 부종 등 급성 염증의 소견이 소실된 이후 수술을 시행하는 것이 수술 후 관절 운동 범위 제한의 합병증을 최소화 하거나, 더 나은 임상적 결과를 얻을 수 있는 중요한 요건이며, 이를 위하여는 적어도 수상 후 1~3주 정도의 지연이 필요한 것으로 판단된다.

　　③ 이러한 일반적인 지침의 예외적인 경우로는 일차 봉합술/복원술이 가능한 양동이 손잡이형 반월상 연골판 손상이 동반된 경우, 혹은 분리된 큰 연골/골연

골 손상이 동반된 경우 등이 있을 수 있다. 이러한 경우는 감입된 반월상 연골이나 연골/골연골편 자체가 관절 운동을 제한할 수 있으며, 무리한 관절 운동은 감입된 조직편을 손상시킬 가능성이 있다. 또한, 특히 젊은 환자에서 양동이 손잡이형 반월상 연골판 손상에 대한 수술이 지연되면, 전위된 위치에서 치유반응이 일어나 일차 봉합술/복원술의 기회를 놓칠 수 있다. 따라서 이러한 경우에는 관절 운동 범위가 정상화되지 않은 시점이라도 조기에 수술을 시행하는 것이 바람직할 것으로 사료되며, 수술 후 관절 운동 범위 회복에 대한 재활에 많은 노력을 기울여야 한다.

2. 수술적 치료법

a. 전방 십자 인대 봉합술(ACL repair)

① 손상된 전방 십자 인대의 자연 치유 능력은 매우 제한되어 있으며, 급성 전방 십자 인대 손상의 조기 일차 봉합술의 결과가 몇몇 저자들의 제한된 적응증 하에서는 만족스러운 보고가 있으나, 일반적으로는 재현성이 없거나 만족스럽지 못한 결과들이 보고되어 있어, 현 시점에서는 일차봉합술보다는 재건술이 보편화된 치료법이다.

② 급성 전방 십자 인대 손상 중 소아/청소년기에 상대적으로 흔한 전방 십자 인대의 경골극 견열 골절(tibial spine avulsion fracture)은 일차 고정술이 최근 여러 저자들에 의해 만족스러운 결과가 보고되어 있으며, 성장판 손상의 가능성 때문에 일반적인 전방 십자 인대 재건술을 하기 어려운 소아 환자에서 특히 유용한 방법으로 사용될 수 있다.

③ 경골극 견열 골절은 Meyers and McKeever와 Zaricznyj 등에 의하여 다음과 같은 4개의 형태로 분류되고 있다(그림 11-6). 제I형 : 전위가 거의 없는 경우, 제II형 : 골편의 앞쪽 1/3 - 1/2 부위가 위로 들려 있으나 뒤쪽은 경골 근위 면에 접촉되어 경첩으로 남아 있는 경우, 제III형 : 전체 골편이 전위된 경우, 제IV형 : 전위된 골편이 분쇄상인 경우. 제III형은 다시 단순 전위만 있는 IIIA형과 전위된 골편의 회전이 일어난 IIIB형으로 나누기도 한다.

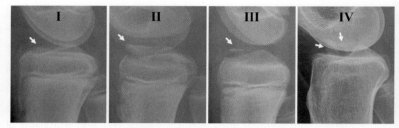

그림 11-6. 경골극 견열 골절의 분류

④ I형과 II형은 대부분 슬관절 신전 위에서의 장하지 석고 고정으로 치료하며, 이때 과신전되지 않도록 주의해야 한다. 또한 첫 2주간은 적어도 1주 간격으로 방사선 촬영을 하여 전위가 일어나지 않는지를 관찰하여야 한다.

⑤ 수술적 치료의 대상은 주로 제III형과 IV형으로 골편이 크고 분쇄가 없는 경우 K-강선이나 변동 나선 원추형 나사(Acutrak®) 등으로 고정할 수 있으나, 골편이 작거나 분쇄된 경우는 끌어내기 봉합술(pull-out suture)이 유용한 방법이다(그림 11-6).

⑥ 경골극 견열 골절 수술 시 주의할 점은 외측 반월상 연골의 전각이 견열골절편에 부착되어 있는 경우가 있거나, 외측 반월상 연골의 전각이 견열 골절편의 적절한 정복을 방해하는 구조물로 작용할 수 있다는 것이다. 이 경우 수술 시 외측 반월상 연골 전각을 해부학적 위치에 정복하고 견열 골절편과 함께 고정해야 할 수도 있다.

⑦ 경골극 견열 골절의 정복 및 내고정술은 슬관절의 전내측 도달법을 통한 관혈적 수술 혹은 관절경을 이용한 수술로 시행할 수 있으며, 관절경을 이용한 고정술 시 슬개골의 중앙부 높이의 높은 외측 삽입구는 견열 골절편과 외측 반월상 연골의 전각을 내려다 볼 수 있어 정확한 정복 및 고정에 유용하다(그림 11-7 B, C, D).

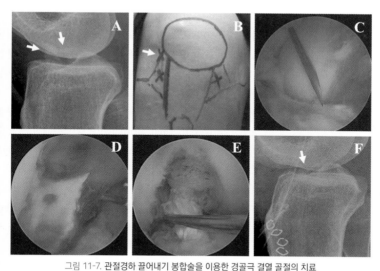

그림 11-7. 관절경하 끌어내기 봉합술을 이용한 경골극 결열 골절의 치료

(A) 전위 및 분쇄가 있는 제 IV형 경골극 견열 골절. (B), (C) 견열 골절의 보다 나은 관찰을 위한 높은 외측 삽입구의 위치(화살표). (D) 높은 외측 삽입구에서 관찰되는 견열 골절. (E), (F) 끌어내기 봉합술을 이용한 정복 및 고정술 후

⑧ 하지만 전방 십자 인대 견열 골편의 고정술을 시행하는 대부분이 급성기에 수술을 하게 되고 수술 후에도 골편의 유합까지 석고 고정 등을 하게 되는 경우가 많아 관절의 부분 강직이 재건술보다 더 빈번하다. 따라서 관절 운동 회복을 위한 재활에 많은 노력을 해야 하며, 이러한 사실을 술 전에 환자와 충분히 상의해야 한다.

⑨ 더불어 견열 골절 외에 전방 십자 인대의 실질에 손상이 동반된 경우에는 골편의 고정술이 실패할 수 있다.

⑩ 따라서, 성장판이 열려 있는 소아에서는 전방 십자 인대 견열 골편의 고정술을 시행하는 것이 당연히 추천되나. 성인에서는 실질의 손상이 의심되고, 골편의 분쇄가 심해 고정이 적절하게 이루어지지 않거나, 수술 후 오랜 시간의 석고 고정이 필요할 것으로 예상되는 경우에는 차라리 재건술을 하는 것이 더 좋은 방법일 수 있다.

b. 전방 십자 인대 보강술(ACL augmentation)

① 급성 전방 십자 인대 손상에서의 보강술(augmentation)은 주로 일차 봉합술과 함께 시행되어 왔으며, 전방 십자 인대의 치유가 일어날 동안 하중을 분산시키는 것이 주된 목적이다. 일차 봉합술과 마찬가지로 저자들간의 결과가 상반되고 재현성이 부족하여 표준적인 치료법으로 추천되지 않는다.

② 보강술 외에 일부 저자들에 의해 급성 손상을 포함한 전방 십자 인대 부분 손상 시 고주파를 이용한 열 수축(thermal shrinkage)으로 느슨해진 전방 십자 인대의 장력을 회복하는 술식이 시도되었으나, 최근의 장기추시에서 50% 이상의 실패율이 보고되어 일반적인 치료법으로 사용하지 않아야 한다.

c. 전방 십자 인대 재건술(ACL reconstruction)

① 고도 불안정성을 보이는 전방 십자 인대 손상 환자 거의 대부분에 대한 표준적인 치료법은 재건술이며, 앞서 언급한 대로 적절한 수술 시기를 정하는 것이 중요하다.

② 현재까지의 학문적 근거에서 적절한 전방 십자 인대 재건술은 기존의 전방 십자 인대의 해부학적 경골부, 대퇴골부 위치에 터널을 만들고 생물학적, 생역학적인 면에서 적절한 이식건을 통과시킨 후, 적절한 무릎 각도와 장력하에 견고한 고정을 하는 것이다.

③ 이식건

i. 재건술의 재료에 해당되는 이식건은 크게 자가건과 동종건으로 나뉘며 자가건에는 bone-patellar tendon-bone (BPTB), hamstring tendon (gracilis와 semitendinosus tendon), central Quadriceps tendon의 3종류가 대부분 사용되며, 동종건에는 allo-Achilles, allo-tibialis anterior, allo-tibialis posterior tendon, allo-BPTB tendon 등이 사용된다.

ii. 각각의 자가건은 채취건의 역할과 골편 유무 등에 기인한 장·단점이 있으나 대부분의 문헌에서 장기적 추시 상 전반적인 결과에 큰 차이를 보이지는 않는다.

iii. BPTB의 경우 hamstring tendon graft에 비하여 좀 더 나은 stability를 보이는 경향이 있는 반면, 무릎 전방부 통증의 빈도가 다소 높은 경향과, 굴곡 구축이 좀더 생기는 경향, 그리고 장기 추시에서 관절염 발생의 빈도가 좀 더 높은 경향이 있으며, hamstring tendon은 앞서의 차이 외에 무릎을 굴곡시키는 힘이 저하되는 단점이 보고되어 있어 힘 있는 무릎의 굴곡이 필요한 환자, 예를 들어 리듬 체조 선수 등에게는 사용에 유의해야 한다.

iv. BPTB의 경우 환자에 따라 슬개건의 폭이 너무 좁거나(27 mm 미만), 길이가 너무 긴 경우(50 mm 초과)가 있어 수술 전 MRI 평가를 통해 이러한 경우 다른 이식건을 고려하는 것이 필요할 수 있다.

v. 또한 내측 측부 인대 손상으로 내반 불안정성이 잔존하는 경우에는 medial hamstring tendon을 채취하는 경우 불안정성이 더 심해질 가능성이 있어 다른 이식건을 고려하는 것이 바람직하며, 성장판이 아직 열려 있는 경우에는 BPTB graft의 골 부분과 고정을 위한 간섭 나사가 성장판에 위치하는 경우 성장 장애를 일으킬 수 있으므로 soft tissue graft를 쓰는 것이 바람직하다.

vi. 자가건에 비하여 동종건은 자기의 힘줄을 채취하지 않는 장점이 있고, 더불어 수술 시간을 단축시킬 수 있는 장점이 있는 반면, 추가적인 비용이 소요되는 것과 환자의 몸에서 생물학적인 유합이 일어나는 시간이 지연된다는 점, 그리고 질병 전파 및 면역반응에 의한 거부반응 가능성 등의 단점이 있다.

④ 터널의 위치 및 수술 기법

i. 적절한 터널의 위치는 성공적인 전방 십자 인대 재건술에 가장 중요한 요소이며, 수술 기법에 의해 영향을 받게 된다.

ii. 최근 10년 간의 여러 연구들은, 보다 oblique 하고 본래의 해부학적 위치에 터널을 만드는 것이 더 우수한 결과, 특히 더 우수한 회전 안정성을 얻을 수 있다고 보고하고 있어, 전방 십자인대 재건술의 가장 중요한 목표가 되어 있다.

iii. 기존의 transtibial technique은 경골의 터널에 의해 대퇴골의 터널의 위치가 결정되며, 많은 경우 vertical한 위치에 대퇴골 터널이 만들어지게 되어 회전 안정성을 얻는 데 실패하는 경우가 많았다.

iv. 이를 보안하기 위하여 modified transtibial technique이 사용되고 있으

며, 이는 경골 터널의 시작점을 좀 더 내측 및 근위부에 위치시킴으로써
대퇴골 터널을 좀 더 oblique하게 만드는 기법이다(그림 11-8).

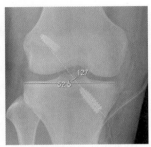

그림 11-8. Modified transtibial technique을 이용한 전방십자인대 재건술

v. modified transtibial technique을 사용해도 해부학적인 터널을 만드는 것
   이 어려울 수 있으며 좀 더 재현성 높은 해부학적 재건술을 위하여 소위
   independent drilling technique이 도입되어 사용되고 있다.

vi. Independent drilling technique 중 대표적인 것은 anteromedial portal
    을 통하여 대퇴골 터널을 만드는 AM portal technique(그림 11-9)과 원위
    대퇴골 바깥쪽에서 대퇴골 터널을 만드는 outside-in technique(그림 11-
    10)이 있다.

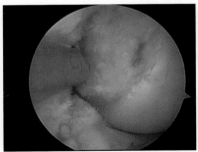
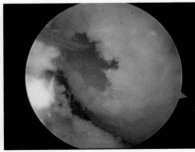

그림 11-9. AM portal technique
Anteromedial portal을 통하여 guide를 삽입하여(좌측). 해부학적인 위치에 대퇴골 터널을 만든다.(우측)

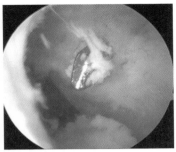

그림 11-10. Outdise-in technique

원외 대퇴골 외측에서 적절한 가이드를 이용하여 접근하여(좌측), 해부학적 위치에 가이드 pin을 삽입한다.(우측)

원외 대퇴골 외측에서 적절한 가이드를 이용하여 접근하여(좌측), 해부학적 위치에
가이드 pin을 삽입한다(우측).

⑤ 이식건의 고정, 장력

　i. 이식물의 강도는 정상 십자인대보다 강하기 때문에 초기에 가장 약한 부
　　위는 이식물 자체보다는 고정부위이다. 수술 후 적극적인 재활치료를 위
　　해서 이식물의 생물학적 결합 시기까지 견고한 고정을 유지하는 것이 중
　　요하다.

　ii. 이식물의 고정은 직접고정과 간접고정이 있음. 직접고정은 간섭나사
　　(interference screw), cross-pin, staple 등으로 직접 이식건을 뼈에 고정
　　하는 것이고 간접고정은 endobutton, 봉합지지대 등을 이용하여 이식물
　　과 떨어진 부위에 고정을 하는 방법이다.

　iii. 일반적으로 대퇴골부보다는 경골부의 고정이 좀 더 취약한 것으로 알려
　　져, 특히 soft tissue graft의 경골부의 고정은 이중 고정을 하는 경우가 많
　　으며, 대개 간섭나사(혹은 Intrafix와 같은 expansion fixator) + Washer
　　& screw 혹은 staple 등의 조합을 사용한다.

　iv. 이식건의 고정 시 무릎의 각도와 장력에 대하여는 이견이 있으나, 너무 많
　　이 굴곡한 상태에서의 고정이나 너무 큰 장력하에서의 고정은 관절운동
　　의 제한이나 이식건의 손상 및 괴사를 초래할 수 있고 경골-대퇴골의 역

학에 나쁜 영향을 줄 수 있어 피해야 한다. 현재까지의 문헌상의 근거로는 약 20도 굴곡에서 10 pound 근처의 장력하에 고정하는 것이 추천된다.

II. 반월상 연골 손상(Meniscus Injury)

A. 개요

a. 정형외과 영역에서 수술을 시행하는 가장 흔한 손상으로 2007년 미국에서 반월상 연골 절제술이 약 100만 건이 시행되었으며 이는 정형외과 수술 중 최다 빈도의 수술이다.

b. 반월상 연골 손상은 외상에 의해서도 일어나지만, 중년 이후에는 별다른 외상 없이도 매우 흔하게 발견된다.

B. 해부학적 특성과 기능

a. 내, 외측 반월상 연골은 다소 차이가 있는데 내측의 경우 semicircular 모양에 후각이 더 넓으며, 경골 관절면의 약 30%를 덮고 있고 관절막과 경골연에 견고하게 부착되어 있어 움직임이 적은 반면, 외측 반월상 연골은 거의 circular한 모양에 전체적으로 폭이 비교적 일정하고, 경골 관절면의 약 50%를 덮고 있으며, 관절막 부착부가 느슨하고 popliteus hiatus부위는 관절막에 부착되어 있지 않아 유동성이 크다.

b. 연골판은 변연부의 10~30%에 해당되는 부위에만 혈관이 있으며, 이 부위를 육안 소견상 red zone이라고 칭하고, 혈관이 전혀 없는 중앙부를 white zone, 둘 사이의 이행부를 grey zone 혹은 red-white zone이라 칭하였으나 최근에는 반월연골판-변연부 부착부에서의 거리로 분류하는 것을 권장한다. 3 mm 이내를 zone1, 3~5 mm를 zone2, 5 mm 이상 떨어진 중심부를 zone 3로 분류하며, zone1의 경우 파열 후 봉합 시 양호한 치유를 기대할 수 있으나, zone 3의 경우 치유가 불량하여 수술이 필요한 경우 봉합술보다는 절제술의 적응증이 된다.

c. 연골판의 여러 역할 중 가장 중요한 것은 하중의 분산으로 관절면에 가해지는

axial load를 tensile stress로 전환시켜 관절면에 직접적으로 가해지는 하중을 줄이게 되며, 연골판이 없는 경우 관절면의 하중이 3.5배까지 증가하는 것으로 보고되어 있다.

  d. 연골판의 손상으로 기능을 상실하거나, 절제술로 연골판이 소실되는 경우 퇴행성 관절염이 빠르게 진행할 수 있다.

  e. 손상의 빈도는 견고하게 부착되어 유동성이 적은 내측 반월상 연골판이 더 흔한 반면, 손상 이후 퇴행성 관절염의 진행은 관절면을 더 많이 덮고 있어 하중을 더 많이 분산시키고 있는 외측 반월상 연골의 소실에서 더 흔하고 빠른 것으로 알려져 있다.

C. 진단

1. 병력 및 증상

  a. 반월상 연골의 파열에서 기인하는 전형적인 증상은 1) 통증의 부위가 주로 파열된 반월상 연골이 있는 관절면 주위에 국한되어 있으며, 2) 특정한 자세나 동작, 즉 앉았다가 일어나기, 계단 오르내리기, 무릎을 회전시키는 동작 등에서 걸리는 느낌이나 locking, 어긋나는 느낌 등과 함께 통증이 동반되고, 3) resting 시 통증은 거의 없는 양상으로 나타난다.

  b. Bucket handle tear의 경우에는 전위된 반월상 연골편에 의해 신전의 제한이 발생하며 정상적인 보행이 거의 불가능할 정도가 되며, 이 경우는 비교적 수상 초기에 수술을 하는 것이 봉합술의 가능성과 성공률을 높일 수 있다.

  c. 중년 이후에 비교적 흔하게 발생하는 내측 반월상 후각 부착부 근처에서 방사형 파열(radial tear), 소위 root tear라 불리는 파열은 젊은 나이에 비교적 큰 외상에서 발생하는 root의 avulsion tear와는 구별되어야 하며, 전형적인 임상상은 50~60세 이후의 비교적 고령의 환자가 걷다가 삐끗하는 정도의 경도의 외상에서 '뚝' 하는 느낌과 함께 심한 통증으로 보행이 불가능해질 정도가 되는 것이며, 관절 운동 범위의 부분적인 제한과 함께 내측 관절면 후방 부위에 심한 압통을 호소하는 양상이다. 이 경우 MRI소견상 내측 반월상 연골 후각 근처에 방사형 파열이 있으며, 많은 경우 파열부위에 degenerative change가 동반되어 있다(그림

11-11).

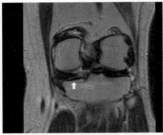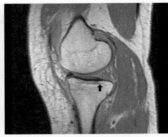

그림 11-11. 57세 여성 환자에서 발생한 내측 반월상 연골 후각 기시부의 radial tear(Root tear)
MR 관상면 사진에서 후각 기시부에 결손이 관찰되며(흰색 화살표), 시상면에서 후각 기시부 근처 파열 및 퇴행성 변화로 해당 부위의 반월상 연골의 음영이 증가되어 있다(검은 화살표).

2. 이학적 검사

a. 이학적 검사에서는 관절면의 압통이 가장 특징적이나, 내측 관절면, 특히 후방부 위에는 정상적으로도 압통이 있을 수 있으므로 건측과 비교하여 평가하는 것이 매우 중요하다.

b. McMurray 검사 : 무릎을 굴곡시킨 상태에서 내회전 혹은 외회전을 가하고 신전 시켜 파열된 반월상 연골을 전위시킴으로써 통증이나 관절면에서 갑작스러운 반 월상 연골의 움직임을 유발하는 검사로 전통적으로 가장 많이 사용되는 이학적 검사이다. 일반적으로 내측 반월상 연골의 파열인 경우 경골의 외회전, 외측 반 월상 연골의 파열인 경우 경골의 내회전에서 양성의 소견이 보이나 위양성이 있 을 수 있고 파열의 양상에 따라 위음성이 있을 수 있어 이것만으로 파열 여부를 판단하기 어려울 수 있다.

c. Apley 압박검사 : 환자를 복와위 자세에 위치시키고 슬관절을 90도 굴곡한 상태 에서 시행한다. 경골을 원위 대퇴골에 압박한 상태에서 내측 반월상 연골을 검사 할 때에는 경골을 외회전시키고, 외측 반월상 연골을 검사할 때에는 경골을 내회 전시킨다. 이때 통증이 발생하거나, 경골을 신연시키면서 검사를 반복하는 경우 에 통증이 경감되면 파열을 의심할 수 있다.

3. 영상 검사

a. 단순 방사선 검사는 동반될 수 있는 골절, 박리성 골연골염, 관절내 유리체 등의 여부를 확인할 수 있다. 또한, 동반된 퇴행성 관절 변화를 확인하기 위해 반드시 필요하다. 일반적으로 체중부하 전후방 및 45도 굴곡 전후방, 측면, Merchant 촬영이 필요하며, 건측과 비교하여 확인하는 것이 유용하다. 그리고, 내반 및 외반 변형 등의 확인과 수술 여부의 결정을 위해선 하지 전장에 대한 체중 부하 전후면 사진(weight bearing lower extremity AP view)을 촬영하여야 한다.

b. MRI는 반월상 연골 손상 진단에 가장 유용한 검사로서 반월상 연골의 파열을 진단함에 있어 민감도 및 특이도는 약 90%까지 보고되고 있다. 시상면 및 관상면 영상을 연속적으로 확인해야 정확한 진단이 가능하며 연속된 하나 이상의 영상에서 반월연골판 내에 증가된 신호가 보이거나 모양이 불규칙한 경우 파열과의 연관성이 높다.

c. 반월연골판 파열을 진단하는 데 있어 인접한 구조물의 영향으로 인해 오류를 범하는 경우가 종종 있다. 반월연골판 전각부에 부착하는 반월연골판간 횡인대(transverse intermeniscal ligament)와 슬와건 및 반월연골대퇴인대(meniscofemoral ligament) 등은 반월연골판 파열과 유사하게 보일 수 있어 주의해야 한다.

4. 손상의 분류

a. 반월상 연골의 손상은 파열의 길이(tear length)와 파열의 깊이(tear depth), 파열의 위치(location) 및 파열 양상(tear pattern)에 따라 분류한다.

b. 파열의 양상에 따라서는 종파열(longitudinal/vertical tear), 수평파(horizontal tear), 방사 파열(radial tear), 판상 파열(flap tear), 복합 파열(complex tear) 등으로 분류한다.

5. 치료

a. 수술 적응증

① 비교적 젊은 나이에서 외상에 의한 반월상 연골 손상이 있고, 특히 봉합술이 가능한 파열로 판단될 경우 적극적인 수술적 치료가 요구된다.

② Bucket handle tear의 경우 수술이 지연되면 전위된 반월상 연골편이 손상

되거나 전위된 위치에서 치유가 일어나 봉합술의 기회를 잃어버릴 수 있으며, 특히 매우 젊은 나이의 환자의 경우 조기에(3~4주 이내) 수술적 치료를 시행한다.

③ 절제술을 해야 하는 파열의 경우 보존적 치료에 반응하지 않고, 반월상 연골이 전위되면서 일어나는 기계적인 증상이 있는 경우 고려한다.

④ 특히 중년 이후에는 반월상 연골 파열이 매우 흔하게 발생하게 되며 증상과 무관한 경우가 많아 설령 MRI에서 반월상 연골 파열이 있다 하더라도 환자의 무릎 통증이 과연 파열된 반월상 연골에서 오는 것인지 판단하는 것이 중요하며, 이는 중년 이후에 전위가 거의 없는 수평 파열에 대한 수술적 치료를 결정하는 것에 매우 중요하다.

⑤ 젊은 나이에 비교적 큰 외상에서 발생하는 root의 avulsion tear는 반월상 연골의 기능을 완전히 잃어버리게 되는 손상이므로 수술적 치료를 해야 하며 일반적으로 끌어내기 봉합술을 시행한다.

⑥ 중년 이후에 발생하는 퇴행성 변화가 동반되어 있고 가벼운 외상이나 특별한 외상 없이 발생되는 내측 반월상 후각 부착부 근처에서 방사형 파열(radial tear), 소위 root tear의 치료는 논란의 여지가 있으며 봉합술을 시행하는 경우 조직의 퇴행성 변화로 단단한 고정을 얻기 어렵고 재파열의 가능성이 많으며 또한 장기간의 비 체중 부하는 근력의 약화로 오히려 무릎의 기능을 떨어뜨릴 가능성이 있으므로 선별하여 시행해야 한다. 또한 보존적 치료가 비교적 성공적이어서 많은 환자에서 1~2개월의 NSAID 치료 후 상당한 통증의 감소를 보이므로 보존적 치료를 우선적으로 고려한다.

⑦ 중년 이후의 반월상 연골 절제술 후 나쁜 예후를 보이는 인자 : 1) 이미 진행된 방사선학적 knee OA가 있는 경우, 2) malalignment가 동반된 경우가 대표적이며, 그 외에 3) MRI에서 bone marrow edema가 동반되어 있는 경우, 4) 여성, 5) 비만, 6) 불안정성이 동반된 경우, 7) 만성적인 경과를 가진 경우

b. 절제술

① 절제술의 원칙은 불안정하고 감입이 일어나는 파열된 부분을 제거하되 가능한 많은 반월상 연골을 보존하는 것이며 정확한 절제 정도를 결정하기 위해 반월상 연골 병변을 반복적으로 탐침하고 검사하여야 한다.

② 봉합술보다는 절제술을 시행하여야 하는 경우 1) degenerative, poor tissue, 2) chronic shorten bucket handle tear, 3) white zone tear, 4) 환자가 봉합술 후 재활을 받아들일 수 없는 상황이거나 봉합술의 실패율(20% 이상)을 받아들이지 못하는 경우 5) older, sedentary patient.

③ 절제술 시행 시 절제된 부위와 남아있는 부위의 이행부의 모양이 너무 급격하게 변화하지 않도록 다듬어야 하나 절제면이 다소 불규칙한 것은 remodeling을 통해 매끈해지므로, 너무 매끈하게 만들려고 시간을 들일 필요는 없다.

④ 절제술 시 전동 절삭기와 punch 등의 기구를 반복적으로 사용하면서 탐침을 반복하여 불필요한 절제가 일어나지 않도록 해야 하며 iatrogenic chondral injury가 일어나지 않도록 조심해야 한다.

⑤ 특히 내측 반월상 연골 절제술 시 내측 구획이 너무 tight해서 절제술이 힘들거나 iatrogenic chondral injury를 만들 수 있는데 이 경우 18 gage needle로 근위 경골부의 내측 측부 인대의 tight band 몇 군데를 release하면 공간을 확보할 수 있다.

⑥ 또한 전동 절삭기가 너무 두꺼우면 절삭기의 톱니에 의해 연골 손상이 발생할 수 있으며, 3.5 mm full radius 절삭기는 가늘고 톱니가 없어 연골손상을 최소화 할 수 있으며 반월상 연골 절단면도 부드럽게 절삭이 되어 도움이 된다.

⑦ 수평 파열의 경우 분리된 상방 혹은 하방 반월상 연골 중 불안정한 부분을 절제하게 되는데 주로 하방 부분이 불안정한 경우가 많고 몇몇 연구에서 상방부을 보존하는 것이 관절 접촉 면적이나 관절 압력 측면에서 우수한 결과를 보인다고 하여, 많은 경우 하방부를 절제하게 되지만 원칙은 불안정한 부분을 절제하는 것임을 명심해야 한다.

⑧ 또한 수평 파열이 반월상 연골 후방부에 국한된 경우에는 하방 혹은 상방 반월상 연골만을 제거하면 되지만, 수평 파열이 전체 반월상 연골에 걸쳐서 광범위하게 있는 경우는 한쪽을 완전히 보존하는 경우 재파열의 가능성 있으므로 남은 반월상 연골도 적절한 부위까지 제거할 것을 권유하고 있다(그림 11-12).

① Check Tear Pattern

② Debride Loose Flap & Recheck Tear

③ Resect Posterior Horn via AM Portal

④ Resect Mid to Anterior Horn via AL Portal

⑤ Completion of Meniscectomy

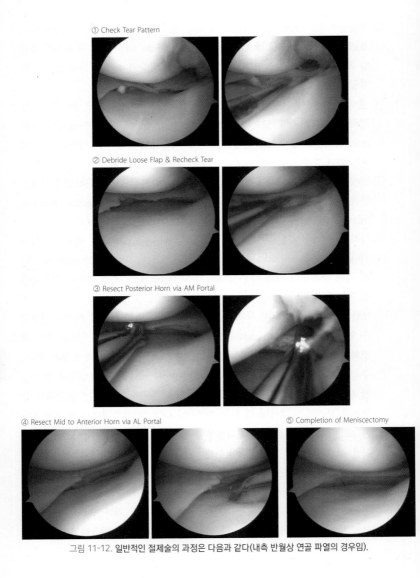

그림 11-12. 일반적인 절제술의 과정은 다음과 같다(내측 반월상 연골 파열의 경우임).

c. 봉합술

① 봉합술은 반월상 연골 파열에 가장 이상적인 치료이지만 실제로 봉합술을 시행할 수 있는 경우가 많지는 않다. 실제로 1999년 미국 정형외과 학회의 조사에서도 봉합술과 절제술의 빈도는 5% : 95%로 봉합술을 시행하는 경우가 매우 드물었다.

② 이러한 이유는 제한된 반월상 연골의 혈관분포, 중년 이후의 퇴행성 파열에 대한 높은 수술 빈도, 재파열에 대한 두려움 등이 있다.

③ 봉합술에 가장 이상적인 손상은 red zone에서의 longitudinal tear이지만, 불안정성이 없는 1 cm 미만의 red zone에서의 longitudinal tear는 봉합할 필요가 없다.

④ White zone의 파열에 대하여 절제술을 시행하는 것에는 이견이 없으나, red-white zone의 경우, 특히 젊은 환자에서는 환자와 실패할 가능성에 대하여 충분한 논의를 한 후 가능한 봉합술을 시행할 것을 고려해야 한다.

⑤ 또한 전방십자인대 재건술과 봉합술을 동시에 시행하는 경우 tunnel에서 흘러나오는 치유에 도움을 주는 marrow cell 때문에 봉합술의 성공률이 오히려 반월상 연골의 단독 파열 때보다 높아지므로 적극적으로 봉합술을 시행할 것을 고려해야 한다.

⑥ 봉합술의 성공률을 높이기 위하여 치유를 증진시키는 방법으로 대표적인 것은 파열부 주변의 synovium을 자극하는 rasping이며, Red-white zone의 파열이나 반월상 연골 단독 손상에 대한 수술, 긴 범위의 파열 등 성공률이 상대적으로 낮은 경우에는 fibrin clot을 만들어 봉합부위에 삽입하는 술식이 치유반응을 촉진시키는 데 도움이 된다.

⑦ 반월상 연골 단독 손상의 경우 marrow cell의 유도를 위하여 notch 주변에 awl을 이용하여 microfracture를 시행할 수 있다.

⑧ 봉합술의 방법에는 outside-in technique(그림 11-13), inside-out technique(그림 11-14), all inside technique(그림 11-15)이 있다.

11

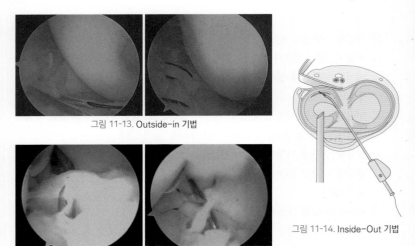

그림 11-13. Outside-in 기법

그림 11-14. Inside-Out 기법

그림 11-15. Suture hook을 이용한 all inside 기법

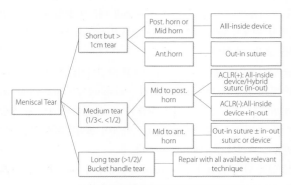

그림 11-16. 봉합술기 적용의 저자의 치료 지침

III. 후방 십자 인대 손상
(Posterior Cruciate Ligament Injury)

A. 개요

a. 후방 십자 인대 손상은 전방십자인대 손상만큼 흔하지는 않으며, 단독 손상의 경우 환자가 불안정성을 호소하는 경우는 많지 않고, 별다른 증상이 없거나, 무릎 전방부 통증을 호소하는 경우가 있다.

b. 전방 십자 인대 손상의 자연 경과가 연골판 손상을 증가시키고 조기 퇴행성 관절염을 유발하는 것에 비해 후방 십자 인대의 자연 경과는 논란이 있으며, 후방 십자 인대 단독 손상의 경우 장기 추시에서 절반 이상의 환자에서 증상이 없거나 경미하고, 조기 퇴행성 관절염과 연관성에 대해서도 확실하게 입증이 되지 못한 상태이다.

c. 하지만, 후방 십자 인대 손상은 다른 인대, 특히 후외측 인대군과의 동반 손상이 흔하며 이러한 경우 불안정성 등의 증상이 뚜렷해지는 경우가 많아 수술적 치료를 필요로 하게 된다.

B. 손상기전, 병력, 진단

a. 후방십자인대 손상의 가장 흔한 기전은 근위 경골부에 대한 후방 타격과 과신전 손상이다. 전형적인 경우는 교통 사고 시 계기판 손상(dashboard injury)에 의하여 슬관절 굴곡 상태에서 경골에 직접 후방타격이 가해지는 것이다. 미식 축구와 같은 운동 시 슬관절을 과굴곡한 상태로 무릎을 지면에 부딪히는 충격에 의해서도 발생할 수 있다.

b. 하지만, 환자가 특별한 외상을 기억하지 못하는 경우도 있으며, 불안정성을 호소하기보다는 무릎 전방부 통증과 함께 경사진 곳을 오르내리는 데 불편함을 호소하는 경우가 있다.

c. 후방십자인대의 손상 여부를 평가하는 가장 유용한 이학적 검사법은 경골후방 부하 검사(posterior drawer test)이다. 이 검사는 슬관절 굴곡 90도 상태에서 경골 근위부에 직접 후방 부하를 가하여 내측 경골 고평부와 내측 대퇴과와의 층형

성(step-off)의 변화의 범위를 평가하는데 평상시에 내측 경골전면이 내측 대퇴과 전면보다 정상적으로 전방에 위치한다. 1도(Grade I) 손상은 경골이 대퇴과보다 여전히 전방에 위치하는 불안정성 상태로 3~5 mm의 후방불안정성이 있다. 2도 (Grade II) 손상은 경골 후방 전위가 5~10 mm 사이로 내측 경골 고평부가 후방 으로 전이되어 내측 대퇴 전면과 거의 일치되는 상태까지이다. 경골전면부가 더 이상 층형성을 보이지 않고 내측 대퇴과보다 후방에 위치하게 되는 불안정의 정 도가 10 mm 이상인 상태를 3도(Grade III)로 분류하며 동반 인대 손상이 있는 경우가 많으므로 반드시 확인해야 한다.

d. 그 외 이학적 검사는 환자를 앙와위로 양측 다리의 발목을 잡은 채 고관절 90 도, 슬관절을 90도 굴곡시켜 경골을 중력의 힘이 가해지도록 하면 건측에 비하 여 환측의 경골 조면이 후방으로 sagging되는 것을 검사하는 posterior sagging test와 환자가 슬관절 굴곡 90도 상태에서 검사자가 발목을 잡고 다리를 펴는 방 향의 힘을 주게 하여 대퇴 사두근을 수축시키면 하퇴가 신전되기 전에 경골이 먼저 앞쪽으로 전진하게 되는 Quadricepsactive test가 있다.

e. 영상 검사에서는 단순 방사선 사진에서 Telos 기기 등을 이용한 부하 방사선 사 진이 유용하며 건측과 환측의 시상 전위(sagittal translation)를 객관적으로 비교 할 수 있다.

f. 급성기에는 MRI에서 후방 십자 인대 손상을 잘 관찰할 수 있으나, 후방 십자 인대 의 경우 손상 후에 늘어난 상태에서 치유되는 경우가 많아 만성 손상의 경우 MRI 에서 연속성이 있는 후방 십자 인대가 관찰되는 경우가 많으므로 주의해야 한다.

C. 치료

후방 십자 인대의 수술적 치료의 대표적인 적응증은 다른 인대와의 복합 손상이며, 단독 손상의 경우 수술적 치료에 대한 적응증에는 이견이 많다.

1. 급성기의 치료

a. 급성기에 특히 다른 인대 손상과 동반된 경우에는 반드시 neurovascular injury 여부를 철저히 조사해야 한다. 족배 동맥과 후경골 동맥의 맥박을 확인하고 족 부의 운동과 감각 기능을 평가하여 아무리 작은 변화여도 반드시 기록을 남기

도록 한다. 맥박이 온전한 경우에도 혈관 내막(endothelium)의 손상이 있는 경우에는 지연 폐쇄의 가능성이 있으므로 혈관 손상의 우려가 있는 경우에는 혈관 조영술(angiogram)로 확인을 해야 하며, 발목-상완 지수(ankle-brachial index)가 건측과 비교해 0.8~0.9 이하인 경우 혈관 조영술이 추천된다.

b. 급성기의 단독 손상의 경우 수상 초기에 부목이나 보조기를 완전 신전 상태로 착용시키며, 4주간 유지한다. 대퇴 사두근 강화 운동은 경골 후방 아탈구에 반대의 작용을 하기 때문에 초기부터 시행하도록 권장해야 한다.

c. 급성기에 동반손상 특히 후외측 인대군이나 내측 및 후내측 인대 군의 고도손상이 있는 경우 수술적 치료가 권장되며, 수술이 지연될 경우 경골의 만성 후방 아탈구가 발생하여 심각한 기능 장애를 초래할 수 있다. 후외측 인대군 혹은 내측 인대군의 치료 시 후방 십자 인대에 대한 수술을 동시에 시행할지 아니면 후방 십자 인대는 차후에 불안정성을 평가하여 지연 수술을 할지에 대하여는 논란이 있으나, 어떠한 방법이 선택되던 간에 신전 위에서의 경골의 후방 전위는 교정이 되어야 한다.

2. 만성기의 치료

a. 만성기의 후방 십자 인대의 단독 손상에서 수술적 치료의 적응증은 일반적으로 비교적 젊은 나이에서 고도의 후방 전위가 있으며 충분한 재활 이후에도 증상이 동반된 경우이다.

b. 경도 후방 불안정성을 보이는 후방 십자 인대 단독 손상은 수술적 치료가 필요 없으며, 중등도의 불안정성을 보이는 경우에는 대부분 비수술적 치료에 잘 반응하지만 젊은 나이에서 스포츠 활동이 많고 재활 이후에도 증상이 지속되는 경우 수술적 치료를 신중히 고려한다.

c. 후방 십자 인대의 수술은 재건술이 원칙이며 이에 대한 issue로는 1) 이식건에 있어 자가건 vs. 동종건, 2) 수술 기법에 있어 transtibial tunnel vs. tibialinlay technique, 3) single bundle vs. double bundle reconstruction이 있다.

① 자가건 vs. 동종건 : 후방 십자 인대 재건술에서 자가건과 동종건을 비교한 연구는 많지 않으나 모두 유의한 차이가 없다고 결론을 내려, 대개는 동종건을 사용하는 경우가 많다.

② Transtibial tunnel vs. tibial inlay technique : transtibial tunnel의 경우 이

식건이 경골에서 대퇴골로 이행될 때 경골 터널의 관절 내 입구에서 급격이 각도가 바뀌면서 생기는 killer turn 효과가 문제가 되고 있다. 실제로 일부 실험실 사체 연구에서 transtibial tunnel 기법 사용 시 이식건이 killer turn 효과에 의해 얇아져서 늘어나는 현상을 보고하여 tibial inlay technique을 권고하였다. 하지만 다른 사체 연구에서는 killer turn효과가 실제로 거의 일어나지 않는다고 보고하였고 비교 임상 연구에서도 유의한 차이가 없었다. 하지만 tibial inlay technique의 경우 수술 자세가 관절 내시경을 동시에 시행하기에 어려움이 있다.

③ Single bundle vs. double bundle reconstruction : 이 역시 사체 연구에서 double bundle이 더 우수하다는 연구와 별 차이가 없다는 연구가 혼재하며 비교 임상 연구에서도 큰 차이가 없어 double bundle의 이론적인 장점이 아직 증명되지 않은 상태이다. double bundle을 하던 single bundle을 하던 후방 십자 인대는 전외측 다발(anterolateral bundle)이 전체 단면적의 85%를 차지하는 main bundle이므로 전외측 다발이 튼튼하고 올바르게 재건되도록 노력해야 한다(그림 11-17).

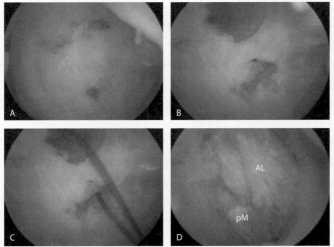

그림 11-17. Double bundle PCL reconstruction (A) 전외측 다발(위쪽)과 후내측 다발(아래쪽)을 marking한다. (B) 각각의 tunnel을 만든다. (C) 이식건 통과를 위한 실을 통과시킨 모습 (D) 재건술 후 상태

d. 만성 후방 십자 인대 손상의 경우 remnant가 남아 있는 경우가 많아 이것을 제거하지 않은 채 보강하는 형태의 재건술을 시행하는 것이 소위 remnant preservation PCL reconstruction으로 소개되어 있으며 최근 사용이 확대되고 있다.

e. 유용한 remnant가 남아 있는 경우 remnant를 보존하면서 전외측 다발의 single bundle reconstruction을 시행할 수 있으며(그림 11-18), 전외측 다발의 대퇴 터널의 위치는 우측 무릎의 경우 약 1시 방향의 관절면에 연한 superficial 위치가 가장 생역학적으로 우수하여 추천되며, double bundle의 경우 전외측 다발의 위치는 동일하고 후내측 다발을 위한 대퇴골 터널의 위치는 3~4시 방향의 superficial이 추천된다.

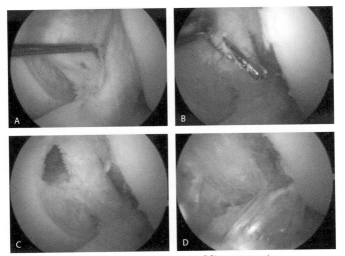

그림 11-18. Remnant preservation PCL reconstruction

(A) 후방 십자 인대의 remnant가 남아있다. (B) Remnant를 보존한 채 전외측 다발 재건술을 위한 guide pin을 삽입 (C) 전외측 다발 재건술을 위한 대퇴부 tunnel (D) 재건술 후 상태. 이 환자는 전방 십자 인대 재건술도 동시에 시행한 경우임.

IV. 외측/후외측 인대군 손상
(Lateral/ Posterolateral Ligament Injury)

A. 개요

a. 외측/후외측 인대군은 구조물은 슬관절 후외측부의 안정성을 제공하는 중요한 구조물로서 손상 시 후방, 외회전 및 내반 불안정성을 초래하고 연골의 퇴행성 변화 등의 심각한 장애를 일으킬 수 있다.

b. 외측/후외측 인대군 손상은 대부분 동반 손상이며 후방 십자 인대 손상과 많이 동반되고, 전방 십자 인대 손상과도 동반될 수 있다.

c. 외측/후외측 인대군 손상이 간과되었을 경우 동반된 전방 및 후방십자인대 재건 술의 지연 실패의 중요한 원인이기 때문에 정확한 진단과 치료가 필요하다.

d. 하지만 전문가들도 진단이 어려울 수 있으며, 그동안의 여러 치료법들이 그다 지 성공적인 결과를 보여주지 못해 슬관절 손상 영역에서 어려운 분야로 여겨져 왔다.

B. 해부학

a. 외측/후외측 인대군은 3개의 layer로 되어 있으며, Layer 1은 Iliotibial tract, Biceps femoris tendon으로 Layer 2는 Patellar retinaculum, Lateral collateral ligament (LCL)로, Layer 3는 Popliteofibular ligament, Fabellofibular ligament, Arcuate ligament, Lateral joint capsule 및 Popliteus tendon으로 구성되어 있 다(그림 11-19).

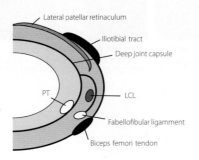

Lateral patellar retinaculum
Iliotibial tract
Deep joint capsule
PT
LCL
Fabellofibular ligamment
Biceps femori tendon

그림 11-19. Lateral/Posterolateral structures of the knee

b. 이들 중 슬관절 후외측부의 안정성에 가장 중요하며 일관되게 발견되는 3가지 구조물은 LCL, Popliteofibular ligament, Popliteus tendon이며 현재의 외측/후외측 인대 재건술은 이 3가지 구조물을 재건하는 데 중점이 맞추어져 있다.

C. 손상기전, 병력, 진단

a. 슬관절 후외측 구조물의 가장 흔한 손상 기전은 운동 손상, 낙상, 오토바이 사고 등으로 알려져 있으며, 신전 상태에서 후외방 부하가 직접 경골 근위부 가해질 경우, 슬관절 과신전과 내반력이 합쳐지는 경우, 슬관절이 굴곡된 상태에서 경골 외회전된 상태에서 후방 부하를 받을 경우 등이 주된 손상 기전이다.

b. 외측/후외측 인대군 손상은 타 인대와의 동반 손상이 많아 간과되는 경우가 많으며, 손상을 의심하여 이에 대한 이학적 검사를 철저히 하는 것이 진단의 첫 걸음이다.

c. 매우 많은 이학적 검사가 있으나 다음과 같은 경우에 외측/후외측 인대 손상을 강력히 시사한다.

* Varus and/or hyperextension thrust gait
* Varus shift in one leg stance
* Hyperextension $> 5°$ relative to the contralateral normal knee
* Side to side differences (SSD) $> 10°$ in Dial test
* SSD $>$ Grade 1 in varus stress test at knee extension
* SSD $>$ Grade 1 in posterior drawer test at maximum knee external rotation
* SSD $>$ Grade 1 in reverse Lachman test
* SSD > 3 mm in ER - valgus stress view

d. 급성으로 발생한 외측/후외측 인대군의 고도 손상은 대부분 다른 인대 손상이 동반되며 슬관절 탈구에 해당되는 손상으로 항상 neurovascular structure의 손상에 대한 철저한 검사가 필요하다.

e. 급성기의 고도 손상에서는 MRI가 매우 유용하며 쉽게 진단할 수 있다. 하지만 만성 손상의 경우 환자가 손상의 병력이 불분명한 경우도 흔하며 MRI에서도 병변이 뚜렷하게 관찰되지 않을 수 있어 이학적 검사와 통합하여 진단을 내려야

한다.

D. 치료

다음과 같은 경우 수술적 치료의 적응증이 된다.

a. Acute, high grade injury of lateral / posterolateral corner structures

b. Symptomatic chronic posterolateral instabilities

c. Posterolateral instability combined with high grade ACL and/or PCL injuries

1. 급성기의 치료

a. 급성기의 불안정성이 심하지 않은 가벼운 손상은 부목이나 보조기를 완전신전 상태로 착용시켜 3~4주간 고정하여 치료한다.

b. 외측/후외측 인대군의 고도 손상은 대부분 고 에너지 손상으로 심한 부종과 혈종으로 수술이 지연되는 경우가 많다. 고도 손상의 경우 수술적 치료가 필요하며 대개 2주 이내에 수술적 치료를 시행해야 손상된 구조물들의 일차 봉합이 가능하다.

c. 하지만 일차 봉합술을 단독으로 시행하는 경우 실패율이 40%까지 보고되어 있어 재건술식을 동시에 시행하는 것도 고려할 수 있다(그림 11-20).

2. 만성기의 치료

a. 만성기의 외측/후외측 인대군 손상에 의한 고도의 후외측 불안정성의 치료는 현재 해부학적 재건술이 가장 우수한 방법으로 추천되며, 3대 구조물인 LCL, popliteofibular ligament, popliteus tendon을 재건하는 술식이 소개되어 사용되고 있다(그림 11-21).

b. Popliteus tendon의 경우 dynamic structure이며 만성 외측/후외측 불안정성이 있는 환자에서도 보존되어 있는 경우가 많아 LCL과 Popliteofibular ligament 만을 재건하는 술식을 사용할 수 있다.

c. 재건술을 시행하기 전에 반드시 확인해야 하는 것은 하지의 정렬이며, 유의한 내반 정렬이 있는 경우 보행 시 외측에 adduction moment가 생기기 때문에 이를 교정하지 않고 재건술만을 시행하면 재건술의 지연 실패가 일어날 수 있다.

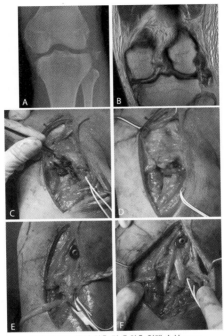

그림 11-20. 급성 외측 및 후외측 인대 손상 case

(A), (B). 단순 방사선 사진에서 비골의 견열 골편이 관찰되며, MRI에서 외측 측부 인대의 견열이 관찰된다. (C), (D). 육안 소견상 외측 측부 인대, Biceps femoris tendon, Lateral joint capsule의 완전 손상이 관찰된다. (E), (F). 외측 측부 인대, Biceps femoris tendon, Lateral joint capsule의 일차 봉합술과 더불어 Semitendinosus tendon을 이용한 보강재건술을 동시에 시행하였다.

11

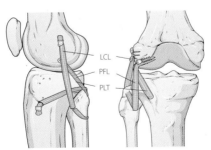

그림 11-21. LCL, Popliteofibular ligament, Popliteus tendon 재건술 모식도

d. 따라서, mechanical axis를 확인하여 유의한 내반 정렬이 있는 경우 교정 절골술을 우선적으로 시행해야 하며 대개 5도 이상의 내반 정렬이 있는 경우 면밀한 이학적 검사를 통해 교정 절골술의 우선적인 시행을 고려해야 한다.

e. 교정 절골술은 개방형 근위 경골 절골술(open wedge high tibial osteotomy)이 가장 추천되며, 정렬의 target은 adduction moment를 없애는 것이 목표이므로 내측 구획의 관절염 등이 없는 한 neutral alignment를 원칙으로 한다.

f. 교정 절골술만으로도 환자는 dynamic instability가 해결되는 경우가 종종 있어 이러한 경우 재건술이 필요 없게 될 수 있으므로 충분한 시간을 갖고 이차적인 재건술 여부를 판단해야 한다.

V. 내측 측부 인대 손상
(Medial Collateral Ligament Injury)

A. 개요

a. 내측 측부 인대 손상은 슬관절의 인대 손상 중 가장 흔하지만 수술적 치료가 필요 없는 경우가 대부분이다.

b. 대부분의 내측 측부 인대 손상은 단독으로 발생하며, 스키, 축구와 같이 외반 및 외회전 외력을 받는 스포츠에 참여하는 젊은 층에서 많이 발생한다.

B. 해부학 및 기능

a. 과거 연구로 Warren과 Marshall은 슬관절 내측 구조물을 세 개의 층으로 분류하였으며 첫 번째층은 대퇴근막(crural fascia)의 일부로 원위부로는 거위발건(pes anserinus)및 경골의 골막과 합해지고 근위부로는 봉공근(sartorius)과 대퇴 사두근(quadriceps femoris)을, 전방으로는 슬개지대(patella retinaculum)를 덮는다. 두 번째층은 천부 내측측부인대와 사슬와인대(oblique popliteal ligament)로 이루어져 있다. 세번째 층은 후방 내측측부인대와 관절낭으로 이루어져 있다.

b. 최근은 3개의 division의 개념으로 내측부의 구조를 설명하고 있으며 보다 유용

한 것으로 판단된다(그림 11-22).

① 이 중 middle third와 posterior third가 내측부 안정성에 중요한 역할을 하며, middle third은 superficial MCL, deep MCL이 posterior third는 posterior oblique ligament, Semimembranosus tendon의 expansion, oblique popliteal ligament, 내측 반월상 연골의 후내측부가 담당한다.

② 이들 중 superficial MCL, deep MCL, posterior oblique ligament의 3개의 구조물의 역할이 강조되고 있다.

③ 내측 측부 인대는 외반력에 저항하는 1차 구조물로 30도 굴곡에서 약 80%의 외반력에 저항하고 신전위에서는 약 55~60%의 외반력에 저항한다. 신전위에서는 posterior oblique ligament가 외반력에 저항하는 또 다른 주요 구조물이며, 그 외 전방 십자 인대도 신전위의 외반력 저항에 역할을 한다.

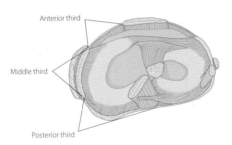

Anterior third

Middle third

Posterior third

그림 11-22. 슬관절 내측부 3-division concept

C. 손상기전, 병력, 진단

a. 내측 측부 인대의 가장 흔한 손상 기전은 과도한 외반력이며 운동 손상에서 흔히 발생한다. 여기에 과도한 외회전력이 가해지면 전방 십자 인대 손상 등이 동반될 수 있다.

b. 가장 특징적인 이학적 검사는 내측 측부 인대 부착부의 압통이며 대부분 대퇴골 부착부에서 손상이 일어나므로 대퇴골 내상과의 압통으로 손상을 의심할 수

있다.

c. 이학적 검사로는 외반 부하 검사가 대표적이며 내측 측부 인대의 단독 손상에서는 30도 굴곡에서만 외반 불안정성이 나타난다. 만일 신전위에서 외반불안정성이 나타나는 경우 내측 측부 인대 손상과 함께 posterior oblique ligament 손상이 있음을 시사하며 더불어 십자 인대 손상이 동반되어 있을 수 있다.

d. 따라서 신전위에서 외반 불안정성이 있는 경우 슬관절의 다발성 인대 손상여부를 확인해야 하며, 많은 경우 고에너지 손상에 의해 발생한다.

D. 치료

a. 내측 측부 인대의 단독 손상은 거의 대부분 비수술적 치료가 매우 성공적이며 전방 십자 인대 손상과 동반된 경우에도 대부분 전방 십자 인대 재건술만을 시행하고 내측 측부 인대는 보존적 치료를 하게 된다.

b. 내측 측부 인대의 단독 손상시 보존적 치료 방법에는 이견이 있으나, 장기간의 고정이 불필요하다는 연구 결과가 많아 3도 손상의 경우에도 약 2~3주간 보조기로 약 10~15도 굴곡 위에서 고정하여 목발 보행을 하고, 이후 관절 운동을 시행하면서 약 4~6주간 측부인대 보조기 등을 착용하여 전 체중 부하를 허용하여 치료를 시행하면 충분하다.

다음과 같은 경우 수술적 치료의 적응증이 된다.

① Displaced femoral avulsion fracture injury(그림 11-23)

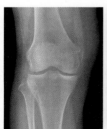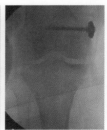

그림 11-23. **Displaced MCL femoral avulsion fracture injury** 내측 측부 인대 대퇴골 부착부 견열 골절이 있으며 (좌측), 외반 부하 시 고도의 불안정성이 관찰되고(중앙), 골편의 고정 후 외반 부하시 안정되었다(우측).

② Detachment of tibial insertion : Stener-like lesion(그림 11-24)

③ High energy multiple ligament injury with valgus instability in extension(그림 11-25)

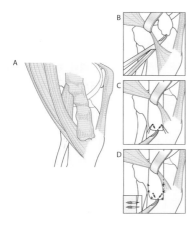

그림 11-24. Detachment of tibial insertion :
Stener-like lesion

내측 측부 인대 손상의 드문 경우로 내측 측부 인대의 경골 부착부에서 완전 분리가 일어난 경우, 분리된 내측 측부 인대가 거위발건 위로 전위되어 치유가 일어나지 않는 경우가 발생할 수 있으며, 이 경우 수술적 치료가 필요하다.

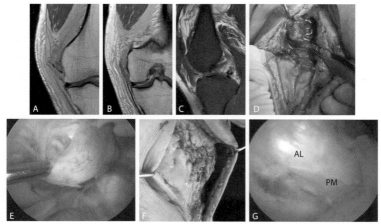

그림 11-25. High energy multiple ligament injury with valgus instability in extension

(A), (B), (C). Deep MCL (A), Superficial MCL (B), 후방 십자 인대(C)의 완전 손상이 관찰된다.
(E), (F). 육안 소견상 Deep MCL, Superficial MCL , joint capsule의 손상(E)과 후방 십자 인대 완전 손상(F)이 관찰된다.
(G), (H). 내측부 손상에 대하여 내측 측부 인대 일차 봉합과 posterior oblique ligament의 advancement repair를 시행하였으며
(G), 후방 십자 인대 손상에 대하여 4 tunnel double bundle reconstruction을 시행하였다(H).

VI. 관절 연골의 손상(Joint Cartilage Damage)

A. 개요

a. 관절 연골의 손상은 국소적 손상에서 전반적인 퇴행성 관절염까지 다양한 spectrum을 갖는다.

b. 슬관절에서 관절 연골 손상은 다양한 원인에 의해 발생하며, 매우 흔하게 발생하고, 많은 경우 증상과 무관하다. Curl 등은 136명의 술자에 의한 31,516례의 다양한 목적에서의 관절경 수술에서 19,827명의 환자에서 총 53,596개의 병변이 관찰되었음을 보고하여 관절 연골의 병변이 증상과 무관하게 우연히 발견되는 경우가 많음을 시사하였다.

c. 관절 연골은 무혈관, 무신경 조직이며 분화된 연골 세포가 유일한 세포로서 손상 시 치유 능력이 매우 제한되어 있다.

d. 관절 연골 손상은 증상과 연관성이 낮으며 MRI 등에서의 진단율도 높지 않아 치료 방침을 결정하는 것이 어려울 때가 많다.

B. 분류

a. 관절 연골의 손상은 국소성 병변(focal lesion)과 미만성 병변(diffuse lesion)으로 나눌 수 있으며, 그 외 특별한 경우로 박리성 골연골염(osteochondritis dissecans), spontaneous osteonecrosis of the knee (SONK)와 같은 국소적 골괴사 등이 있다.

b. 국소적 관절 연골 손상에는 여러 가지 분류법이 있으며, 전통적으로 Outerbridge 분류법이 간단하여 많이 사용되어 왔으며 다음과 같다.

c. 하지만 Outerbridge 분류법은 Grade II와 III간에 넓이만을 고려하였으며, 깊이에 대한 고려가 없는 단점이 있다.

d. 이를 보완한 International Cartilage Repair Society (ICRS) 등급체계가 소개되어 있으며, Outerbridge 분류법과 더불어 많이 사용되고 있고 다음과 같다.

표 11-1. 국소적 관절 연골 손상의 분류법(Outerbrige 분류법)

Grade 0	정상 연골
Grade I	연화(softening)와 종창(swelling)이 있는 병변
Grade II	직경 1.3 cm이하의 조각(fragmentation)이나 균열(fissuring)이 있는 병변
Grade III	직경 1.3 cm이상의 조각(fragmentation)이나 균열(fissuring)이 있는 병변
Grade IV	연골하골이 노출된 병변

표 11-2. International Cartilage Repair Society (ICRS) 등급체계

Grade 0	정상
Grade I	거의 정상 표재성 병변, (A)연부 함입과/이나 (B)표재성 균열(fissure)과 틈(crack)
Grade II	비정상 병변이 연골 두께의 50%이하 침범
Grade III	심한 비정상 (A)병변이 연골 두께의 50%이상 침범 (B)석회화층까지 침범 (C)연골하골면까지 침범 (D) 연골 두께의 50%이상 침범과 수포가 있을 경우
Grade IV	심한 비정상 (A) 결손부 부분직경 연골하골 침범 (B) 결손부 총직경 연골하골 침범

11

C. 손상기전, 병력, 진단

a. 관절 연골의 손상은 비교적 젊은 나이에는 외상에 의해 발생하며, 나이가 들수록 여러 가지 기전에 의한 퇴행성 변화에 의한 손상이 증가한다.

b. 박리성 골연골염은 소아/청소년기에 발생할 수 있으며 그 기전은 불명확하나 반복적인 미세 외상이 일차적인 원인으로 여겨지고 있다. 박리성 골연골염의 가장 흔한 발생 부위는 내측 대퇴과의 외측면이다.

c. SONK는 중년 이후의 여성에서 흔히 발생하며, 주로 연골하골에 국한된 국소적인 특발성 골괴사(그림 11-26)로 이차적인 골괴사증과는 구별되는 질환이며, 다음과 같은 차이점이 있다.

표 11-3. SONK와 Secondary osteonecrosis의 비교

	SONK	2°Osteonecrosis
Age	> 55	< 55
M:F	1 : 3	1 : 3
Risk factors	None	Steroid, Alcohol, SLE ...
Laterality	99% Unilateral	80% Bilateral
Location	Epiphyseal	Epi, meta, diaphyseal
Other joint involvement	Rare	75%

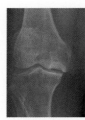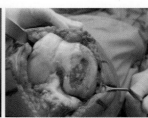

그림 11-26. 내측 대퇴과에 발생한 spontaneous osteonecrosis of the knee (SONK)

d. 전형적인 증상은 동통과 증가된 관절 삼출액에 의한 부종이 있으며 잠김 (locking), 걸림(catching) 같은 기계적 증상(mechanical symptom)이 동반되기 도 한다. 하지만 증상이 없는 경우도 흔하다.

e. 미만성, 퇴행성 관절 연골 손상, 박리성 골연골염, SONK 등은 단순 방사선 사진 으로 진단할 수도 있지만, 국소성 병변은 MRI를 이용해야 진단을 내릴 수 있는 경우가 많다. 하지만 박리성 골연골염이나 SONK 등도 초기에는 방사선 사진이 정상이므로 의심이 될 경우 MRI를 이용한 진단이 필요하다.

f. 하지만 국소적인 연골 손상만 있는 경우 MRI로도 진단이 어려운 경우가 있으 며 진단율을 높이기 위하여 fat-suppressed proton density-weighted T2, fast spin-echo (PD/T2-FSE), 그리고 3-dimensional gradient-echo (3D GRE) 영 상, 최근에는 3-dimensional delayed gadolinium-enhanced MRI of cartilage (3D-dGEMRIC) 영상과 T2 mapping 등이 이용된다.

D. 치료

  a. 관절 연골 손상은 매우 흔하지만 병변과 증상과의 연관성이 높지 않으므로 치료 방침을 결정하는 데 매우 신중해야 한다.

  b. 중년 이후의 관절 연골 손상의 많은 경우는 비수술적 치료를 우선하며 체중 조절과 관절에 부하가 많이 가해지지 않는 유산소 운동 및 근력 강화 운동이 기본이 되어야 한다. 그 외의 약물 치료로서 Acetaminophen, NSAID 등을 사용할 수 있다.

  c. 수술적 치료는 보존적 치료에 반응하지 않는 증상이 동반된 전층 관절연골 결손 시 고려하며 치료법으로는 관절경적 변연 절제술, 연골편 고정술, 골수 자극술, 자가 골연골 이식술, 자가 연골세포 이식술, 동종 골연골 이식술 등이 있다.

1. 관절경적 변연 절제술

  a. 특히 연골 손상에 의한 유리체가 발생하였을 때 기계적인 증상의 완화에 도움을 줄 수 있는 술식으로 유리체를 제거하고 불안정한 연골편을 다듬어 내는 술식이다. 과거에 퇴행성 관절염의 치료에 매우 많이 사용되어 왔던 술식이나, 최근 10년간의 연구들에서 퇴행성 관절염의 치료에 placebo effect 이상의 효과가 없다는 결과와 보존적 치료와 차이가 없다는 결과들이 발표되면서 그 효용성이 제한되고 있다. 실제로 진행된 퇴행성 관절염이나 부정정렬이 동반된 관절 연골 손상에서 단독적인 치료법으로 사용되는 것은 피해야 하며 유리체 등에 의한 기계적 증상의 완화에는 여전히 유용한 방법으로 사용될 수 있다.

2. 연골편 고정술

  a. 외상에 의한 국소적 골연골 손상에 유용한 방법이며 어린 나이에 증상이 있는 박리성 골연골염에서 골연골편의 viability가 있고 연골의 손상이 경미한 경우 사용할 수 있다. 주로 absorbable pin 등을 이용하여 고정한다.

3. 골수 자극술

  a. 골수 자극술(marrow stimulating technique)에는 소파 관절성형술(abrasion arthroplasty), 천공술(drilling), 미세천공술(microfracture) 등이 있으며, 연골하골의 손상을 최소화해야 하는 것의 중요성이 알려지면서 현재는 미세천공술이 사용되고 있다.

b. 미세천공술은 범위가 작고, 주변 정상 부위와 경계가 명확한 전층의 연골손상에 적합한 방법이며 시술이 매우 간단하다.

c. 술기에서 주의할 점은 흘러나온 marrow cell이 부착되도록 calcified zone을 curette으로 제거를 해야 하는 것이며, 이때 연골하 골에 손상이 가지 않도록 해야 한다. Awl을 이용하여 3~4 mm 간격으로 천공을 시행하며 대개 2 cm² 이하의 병변에 적용한다(그림 11-27). 2 cm² 이상의 크기의 병변에서는 collagen membrane 등을 이용하여 성공률을 높일 수 있다.

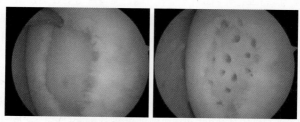

그림 11-27. 국소적 연골 손상에 대한 미세 천공술

4. 자가 골연골 이식술(autologous osteochondral transplantation)

a. 특히 연골하 골의 병변이 동반된 국소적 관절 연골 손상에 유용한 방법이다. 비체중 부하 면의 골 연골 이식체를 채취하여 손상된 부위에 이식하는 방법으로, 연골하 골의 병변을 해결할 수 있고 자기의 연골로 대치될 수 있는 장점이 있다.

b. 하지만 채취양의 제한이 있어 넓은 범위의 병변에는 적용이 어려운 단점이 있으며 contour를 맞추기 어려울 수 있고 이식편간의 경계 부위가 weak point가 되는 단점들이 있다.

5. 자가 연골세포 이식술(autologous chondrocyte implantation, ACI)

a. 증상이 있는 대퇴과 및 대퇴 활차구(trochlear groove) 부위의 ICRS III, IV 등급의 국소 연골 병변에 대해 시행할 수 있다. 비교적 넓은 부위의 병변(2~10 cm²)에 적용할 수 있고 hyaline cartilage에 가까운 조직으로 재생될 수 있는 장점이 있다. 하지만 연골의 채취와 배양까지의 시간이 필요하고, 2차례의 수술이 필요하

며, 연골의 과형성으로 재수술이 필요한 경우가 발생할 수 있는 단점이 있다. 연골하 골의 병변이 있는 경우가 반드시 금기는 아니나 자가 골이식술을 같이 시행해야 한다.

주요 질환

I. 퇴행성 슬관절염
(Degenerative Arthritis of the Knee, DA of the Knee)

A. 특징

1. 동의어
degenerative joint disease (DJD) of the knee, osteoarthritis (OA) of the knee, 골관절염

2. 잘 침범하는곳
tibiofemoral(대퇴-경골) and patellofemoral(슬개-대퇴) joint

3. 위험인자
고령, 여성, 과체중(비만), 선천성 또는 발달성 골 및 관절 이상, 관절의 염증, 무혈성 괴사, 대사성 질환, 내분비 질환 등, 외상, 직업, 과사용, 유전적 요소 등

4. 초기 소견
물리적 및 생화학적으로 약해진 연골 표면이 갈라지고 불규칙하게 거칠어짐. fibrillation(원섬유형성) 등.

5. 경과
서서히 진행. 증상은 wax and wane할 수 있음.

B. 진단

1. 증상
서서히 진행

a. 주로 관절 내측부 통증으로 활동에 의해 악화, 특히 계단 내려갈 때 심한 통증, 증상 진행시 평지 보행에서도 통증, 더욱 심해지면 안정시 통증. 이러한 통증으로 인한 보행 장애 및 근육의 경련 등을 호소.

b. 연관통 : 필요 시 고관절, 대퇴골 및 척추에 대한 확인. 특히 소아의 경우 고관절 질환 확인 중요.

c. 통증이 나타나는 부위 : 골극 및 골막, 연골하골, 인대, 활막, 관절낭, 주위근육 등

d. 증상의 정도와 방사선학적 변화 사이에 유의한 상관관계는 없음.

2. 신체 검진

a. medial joint line tenderness, tibiofemoral and/or patellofemoral crepitation, swelling and effusion, muscle atrophy

b. 주로 varus change(O자형 다리) - medial compart DA에 의해.

c. flexion contracture, limitation of further flexion of the joint, ligament instability

3. 단순 방사선 검사

a. joint space narrowing, subchondral bone sclerosis, subchondral cyst, osteophyte (spur), varus or valgus deformity of the joint

4. 기타 검사

a. SPECT

단순 방사선 검사보다 조기에 발견 가능.

b. MRI

① 단순 방사선 검사 후 필요 시 시행 가능.

② 관절연골, 반월상 연골, 동반된 인대 및 근육의 변화 등을 자세히 관찰 가능.

c. 진단적 관절경

제한적으로 사용.

5. 흔한 감별 진단

a. 류마티스 관절염(RA)

이차성 DA의 원인이 됨. 관절 전체적인 골 파괴가 일차성 DA보다 심하고, periarticular osteopenia를 단순 방사선 사진에서 관찰 가능. Valgus knee를 동반하는 경우가 많음. 조기 약물 치료가 중요하므로 진단에 유의. RA를 동반하는 DA인지 확인이 중요할 수 있음.

b. 만성 결절성 통풍

① 초기에는 soft tissue swelling, bone의 punched out lesion 등이 있으나 joint space narrowing은 없음. 급성기에는 septic arthritis와도 감별 필요. 점차 joint space narrowing 발생, 관절 구축 발생. DA로의 진행.

C. 분류

1. 원인에 따른 분류

일차성(primary, 특발성, idiopathic) vs 이차성(secondary, 속발성)

a. 최종 단계는 두 군에서 비슷. 주로 다발성으로 관절을 침범하는 일차성에서 주로 단일 관절을 침범하는 이차성보다 예후가 더 좋고, 진행이 느리고, 덜 심함.

2. 방사선학적 분류

Kellgren-Lawrence / Ahlback(표 11-4)

표 11-4. Kellgren-Lawrence 및 Ahlback classification

Ahlback grade	Ahlback definition	Kellgren & Lawrence grade	Kellgren & Lawrence definition
		Grade 1 Doutbul	Minute osteophyte, doubtful significant
		Grade 2 Minimal	Definite osteophyte, unimpaired joint space
Grade I	Joint space narrowing (Joint sapce < 3mm)	Grade 3 Moderate	Moderate diminution of joint space
Grade II	Joint space obliteration	Grade 4 Severe	Joint space greatly impaired with sclerosis of subchondral bone
Grade III	Minor bone attrition (0 to 5mm)		
Grade IV	Moderate bone attrition(5 to 10mm)		
Grade V	Severe bone attrition (> 10mm)		

D. 치료

1. 중요한 몇 가지 원칙들

    a. 환자가 질병을 이해하는 것이 치료의 첫 단계

    b. 관절 연골의 퇴행성 변화는 정지나 회복시키기가 어려움을 설명

    c. 모든 환자에서 보존적 치료를 일차적으로 시행

2. 보존적 치료

    a. 생활 습관의 변화, 운동, 물리 치료 등

        ① 관절에 무리가 가는 활동이나 자세를 피함. 체중 및 활동량 줄이기. 필요 시 지팡이 등의 보행 보조 기구 사용

        ② 운동

          i. 대퇴사두근 강화 운동 : 증상 및 기능 개선에 효과(그림 11-28)

그림 11-28. 대퇴사두근 강화 운동(Quadriceps strengthening exercise)

          ii. 관절의 스트레칭과 유연성 운동은 관절강직 개선을 위해 시도해 볼 수 있음. 물리치료실이 있는 정형외과에서 Hot pack, 회전욕(whirlpool), TENS (transcutaneous electrical nerve stimulation), ICT (interferential current therapy), 초음파치료, massage, 관절 운동, 보행 등을 시행

b. 약물 치료

① 퇴행성 관절염 자체를 예방 및 치료할 수 있는 약은 없음을 환자들에게 설명할 것. oral, patch, gel 등의 형태로 가능. 환자들에게는 장기 복용에 대한 두려움이 있음. tapering 방식의 감량이 가능함을 설명.

② nonselective NSAIDs

 i. 가장 흔히 사용. 수많은 부작용 중 특히 소화기, 신장, 심혈관계 부작용에 유의. 간 질환, 신장 질환, 심장 질환 환자에서는 사용 가능 여부를 반드시 확인할 것. 속쓰림과 얼굴 및 손발 부종을 호소하는 환자가 비교적 흔함. 간수치 증가에도 주의

 ii. 소화기 부작용을 예방하기 위해 H2 blocker나 PPI (proton pump inhibitor) 등을 같이 복용

 iii. NSAIDs 두 가지 이상의 병용은 피할 것.

③ selective cox-2 inhibitor NSAIDs

 i. celecoxib, meloxicam 등

 ii. 소화기 부작용이 적으나 역시 신장 및 심혈관계 부작용에는 유의해야 함.

④ pure analgesics

 i. tramadol or tramadol/acetaminophen 제제를 단독 또는 NSAIDs와 함께 사용 가능

 ii. oxycodone, fentanyl patch

 iii. 이상의 opioid 제제는 오심, 구토, 어지러움, 변비 등의 위험성이 있으므로 주의

⑤ 기타 약제

 i. glucosamine, chondroitin sulfate 등의 연골 구성 성분으로 이루어진 건강 보조식품 : 현재로서는 효과에 대해서는 의문

 ii. 한방 성분을 이용한 경구 약제(위령선/괄루근/하고초 등), capsaicin 등의 국소 경피 도포 제제 등

c. 각종 시술

① aspiration

 i. effusion이 심하여 통증, 운동 제한 등이 있을 경우 효과가 있으나, 일시적

이고 재발

② intraarticular injection : 주사 후 감염에 주의해야 함.

    i. steroid injection : 환자들이 뼈주사라고 표현, 장기 투여시 steroid에 의한 부작용의 위험이 있으므로, 3개월 이상의 간격이 필요.

    ii. hyaluronic acid injection : 환자들이 연골주사라고 표현

3. 수술

a. 적응증

① 비수술적 치료에도 불구하고 증상의 호전이 없는 경우

② 수술의 첫번째 목적은 통증 완화. 그 외 변형 교정과 보행 등 기능 개선

b. 관절경적 수술

① 동반된 반월상 연골판 파열에 대한 절제술, 관절 내 유리체 제거, 골극제거, 활막절제술(synovectomy), 연골 성형술(chondroplasty) 등을 시행할 수 있음. 국소적인 연골 손상의 경우 미세 골절술(microfracture)을 고려해 볼 수 있음.

② 관절경적 치료의 효과는 제한적이고 일시적인 경우가 많음. 환자에게 이에 대한 수술 전 설명이 필요하고 이를 이해시켜야 함.

c. 절골술(osteotmy)

체중 부하의 축을 교정하여 하중이 관절염이 심하지 않은 부위로 옮겨지게 함. 보통 정상보다 과교정. 10년 추시에서 80% 정도의 생존률

① 적응증 : 내측 또는 외측 단 구획의 관절염이 있으면서 금기가 아닌 경우

② 금기증 : 인대 이완이 있는 경우, 마멸된 관절염, 15도 이상의 굴곡 구축이나 90도 이하의 후속 굴곡 등으로 관절 운동 제한이 심한 경우, 60세 이상, 20도 이상의 교정이 필요한 경우, RA 등

③ 종류

    i. 근위 경골 절골술 : 일반적인 내측 구획 관절염의 경우 외측 폐쇄성 절골술이나 내측 개방성 절골술을 시행

        가. 외측 폐쇄성 절골술 : 골이식이 필요없음. 빠른 골유합. 빠른 재활 가능

        나. 내측 개방성 절골술 : 비골 손상이 없음. ACL 동시 수술이 용이, 교정

11

정도의 조절이 쉬움(그림 11-29).

  ii. 원위 대퇴골 절골술 : 12~15도 정도의 외반슬을 교정할 경우 대퇴골에서 내측 폐쇄성 내반 절골술을 시행

d. 인공 관절 치환술

  ① 한 구획 치환술(unicompartment knee arthroplasty)

    i. 적응증 : 내측 또는 외측 한 구획만의 관절염이 심한, 내외반 변형 15도 이하이고 굴곡구축 5도 이하, 후속굴곡 90도 이상인 60세 이상의 환자. 인대 이완이 없어야 함(그림 11-30).

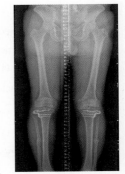

그림 11-29. Rigid stepped plate를 이용한 외측 폐쇄성 근위 경골 절골술

  ② 슬개 대퇴 치환술

    i. 슬개 대퇴 관절의 관절염만이 심한 경우.

  ③ 슬관절 전 치환술(total knee arthroplasty)

    i. 퇴행성 슬관절염의 치료에 있어 궁극적이면서 가장 효과적인 방법.

    ii. K-L grade 3이상이면서(심평원 기준상으로는 65세 미만의 경우 grade 4), 비수술적 및 수술적 치료에도 불구하고 증상의

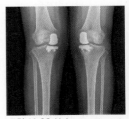

그림 11-30. Unicompartment knee replacement arthroplasty

호전이 없고 관절의 파괴와 변형이 심한 경우. 즉 지속되는 통증, 진행하는 관절 불안정, 운동 제한을 동반하는 경우

e. 관절 고정술(arthrodesis)

  ① 인공 관절 치환술이 실패하여 더 이상 인공 관절을 삽입하기 어려운 경우, 관절 치환술을 시행할 만한 근력이 부족하거나 해부학적 구조의 문제가 있는 경우, 직업상 다리를 많이 사용해야 하는 활동성 있는 젊은 환자 등에서 고려

  ② 장점으로는 통증 감소, 슬관절 안정성의 증가로 활동력이 높아짐. 그러나 거의 신전 상태로 고정하므로 수술 후 기능 감소에 대해 술 전 설명이 필요

II. 만성 슬개골 탈구(Chronic Patellar Dislocation)

A. 임상적 의의

1. 슬개골의 만성 탈구의 분류

    a. congenital dislocation(선천성 탈구)

    b. habitual dislocation(습관성 탈구)

    c. recurrent dislocation(재발성 탈구)

2. 원인

Q각의 증가, 슬개골 자체의 선천적 또는 후천적 변형, 슬개골 내측 연부조직의 이완 또는 외측 연부조직의 구축 등

B. 진단

1. 증상 및 신체검진

    a. 주로 외측 탈구 및 종창, 반복되는 탈구에 의한 슬개 대퇴 관절의 불안정성 및 퇴행성 변화

    b. apprehension test : 굴곡상태에서 슬개골을 외측으로 밀어서 탈구시키려고 하면 환자가 두려움을 느끼고 피하려 함.

    c. patellar grind test : 슬개골을 누르면서 전후좌우로 움직일 때 동통을 호소

    d. patellar tilt test : 슬개골의 내외측을 잡고 외측을 들어 올릴 때 외측 지대의 구축에 의해 들려지지 않음.

    e. Q angle의 증가

      ① Q angle : 대퇴 사두근의 작용선과 슬개건이 이루는 각

        슬개골 중심과 ASIS를 연결한 선과 tibial tuberosity와 슬개골 중심을 연결한 선이 이루는 각 정상값은 남자는 10도, 여자는 15도 정도

2. 방사선 사진

    a. 측방 촬영은 슬관절 30도 굴곡 상태에서. patellar alta(슬개 고위증), genu valgum(외반슬), hypoplasia of lateral femoral condyle

b. 축성 촬영은 슬관절 45도 굴곡 상태의 Merchant view로, 슬개 대퇴 관절에서 슬
개골의 모양 및 위치를 확인

3. MRI

a. 슬개골 관절 연골의 상태를 평가, 관절내 유리체 및 기타 동반 질환을 확인

C. 분류

a. Congenital dislocation(선천성 탈구) 슬관절 기형 동반. 슬관절 위치에 관계없이
항상 탈구
b. Habitual dislocation(습관성 탈구) 슬관절 굴곡시마다 탈구. 증상은 경미
c. Traumatic recurrent dislocation(외상성 재발성 탈구) 때때로 통증을 동반하면
서 탈구. 외상성

D. 치료

1. 주의할 사항

a. congenital : 동반된 슬관절 변형에 주의. 수술 결과 예측이 어려움.
b. habitual : 슬관절 외측 구축에 대한 이완이 중요
c. traumatic : 슬관절 내측 이완에 대한 보강이 중요

2. 탈구의 정복 및 관리

a. 정복 방법
knee extension and hip flexion(대퇴 사두근을 이완)
b. 정복 후 처치
① 급성의 경우 신전 상태에서 4~6주간 고정, 대퇴 사두근 등척성 운동
② 탈구가 반복되면 수술이 필요하므로 반복되지 않도록 하는 것이 중요

3. 수술

a. 급성 탈구 시 골연골 골절, 유리체 등이 있으면 수술 필요
b. 반복되는 만성 탈구도 수술 필요
① 많은 방법들이 있음. 주로는 근위 신전 기전 재정렬 단독 또는 근위 및 원위

신전 기전 재정렬 방법을 이용

② 근위 신전 기전 재정렬

    i. 외측 지대 이완술, 내측 보강, 대퇴 사두근 재정렬

    ii. Q각이 17-20도 미만인 경우 시행

    iii. 최근 중요한 개념은 MPFL (medial patellofemoral ligament) reconstruction

③ 원위 신전 기전 재정렬

    i. 슬개건을 경골부 골편과 함께 떼내어 내측 또는 전내측으로 이동시킴.

    ii. TT-TG (tibial tuberosity-trochlear groove) distance가 20 mm 이상인 경우(목표는 10~15 mm 정도). 또한, Q각이 20도 이상인 경우 시행

III. 슬관절 전방부 통증(Anterior Knee Pain)

A. 임상적 의미

1. 원인

patellofemoral arthritis, patellofemoral instability, chondromalacia, patellofemoral pain syndrome, infrapatellar fat pad syndrome, tumor, patellar tendinopathy, quadriceps tendinopathy, overuse, patellar fracture, bipartite patella, ant. knee의 bursitis, osteochondritis of patellar pole, Sinding-Larsen-Johanssen disease, medial parapatellar plica, Osgood-Schlatter disease (osteochondritis of tibial tuberosity, partial separation of tibial tuberosity), excessive lateral pressure syndrome (ELPS) 등

B. 진단

1. 증상 및 신체검진

a. 원인에 따라 슬개골의 전방, 상방, 하방에 통증 및 압통

2. 감별진단

  a. patellofemoral pain syndrome (PFPS)

  특별한 이유를 못 찾는 경우 patellofemoral pain syndrome (PFPS)로 진단 가
  능하나, 이 경우 하지의 부정정렬, 근육 불균형, 과사용 등이 중요하게 작용하는
  요소

  b. chondromalacia patellae(슬개골 연골 연화증)

  ① 관절 연골의 연화(softening)현상

  ② 젊은 여성. 무릎에 힘이 없고 오래 앉아 있으면 통증. 층계 오르내리기가 어
     려움.

  ③ patellar compression test(+), patellar crepitation.

  c. infrapatellar fat pad syndrome

  ① infrapatellar fat pad (= Hoffa's fat pad)의 pain and swelling, tenderness.
     good knee flexion, painful extension at the end of range 주로 direct
     blow나 동 부위의 자극에 의해 증상이 생기기 시작

  ② Hoffa's disease : 비슷한 진단으로 사용되는 용어. 확인 가능한 병변이 관
     찰됨.

     ⅰ. infrapatellar fat pad의 painful impingement. 관절경으로 확인

     ⅱ. traumatic inflammation으로서 MRI상 fat pad edema and enlargement

  d. overuse

  ① 반복되는 슬관절 굴신, 큰 하중에 대한 노출 등에 의해 증상 유발 Runner's
     knee등의 형태로 나타남. 건이나 인대의 과도한 사용

  ② 하지 근육이 약하고 정상 또는 정렬 이상이 있는 환자에서, 무리하거나 손상
     을 입었으나 Pain, tenderness 등 외에 진단도구에서 특별한 소견이 나타나지
     않는 경우에 진단 고려

  e. Osgood-Schlatter disease

  ① 10~15세 남아. tibial tuberosity의 epiphysis가 부분적으로 분리됨.

  ② 뚜렷한 tibial tuberosity의 압통, 대퇴사두근의 수축으로 통증 악화

C. 치료

a. 원인에 따라 다르나 대개 보존적 치료가 가능. 이때 대퇴 사두근 강화 운동이 매우 중요함. 장기간의 증상이 있었던 경우 회복을 위한 꾸준한 치료가 필요함을 설명할 것

b. 보존적 치료에 효과가 없거나 수술로 교정 가능한 이상이 있는 경우 수술적 치료 고려

c. 질환별 치료

① PFPS : 보존적 치료. 장기간의 치료가 필요

② chondromalacia : 보존적 치료. 연골 상태나 슬개골 이상 동반 시 제한적으로 수술

③ infrapatellar fat pad syndrome : 보존적 치료 우선. 상황에 따라 관절경적 수술

④ overuse : 휴식 및 안정이 가장 우선. 회복되지 않는 증상 지속 시 정밀 검사 필요

⑤ Osgood-Schlatter disease : 자기 한정성 질환. 안정 및 하지 고정 등의 보존적 치료

11

IV. 슬관절 점액낭염(Bursitis)

A. 특징

a. 임상적으로 prepatellar bursa, infrapatellar bursa, pes anserinus bursa 등이 주로 문제

b. 원인에 따른 구분이 중요

B. 진단

a. 부종, 발열, 발적 등의 염증 소견이 bursa가 위치하는 부위에 나타나면 진단 가능

b. MRI - bursa의 위치 및 변화, 관절 내와 연결 여부, 동반된 질환 등을 확인 가능

C. 분류

a. 급성 : 감염성 or 외상성 구별 필요

b. 만성 : tuberculosis, RA, syphilis, gout 등의 원인 확인

D. 치료

1. 보존적 치료

a. 안정, 압박, 고정, 급성기에는 ice pack, 만성기에는 hot pack

b. aspiration

① 외상성인 경우 steroid injection

② 감염성인 경우 culture, gram stain, cell count 하고 항생제 사용

2. 수술

a. incision and drainage

b. excision

c. intraarticular lesion이 동반된 경우 이에 대한 치료를 동시에 시행

V. 슬관절 낭종 I - Baker's Cyst

A. 특징

a. 흔한 위치 : med. gastrocnemius head와 semimembranosus 사이, 또는 semimembranosus와 medial condyle of the tibia 사이

b. 관절 내 병변이 있는 경우가 많음(50% 이상). - 퇴행성 관절염 등

B. 진단

a. 퇴행성 관절염 환자에서 무릎 뒤 만져지는 낭종을 주소로 병원에 오는 경우가 있음.

b. 크기의 변화가 있음. 슬관절 신전 시 두드러짐

c. 드물게는 synovial sarcoma등의 악성 종양을 감별해야 하는 경우도 있음.

d. 초음파로 위치, 크기 및 성상을 관찰 가능함. 필요 시 aspiration

C. 치료

a. 무증상이면서 보존적 치료가 가능한 정도의 퇴행성 관절염이 있는 경우 경과관 찰. 대개 경과관찰 할 수 있는 경우가 많음.

b. sono guided aspiration으로 진단 및 치료를 겸할 수 있음.

c. 관절경 하 관절내 병변을 제거하고 낭종과 통하는 부위를 확인

d. 관절경 치료가 어려운 경우 개방성 절제술

VI. 슬관절 낭종 II - 반월상 연골 낭포 (Parameniscal Cyst, Meniscal Cyst)

A. 특징

a. Meniscus tear와 밀접한 관계 : 1~10%에서 관찰

b. 흔한 경우 : lateral meniscus의 horizontal tear에서

B. 진단

a. pain, joint line tenderness, 때로 만져짐

b. MRI : 활액과 비슷한 성분으로 내측 반월상 연골판의 내측, 외측 반월상 연골판 의 외측에 주로 나타남

C. 치료

1. 보존적 치료

무증상, 연골판에 대한 수술 계획이 없는 경우

2. 수술

a. 관절경 하 probe, shaver 등을 이용하여 decompression : 90~100%에서 재발 없음

b. 관절경적 수술 실패 시 개방적 수술 고려

VII. 활막 추벽 증후군(Synovial Plica Syndrome)

A. 의미

a. 태생기 때 형성된 synovial fold가 유합되지 않고 남아있는 조직인 활막 추벽. 비후된 활막 추벽이 슬내장의 증상을 일으키면 활막 추벽 증후군

b. 슬관절 굴곡 시 특히 medial parapatellar plica가 femoral condyle과 마찰 -증상을 일으킴.

c. 증상이 있는 plica를 pathologic plica(병적 추벽)라 함. 염증이나 외상 등에 의해 plica가 비후되어 증상 유발

B. 진단

1. 병력, 증상 및 신체검진

a. direct injury의 병력을 확인해야 함.

b. 거의 무증상, 슬관절 초기 굴곡시 동통, 걸리는 느낌을 호소, 활동에 의해 악화

c. femoral condyle의 medial side에 click - 약 30도 knee flexion시에

d. knee anteromedial side joint line보다 proximal에 tenderness

e. plica가 촉진에 의해 확인되기도 함.

2. MRI

a. axial view에서 transverse thick line - medial parapatellar plica

b. lateral view에서 patella위로 curved thick line - suprapatellar plica

C. 분류

a. medial parapatellar : 주로 증상을 일으킴.

b. suprapatellar

c. infrapatellar = ligamentum mucosum

d. lateral parapatellar

D. 치료

1. 보존적 치료

a. 대부분의 plica는 치료가 필요하지 않음. 치료 대상인 pathologic plica도 일단 보존적 치료

b. plica가 condyle에 닿는 자세를 유발하지 않도록 함 : 반복적인 굴신 운동, 장시간의 굴곡 자세를 피할 것

2. 수술

a. 6개월 이상의 보존적 치료에 반응하지 않는 경우

b. arthroscopic plica excision

11

VIII. 색소 융모 결절성 활액막염
(Pigmented Vilonodular Synovitis : PVNS)

A. 임상적 의의

무릎 내 잘 발생하는, 주로 미만형(diffuse)의 증식성 종양. 활액막에 결절. Tenosynovial giant cell tumor로 병명 변경됨.

B. 진단

a. 증상 : pain and discomfort, swelling, locking 등

b. 관절 천자 : 특징적인 hemarthrosis

c. MRI : T1, 2에서 hemosiderin에 의해 low signal, T1에서 fat에 의해 high signal 부위가 혼합함.

C. 분류

국소형(localized) 및 미만형(diffuse)

D. 치료

a. 국소형 : arthroscopic excision, 미만형 : arthroscopic excision +/- open synovectomy

IX. 관절 내 유리체(Loose Body)

A. 의미

a. 원인을 찾는 것이 중요 : osteochondritis dissecans, synovial chondromatosis, degenerative arthritis, trauma, foreign body, tumor
b. 관절 내 돌아다닐 수도 있고, 고정되어 있을 수도 있음.

B. 진단

1. 증상

a. 관절 운동 제한 시 의심. 방사선 사진상 보이지 않을 수 있으므로 주의
b. 동통, 종창 등 가능. 특별한 증상이 없는 경우도 많음.

2. 단순 방사선 사진

radioopaque body의 경우 발견됨.

3. MRI

radiolucent한 body도 발견할 수 있음.

4. 관절경

진단 및 치료가 가능

C. 분류

1. radioopaque body

a. osteochondral

① 원인 : 박리성 골연골염(osteochondritis dissecans), 골연골 골절
(osteochondral fracture), osteoarthritis, synovial chondromatosis 등

b. foreign body

needle, instrument

2. radiolucent body

a. cartilaginous

① 원인 : chondral fracture 등의 trauma

b. fibrous

① 원인 : hemarthrosis, RA, tuberculous arthritis

c. intraarticular tumor

d. foreign body

D. 치료

1. 수술

a. 기계적인 관절 운동 장애 시 수술. 주로 관절경 이용

외상

I. 족근 관절 염좌(Ankle Sprain)

1. 족근관절의 가장 흔한 손상

2. 외측 인대손상

　　a. 1st : 전 거비 인대(anterior talofibular ligament)

　　b. 2nd : 종비 인대(calcaneofibular ligament)

　　c. 3rd : 후 거비 인대(posterior talofibular ligament)

3. 증상 : 통증, 압통, 부종 등

4. 이학적 검사

　　a. 내반/외반 부하 검사(varus/valgus stress test)

　　b. 전/후방 견인 검사(anterior/posterior draw test)

5. 단계(Grade)

　　a. 1도(mild) : 인대 섬유의 부분 파열 및 인대내 출혈 등 불안정성이 없는 경한 손상

　　b. 2도(moderate) : 약간의 불안정성을 야기할 정도의 인대의 불완전 손상

　　c. 3도(severe) : 인대의 완전 파열

6. 진단

　　a. X-ray : 족관절 전후/측면/격자(ankle AP/Lateral/Mortise)

　　b. 관절조영술, MRI

7. 치료

a. 1도 : 단순압박, 관찰, 단순 압박 붕대 혹은 반창고 고정

b. 2도 : 3~4주 단하지 부목(splint), 단순 압박 붕대고정하고 조기 운동

c. 3도 : 4~6주 단하지 석고(cast) 혹은 수술(운동선수 등 특수한 경우)

d. 4 'o' 요법 : 안정, 얼음, 압박, 올림(RICE 요법 : rest, ice, compression, elevation) (그림 12-1)

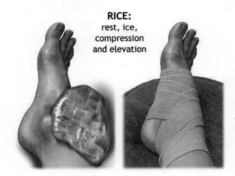

그림 12-1. RICE 요법 : rest, ice, compression, elevation

8. 합병증

a. 만성 불안정성

b. 통증

9. 요약정리

인대 손상, 단하지 부목/석고, RICE, 만성 불안정성

II. 족근 관절 탈구(Ankle Dislocation)

a. 내측 혹은 외측 탈구 : 주로 족근관절 골절과 연관

b. 전방 혹은 후방 탈구 : 골절 없이 발생할 수도 있음

c. 치료 : 즉시 도수 정복(immediately closed reduction)

d. 합병증 : 신경 혹은 혈관 손상

III. 아킬레스 건 파열(Achilles Tendon Rupture)

1. 중년(35~45세 남성)에게 비교적 흔하다.

2. 건의 허혈성 부분과 연관됨

건의 부착부위에서 약 2~6 cm

3. 증상

통증, 부종, 피부 보조개(skin dimple), 발끝으로 걷기(tip toeing gate)가 어려움.

4. 이학적 검사

Thompson squeezing test(그림 12-2)

아킬레스 건의 완전 파열 → 족저굴곡 안됨 → 양성

그림 12-2. Thompson squeezing test (a) 정상소견 (b) 완전파열 소견

5. X-ray

족관절 측면 사진(그림 12-3)

a. Kager's triangle : 아킬레스건, 종골, 장족지 굴건(flexor digitorum longus tendon)

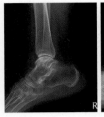 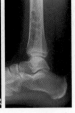 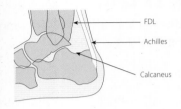

그림 12-3. X-ray : ankle lateral view

6. 치료

a. 보존적 치료

① 중력에 의한 족저 굴곡 상태로 8~12주 석고고정

② 4주에 한번씩 배굴을 조금씩 시행하여 석고고정 변경

③ 석고고정 제거 후 4~8주간 보조기 사용

b. 수술적 치료

7. 합병증

a. 재파열, 운동 기능 저하

b. 피부괴사, 감염

8. 요약정리

허혈성 부분(2~6 cm), Thompson squeezing test, Kager's triangle, 재파열, 피부괴사

IV. 족근관절 골절(Ankle Fracture)

A. 용어

a. 내/외 과 골절(medial or lateral malleolar fracture)

b. 양과 골절(bimalleolar fracture) : 내과 골절 + 외과 골절

c. 삼과 골절(trimalleolar fracture) : 양과 골절 + 후과 골절(posterior malleolar fracture)

B. 분류

1. Lauge-Hansen(그림 12-4)

    a. 회외-외회전(supination-external rotation)

    b. 회외-내전(supination-adduction)

    c. 회내-외전(pronation-abduction)

    d. 회내-외회전(pronation-external rotation)

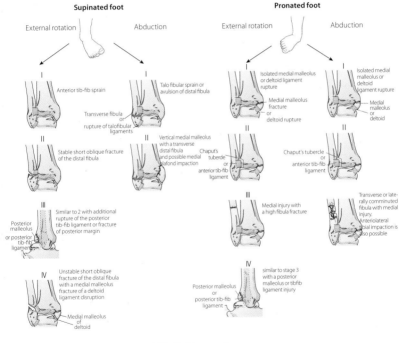

그림 12-4. Lauge-Hansen

2. Denis-Weber(그림 12-5)

  a. Type A : 경비 인대결합보다 원위부(S-Ad)

  b. Type B : 경비 인대결합 부위(S-ER)

  c. Type C : 경비 인대결합보다 근위부(P-ER and P-Ab)

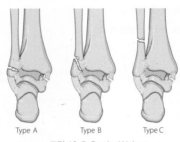

Type A   Type B   Type C

그림 12-5. Denis-Weber

C. 진단

  a. X-ray : 족관절 전후/측면/격자

  b. CT

D. 치료

1. 보존적 치료

비전위 골절 혹은 1 mm 미만의 안정적 전위골절, 4~8주 단하지 석고 고정

2. 수술

수술적 정복 및 내고정(plate and screw, K-wire etc.)

E. 합병증

  a. 거골 원개(dome)의 골연골 골절

  b. 외상후 골관절염, 불유합, 부정유합, 관절 구축 등

F. 요약 정리

분류(L-H type, D-W type), 외상 후 골관절염

V. 경골 원위 관절 내 골절
(Distal Tibial Plafond Fracture : Pilon Fracture)

1. 족관절의 관절 내 분쇄 골절(intraarticular communited fracture of the ankle)

2. 고에너지의 축상 부하와 저에너지의 회전력(low energy rotational force with high energy axial loading)

3. 치료가 어렵고 예후가 좋지 않음

4. 수술
   a. 수상 후 12시간 이내 혹은 7일 이후 시행
   b. 경골과 비골에 대한 수술 절개 간격은 적어도 7 cm은 떨어져야 한다.
   c. 연부 조직이 안정화될 때까지 종골 견인 치료가 선행됨.

5. 치료 원칙
   a. 비골 길이를 복원한다(restoration of fibular length).
   b. 경골의 관절 내 골절편을 정복한다(reduction of the tibial intraarticular fragment).
   c. 결손부위에 골이식을 한다(bone graft at the defect).
   d. 경골의 내측에 지지금속판(buttress plate)을 하거나 외고정술 시행한다.

6. 합병증
   a. 연부조직 손상, 감염
   b. 외상후 골관절염, 불유합, 부정유합, 관절 구축 등

VI. 거골 골절(Fracture of the Talus)

A. 거골두 골절(Fracture of Head of the Talus)

B. 거골경 골절(Fracture of Neck of the Talus)

1. 거골골절의 30%

2. 손상 기전

족관절의 과신전(과족배굴곡 : hyper-extension (=hyper-dorsiflexion)

3. 분류(Hawkins)(그림 12-6)

a. Type 1 : nondisplaced vertical fracture
b. Type 2 : displaced fracture with subluxation or dislocation of the subtalar joint
c. Type 3 : fracture with dislocation of the both the subtalar and ankle joint
d. Type 4 : talar body extruded from the ankle and head of the talus were subluxated or dislocated from the navicular articulation

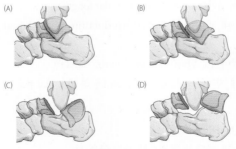

그림 12-6. Hawkins classification

4. 진단

    a. X-ray : 거골경부상(talar neck view)

    b. CT

5. 치료

    a. 비전위성 골절 : 6~12주 단하지 석고

    b. 전위골절 : 정복술 및 수술적 내고정술

    c. 3개월간 체중부하 보행 최소화

6. 합병증

    a. 피부괴사, 감염

    b. 지연유합, 불유합

    c. 부정유합

    d. 무혈성 골괴사

        ① Hawkins sign(그림 12-7)

            ⅰ. 무혈성 괴사가 일어나지 않을 경우에 수상 후 6~8주에 거골 원개(talar dome)의 연골하 골에 방사선 투과성(radiolucency)이 관찰됨.

            ⅱ. 조기 체부의 생존 가능성을 알 수 있다.

        ② MRI

            ⅰ. 3주 때 검사 가능 그러나 6주까지는 위음성 가능성

    e. 외상 후 관절염(Posttraumatic arthritis)

12

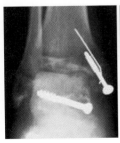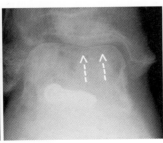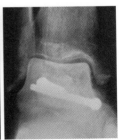

그림 12-7. Hawkins sign

7. 요약정리

Hawkins sign, 무혈성 골괴사

C. 거골체 골절(Fracture or Body of the Talus)

1. 흔하지는 않으나 합병증은 더 많다.

2. 치료

a. 비전위 : 8주간 비체중 부하 단하지 석고(non-weight bearing short leg cast)
b. 전위 : 관혈적 정복 및 내고정

D. 거골 골연골 골절(Osteochondral Fracture of the Talus)

1. 거골골절 중 가장 흔함

2. 경골과 비골에 부딪혀서 발생한다.

3. 진단

a. X-ray(그림 12-8)

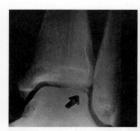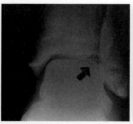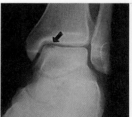

그림 12-8. 거골 골연골 골절의 방사선 사진

b. MRI(그림 12-9)

4. 치료

a. 관절경을 통한 유리체 제거 혹은 정복 및 내고정

b. 관절경적 변연 절제술 혹은 미세골절(microfracture)

c. 관혈적 정복 및 내고정

d. 자가 연골 이식(Autochondral graft)

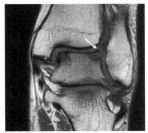

그림 12-9. 거골 골연골 골절의 MRI 사진

VII. 종골 골절(Fracture of the Calcaneus)

A. 족근골 골절 중 가장 흔함

B. 분류

1. Essex-Lopresti

a. Intraarticular fracture(그림 12-10)

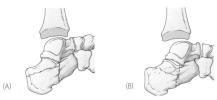

(A)　　　　　(B)

그림 12-10. Intraarticular fracture의 분류 (a) Tongue type (b) Joint depression type

① tongue type

② joint depression type

b. Extraarticular fracture

2. Sanders(그림 12-11)

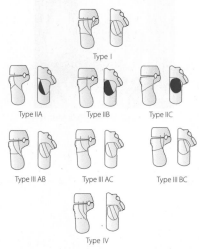

그림 12-11. Sanders classification (based on CT)

C. 손상기전

1. 관절 내 골절

축상 부하(axial loading), 10~15%에서 척추골절과 연관

2. 관절 외 골절

twisting force, 견열손상(avulsion injury)

D. 진단

1. X-ray

전후/측면/축상(AP/Lateral/Axial), Broden's view(그림 12-12)

Böhler's angle, Crucial angle of Gissane

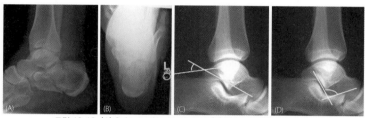

그림 12-12. (A) Calcaneal Lateral view, (B) Calcaneal Axial view,
(C) Bohler's angle, (D) Crucial angle of Gissane

2. CT(그림 12-13)

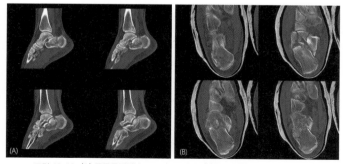

그림 12-13. (A) 종골골절의 Sagittal CT 사진, (B) 종골골절의 Axial CT 사진

E. 치료

a. 후방 거종 관절면의 회복이 중요

b. 비전위 골절 : 4~8주간 석고고정 또는 조기관절운동

    c. 전위 골절 : 폐쇄성 정복 또는 수술적 정복 후 내고정

    d. 관절면 분쇄가 너무 심한 경우 관절 고정술도 고려 가능

F. 합병증

    a. 부정유합 : most common

    b. 외상 후 관절염, 거골하 관절염

    c. 비골건염

    d. 신경 혹은 건 포착

    e. 외/내반 변형(valgus/varus deformity)

    f. 신의 월형(counter)과 족관절 외과의 충돌

    g. 뒤꿈치가 넓어짐, 족관절 족배굴곡의 제한, 하퇴 삼두근 약화, 하지부동, 갈퀴족지, 족근관 증후군, Checkrein deformity, 감염

G. 요약정리

분류, 10~15% 척추골절과 연관, 후방 거종 관절, 부정유합

VIII. 주상골 및 설상골 골절
(Fracture of the Navicula and the Cuneiform)

A. 주상골 골절(Fracture of the Navicula)

    a. 부주상골(accessory navicula)과의 감별이 중요

    b. 피질견열골절(cortical avulsion fracture), 조면골절, 몸체골절, 피로골절

B. 설상골 골절(Fracture of the Cuneiform)

    a. 무거운 물체가 발등에 떨어져서 일어나는 직접 골절

C. 중족관절, 족근중족 관절의 동반 손상을 확인해야 한다.

D. 치료

대부분은 석고고정으로 치료하고 전위가 심하면, 수술을 해야 한다.

IX. 족근중족 관절 손상
(Injury of Tarsometatarsal Joint : Lisfranc Injury)

A. 원인

고정된 족부에 axial loading이 가해져 골절이나 탈구가 일어난다

B. 진단

1. X-ray

체중부하 전후/사면(weight bearing AP/oblique view)(그림 12-15)

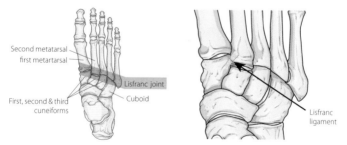

그림 12-14. Lisfranc joint 및 ligament의 모식도

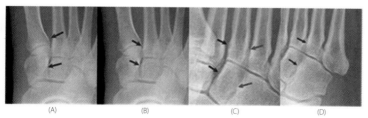

그림 12-15. Weight bearing foot AP/oblique view

12

2. 방사선 촬영 시 체크할 지표

 a. Lateral border of 1st metatarsal is aligned with lateral border of 1st (medial) cuneiform

 b. Medial border of 2nd metatarsal is aligned with medial border of 2nd (intermediate) cuneiform

 c. Medial and lateral borders of the 3rd (lateral) cuneiform should align with medial and lateral borders of 3rd metatarsal

 d. Medial border of 4th metatarsal aligned with medial border of cuboid

C. 치료

도수 정복 또는 수술로 정복함

D. 제2 중족골의 골절 탈구의 정복이 중요함.

X. 중족골 및 족지골 골절
(Fracture of Metatarsal Bone and Phalanx)

A. 중족골 골절

대개 전위가 경미하여 보존적 치료

B. 제5 중족골 기저부 골절

1. 비부골(os peroneum), 베자리우스 부골(os vesalianum)과 감별진단해야 한다.

2. 치료

 a. 2~4주 체중부하 단하지 석고 → 4~6주 후 유합

 b. 수술 : 골절편이 큰 경우, 전위가 심한 경우 관절 내 골절 시 고려

3. Jones fracture

    a. 근위 골간단을 침범하는 급성 골절

    b. 치료

        ① 4~8주 단하지 석고(short leg cast)

        ② 피로골절 : 3개월 비 체중부하 단하지 석고(non-weight bearing short leg cast for 3 months), 혹은 수술

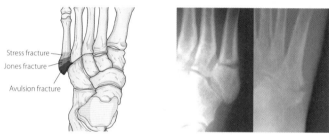

그림 12-16. 중족골 및 족지골 골절

C. 제2 중족골

피로 골절이 자주 발생, 보존적 치료

D. 족지의 골절

도수 정복 및 외고정으로 잘 치료됨, 관절면을 침범하거나 정복이 어려운 경우에는 관혈적 정복 및 내고정을 실시할 수 있다.

12

주요 질환

I. 골격(Skeletal Anatomy)

1. 족관절(ankle joint)
   a. 거각관절(talocrural joint), 경첩관절(hinge joint)
   b. 원위경골(distal tibia, pilon or plafond), 내측 및 외측 과 + 거골 → 격자
      (mortise) 형성

2. 후족(hindfoot) : 거골, 종골
   a. 거골 : 두(head), 경(neck), 체(body)
   b. 종골 : 가장 크다, 주로 해면골(canscellous bone), 3개의 소면(facet joint)

3. 중족(midfoot) : 주상골, 입방골, 설상골
   a. 주상골 : 세로궁의 쐐기돌(key stone)

4. 전족(forefoot) : 중족골, 족지골

5. 다양한 수의 종자골(sesamoid bones) 및 부골(accessory bones)

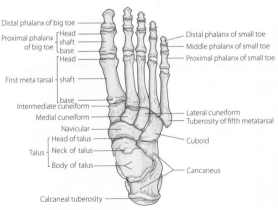

그림 12-17. Bony anatomy of foot (axial view)

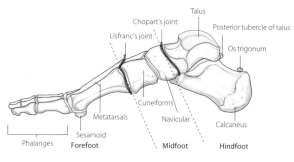

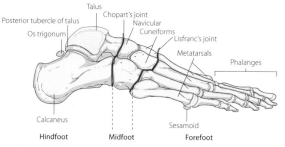

그림 12-18. Bony anatomy of foot (lateral view)

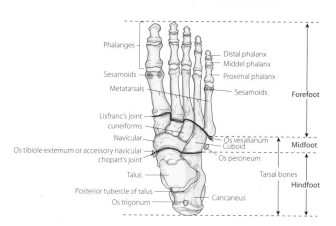

그림 12-19. Anatomy of accessory bones of foot

12

II. 인대(Ligament)

1. 족관절 내측
삼각인대(deltoid ligament : superficial and deep)

2. 족관절 외측
전거비인대, 종비인대, 후거비인대

3. 섬유결합(Syndesmosis)
전경비인대(anterior tibiofibular lig.), 횡인대(transverse lig.), 골간인대 (interosseous lig.), 후경비인대(posterior tibiofibular lig.)

4. 스프링인대(Spring lig.)
족저 종주상인대(plantar calcaneonavicular lig.), 상내측 종주상인대(supero-medial calcaneonavicular lig.), 내측 세로궁 유지에 중요

5. 족궁(Arch of the foot)
세로궁, 가로궁

6. 족저근막

7. Chopart 관절
거주상관절(talonavicular joint) 및 종입방관절(calcaneocuboid joint)

8. Lisfranc 관절
족근중족관절(tarsometatarsal joint)

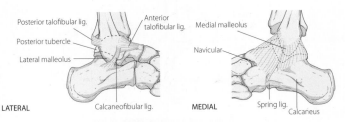

그림 12-20. Ligaments of lateral & medial ankle

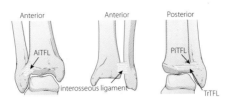

그림 12-21. Syndesmosis

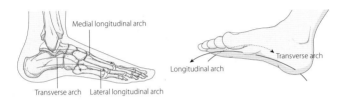

그림 12-22. Arch of foot

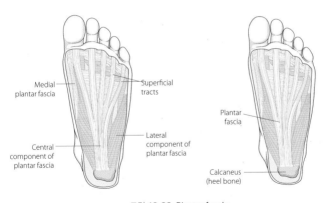

그림 12-23. Plantar fascia

12

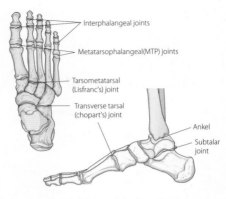

그림 12-24. Joints of the foot

III. 생역학(Biomechanics)

1. 족관절 : 경첩관절
  a. 굴곡(=족배굴곡 ; flexion, dorsiflexion) : 20도, 거골 내회전
  b. 신전(=족저굴곡 ; extension, plantarflexion) : 50도, 거골 외회전

2. 거골하 관절(Subtalar joint)
  a. 내반(varus) vs. 외반(valgus), 내번(inversion) vs. 외번(eversion)

3. 내전(adduction) vs. 외전(abduction)
  a. 내전 : 전족부가 후족부에 대하여 신체의 정중선 방향으로 회전하는 운동
  b. 외전 : 전족부가 후족부에 대하여 신체의 외측 방향으로 회전하는 운동

4. 회외전(supination) vs. 회내전(pronation)
  a. 회외전 : 내번 + 내전
  b. 회내전 : 외번 + 외전

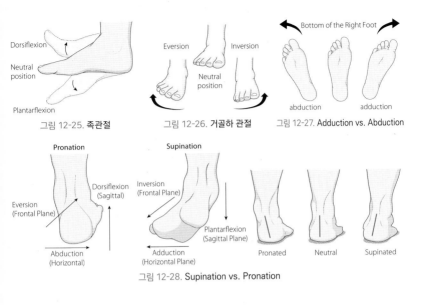

그림 12-25. 족관절

그림 12-26. 거골하 관절

그림 12-27. Adduction vs. Abduction

그림 12-28. Supination vs. Pronation

IV. 족부 변형(Deformities of the Foot)

A. 위치에 따른 변형의 종류

a. 전족 : 무지외반증(hallux valgus), 무지강직증(hallux rigidus), 추족지 (hammertoe), 망치족지(mallet toe), 갈퀴족지(claw toe) (그림 12-29~33)

b. 중족, 후족 : 외반(valgus), 내반(varus), 첨족(equinus), 종족(calcaneus)

그림 12-29. Hallux valgus

그림 12-30. Hallux rigidus

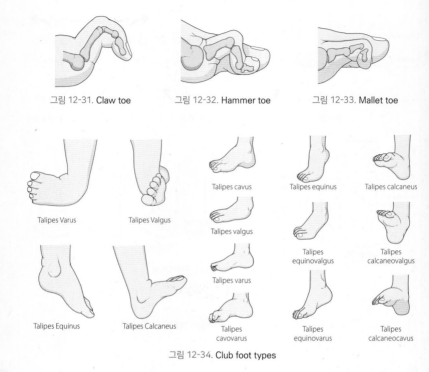

그림 12-31. Claw toe

그림 12-32. Hammer toe

그림 12-33. Mallet toe

Talipes Varus

Talipes Valgus

Talipes cavus

Talipes equinus

Talipes calcaneus

Talipes valgus

Talipes varus

Talipes equinovalgus

Talipes calcaneovalgus

Talipes Equinus

Talipes Calcaneus

Talipes cavovarus

Talipes equinovarus

Talipes calcaneocavus

그림 12-34. Club foot types

B. 편평족(Pes Planus : Flatfoot)

1. 내측 세로궁 소실

2. 후족부 외반 + 거골하 아탈구 + 전족부 외전

3. 원인

　a. 원인불명 : most common

　b. 외상후 관절염, 류마티스 관절염, 후경골건의 기능장애, 아킬레스 건 긴장, 소아마비, 뇌성마비, 당뇨, 거골하 관절의 기능장애, 부주상골, 족근 골 결합(tarsal coalition)

4. 유연성 편평족

  a. 체중 부하하지 않을 때는 내측 세로궁 유지되나 체중을 부하하면 소실되는 경우

  b. 치료

    ① 0~3세 : 관찰

    ② 3~9세 : 증상이 있으면 세로궁 지지대, 맞춤 교정 신발

    ③ 10~14세 : molded orthosis, 세로궁 지지대(longitudinal arch support) 부착

    ④ 경한 증상 : NSAIDs, 장거리보행금지, 온찜질, 세로궁 지지대

    ⑤ 심한 증상 : 절골술 혹은 관절 유합술

5. 강직성 편평족

  선천적 기형이나 만성 관절염과 연관

  a. 발의 위치나 체중부하와 관계없이 항상 세로궁 소실

  b. 원인은 다양하다.

  c. 증상은 경미

  d. 치료

    ① 비수술 : NSAIDs, 장거리 보행 금지, 온찜질 및 구두의 개선

    ② 수술 : 유연성에 비해 강직성에서 수술을 요하는 경우가 많다.

6. 핵심요약

  유연성 편평족, 강직성 편평족

C. 요족(Cavus Foot)

  a. 후족부에 대하여 전족부가 첨족변형(equinus deformity)을 일으켜 종궁이 비정상적으로 높아지는 변형

  b. 중족족지 관절(metatarsophalangeal joint)가 과신전되며, 지간관절은 굴곡되어 발가락의 갈퀴처럼 되는 경향이 나타난다.

  c. 소아마비, 뇌성마비, 기타 신경근육성 질환에서 나타난다.

  d. 증상 : 증상이 없는 경우가 가장 흔하다. 보행 시 쉽게 피로하다. 중족골 골두의 족저측과 근위 족지관절의 배측에 못 또는 피부 경결(callus)가 잘 생긴다.

  e. 치료

① 비수술 : 중족골 패드, 중족골 지지대, 적절한 넓이의 편한 구두
② 수술 : 족저근막 절단술, 건이전술, 절골술, 관절고정술

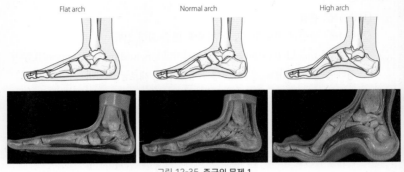

그림 12-35. 족궁의 문제 1

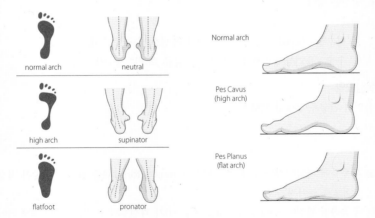

그림 12-36. 족궁의 문제 2

D. 무지외반증(Hallux Valgus)

1. 정의

a. 엄지발가락의 제1중족 족지 관절이 발의 외측으로 치는 변형

　　b. 중족골은 내측으로, 근위 지골은 외측으로 전위되며, 제1중족 족지 관절의 점액
　　　낭에 염증이 발생하는 질환으로 회내변형을 동반한 3차원적인 변형

2. 원인

　　a. 후천적 요인 : 앞이 뾰족하고 좁은 신발을 장기간 사용
　　b. 선천적 요인 : 평발, 넓적한 발, 원발성 중족 내전증, 원위 중족 관절면각이 과다
　　　한 경우, 제1열이 과다하게 유연한 발

3. 동반질환(그림 12-37)

　　a. 망치족지 : 족무지가 제2족지 밑으로 들어가서 발생
　　b. 건막류(bunion)
　　c. 관절염 : 제1중족 족지 관절

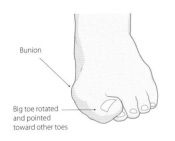

Bunion

Big toe rotated
and pointed
toward other toes

그림 12-37. **무지외반증의 모식도**

12

4. 분류

　　a. 경도(Mild) : IMA < 13, HA < 30
　　b. 중등도(Moderate) : IMA angle 13~20, HVA 30~40
　　c. 중증(Severe) : IMA > 20, HVA > 40
　　　(IMA(중족골간 각) : intermetatarsal angle, HVA(무지외반각) : hallux valgus
　　　angle) (그림 12-38)

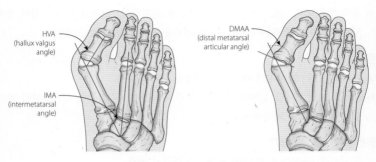

그림 12-38. Angles of hallux valgus

5. 치료(그림 12-39)

a. 경도 : 비수술적 요법

b. 중등도, 중증 : 수술적 방법(soft tissue procedure, corrective osteotomy and internal fixation)

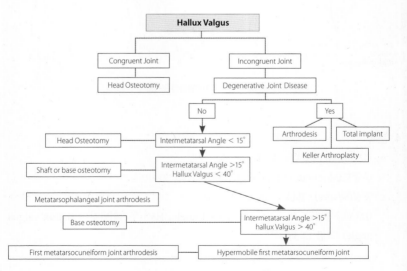

그림 12-39. 무지 외반증의 치료 방침

　c. 수술의 목표 : 돌출부의 제거, 무지 외반각과 제1, 2중족골간 간의 감소, 일치된
　　관절의 획득, 제1중족 족지 관절의 양호한 운동범위 확보, 정상적인 체중부하

6. 요약정리

　정의, 무지 외반각, 중족골간 각

E. 족근 결합(Tarsal Coalition or Synostosis)

1. 정의

　정상적으로 활막관절이어야 할 족근골간의 관절이 비정상적으로 골결합
　(synostosis) 혹은 연골결합(synchondrosis)을 일으킨 상태

2. 증상

　a. 후족부의 내외반이 없거나 심각하게 줄어듦 → 족배부 외측에 동통, 족부 피로
　b. 불규칙한 지면을 오래 걷기가 매우 힘들어짐.

3. 거종 결합(talocalacaneal coalition)

　most common(그림 12-40, 41)

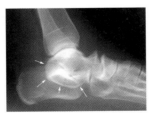

그림 12-40. Talocalcaneal coalition – C sign subtalar coalition on lateral radiographs.

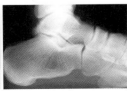

(A)　　　　　　　　　　　　　　　　　　　(B)

그림 12-41. Talocalcaneal coalition
(A) Unaffected side. (B) Cancaneonavicular coalition (arrows)

4. 치료

 a. 활동을 줄인다.

 b. 간헐적인 석고 붕대 고정 시도

 c. 삼중관절 고정술 시행

5. 요약정리

 거종결합, 종주상결합, C-sign

V. 당뇨족(Diabetic Foot)

A. 원인

 a. 혈액순환성 원인

 b. 신경병성 원인

B. 단계(Wagner)

 a. Grade 0 : skin intact but bony deformities produce a foot at risk

 b. Grade 1 : localized superficial ulcer

 c. Grade 2 : deep ulcer to tendon, ligament or joint

 d. Grade 3 : deep abscess, osteomyelitis

 e. Grade 4 : gangrene of toes and forefoot

 f. Grade 5 : gangrene of entire foot

C. 치료

1. 혈당조절이 중요

2. 치료결정 요소

 궤양에 감염 여부, 궤양의 크기, 궤양 주위 조직의 혈액순환

3. 치료 원칙

 a. 충분하고 철저한 변연절제술

 b. 습윤드레싱(moist-to-wet dressing)

4. 전접촉 석고 붕대(total contact cast)

 a. 일반적인 창상 치료로 낫지 않는 전족부의 족저부 창상에 사용

 b. 비 이상적 과다 하중을 분산시켜 치료가 되도록 유도

 c. 거즈 자체가 압력의 차이를 받게 해주는 원인이므로 주의

 d. 1주 혹은 2주마다 바꾸어 준다.

5. 보존적 치료

 a. Grade 1, 2 궤양

 b. Ischemic index more than 0.6

  - ischemic index : computed by dividing the lower-limb pressures by the brachial artery pressure

 c. 직경 < 3cm

6. 수술

변연절제술, 절단

D. 요약 정리

혈당조절, 전접촉 석고 붕대

12

VI. 기타 발질환

A. 동통성 종부 증후군(Painful Heel Syndrome)

1. 정의

발뒤꿈치 부위에 통증을 일으키는 질환들을 총칭하는 것

2. 종류

a. 종골하 통증 증후군(plantar fasciitis, subcalcaneal pain syndrome, heel spur syndrome)

b. 종골 상부 통증 증후군(retrocalcaneal bursitis, Haglund's disease, superior heel pain, enlargement of the superior tuberosity of the os calcis, insertional Achilles tendinitis)

3. 젊은 층

류마티스 관절염, 전신성 홍반성 낭창 등의 전신 질환의 일부

4. 소아

종골 골단염(calcaneal epiphysitis, Sever's disease)와 감별해야 한다.

5. 족저 근막염(plantar fasciitis)

a. 종골의 후하방에 있는 종골 조면(calcaneal tubercle)에서 전하방으로 나타나는 종골 골극(calcaneal spur)이 자주 동반(그림 12-43)

b. Heel pad에 교원질 및 수분 함량 감소 → 그 신축성이 약화, 퇴행성 변화

c. 치료

① 비수술 : 보조기, 아킬레스 건 신전운동, 석고 고정, NSAIDs, 스테로이드 주입, 족궁지지대, 뒤꿈치가 부드러운 신발 착용

② 수술 : 족저 근막 절개술(fasciotomy), 건막의 이완(release of aponeurosis), 내외측 족저 신경 및 내측 종골 신경의 이완, 골극 제거술

③ 환자 자신의 적응이 가장 중요한 치료법

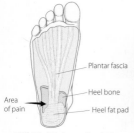

그림 12-42. Area of pain in plantar fasciitis

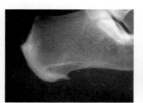

그림 12-43. heel spur

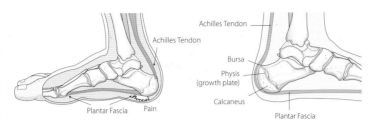

그림 12-44. Growth plate and plantar fascia

6. 종골 점액낭염(calcaneal bursitis)

a. Retrocalcaneal bursa, posterior Achilles or superficial calcaneal bursa

b. 원인 : 좁은 구두나 높은 신으로 인한 과도한 자극

c. 증상 : 운동통, 국소 압통, 종창

d. 치료

① 비수술 : 활동제한, 패딩, 보조기, 스트레칭, 근육 강화운동, 안정, 온습포,
NSAIDs, 편하고 굽이 낮은 구두, 흡인, 스테로이드 주입

② 수술 : 점액낭 절제술, 돌출된 골편의 제거, 아킬레스 건 교정

7. 요약 정리

족저근막염, 종골 점액낭염

B. 족근관 증후군(Tarsal Tunnel Syndrome)

1. 족근관(그림 12-45)

a. 경골의 내측 족근과와 그 후하방에 있는 종골의 내측벽, 굴근 지대(flexor
retinaculum)로 둘러 싸인 공간

b. 내용물 : 후경골건, 장족지 굴건, 장족무지 굴건, 후경골 동맥, 후경골 신경

2. 정의

족근관 내에서 후경골 신경, 또는 그분지가 눌려서 동통, 운동통 또는 감각 이상을
일으키는 것

12

3. 원인

    a. 외부 요인 : 거골, 종골, 후경골의 전위된 골절편, 인접한 건들의 건초염, 후족부의 내반 및 외반 변형

    b. 내부 요인 : 결절종, 지방종, 정맥류(varicose vein), 부 장족지 굴건(accessory flexor digitorum longus), 신경주막 섬유화(perineural fibrosis), 신경초종 (neurilemmoma), 강직성 척추염 혹은 류마티스 관절염에서의 증식성 활액막염

    c. 부근육, 급격한 체중 증가, 만성 혈전 정맥염

4. 증상

발목이나 발 내측 부분 및 발 바닥의 통증, 이상 감각, 내측 족저 또는 외측 족저 신경(medial or lateral plantar nerve)이 지배하는 부위의 피부 건조 유무, 감각 이상, 지배 근육들의 위축, Tinel's sign

5. 진단

EMG, NCV

6. 치료

    a. 비수술 : NSAIDs, 단하지 보행 석고, 스테로이드 주입

    b. 수술 : 굴근 지대를 절개하고 신경을 감압, 원인질환 제거

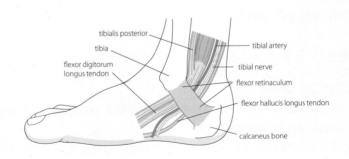

그림 12-45. Tarsal tunnel

7. 핵심 요약

족근관, 증상

C. 족부의 무혈성 괴사(Avascualr Necrosis of Tarsal Bones)

1. Köhler 병
주상골의 무혈성 괴사(그림 12-46)
a. 자기 한정성(Self limiting)
b. 대부분 1~2년 내에 저절로 좋아진다.

2. Freiberg 병
중족골두의 무혈성 괴사(그림 12-47)
a. 급성 : 보행석고 중족골 패드
b. 만성 : 관절 내 유리체 제거술, 중족골 단축술, 배굴절골술

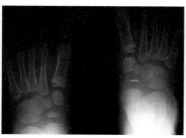

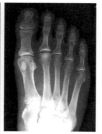
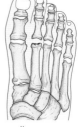

그림 12-46. Köhler disease

그림 12-47. Freiberg disease

D. 중족골 통증(Metatarsalgia)

12

1. 중족골두의 통증

2. 원인
a. 전족부의 골절, 탈구 또는 염좌로 인해 중족골의 형태에 변화가 생겨, 압력이 어떤 한 곳으로 모여 통증을 일으킴.
b. 체중 증가, 골간 근육이 마비되어 생기는 갈퀴 족지(claw toe), 전족부가 넓어진 경우
c. 첨족변형, Freiberg병, Morton신경종, 중족골 간부의 피로골절

3. 치료

a. NSAIDs, 신발속에 중족골 패드, 신발 밖에 중족골 지지대 붙임.

b. 원인에 따라 수술할 수 있다.

E. 족지간 신경종(Interdigital Neuroma : Morton's Neuroma)

1. 정의

족지에 분포하는 내측 또는 외측 족저 신경(plantar nerve)의 분지에 신경종 (neuroma)이 생겨 이 분지가 지배하는 족지에 갑자기 심한 동통을 일으키는 질환

2. 2, 3 지간 공간에서 주로 생김

3. 원인

확실하지 않음, 신경이 중족골의 골두 사이에서 반복된 압박을 받아 발생

4. 증상

a. 인위적으로 제2, 3지간 간격(web space)을 압박하거나 발을 내외측에서 동시에 압착하면, 족지에 동통이 동반된 염발음이 유발 → Mulder's sign

b. 족지에 지각 이상 또는 지각 소실

5. 치료

a. 비수술 : NSAIDs, 물리치료, 전족부가 넓은 신발을 사용, 중족부 방석

b. 수술 : 신경종 절제

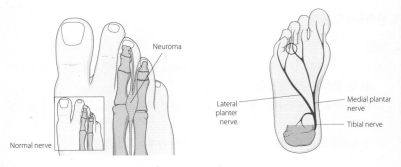

그림 12-48. Morton's neuroma

6. 핵심요약

2, 3 지간 공간, Mulder's sign

F. 족부의 피부 경결(Callosity)

1. 경결(callosity)

피부의 각질이 국소적으로 증식하여 두꺼워지는 것(그림 12-49)

2. 티눈(corn)

피부 경결의 중심부에 아주 딱딱한 아픈 부위가 있는 경우

3. 치료

원인을 제거하는 것

a. 두터워진 각질을 규칙적으로 깎아내거나 약품으로 녹임

b. 이환된 부분의 피부를 제거하고 일차 봉합

c. 뼈 구조의 이상이 있을 때는 절골술이나 근위지절 고정술

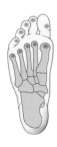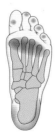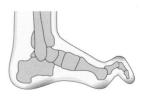

그림 12-49. **족부의 피부 경결 호발 부위**

12

G. 족부의 부골(Accessory Bones of Foot)

1. 주상골의 부골(os tibiale externum, accessory navicula)

a. 후경골근 건이 부착

b. 양측성

c. 동통유발 → 전무지 증후군(prehallux syndrome)

    d. 수술

      ① 비수술 : 장거리 보행금지, 단하지 보행 석고 고정, 종축 궁 지지 보조기

      ② 수술 : 부골 절제, 부골 유합술

2. 삼각골(os trigonum), 베자리우스 부골(os vesalianum), 비부골(os peroneum), 비골하 부골(os subfibulare), 지주골(os sustentaculi), os intermetatarseum

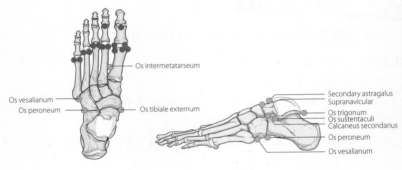

그림 12-50. **족부의 부골**

3. 핵심요약

    부주상골, 전무지 증후군

외상

I. 서론(Introduction)

A. 소아 골절의 특징

1. 해부학적 특징

a. 골단(epiphysis)이 완전히 골화되기 전에는 2차 골화 중심을 연골이 둘러싸고 있으며, 연골은 단순 방사선 검사에서 보이지 않음. 골단(epiphysis) 주위의 손상은 골단판의 확장이나 골단의 전위로 알 수는 있으나, 진단하기 어려울 때가 많음. 수상 후 7~10일에 주위의 골막주위 골형성을 보고 진단하기도 함.

b. 골막이 두껍고 강하여 어른에 비해서 더 빨리, 더 많은 양의 가골을 형성.

2. 생역학적 특징

a. 소아 장골의 피질골은 성인에 비해 하버시안 관이 차지하는 면적이 넓어, 단면상 다공성이기 때문에 작은 외상에도 골절이 잘 발생함. 또, 같은 하중에 대한 가역성이 더 크기 때문에, 소성 변형(plastic deformation), 융기 골절(torous, buckle fracture), 녹색 줄기 골절(greenstick fracture)의 양상이 나타남.

b. 골막이 두껍고 질겨서 골절 부위의 일부 또는 전부가 파열되지 않고 남아있는 경우가 흔하여, 골절에 안정성을 제공하고 전위가 비교적 덜 됨.

c. 인대 손상이나 관절 탈구는 드물고, 오히려 근접한 성장판에 손상을 받는 경우가 많음.

3. 생리학적 특징

a. 골단판이 존재하여 잔존 변형에 대하여 빠른 교정을 보이는 재형성력(remodeling power)을 가짐.

   b. 장골(long bone)의 골간(diaphysis) 골절 후에는 골단판의 성장이 촉진되어 과성장(overgrowth)이 일어나는 경우가 있기 때문에, 석고 고정 시 총검형 접촉(bayonet apposition)을 허용하기도 함.

B. 골단판 손상(Physeal Injury)의 분류(그림 13-1)

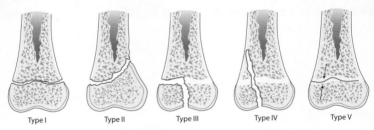

Type I   Type II   Type III   Type IV   Type V

그림 13-1. 성장판 골절에 대한 Salter-Harris 분류

2. Type I

   a. 골절선이 골단판으로만 통과하여 골단과 골간단이 분리되는 형태의 골절.

   b. 골막은 대개 유지되어 있어 심한 전이는 드물며 대부분 쉽게 도수 정복됨.

3. Type II

   a. 가장 흔한 형태로 골절선이 골단판을 따라서 진행하다가 골간단의 일부가 골단 측 골절편에 포함되는 형태의 골절.

   b. 골간단 골편을 Thurston-Holland 징후라고 하며 성장 장애는 드물다.

3. Type III

   a. 골절선이 관절면에서 출발하여 골단판으로 연결되면서 골단의 일부가 떨어지는 형태의 골절.

   b. 관절 내 골절로 정확한 정복이 요구됨.

4. Type IV

    a. 골절선이 골간단에서 골단판을 지나 골단으로 연장되는 골절

    b. 정확한 정복이 요구되며 대개 수술적 정복 및 내고정술을 요함.

5. Type V

    a. 압박력에 의한 골단판의 압궤 손상

    b. 예후가 불량하여 골단판 성장 장애가 나타남.

6. 골단판의 증식대(proliferative zone)

골간단쪽이 아닌 골단쪽에 존재하기 때문에, 골절선이 골단쪽 골단판을 침범하였는 지가 예후에 중요함. 대부분의 골절선은 비후대(hypertrophic zone)로 지나감(그림 13-2).

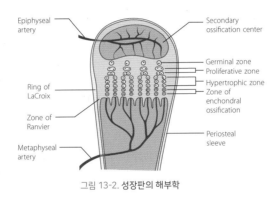

그림 13-2. 성장판의 해부학

13

II. 쇄골 골절(Clavicle Fracture)

A. 서론

1. Infancy

    a. 분만 중 발생하는 가장 흔한 손상 중의 하나임.

    b. 고위험군

① 출생 체중이 4,000 g 이상일 때

② 견갑난산(shoulder dystocia)

c. 상완 신경총 손상이 동반될 수 있고, 골절의 치유 전까지 정확한 신경학적 검사가 불가능할 수 있음.

2. Children and adolescents

a. 쇄골이 피하에 위치하여 심한 각형성 시 skin tenting으로 인하여 개방성 골절이 될 수 있음.

b. 각형성 및 전이된 골편에 의하여 혈관 손상, 신경학적 손상 및 종격동 구조물의 손상을 초래할 수 있음.

c. Acromioclavicular dislocation 처럼 보여도, 실제 AC joint는 괜찮고, distal physeal fracture가 있으면서, proximal fragment는 periosteum에서 위쪽으로 빠져나가는 pseuodislocation인 경우가 많음.

B. 진단

1. Single AP view

2. Medial clavicle

apical lordotic x-ray (Serendipity view)

C. 치료

1. Shaft fracture

a. Infant : 2~3주간 겉싸개의 소매를 몸통에 핀으로 고정 혹은 붕대를 이용해 상지를 몸통에 고정.

b. Children and adolescents : 3~4주간의 팔걸이나 8자 붕대, 드물게 수술.

2. Lateral fracture

a. 3주간의 팔걸이나 8자 붕대

b. 드물게 수술.

3. Medial fracture

a. 전방 전위가 있는 경우 : 재형성력이 뛰어나 팔걸이나 8자 붕대로 치료함.

b. 후방 전위가 있는 경우

① 종격동 구조물, 혈관 손상이 가능하여 손상시 전신마취하에 골절의 정복이 필요함.

② 도수 정복술을 시행하고, 도수 정복 후 유지가 안 되는 경우 수술적 정복술을 시행할 수 있음.

III. 주관절-원위상완골(Elbow-Distal Humerus)

A. 서론

a. 골화 중심 출연 시기 : C.R.I.T.O.E (Capitellum 1~2yr, Radial head 3~5yr, Internal epicondyle 4~5yr, Trochlea 8~9yr, Olecranon 8~10yr, External epicondyle 10~11yr)

b. 정상 운반각을 알아보기 위해 반대쪽 주관절의 이학적 검사를 시행함.

c. 혈관 평가를 위해 도플러를 사용할 수 있음.

d. 신경학적 검사를 시행함.

① 요골 신경 : extension of wrist and thumb(그림 13-3)

② 전방 골간 신경 : flexion of DIP joint of index finger and IP joint of thumb(그림 13-4)

③ 정중 신경 : flexion of digits 2-3

④ 척골 신경 : abduction/adduction of digits 3-5

e. 구획 증후군의 위험성이 있을 때 예방을 위해 80도 이하의 굴곡 상태로 후방 부목을 사용할 것

그림 13-3. **요골 신경**

그림 13-4. **전방 골간 신경**

B. 진단

1. X-ray

AP, lateral 외에 lateral condyle fracture에서는 internal oblique view가 중요

2. 반대쪽 주관절 X-ray

Elbow ossification center 출현을 비교하는 것이 진단에 도움이 됨.

3. 가끔 Arthrogram, CT, or MRI

4. X-ray landmarks

a. Baumann's angle

상완골 외과와 골간단 사이의 성장판과 상완골 장축에 직각으로 그은 선이 이루는 각으로 정상은 약 $72° \pm 10°$ (그림 13-5)

b. Anterior humeral line

측면 사진에서 골화된 소두의 중앙 1/3 지점을 지나감(그림 13-6).

c. Shaft-condylar angle

측면 사진에서 정상은 약 $40°$ (그림 13-7)

d. Fat pad sign

① 전 지방 체(anterior fat pad) : 소아의 주관절 사진에서 정상 소견일 수 있음.

② 후 지방 체(posterior fat pad) : 주관절 주위의 잠재 골절을 시사함(그림 13-8).

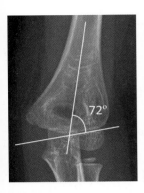

그림 13-5. 정상 Baumann angle

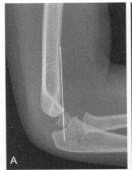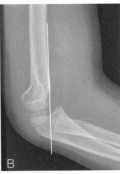

그림 13-6. Anterior humeral line
(A) Anterior humeral line은 capitellum의 mid 1/3을 지나간다. (B) 만일 anterior humeral line이 capitellum의 앞쪽으로 지나간다면, 상완골 과상부 골절의 신전은 정복되어야 한다.

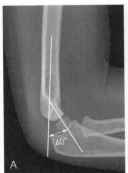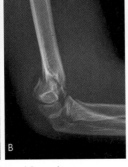

그림 13-7. Shaft-condylar angle
(A) normal shaft-condylar angle은 약 40°이다. (B) 이 각도가 supracondylar fracture의 신전으로 감소되었다 .

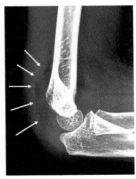

그림 13-8. Posterior fat pad sign

13

C. 상완골 과상부 골절(Supracondylar Fracture)

1. 분류

   a. flexion type

   b. extension type (Gartland classification): 훨씬 흔함

     ① Type I : undisplaced(그림 13-9)

     ② Type II : partially displaced with posterior cortex intact(그림 13-10)

     ③ Type III : completely displaced(그림 13-11)

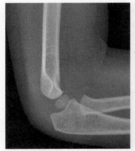 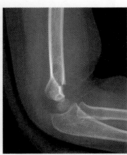 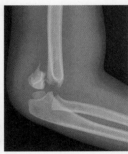

그림 13-9. Type I   그림 13-10. Type II   그림 13-11. Type III

2. 치료

   a. Type I

     ① 3주간의 석고 고정으로 치료함.

     ② 내측 피질골 감입이 있는 경우 내반 주 변형을 예방하기 위해 정복이 필요함.

   b. Type II

     ① 도수 정복 후 석고 고정 혹은 필요할 경우 경피적 핀 고정술을 시행함.

     ② 내반 및 회전 변형을 교정하는 것이 중요함.

   c. Type III

     ① 대부분 도수 정복 및 경피적 핀 고정술

3. 합병증

a. 혈류 장애

① Type III의 10~20%는 요골 동맥 맥박이 소실되는 경우가 있음. 원위 골편의 후외방 전위 시 더 발생하기 쉬움

② 응급실에서 주관절을 30도만 굴곡한 상태에서 장상지 석고 고정

③ 지속적으로 소실 시, 응급으로 도수정복 및 핀 고정술

④ 술 전 혈관 손상 확인을 위한 혈관조영술은 필요하지 않음.

⑤ 주관절을 과도히 굴곡하는 대신 경피적 핀 고정술로 고정하여 주관절 굴곡을 줄임으로서 대부분 예방이 가능함.

b. 신경학적 손상

① 대부분 자연 회복됨.

② 원위 골편의 후외방 전위 시 발생하는 전방 골간 신경 손상이 가장 많고, 후내방 전위 시 요골 신경 손상이 발생함.

c. 구획증후군

① 5 'P' (pain, pallor, pulselessniess, paresthesia, paralysis) 중 통증이 가장 중요한 sign임.

D. 상완골 외과 골절(Lateral Condyle Fracture)

1. 분류(Jakobs classification)

a. Stage I

Incomplete fracture, 관절면은 intact(그림 13-12)

b. Stage II

골절선이 관절면까지 연장된 complete fracture, 골편은 외측 전위될 수 있으나 회전 변형은 일어나지 않은 형태. 전위가 2 mm 이상이면 불안정성 골절로 간주 (그림 13-13)

c. Stage III

골편의 회전 변형이 일어난 불안정성 골절(그림 13-14)

13

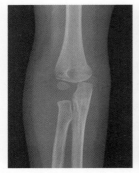
그림 13-12. Stage I

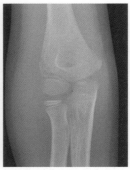
그림 13-13. Stage II

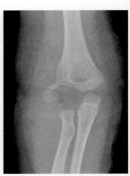
그림 13-14. Stage III

2. 진단

　　a. AP, lateral view 외에 골절선의 방향 때문에 internal oblique view가 중요함

3. 치료

　　a. 전위가 없거나 2 mm 이하인 경우

　　　　① 약 4~6주간의 장 상지 석고 고정

　　　　② 전위가 발생할 수 있어 4일, 8~10일, 3주째에 방사선 추적 검사 필요

　　b. 2mm 이상의 전위가 있는 경우

　　　　① 도수 정복 혹은 관혈적 정복 및 경피적 핀 고정술

4. 합병증

　　a. 불유합 : 골편의 근위 전위로 외반주 형성 가능, 빠른 치료를 요함.

E. 상완골 내 상과 골절(Medial Epicondyle Fracture)

1. 서론

　　a. 외반력과 굴곡근의 수축에 의한 견열 골절

　　b. 주로 외상성 주관절 탈구를 동반하여 내 상과 골편이 주관절 사이에 끼임.

　　c. 요골 경부 골절, 척골 신경 손상등과 같은 동반 손상 여부를 확인함.

2. 치료

    a. 전위가 심하지 않은 경우 석고 고정으로 치료함: 대부분임

    b. 수술적 정복술 및 내고정술이 필요한 경우

        ① 골절의 전위가 매우 심한 경우

        ② 관절 내에 골절 편이 끼인 경우

        ③ 척골 신경 마비의 증상이 있을 때

        ④ 주관절의 외반 불안정성이 심한 경우

3. 합병증

    a. 관절내 끼인 골편을 간과하였을 경우 운동 및 기능장애가 발생함.

    b. 척골 신경 마비

    c. 척골 신경염 : 가골에 의한 자극 및 만성 외반 불안정성에 의해 발생함.

    d. 불유합 : 전위가 있는 골절을 보존적으로 치료하였을 때 자주 발생하나 대개 기능 장애를 초래하지 않음.

    e. 주관절 강직 : 흔히 발생하고, 예방을 위해 조기 관절 운동이 필요함.

F. 상완골 원위 골단판 골절(Transphyseal Distal Humerus Fracture)

1. 서론

    주로 2세 미만의 소아에 나타나며, 소아 학대와 관련 가능성이 높음.

2. 진단

    a. 방사선 전후면상 Ulno-humeral line은 깨지나, Radio-capitellar line은 유지됨 (그림 13-15)

    b. 주관절 탈구, 외과 골절, 상완골 과상부 골절과의 감별 진단이 중요함.

3. 치료

    a. 석고 고정만으로 치료시 정복의 소실이 일어나 내반 주 변형이 발생하기도 함.

    b. 경우에 따라 도수 정복 후 경피적 핀 고정술을 시행

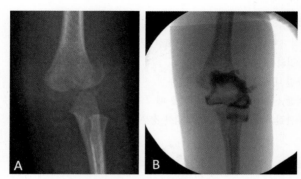

그림 13-15. **상완골 원위 골단판 골절.**
(A) humerus와 ulna 사이의 relationship이 깨져 있음 (B) 관절 조영술 상 capitellum과 radial head 사이의 relationship은 intact 함

IV. 주관절-근위 요골 및 척골
(Elbow-Proximal Radius and Ulna)

A. 요골 두 아탈구(Pulled Elbow, Nursemaid's Elbow)

1. 서론
  a. 소아에서 가장 흔한 외상성 주관절 손상
  b. 전완이 회내전되고 주관절이 신전된 상태에서 갑자기 잡아당겨져서 발생
  c. 요골 두의 아탈구로 윤상인대(annular ligament)가 radiocapitellar joint에 interposition 되어 발생함.

2. 임상 양상
  a. 환아가 주관절을 약간 굴곡하게 전완이 회내전한 상태에서, 팔을 사용하지 않으려고 함.

3. 진단
  a. 다른 질환을 배제하는 것이 중요함.

　b. 대개 방사선 사진은 정상임.

4. 치료

　a. 방사선 촬영 시 주관절을 회외전시켜 자연히 정복되는 경우가 있음.

　b. 주관절 굴곡 상태에서 전완을 회외전하여 정복함.

　c. 정복 후 환자가 울음을 멈추고 팔을 사용하기 시작함.

　d. 외고정은 필요하지 않음.

　e. 재발은 흔히 발생하나 대개 장기적인 문제는 없음.

B. 요골 두 및 경부 골절(Radial Head and Neck Fracture)

1. 서론

　a. 주관절 탈구 및 척골 간부 골절을 잘 동반함.

2. 치료

　a. 각형성이 30도 이내인 경우 : 재형성을 기대할 수 있어 장 상지 석고 고정으로 치료함.

　b. 각형성이 30~60도 : 도수 정복 → 30도 이내로 정복 시 석고 고정

　c. 각형성이 60~90도 : 도수 정복 → 재전위가 흔함, 정복 불가 시 수술.

　d. 각형성이 90도 이상 : 수술

3. 합병증

　a. 회전 운동 장애 : 회내전의 제한이 더 흔함

13

C. 몬테지아 골절/탈구(Monteggia Fracture/Dislocation)

1. 서론

　a. 척골 근위부 골절과 요골 두의 탈구가 동반된 골절(그림 13-16)

　b. 척골이 전방으로 약간 휘어지는 ulna bow sign을 동반할 수 있음.

　c. 척골의 요골 굴곡이 요골 두의 탈구를 일으킬 수 있기 때문에 척골의 변형교정(straightening)이 요척골 관절의 안정성에 중요함.

　d. 선천성 또는 병적 요골 두 탈구와의 감별이 필요함.

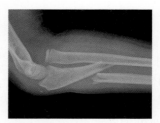

그림 13-16. 척골 근위부 골절과 요골 두의 탈구가 동반된 골절

2. 치료

   a. 대부분의 요골 두 탈구는 도수 정복으로 정복됨.

   b. 척골의 녹색 줄기 골절이나 소성 변형이 있는 경우 : 전신 마취하에 도수 정복 후 석고 고정으로 치료함.

   c. 척골 골절의 정복이 어려운 경우 수술적 정복술 및 내고정술이 필요함.

   e. 요골 두의 도수 정복 실패 시 척골의 내고정술 후 요골 두를 수술적으로 정복함.

3. 합병증

   a. 진단의 지연과 재탈구

     ① 진단이 지연될수록 요골 두 등에 변형이 생겨서 재건술이 어려워짐. 초기에 정확한 진단을 위해 척골 간부 골절 시 방사선 사진에서 요골-소두 관절을 잘 관찰해야 함.

V. 전완부 골절
(Fracture of the Radius and the Ulna)

A. 서론

1. 성인의 골절과의 차이점

   a. 완전 골절 대신 소성 변형(plastic deformation)이 흔히 발생함.

b. 재형성 능력이 뛰어남.

B. 원위골절-골단판(Distal Fractures-Physis)

1. Salter-Harris Type I injuries
    a. 방사선학적 소견보다 임상적 소견으로 진단함.
    b. 성장판 주위의 부종 및 압통을 호소함.
    c. 3주간의 장상지 석고 고정으로 치료함.
    d. 추시 방사선 사진의 가골 형성으로 확진할 수 있음.

2. Salter-Harris Type II injuries
    a. 가장 흔하며 보통 후방 전위(전방 각형성)를 동반하며 성인에서의 Colles' fracture와 유사함.
    b. 4~6주간의 장상지 석고 고정으로 치료함.
    c. 정복이 유지되는 것을 확인하기 위해 1주 간격으로 x-ray를 촬영함.
    d. 정복이 소실되는 경우
        ① 수상 후 7일 이내 : 전신 마취하에 재정복술을 시행함.
        ② 수상 후 7일 경과시 : 재정복술은 성장판의 손상을 야기할 수 있으므로 불완전한 정복 상태라도 수용해야 하고, 재형성을 기대. 향후 잔존 변형에 대하여 절골술
    e. 조기 성장판 폐쇄가 발생할 수 있어 의심될 경우 MRI로 평가함.

3. Salter-Harris Type III and IV injuries
    a. 비교적 흔하지 않으며 관절면의 전위 정도를 CT로 평가함.
    b. 2mm 이상의 전위 시 수술적 정복술 및 내고정술이 필요함.

C. 원위골절-골단판 위(Distal Fractures-Above Physis)

1. 융기 골절(Buckle or torus fracture)
    a. 2~3주간의 단 상지 석고 고정이나 Velcro 부목으로 치료함.

2. 녹색 줄기 골절(greenstick fracutre)

a. 도수 정복 후 장 상지 석고 고정으로 치료함. 완전 골절로 만들어야 정복이 잘 되기도 함.

3. 완전 골절(complete fracture)

a. 정복이 어렵고 불안정하여 정복소실이 자주 일어남.

b. 원위 요골 골간단부 골절은 성장판 주위 골절이고, 변형의 주방향이 손목 관절의 운동 방향인 배측 전위가 흔하고, 원위 요골에서 요골 길이 성장의 80%가 일어 나므로 부정 유합 시 변형의 재형성에 유리함.

표 13-1. 요골 원위 골간단부 골절에서 나이에 따른 각 형성의 허용 범위

나이(년)	시상면		관상면
	남	여	
4-9	20	15	15
9-11	15	10	5
11-13	10	10	0
〉13	5	0	0

D. 간부(Midshaft)

1. 녹색 줄기 골절(greenstick fracture)

a. 3점 고정으로 잘 주형된 장 상지 석고 고정술을 시행함.

b. 각형성을 동반한 녹색 줄기 골절 : 약간의 과교정(overcorrection)이 필요함.

2. 소성 변형(plastic deformation)

a. 전신 마취하에 도수 정복술이 필요함.

3. 완전 골절

a. 보존적 치료

① 도수 정복 후 장 상지 석고 붕대 고정

② 재전위의 위험성이 높아 정복 후 3주간, 매주 추시 관찰하여야 함.

③ 허용 범위

    i. 8세 이하 : 15도의 각형성, 45도의 회전 변형

    ii. 8세 이상 : 10도의 각형성, 30도의 회전 변형

    iii. 근위부 골절일수록 재형성이 잘 안 됨.

    iv. 성장판 주위의 골절은 재형성이 잘 됨.

    v. 회전 변형은 재형성이 잘 안 됨.

b. 수술적 치료

① 적응증

    i. 8세 이상의 환자에서 만족할 만한 정복을 얻지 못한 경우

    ii. 1회 또는 2회의 도수 정복 후에도 만족할 만한 정복을 유지하는 데 실패한 경우

② 최근 유연성 골수내정을 흔히 사용함

VI. 고관절 골절(Hip Fracture)

A. 해부학 및 생리학적 특성

a. 미성숙된 소아에서 근위 대퇴골 골단판이 약하여 골단판을 침범하는 골절이 골단판 성장정지, 내반고(coxa vara), 단고(coxa breva)를 초래할 수 있음.

b. 혈관이 골단판을 통과하지 않아 대퇴골두의 혈액 공급이 손상되기 쉬워 무혈성 괴사가 잘 일어남.

B. 분류 : Delbet Classification(그림 13-17)

a. Type I : transphyseal fracture (AVN 빈도 100%)

c. Type II : transcervical fracture (AVN 빈도 42~43%, 전위 있으면 60% 이상)

d. Type III : cervicotrochanteric fracture (AVN 빈도 20~30%)

e. Type IV : intertrochanteric fracture (AVN 거의 발생하지 않음)

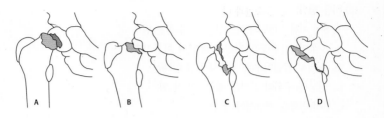

그림 13-17. Delbet classification
(A) Transphyseal (B) Transcervical (C) Cervicotrochanteric (D) Intertrochanteric

C. 치료

1. Type I fracture (transphyseal)

a. 2세 이하의 비전위 골절 : 고수상 석고 고정(hip spica cast)

b. 2세 이상 혹은 전위 골절 : 내고정술을 시행. 성장판 유합을 최소화하기 위해 나사선이 없는 핀을 사용하여야 함.

2. Type II and III fractures

a. 비전위 골절

① 5세 이하의 소아 : 약 6~8주간 하지 내회전 및 외전 상태로 고수상 석고 고정

② 5세 이상의 소아 : 경피적 핀 고정술

b. 전위 골절

① 응급으로 수술적 정복술 및 내고정술을 시행함.

② 고정술 후 6~8주간 고수상 석고 고정을 시행함.

3. Type IV (intertrochanteric fracture)

a. Young children

① 일정 기간 견인 후 고수상 석고 고정으로 치료함.

② 정복이 불가능하거나 다른 손상으로 인하여 견인을 유지할 수 없을 때 내고정술을 시행함.

b. Older children

수술적 정복술 후 금속판과 나사 또는 압박고 나사를 이용한 내고정술을 시행함.

4. 소전자부 견열 골절

a. 장요근(iliopsoas)에 의해 발생함.

b. 보존적 치료 시행함 : 3~4주간의 목발 보행 및 부분 체중부하

5. 대전자부 견열 골절

a. 외전근에 의해 발생함.

b. 전위가 있는 경우 수술적 정복술 및 내고정술을 시행함.

D. 합병증

a. 대퇴골두 무혈성 괴사

b. 내반고 (coxa vara), 단고 (coxa breva)

c. 불유합

d. 근위 성장판 조기 유합

VII. 대퇴골 간부 골절(Femoral Shaft Fracture)

A. 서론

a. 교통 사고나 추락 등 비교적 강한 외력이 작용한 경우에 발생하여 체내 출혈로 인한 저혈성 속이 발생할 수 있음.

b. 타 장기의 손상 유무도 확인하기 위해 철저한 이학적 검사가 필요함.

c. 5세 이하의 소아에서 발생할 경우 소아 학대(child abuse)와의 관련성이 많음.

B. 진단

a. 반드시 양쪽 고관절과 슬관절의 방사선 사진을 포함하여 고관절 탈구나 대퇴골 경부 골절, 슬관절의 잠재 손상 등의 동반 손상을 놓치지 않아야 함.

b. 방사선 사진상 골절의 단축의 정도가 치료방침의 결정에 중요함.

C. 치료

1. 6개월 미만의 소아

골막이 두꺼워서 대부분 안정성 골절이므로 Pavlik harness로 치료함.

2. 6개월 이상, 6세 미만의 소아

a. 초기 단축 2 cm 이하 : 조기 고 수상 석고 고정

b. 초기 2 cm 이상의 단축 또는 심한 불안정성

① 3~10일간 견인 치료 후 석고 고정

② 견인은 split Russell's traction을 가장 흔히 하며, 5파운드 이상의 견인력이 필요할 경우 90-90 degree skeletal traction을 시행

c. 석고 고정 후 1주일 간격으로 방사선 촬영을 하여 내반 변형 발생 시 석고 설상 교정(wedging). 고정 기간은 나이에 따라 4~8주.

3. 6세 이상, 11세 미만의 소아

유연성 골수강 내 금속정(flexible intramedullary nail)을 이용한 수술적 치료가 선호됨.

4. 12세 이상의 소아

강성 골수강 내 금속정이나 최소 침습적 금속판 고정술(Minimally Invasive Plate Osteosyntesis)

D. 합병증

1. 하지 부동(leg length discrepancy)

a. 가장 흔한 합병증으로서, 골절 부위의 과성장(overgrowth)으로 인해 발생함.

b. 골편의 총검 접촉(bayonet apposition)으로 방지해야 함.

c. 가장 성장 촉진이 많이 되는 연령은 2~10세로 석고 고정으로 정복 시에는 1 cm 정도의 중첩이 이상적이며 2 cm까지는 허용됨.

2. 각 변형 및 회전 변형

VIII. 원위 대퇴골 성장판 골절(Distal Femoral Physeal Fracture)

A. 서론

a. 대퇴골 원위 성장판은 가장 빨리 골화가 시작되고, 늦게(15~20세) 유합되며, 대퇴골 성장의 약 70%, 하지 성장의 37%를 담당.

b. 골간단과 성장판이 전후, 내외 방향으로 굴곡되어 있고 서로 상응하게 맞물려 있어서, 전위 시 유두 돌기(mammillary process)가 성장판의 배아 세포(germinal cell)를 연마(grinding)하면서 손상을 주어 골절 전위 시 유형에 상관없이 성장판 조기 폐쇄가 흔히 일어남.

c. 대부분 청소년기에 발생.

d. Salter-Harris 제II형 골절이 가장 흔함

e. 골단이 전방으로, 골간단은 후방으로 전위된 과신전 손상(그림 13-18)의 경우 종종 popliteal artery 손상이 동반될 수 있음. 혈전이 생성될 수도 있으므로 정복 이후 48~72시간 동안 재관류에 의한 구획 증후군 발생 등 경과를 관찰하여야 함.

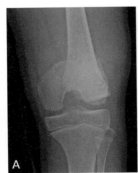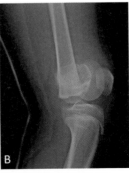

그림 13-18. 원위 대퇴골 성장판 골절 (A) 전후면 (B) 측면

B. 치료

a. 시상면에서 15도의 각 형성은 허용 가능

b. 전위가 없는 안정 골절 : 슬관절 15~20도 굴곡 상태로 4~6주간 석고 고정

c. 전위가 있는 안정 골절 : 도수 정복 후 석고 고정, 1주 후 경과 관찰

d. 전위되고 불안정한 Salter-Harris 제I형, II형 골절: 도수정복 후 핀 삽입술

e. 전위된 Salter-Harris 제III형, IV형 골절, 도수 정복이 실패한 경우 : 관혈적 정복

C. 합병증 및 예후

a. 조기 합병증
   ① 슬와 동맥 손상
   ② 비골 신경 손상

b. 후기 합병증
   ① 하지 단축
   ② 각 형성 변형

IX. 경골 골절(Tibia Fracture)

A. 근위 성장판 손상(Proximal Growth Plate Injury)

1. 서론

a. Popliteal artery 손상이 발생하기 쉬움. 응급실에서 촬영한 X-ray상 전위가 심해 보이지 않더라도, 수상 당시의 큰 전위가 어느 정복된 것일 수 있으며, 수상 당시 popliteal artery가 손상을 받았을 수 있음.

b. 손상 기전 : 주로 고정된 슬관절에 대한 하퇴부의 외반 및 과신전과 같은 간접손상에 의해 발생함.

2. 치료

a. 비전위 골절

슬관절 15도 굴곡 상태에서 4~8주간의 장하지 석고 고정

b. 전위 골절

① 혈관 손상 및 구획 증후군의 위험이 높음.

② Salter-Harris type I and type II fracture

ⅰ. 도수 정복이 되어도 불안정한 경우가 많음. 불안정한 경우 강선을 이용한 경피적 핀 고정술을 시행하기도 하고 예방적으로 핀 고정술을 하기도 함.

ⅱ. 연부 조직 감입으로 인하여 만족할 만한 도수 정복술이 불가능할 경우 수술적 정복술 및 내고정술을 시행함.

③ 2 mm 이상의 전위를 가진 Salter-Harris type III and type IV fracture : 관혈적 정복술 및 내고정술이 필요함.

B. 근위 골간단부 골절(Proximal Metaphyseal Fracture)

a. 서론

전경골 동맥(anterior tibial artery)이 전방 구획에서 경골 옆에 고정되어 있어 골절시 손상 받기 쉬움.

b. 치료

① 전위나 각형성의 교정이 혈액 순환을 회복시킬 수 있으므로 긴급한(urgent) 정복술이 필요함.

② 동맥 봉합술을 시행하거나 구획 증후군이 진단되었을 경우 내고정술과 함께 4개의 구획에 대한 근막 절개술(fasciotomy)을 시행해야 함.

C. 경골 간부 골절(Diaphyseal Fracture)

1. 서론

골막의 탄력성으로 인하여 성인에 비해 비전위성 골절이 많음.

2. 치료

　　a. 장하지 석고 고정

　　　　① Goal

　　　　　　ⅰ. 50% 이상의 접촉(apposition)

　　　　　　ⅱ. 각 면에서의 각 형성 5~10도 미만

　　　　　　ⅲ. 1 cm 미만의 단축

　　　　② 석고 고정시 슬관절을 45도 굴곡위로 하여 체중 부하를 제한하고, 10~20도의 족저 굴곡위로 하여 골절부의 후방 각형성을 막도록 함.

　　　　③ 정복 소실 시 교정법

　　　　　　ⅰ. 석고 설상 교정(cast wedging)으로 치료할 수 있음.

　　　　　　ⅱ. 전신 마취하에 재정복술 후 cast change를 시행할 수 있음.

　　b. 수술적 치료

　　　　① 적응증

　　　　　　ⅰ. 비수술적 치료로 유지할 수 없는 분쇄, 단축, 불안정성 골절

　　　　　　ⅱ. 구획 증후군을 동반한 경우

　　　　　　ⅲ. 개방성 골절

　　　　　　ⅳ. 다발성 손상이 있는 경우

　　c. 내고정 방법

　　　　① K-강선 : 6세 이하의 소아에서 3~4주간 고정함.

　　　　② 유연성 골수강내 금속정(Flexible nail) : 6세 이상의 수술적 치료가 필요한 환자에서 가장 선호되는 방법.

　　　　③ 강성 골수강내 금속정(rigid intramedullary nail) : 성장판이 닫힌 환자에서 시행함.

3. 특수한 경골 간부 골절

　　a. 걸음마 골절(Toddler's fracture)

　　　　① 슬관절이 고정된 상태에서 족부 회전 시 발생한 경골의 나선상골절

　　　　② 초기 방사선 사진상 보이지 않을 수 있음

　　　　③ 열이 있는 경우 감염을 배제하기 위해 혈액 검사를 시행함.

　　　　④ 추시 방사선 검사상 골막 신생골 형성이 나타나 진단이 가능함.

b. 개방성 골절(open fracture)

① 가능한 조기에 철저한 창상부 세척과 변연 절제술을 시행함.

② 파상풍 주사 및 항생제 주사

③ grade I and II clean open fracture : 세척 및 변연 절제술 후 내 고정술을 시행함.

④ grade III and grossly comtaminated grade II fracture : 세척 및 변연 절제술 후 외고정(external fixation)을 시행함.

⑤ more extensive or contaminated wound : 매 48시간마다 변연 절제술을 시행함.

c. 부유 슬관절(floating knee)

① 동측의 경골과 대퇴골의 골절된 경우

② 교통 사고 등의 고 에너지 손상에 의해서 주로 발생함.

③ 대개 수술적 치료를 시행함.

d. 피로 골절(stress fracture)

① 관련 인자

ⅰ. 스포츠 활동 전의 poor condition

ⅱ. 달리기 거리의 갑작스러운 변화

ⅲ. heel cord, 대퇴사두근(quadriceps), 슬근(hamstring)의 긴장(tightness)

② 발생 부위

ⅰ. 근위 경골 1/3 부위(10~15세)

ⅱ. 원위 비골 1/3 부위(2~8세)

③ 진단 : 방사선 사진, 골주사 검사(three-phase bone scan), MRI

④ 치료

ⅰ. 협조적인 환자에서는 활동을 제한하는 것만으로도 충분함.

ⅱ. 목발을 이용한 부분 체중 부하나 보조기 또는 석고 고정으로 치료할 수도 있음.

13

X. 족관절 골절(Ankle Fracture)

A. 서론

a. 골단판이 약하고, 인대는 더 단단하여 성인과 다른 양상의 골절 양상이 나타나며, 인대 손상은 적음.

b. 골단판 손상 시 성장 장애를 일으킬 수 있음.

c. 성장판이 폐쇄되는 기간 동안 일정한 유형의 이행기 골절(transitional fracture)이 나타남.

B. 해부학

a. 원위 경골 성장 판의 폐쇄

① 여자는 15세경, 남자는 17세경 이루어진다.

② 비대칭적인 성장판 폐쇄가 일어나 먼저 성장판의 중앙부가, 다음에 내측 및 후방이, 마지막으로 외측 및 전방이 폐쇄됨.

b. 원위 비골 성장 판의 폐쇄

원위 경골에 비해 1년 후에 이루어짐.

C. 관절 외 골절(Nonarticular Fractures)

1. Salter-Harris type I and II fractures of the fibula

a. 비골 골절 중 가장 흔하며 type I injury의 방사선 사진은 대개 정상임.

b. 치료

① 비전위 골절 : 3주간의 단 하지 석고 고정

② 전위 골절 : 도수 정복술 또는 수술적 정복술 후 K-강선을 이용한 내고정술

2. Salter-Harris type I injury of the tibia

a. 드물게 발생하며 방사선 사진은 대개 정상임.

b. 치료

① 비전위 골절 : 3주간의 보행 석고 고정

② 전위 골절 : 도수 정복술 후 6주간의 석고 고정

3. Salter-Harris typeⅡ injury of the tibia

a. 손상 기전 : 고 에너지 손상으로 대개 회외-족굴 또는 외전력에 의해 발생함.

b. 전이가 심할 경우 족부 허혈을 초래할 수 있어 빠른 정복을 시행해야 함.

c. 치료

① 비전위 골절 : 3~4주 간의 장하지 석고 고정 후 3~4주 간의 단하지 보행 석고 고정

② 전위 골절

ⅰ. 도수 정복술 후 6주간의 장하지 석고 고정

ⅱ. 연부 조직의 삽입으로 인해 만족할 만한 도수 정복이 안 될 경우

가. 2 mm 이상의 전위가 있고 성장이 2년 이상 남은 경우 수술적 정복 및 내고정술을 시행함.

나. 2 mm 이상의 전위가 있고 성장이 2년 이내로 남은 경우 석고 고정을 시행함.

D. 틸로골절(Tillaux Fracture)

1. 서론

a. 청소년기에 원위 경골 성장 판의 폐쇄가 진행되는 동안 발생함.

b. 성장판의 비대칭적 폐쇄로 인하여 전외측 골단판이 가장 취약하여 발생함(그림 13-19).

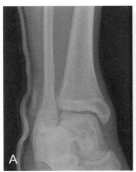 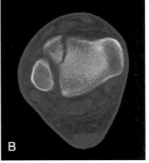

그림 13-19. (A) 격자상 사진에서 tillaux 골절의 모습(B) CT 사진에서 경골의 전외측 부위의 골절이 관찰된다.

13

2. 손상 기전

족부에 외회전력이 가해져 원위 경골의 전외측 골단판이 견열되어 발생함.

3. 치료

먼저 족부를 내회전 및 회외전하여 도수 정복을 시행함.

a. 전위가 없는 경우

3주간의 장 하지 석고 고정 후 3주간의 단 하지 보행 석고 고정으로 치료함.

b. 전위가 남아 있는 경우

수술적 정복술 및 나사를 이용한 내고정술을 시행함.

G. 삼면골절(Triplane Fracture)

1. 서론

a. 3면(sagittal, transverse, and coronal)을 가지는 복합 골절

b. 원위 경골 성장판의 비대칭적 폐쇄로 인하여 발생함.

c. 호발 연령: 남자 14~15세, 여자 12~13세로 Tillaux 골절보다 조금 어린 나이에 발생.

2. 진단

a. 전후방 사진 : Salter-Harris type III injury

b. 측면 사진 : Salter-Harris type II injury(그림 13-20)

c. CT scan : 골절의 양상 및 관절 내 전위 정도를 평가하는 데 유용함(그림 13-21).

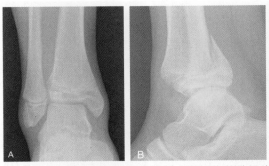

그림 13-20. (A) 삼면 골절의 관상면 CT 사진 (B) 삼면 골절의 시상면 CT 사진

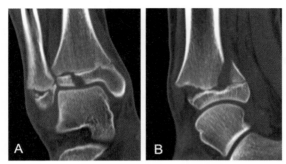

그림 13-21. (A) 골절의 전후방 사진 (B) 삼면 골절의 측면 사진

3. 분류

    a. medial or lateral

    b. number of parts

    c. intra-articular or extra-articular

4. 치료

먼저 족부를 족저 굴곡 상태에서 견인 및 내회전하여 도수 정복을 시행함(내측 triplane 골절의 경우 외회전하여 도수 정복).

    a. 전위가 없는 경우

        3주간의 장 하지 석고 고정 후 2~4주간의 단 하지 보행 석고 고정으로 치료함.

    b. 2mm 이상의 전위가 남아 있는 경우

        수술적 정복술 및 나사를 이용한 내고정술을 시행함.

13

H. 조기 성장판 폐쇄(Premature Physeal Closure)

1. 원위 경골 골절 후 흔히 발생할 수 있음

2. 진단

    a. 수상 후 6, 12, 18개월째 추시 방사선 촬영

    b. Harris 성장 정지선(growth line)의 비대칭성 : 조기 성장판 폐쇄의 중요한 지표

로 이용됨.

c. 방사선 사진에서 조기 성장판 폐쇄가 의심되면 골연령 평가를 위한 수부 방사선 사진과 손상부위 MRI 또는 CT scan이 필요함.

3. 치료

a. 정기적인 방사선 사진을 촬영하면서 추적 관찰

b. 골교 방지물 충전술

c. 골단판 유합술(epiphysiodesis)

d. 교정 절골술

주요 질환

I. 다리를 저는 아이(Limping Child)

A. 다리를 저는 이유

통증성 vs. 무통성(근력 약화, 변형, 하지 단축)

B. 분류

1. 통증성 파행(antalgic gait)
통증으로 인해, 통증이 있는 하지의 입각기(stance phase)가 감소하는 특징을 보임.

2. 근력 약화로 인한 파행
a. 외전근 약화(abductor weakness)

abductor lurch, trunk shift gait, compensated gluteus medius lurch, Trendelenberg gait 등으로 불림. 입각기 시에 외전근의 부하가 줄어들도록 환측으로 몸통을 기울여 걸음.

b. 대퇴 사두근 약화(quadriceps weakness)

입각기 시에 무릎이 구부러지는 것을 보상하기 위해 입각기 시에 무릎에 손을 대고 무릎이 신전되도록 유지하는 보행을 함.

3. 변형이나 하지 단축으로 인한 파행
a. 단하지 보행(short-limb gait) : 입각기 시에 환측으로 몸통이 기울어지며 반대쪽 긴 다리를 돌려서 걷거나(circumduction gait) 또는 환측 뒷꿈치를 들어 긴 다리가 유각기(swing phase) 시에 땅에 끌리지 않도록 걸음.

C. 통증성 파행에 대한 진단적 접근

a. 감별 진단 : 외상, 감염, 염증, 종양

b. 이학적 검사 : 부종, 색 변화, 압통, 관절 운동 범위 제한 여부

c. 혈액학적 검사

① CBC(감염 및 혈액암)

② ESR, CRP(염증, 특정 종양)

③ Anti-CCP, rheumatoid factor, antinuclear antibody, HLA-B27, ASO(류마티스 관련 질환)

d. 방사선학적 검사 : 단순 방사선 사진, CT, MRI, 골스캔

D. 무통성 파행에 대한 진단적 접근

a. 감별 진단 : 구조적(선천성 및 발달성 질환), 신경학적 질환, 대사성 질환

b. 이학적 검사 : 하지 길이 검사, 하지 굵기 검사, 신경학적 검사(근력, 감각, 경직성, 심부건반사)

c. 혈액학적 검사 : 근육 효소, 대사 이상 산물

d. 방사선학적 검사 : 단순 방사선 사진(고관절 이형성증, 대퇴골 이형성증), orthoroentgenography or teleradiography(하지 길이 부동)

e. 기타 검사 : 근전도 및 신경전도속도 검사, 근육 생검, 염색체 분석

E. 0~5세 소아의 가장 흔한 파행의 원인

표 13-2. 0-5세 소아의 파행 원인

족부/족관절	슬관절/경골	고관절/대퇴골	골반/척추	기타
만곡족	화농성 관절염	고관절 이형성증	추간판염	외상
골수염	골수염	일과성 활액막염	골수염	뇌성마비
연소기성 류마티스 관절염	Toddler's fracture (경골)	화농성 관절염		백혈병
	원판형 연골	골수염		선천성 하지부동
	선천성 슬개골 탈구			후천성 하지부동 (Ollier병, 신경섬유종증)
	연소기성 류마티스 관절염			
	유아기 경골 내반증 (Blount 병)			

F. 5 ~ 10세 소아의 가장 흔한 파행의 원인

표 13-3. 5-10세 소아의 파행 원인

족부/족관절	슬관절/경골	고관절/대퇴골	골반/척추	기타
종골골단염	Osgood-Schlatter병	LCP병	추간판염	근이영양증
주상골골연골증 (Kohler병)	박리성 골연골염	일과성 활액막염	골수염	유전성 운동 감각 신경병증
족근골 유합	성장통	화농성 관절염	화농성 관절염	Friedrich's ataxia
외상(골절, 염좌)	외상(골절, 염좌)	골수염	척추 분리증	
연소기성 류마티스 관절염	종양(골연골종, 단순골낭종, 비골화성섬유종, Ewing육종, 골육종)	종양(단순골낭종, 비골화성 섬유종, Ewing육종, 골육종)		
골수염				
요족				

G. 10 ~ 15세 소아의 가장 흔한 파행의 원인

표 13-4. 10-15세 소아의 파행 원인

족부/족관절	슬관절/경골	고관절/대퇴골	골반/척추	기타
족근골 유합	Osgood-Schlatter병	대퇴골두골단분리증	골반골 견열 골절	유전성 운동감각 신경병증
부주상골	슬개골 골단염	LCP병	치골 골염	
종골골단염	슬개골 주위 통증 증후군	고관절 이형성증 (아탈구)	척추분리증	
제5종족골 골단염	슬개골 탈구(급성, 재발성)	종양(Ewing육종, 골육종)	척추전방전위증	
피로골절 (종골, 중족골)	인대 손상		척추후만증	
외상(골절, 염좌)	박리성 골연골염		신경포착증후군	
	반월상 연골 손상			
	종양(골연골종, Ewing육종, 골육종)			

13

II. 선천성 근성 사경
(Congenital Muscular Torticollis)

흉쇄유돌근(sternocleidomastoid)의 편측성 구축(contracture)에 의하여 머리가 환측으로 기울고 얼굴이 반대쪽으로 회전되는 변형

A. 임상 소견

약 75%에서 우측에 발생, 여아에서 호발, 20%에서 발달성 고관절 이형성증(developmental dysplasia of the hip)과 병발한다는 보고도 있음.

1. 흉쇄유돌근 종괴

신생아 시기에는 단단하고 압통은 없으며 방추상 종창. 나중에는 흉쇄유돌근이 건측보다 가늘지만 단단한 밴드가 됨.

2. 신생아기

한쪽으로만 머리를 돌린다. 머리를 가누기 시작하는 시기에는 머리를 한쪽으로 기울이며 얼굴은 반대쪽을 향함(그림 13-22).

3. 유아기 이후

a. 환측으로의 경부 회전 운동과 반대측으로의 측방 굴곡 운동(lateral bending)이 제한. 안면 비대칭, 두개골 비대칭(그림 13-23)이 발생함.

b. 척추 측만증이 발생함.

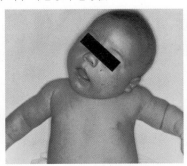

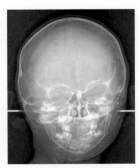

그림 13-22. 선천성 근성 사경의 임상소견   그림 13-23. 선천성 근성 사경의 X-ray

c. 두부의 측방 전위, 목 주위 근육 구축

B. 감별 진단

1. 안구성 사경(ocular torticollis)
a. 머리가 기울어져 있으나 회전되어 있지는 않음.
b. 경추 운동 범위는 정상
c. 흉쇄유돌근의 섬유성 단축이 없음.
d. 두개골 변형이 없음.
e. 안과적 검사 : cover-uncover test

2. 선천성 경추 기형
a. 흉쇄유돌근의 구축은 없음.
b. 3~5세 이후에 3D-CT로 확인함.

C. 치료

1. 비수술적 치료
a. 진단이 되면 가능하면 빨리 시행
b. 고개를 건측으로 기울이고 얼굴을 환측으로 돌려서 흉쇄유돌근 신연(10초간, 1회에 15~20번씩, 하루에 4~6회 반복)

2. 수술적 치료
a. 수술은 단축된 흉쇄유돌근을 한 곳(기시부) 또는 두 곳(기시부와 부착부)에서 절제 또는 연장하는 것.
b. 적응증 : 심한 경우에는 안면 비대칭이 심화되고 경추부 구축도 심해지기 때문에 수술적 치료에 대해서 논란의 여지가 없음. 경한 경우에는 미용상의 문제로서 수술 반흔과 경도의 사경의 경중을 가늠해서 수술 여부를 결정함.
c. 수술 시기 : 심한 경우에는 1.5~2세경에도 시행할 수 있음. 그러나 수술 후 물리치료에 대한 순응도를 고려하면 충분한 순응도를 얻을 수 있는 3~4세까지 지연시키는 것이 유리할 수 있음. 너무 어린 나이에 수술하면 그만큼 재발의 가능성

13

이 높음.

D. 요약

쉽게 진단할 수 있으나 안구성 사경 및 경추 기형에 의한 사경과 감별하는 것이 중요함. 논란의 여지는 있으나 고관절 이형성증과 동반될 수 있으므로 초음파 또는 단순 방사선 사진을 이용한 스크리닝이 필요함.

III. 발달성 고관절 이형성증
(Developmental Dysplasia of the Hip : DDH)

A. 유형

1. 고관절 이외의 문제 동반 여부에 따라
   a. 기형적 고관절 탈구(teratologic)
   b. 전형적 고관절 탈구

2. 불안정성 정도에 따라
   a. 이형성증(dysplasia) : 고관절의 불충분한 발달(대퇴골/비구/복합형)
   b. 아탈구(subluxation) : subluxatable, subluxated
   c. 탈구(dislocation) : dislocatable, dislocated

B. 위험인자

1. 둔위 태향(breech presentation)
   가족력과 더불어 가장 중요한 위험인자

2. 가족력

3. 첫번째 아기, 여아

4. 자궁 내 압박의 간접 소견

사경(torticollis), 중족골 내반증(metatarsus adductus), 사두증(plagiocephaly), 유아기 척추측만증

5. 양수 과소증(oligohydramnios)

6. 출생 후 환경 요인

고관절을 신전(extension), 내전(adduction)한 위치로 업어 키우는 문화권.

7. 유전적 요인

전신 인대 이완

C. 임상 소견

1. 보행기 이전

선별검사를 시행하여야 발견이 가능하다. 진단이 조기에 될수록 치료가 쉽고, 결과가 좋다. 선별검사의 방법은 국가 정책에 따라 다르다.

a. 외전(abduction) 제한 : 내전근(adductors) 구축(그림 13-24A)

b. 둔부(gluteal), 음순(labial) 또는 대퇴부의 피부주름이 비대칭 : 가장 의미있는 피부주름은 내전-둔부(adductor-gluteal) 피부주름(그림 13-24B)

c. 현성(apparent) 하지 단축

d. 슬관절 높이 차이(Galeazzi sign)(그림 13-24C)

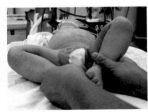
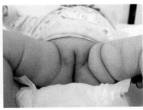
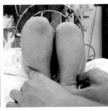

그림 13-24. 발달성 고관절 이형성증의 이학적 검사

2. 보행기

선별검사를 시행하지 않으면 대부분 보행기 이후(1세 이상)에 보행 이상으로 발견

됨. 진단이 늦어질수록 치료가 어렵고, 예후가 나쁨.

a. 보행 시작이 늦어진다.

b. 파행 : Trendelenburg gait, short-limb gait

c. 오리걸음(waddling gait) : 양측성 탈구

d. 둔부 피부주름 비대칭, 납작한 엉덩이

e. 외전 운동 범위 감소

* 신생아에서 통증성 고관절 운동 제한의 감별 진단에 발달성 고관절 이형성증은 포함되지 않는다는 점에 유의해야 함.

D. 영상 검사

a. 단순 방사선 사진

대퇴골두 이차 골화 중심이 골화된 이후 사용한다(대략 > 6 개월). 이전까지는 진단적 가치가 작다. Putti triad는 대퇴골두 이차 골화 중심이 나타나지 않거나 크기가 작음. 대퇴골두의 외상방 전위되어 있으며, 비구 이형성이 있는 것을 말함.

b. 초음파 검사

대퇴골두 이차 골화 중심이 생기기 전에 사용함(대략 < 6 개월). 이 시기에 진단 및 Pavlik 보장구 치료 결과를 추시하는 데 좋음.

E. 치료

1. 목적

a. 동심성 정복(concentric reduction)

b. 정복 유지(maintenance of reduction)

c. 무혈성 괴사 방지

d. 고관절의 정상 생역학적 관계(normal biomechanics) 수립

2. 신생아와 유아기(출생에서 6개월까지)

Pavlik 보장구가 현재 가장 좋은 초기 치료법임. Pavlik 보장구를 이용할 때에는, 치료 초기(최초 2~4주)에 고관절 정복 여부를 초음파검사로 확인하여야 함. 정복이 되지 않았으면, 예비 견인 후 도수 정복과 석고붕대 고정 등의 다른 방법을 이용하는 것이 바람직함. 이는 정복되지 않는 대퇴 골두에 지속적인 정복을 시도하는 경우, 무혈성 괴사의 위험이 높아지기 때문임.

a. Pavlik 보장구 치료 기간

보통 초음파로 추시하면서, 3개월 이상 착용함. 보장구는 생후 6개월이 지나면, 아이의 활동이 증가하여, 점점 착용이 힘들어짐. 이상적으로 3개월 이전에 진단하고 시작하여야, 6개월 이전에 보장구를 뗄 수 있음.

b. 문제점과 합병증

① 정복 실패가 있을 수 있으므로, 초음파 추시 후 실패하면 다른 방법으로 정복을 함. 드물게 후방 탈구(posterior dislocation), 폐쇄공 탈구(obturator dislocation)가 있을 수 있음.

② 무혈성 괴사(드물다) : 지나친 외전이 원인이므로, 굴곡을 충분히 하고, 외전은 최소화함.

③ 대퇴신경 마비(femoral nerve palsy)

④ 잔존 비구 이형성

3. 유아기 후반부(6개월에서 2~3세)

a. 견인(traction) 요법

b. 도수 정복술(manual reduction) 및 석고붕대 고정(cast immobilization) (그림 13-25)

human position: 90~100도 굴곡, 45~60도 외전 위치. 4~6주마다 마취하에 석고붕대 교체가 필요하며 보통 4~6개월이 소요됨. 석고붕대 치료 후 3세까지 외전 보조기 착용이 필요.

c. 수술적 정복술(open reduction)

수술적 정복술은 도수 정복 실패, 계속되는 아탈구, 연부조직이 개재되었을 때, 도수정복이 가능하지만 심한 외전위(또는 굴곡위)에서만 유지가 가능할 때 시행.

13

그림 13-25. 도수 정복술(manual reduction) 및 석고붕대 고정(cast immobilization)

4. 아동기(2~3세 이후)

수술적 정복과 함께 고관절 주위의 이차적인 골 변형을 함께 교정해야 하는 경우가 많음.

a. 이차적인 골 변형에 대한 교정

대퇴골 단축-내반-감염 절골술(femoral shortening- varus-derotation osteotomy), 골반골 절골술(pelvic osteotomy : Salter, Dega, Pemberton)

b. 간과된 탈구에 대한 치료

견해 차이는 있으나 대개 양측성 탈구는 8세까지만 정복을 하며, 일측성 탈구는 사춘기까지 정복을 함.

F. 합병증

1. 무혈성 괴사(avascular necrosis of the femoral head)

a. 방사선 소견(골단)

① 골화 중심의 출현이 지연되거나 적어도 12개월 동안 골화 중심이 성장하지 않을 때

② 'head within head'

③ 골화 중심에 반점(mottling of the ossific nucleus)

④ 골화 중심의 분절화(fragmentation of the ossific nucleus)

b. 방사선 소견(골간단)

① 부분적 음영감소(area of rarefaction)

② 골단판 cupping
③ 낭종 형성(cyst formation)
④ 내측 부리(medial beaking)
⑤ 성장 정지선(growth arrest line)을 포함한 국소 골경화(localized sclerosis)

IV. Legg-Calve'-Perthes병

A. 정의

소아에서 대퇴골두의 특발성 혈행 장애로 초래되는 무혈성 골괴사(juvenile idiopathic ischemic necrosis of the femoral head)임. 비록 그 원인이 혈류의 차단이라고 추정되지만 아직까지 발생기전이 상세히 밝혀진 것은 아님.

B. 원인 가설

a. 혈행 장애(vascular insufficiency)
b. 혈액응고 이상(coagulation disorder)
c. 골두 내 압력 증가(intraosseous pressure)
d. 성장 지연설(growth arrest theory), 골두 과성장(overgrowth), 외상, 주의력 결핍 장애, 유전, 환경 요인

C. 임상 소견

a. 통증성 파행(limp) : 대개 통증은 심하지 않으며 사타구니 내측, 대퇴 전방부, 혹은 슬관절 부위에 발생
b. 고관절 운동 제한 : 외전과 내회전의 제한. 간혹 경도의 고관절 굴곡구축
c. 대퇴부와 둔부 근육 위축, 하지 길이 부동(오래된 경우)

D. 방사선 소견

a. Waldenstrom의 시기적 단계 : initial stage, fragmentation stage, reossification stage, residual stage

b. Catterall 분류(그림 13-26)

c. Salter와 Thompson의 분류 : 연골하 골절 범위에 따라

d. Herring의 외측주(lateral pillar) 분류(그림 13-27) : 분절기(fragmentation stage) 고관절 전후면 단순 방사선사진에서 골두 외측(15~30%)의 높이의 침범 정도에 따라

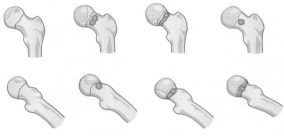

그림 13-26. Catterall 분류

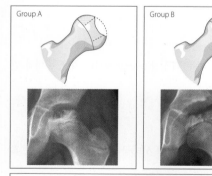

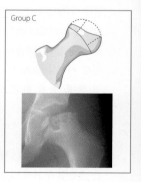

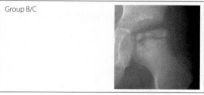

그림 13-27. Herring의 외측주(lateral pillar) 분류 분절기에 고관절 전후방 사진에 근거하여 골두를 내측(골두 횡폭의 20~35%), 중간(약 50%) 및 외측 (15~30%)으로 나누어 외측 골두 높이의 침범 정도를 기준하여 네 군으로 나눈다.

E. 감별 진단

a. 골단 이형성증 : 척추골단 이형성증(spondyloepiphyseal dysplasia : SED), 다발성 골단 이형성증

b. Morquio 증후군

c. trichorhinophalangeal 증후군

d. 드문 질환군 : 갑상선 기능 저하증(hypothyroidism), Gaucher 병, 뮤코다당체침착증(mucopolysaccharidosis), 췌장 기능 부전증(pancreas insufficiency), 연골 모발 저형성증(cartilage hair hypoplasia), Meyer dysplasia

e. 다른 원인으로 인한 무혈성 괴사 : 겸상 적혈구증(sickle cell anemia), thalassemia, 외상 후, 감염 후, 발달성 고관절 탈구 치료 합병증으로 인한 무혈성 괴사, 림프종(lymphoma), 유년기 류마토이드 관절염(juvenile rheumatoid arthritis), 혈우병, 연골용해증(chondrolysis)

F. 골두 위험 징후(Head-at-Risk Signs)

임상적으로는 LCP 병의 이환 나이가 가장 중요한 요소이고, 영상 소견으로 아탈구가 가장 중요한 요소임.

1. Catterall의 임상적 위험 요소

a. 지속하여 감소하는 고관절 운동 범위

b. 내전 구축의 진행

c. 비만

2. Catterall의 방사선 영상 위험 요소

a. Gage 징후 : 골두 외측부에 연한 V자형 골 음영 감소(그림 13-28)

b. 골단 외측부 석회화 음영(calcification lateral to epiphysis)(그림 13-29)

c. 미만성 골간단 반응(diffuse metaphyseal rarefaction)(그림 13-30)

d. 대퇴골두의 외측방 탈구(lateral extrusion of femoral head)

e. 대퇴 근위 성장판의 수평위(horizontal growth plate)

13

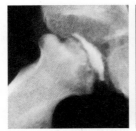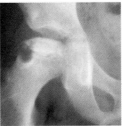

그림 13-28. Gage 징후

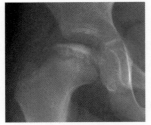

그림 13-29. 골단 외측부 석회화 음영

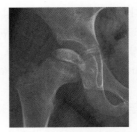

그림 13-30. 미만성 골간단 반응

3. Herring의 방사선 영상 위험 요소

a. 골두의 외측 이전(lateralization of the femoral head)

b. 외측 석회화(lateral calcification)

c. 골두 중 노출된 부분의 크기(extent of uncovered femoral head)

d. 외측 아탈구(increased head-to-tear drop distance)

e. 분절기 이전에 넓어진 골두

f. saturn phenomenon : 골음영이 소실된 내외측 골두 부분이 반지처럼 골두 중앙의 경화된 부분을 감싸는 소견

g. 병 초기부터 넓어진 대퇴경부

G. 치료

1. 치료 원칙

첫 번째 원칙은 고관절 운동의 회복임. 두 번째 원칙은 대퇴 골두를 비구 내에 잘 유치(containment)하는 것임. 세 번째 원칙은 다소 이견이 있지만 체중부하를 감소시켜 골두에 가해지는 압력을 줄이는 것임.

임상적인 치료 선택에 있어서 문제가 되는 점은 예후적인 가치가 있는 단순방사선 사진 소견은 완전한 분절화기(fragmentation stage)(대개 증상이 시작된 후 8~12개월)가 되어야 명확해지는데, 이 시기에는 이미 치료가 예후를 바꿀 수 없는 시기이기 때문임.

2. 유치 치료(containment treatment)의 개념

함몰되고 변형되었지만 성장기 소아의 대퇴 골두는 어느 정도의 가소성(plasticity)을 갖고 있어, 관절 운동을 유지하면서 비구 내에 유치(containment with motion)시키면 비구 모양을 주형(mold)으로 하여 구형에 가깝게 재형성된다는 개념

3. 고관절 유치 가능성에 따른 치료 지침

a. 중립 위에서 비구 내에 유치된 원형 대퇴 골두 : 관절 운동 범위를 회복하고 유지. 대개 예후가 좋음.

b. 둥글지는 않으나(nonspherical) 고관절을 내회전(medial rotation)-외전(abduction) 또는 외전(abduction)만 하여 유치될 수 있는(containable) 대퇴 골두 : 관절 운동 범위 회복 후 외전 보조기로 유지하거나, 골반 절골술 또는 대퇴골 절골술 등의 수술적 유치를 얻음.

c. 유치되지 않는 고관절 : 경첩 외전과 지속되는 아탈구. Chiari 절골술, cheilectomy, 대퇴골 외전 절골술(femoral valgus osteotomy) 등을 시행함.

4. 수술적 치료가 선호되는 경우

a. 보존적 치료 중 유치가 소실

b. 증상 시작 나이가 10세 이상

c. 보존적 치료로 개선되지 않는 관절 운동 제한

d. 비구연에 대한 대퇴 골두 충돌징후(impingement sign)

13

e. 침범 부위가 큰 예후가 나쁜 군

H. 자연 경과

장기 추시 연구에 의하면 70~80%의 환자는 LCP 병을 앓은 후 첫 20~40년 동안은 치료 방법에 관계없이 통증 없이 일상 생활이 가능하며, 일부에서만 30세 이전에 두드러진 통증을 호소함. 대체로 50세까지 기능이 양호하지만, 이후 기능 저하가 뚜렷해지면서 60~70대에 이르면 퇴행성 관절염으로 발전함. 50%의 환자에서 방사선 영상으로 불량한 결과(CE angle < 20도, AI > 20도, Mose원형도 > 2 mm 원형이탈)를 나타내는 심한 퇴행성 관절염을 앓고 있으며, 정상인과 비교하여 승산비(odds ratio)는 10배임. 대략 50%는 치료에 영향을 받지 않고 양호한 결과를 보이고, 35%는 치료에 의해서 결과가 향상되며, 15%는 치료를 해도 불량한 결과를 보임.

V. 대퇴골두 골단 분리증
(Slipped Capital Femoral Epiphysis: SCFE)

A. 정의

대퇴골두 성장판 부위에서 골단이 분리되어 후방, 내측으로 전위됨(그림 13-31). 드물게 외측으로 전위되는 경우도 있음.

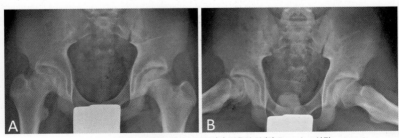

그림 13-31. 우측 대퇴골두 골단 분리증 (A) 전후면 및 (B) Frog-leg 사진

B. 역학

주로 청소년기에서 발생함. 평균 체중이 큰 인종에서 더욱 호발하며, 근래에 우리나라를 포함한 동양권에서도 발병률이 증가하고 있고, 이는 유전적 요소보다는 비만, 식생활 등의 후천적 요인이 더 중요하다는 점을 시사함.

C. 병인과 발병 기전

1. 기계적 요인

비만, 대퇴 경부의 저염전 또는 후염전(retroversion), 청소년기에 증가하는 성장판 경사도, 근위 대퇴골 골단판 골막환 복합체(perichondrial ring complex)의 약화

2. 내분비 장애

a. 성장 호르몬 : 성장판 두께가 증가되면서 전단력에 대한 강도가 감소.

b. 에스트로겐 : 성장판의 두께가 감소하고 전단력에 대한 강도는 증가.

c. 테스토스테론 : 저농도에서는 성장판의 강도를 감소, 고농도에서는 강도를 증가

d. 연관 대사성 및 내분비성 질환

① 일차성 갑상선 기능저하증

② 성선 기능저하증(hypogonadism) 또는 범 뇌하수체 기능저하증(panhypopituitarism)

③ 성장 호르몬(growth hormone) 치료를 받는 경우

④ 구루병(rickets)

⑤ 신성 골이영양증(renal osteodystrophy)

3. 방사선 조사(radiation)

D. 임상 소견

1. 증상 및 징후

a. 통증 : 고관절부, 서혜부, 대퇴부, 슬관절부(referred pain)

b. 관절 운동 제한 : 고관절 굴곡 시 저절로 외전 및 외회전이 되고, 고관절의 내회전이 제한(그림 13-32) (Drehmann sign), 보행 시 외족지 보행

그림 13-32. Drehmann sign

2. 골단분리증의 안정성에 따른 분류(Loder, 1993)

안정성 골단분리증에서는 대퇴골두 무혈성 괴사가 발생하지 않은 반면 불안정성 골단분리증에서는 56% (Loder, 1993) 또는 15% (Kennedy, 2001)가 발생

a. 안정성(stable) 골단분리증 : 목발없이 또는 목발을 짚고라도 환측에 체중부하가 가능하고 보행이 가능한 경우

b. 불안정성(unstable) 골단분리증 : 목발을 짚어도 통증으로 인하여 보행이 불가능한 경우

3. 골단 분리 시기에 따른 분류

a. 분리전기(preslip stage) 또는 전구증상 시기
   - 경도의 하지 통증, 무력감, 파행
   - 방사선 검사 상 고관절 주위 골 결핍, 골단판의 확장
   - CT나 MRI로 미세한 전위를 발견하기도 함.

b. 급성(acute) 골단분리증
   - 증상 발현한 지 3주 이내
   - 골단 전위가 악화될 수 있으므로 무리한 이학적 검사를 삼가야 함.
   - 무혈성 괴사가 초래될 위험이 있는 시기임.

c. 만성(chronic) 골단분리증
   3주 이상 지속된 하지 통증, 하지 무력감, 파행. 고관절 내회전 제한, 대퇴부 또는 하퇴부 위축, 하지 단축. 방사선 검사 상 대퇴 경부 주변에 골 재형성 소견이 관찰

    d. 만성의 급성화(acute-on-chronic)

      만성적인 증상을 보이다가 증상이 악화된 지 3주 이내

4. 골단 전위의 정도에 따른 분류

    a. 전위가 가장 잘 보이는 방사선 검사는 true lateral projection (translateral view)임. Frog leg view는 골단의 불안정성이 있을 때 촬영하지 말아야 함.

    b. 대퇴골두-간부 간 각도(head-shaft angle)와 골단 전위(그림 13-33)

      ① 경도(mild) : 각도 차이 30도 이내, 전위 정도 33% 이내

      ② 중등도(moderate) : 각도 차이 30~50(60)도, 전위 정도 33~50%

      ③ 고도(severe) : 각도 차이 50(60)도 이상, 전위 정도 50% 이상

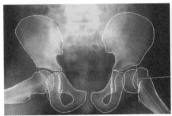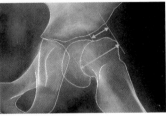

그림 13-33. 고도 대퇴골두 골단 분리증의 방사선 사진

E. 치료

1. 치료 목적

    a. 추가 전위 및 무혈성 괴사 발생 방지

    b. 관절 자극 및 관절 운동 제한의 증상을 해소하거나 완화

    c. 장기 추시에서 고관절 퇴행성 변화를 방지

2. 골단 분리의 정복

    무혈성 괴사의 가장 중요한 원인이므로 과도한 외력에 의한 정복은 금물. 안정 골단 분리증에서는 전혀 정복을 시도하지 않고, 중등도 이상의 전위를 보이는 불안정 골단분리증에서는 수술적 고관절 탈구 방법으로 대퇴 골두의 혈행을 관찰하면서 정복을 시행

3. 수술의 종류
a. 경피적 in-situ 나사못 고정술(그림 13-34)

골단의 추가 전위를 물리적으로 막으면서 골단판의 조기유합을 유도.

b. 재정렬 수술(realignment procedure)

중등도 이상의 전위에서는 변형으로 인한 대퇴골두와 비구간 충돌이 발생할 수 있음. 이로 인한 통증 및 운동 범위 제한(굴곡 및 내회전 제한)을 개선하고 장기적으로 퇴행성 관절염을 예방하려는 의도로 시행할 수 있음.

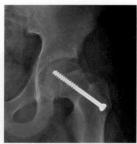 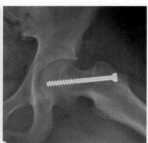

그림 13-34. 대퇴골두 성장판 중심에 수직으로 나사못을 삽입

F. 합병증

1. 무혈성 괴사(위험인자)
a. 불안정성 분리증
b. 급성 분리증
c. 도수 정복, 특히 해부학적 정복을 목표로 과도한 외력으로 정복할 때
d. 골단의 전외측(anterolateral) 1/4 부분에 핀을 삽입
e. 방사선 조사 후 발생한 골단분리증

2. 연골 용해증(chondrolysis)
a. 금속 내고정물의 지속적인 관절면 관통 상태
b. 장기간의 석고 고정

3. 다리 길이 부동

   a. 치료가 성장판을 유합시키는 것이기 때문에 수술 받은 쪽 다리가 짧아짐.

VI. 일과성 고관절 활액막염과 화농성 고관절염
(Transient Synovitis of the Hip vs. Septic arthritis of the hip)

일과성 고관절 활액막염

외상 없이 고관절 혹은 슬관절 통증, 파행, 그리고 고관절 운동 장애를 초래하는 질환임. 자한성(self-limited) 경과를 보이고 후유증을 남기지 않음.

A. 병인

상기도 감염 후에 오는 경우가 많아서, 세균성 또는 바이러스성 감염의 후유증으로 알려져 있으나, 관절에 원인균이 침입한 것은 아님. 외상, 알레르기성 과민 반응 등의 원인이 거론됨.

B. 역학

10세 이하 고관절 통증과 파행의 가장 흔한 원인

   a. 연령 : 평균 5~6세(범위 : 3~12세)

   b. 성별 : 남아가 여아보다 2~3배 많음.

   c. 좌우 : 양측이 동일한 빈도- 95%가 편측성

   C. 임상 소견

1. 통증 및 파행

   a. 발병 양상

     ① 급성 발병(50%) : 1~3일간 경과

     ② 만성 발병(50%) : 수주~수개월

13

b. 부위

서혜부, 대퇴 내측부, 슬관절

c. 선행 병력

상기도 감염, 외상, 중이염, 연쇄상 구균 후두 감염

2. 진단

a. 이학적 검사

① Patrick 징후 양성

② Log rolling 검사

③ 대퇴부 근위축(장기간 증상이 지속된 경우)

④ 고관절 외전 제한

b. 혈액학적 검사

대개 정상이나 혈구침강 속도(ESR)가 약간 상승하는 경우도 있음.

c. 영상 검사

① 단순 방사선 검사 : 대부분 정상.

② 초음파 검사 상 관절 삼출액이 관찰되는 경우가 많음.

d. 감별 진단

① 세균성 관절염 : 통증, 체온 상승, 백혈구 수 상승, 혈침속도 증가. 의심되면 반드시 관절 천자를 시행하여 감별하여야 함. 근위 대퇴골 골수염이 단독으로 또는 세균성 관절염과 함께 있을 수 있음에 주의해야 함.

② 연소기성 류마토이드 관절염(JRA) : 첫 번째 증상이 일과성 활액막염처럼 발현할 수도 있음. 이환 기간이 더 길고 재발하는 경향이 있음. 다른 관절에도 이환하면 JRA를 의심하여야 함.

③ Legg-Calve' Perthes 병 : 단순 방사선 검사 상 변화가 나타나기 전 초기에는 일과성 활액막염으로 오인될 수 있음. 증상이 지속되거나 재발하는 경우 의심하여야 함. 추시 단순 방사선 검사를 시행하여 확진할 수 있음.

④ 대퇴골두 골단분리증 : 일과성 활액막염보다 더 나이가 많은 청소년에서 발생하나 드물게는 어린 나이에도 발생할 수 있음.

⑤ 유골 골종(osteoid osteoma) : 야간통, 아스피린으로 완화되는 통증 등의 특징으로 감별

D. 치료

대부분은 증상이 호전될 때까지 운동을 피하고 안정을 취하면 됨. 증상은 대개 3~7일에 완화되지만, 일부 환자는 수 주 정도 지속될 수도 있음. 약 5%에서 재발하기도 함. 증상이 심하면 비스테로이드성 진통소염제를 쓰거나 단기간 견인 치료를 시행할 수도 있음.

E. 예후

후유증을 남기지 않고 회복됨.

화농성 고관절염(septic arthritis of hip)

화농성 관절염은 대부분 신생아-5세 사이에 발생한다.

A. 병인

*S.aureus*가 가장 흔하다. 혈행성 감염이 가장 흔함. 특히 신생아 시기의 화농성 고관절염은 패혈증을 의심해야 하고, 다른 부위의 동반 감염을 감별해야 함.

B. 진단

a. 임상 증상
① 동통, 발열, 전신 권태감, 관절 운동 제한(그림 13-35)
② 신생아 시기에는 임상 증상과 검사 소견이 제대로 나타나지 않는 경우가 많음. 다리를 잘 움직이지 않으려고 하는 것이 유일한 증상일 수도 있음.

b. 감별진단
① 일과성 활액막염
② 연소기 류마토이드 관절염 및 반응성 관절염
③ 화농성 근염, 골수염, 농양 등 관절 외 감염
④ 급성 림프구성 백혈병 등 종양

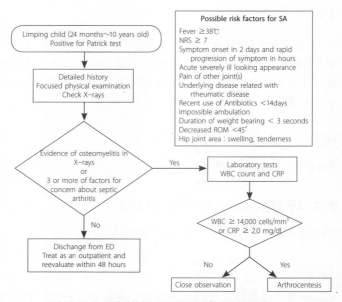

그림 13-35. **2-10세 사이 화농성 관절염에 대한 진단 알고리즘**

c. 혈액검사

WBC, ESR/CRP

d. 초음파검사

effusion

e. 관절천자

① 백혈구 > 50,000/mm^3 : 백혈구 수만으로는 일부 rheumatic condition과 감별이 안 될 수 있음.

② 다핵성 백혈구 90-100%

③ 포도당 : 혈중 농도의 50% 이하

④ 단백질 : > 20 mg/dL

⑤ Gram 염색 : 세균 관찰

C. 치료

　a. 수술적 배농

　b. 항생제 투여 (표 13-5)

표 13-5. 연령에 따른 골수염의 원인균과 경험적 항생제

Age	Causative Organism	Empirical Antibiotics
Neonate (<3 months) (nosocomial)	*Staphylococcus aureus*, Group B streptococcus, *Enterobacteriaceae*, Candida species	Vancomycin* or Nafcillin/oxacillin+ cefotaxime (or ceftriaxone)
Neonate (<3 months) (community-acquired)	*S. aureus*, Group B streptococcus, *Enterobacteriaceae*	Nafcillin/oxacillin + Cefotaxime (or ceftriaxone)
Infant and early children (3 months to 3 years)	*S. aureus*, *Streptococcus pneumoniae*, *Neisseria meningitides*, *Kingella kingae*, *Haemophilus influenzae* type b (Hib) (in non-immunized children)	(Immunized): Nafcillin/oxacillin or cefazolin (Non-immunized): Nafcillin/oxacillin+ cefotaxime (or cefuroxime)
Children (>3 to <12 years)	*S. aureus*, *S. pneumoniae*, Group A streptococcus	Nafcillin/oxacillin (or cefazolin)
Adolescents (12 to 18 years)	*S. aureus*, *S. pneumoniae*, Group A streptococcus *N. gonorrhea* (in sexually-active adolescents)	Nafcillin/oxacillin (or cefazolin) Ceftriaxone and doxycycline for disseminated gonococcal infection

[서울대학교어린이병원 소아청소년과 최은화 교수 자문]

VII. 원판형 반월상 연골(Discoid Meniscus)

13

A. 서론

　a. 반월상 연골의 비정상적인 발달로 인하여 'C'자 모양보다는 비대(hypertrophy)한 원판형의 반월성 연골을 갖게 됨

　b. 주로 외측 반월상 연골에 흔함.

　c. 증상을 일으키는 반월상 연골이 있는 경우 90%가 양측성이라는 보고

B. 분류(Watanabe 분류) (그림 13-36)

1. 제1형(완전형 ; complete type)
경골 부착부는 정상이나 외측 경골 고평부의 80% 이상을 덮고 있음.

2. 제2형(불완전형 ; incomplete type)
경골 부착부는 정상이나 외측 경골 고평부의 일부(80% 이하)만을 덮고 있음.

3. 제3형(Wrisberg 인대형 ; Wrisberg ligament type)
외측 반월상 연골의 후각이 경골에 부착되지 않아 불안정함. Wrisberg 인대에 의하여 대퇴골 내측과(medial femoral condyle)의 외측연에 붙어 있음.

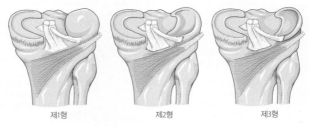

제1형 제2형 제3형

그림 13-36. Watanabe 분류

C. 임상 소견

 a. 탄발음(snapping sound) : 슬관절 굴곡-신전 시에 무릎 안에서 '덜그럭거리는 소리 또는 느낌'. 슬관절을 굴곡 시에 불안정한 원판형 연골이 아탈구(subluxation)되었다가 완전 신전하기 전에(보통 10~20도 전에) 정복되면서 발생하는 현상으로 생각됨.

 b. 통증 : 파열이 발생하기 전까지는 통증이 생기지 않는 것이 일반적. 파열은 8~9세 경에 발생하는 경우가 많음

 c. 염발음(crepitus) 또는 click

 d. 슬관절 잠김(locking)

e. 신전 제한(extension limitation) : 원판형 연골의 형태적 특성 및 불안정성과 관련된 것으로 알려져 있음.

D. 진단

1. 이학적 검사
a. 전형적인 병력 : snapping knee
b. 슬관절 통증과 신전 제한, 부종
c. 외측 관절연 압통

2. 영상 진단
a. 단순 방사선 사진 : 진단적 가치가 떨어짐.
b. MRI : 가장 좋은 방법

E. 치료

1. 우연히 발견
치료 필요 없음.

2. 증상이 발생
적극적으로 치료해야 추후 파열이 커지는 것을 막을 수 있음.
a. 부분절제술(partial central meniscectomy) 및 봉합술
   : 원판형 연골의 중심부를 절제함으로써 초생달 모양의 정상 반월상 연골 형태를 만듦. 주변부가 불안정한 경우에는 봉합술을 함께 시행하기도 함.

13

VIII. 선천성 첨내반족(Congenital Clubfoot)

A. 아래와 같은 선천적인 족부 변형(그림 13-37)
a. 족관절(ankle)의 첨족(equinus) 변형
b. 후족부의 내반(varus) 변형

c. 전족부의 내전(adduction) 변형

d. 요족(Cavus) 변형

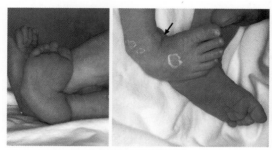

그림 13-37. 선천성 첨내반족

B. 병리해부학

1. 거골(Talus)

이견이 있지만, 거골 체부의 종축은 족관절 격자 (ankle mortise) 내에서 외회전 되어 있으나 골두(head)와 경부(neck)은 내측 및 족저로 심하게 각 형성되어 있 기 때문에, 전체적으로는 내회전된 듯이 보임.

2. 종골(Calcaneus)

내반(varus), 내회전 및 족저굴곡(plantar flexion)

3. 주상골(Navicula)

거골두에 대해 내측, 족저 전위

4. 연부조직의 구축

종비인대, 족관절 후방 관절막, 족저근막, 후경골근 및 비골근 건초(tendon sheath), 비복근(gastrocnemius)과 가자미근(soleus) 등

C. 치료

1. 출생 후 바로 치료 시작. 출생 1개월 이내에 치료를 시작하는 경우 약 90%에서 성공적인 교정을 얻을 수 있음

2. Ponseti 도수조작 및 연속적인 석고 고정

   a. 거의 모든 환자에서 이 방법을 먼저 시도

   b. CAVE(cavus, adductus, varus, equinus) 순서로 교정. 5~7일 간격으로 외래에 방문하여, 보통 5~6회의 석고 교체를 함.

   c. 마지막 석고 고정 시 경피적 아킬레스 절단술이 필요한 경우가 많음.

   d. Denis-Browne 보조기 : 마지막 석고 이후 3~4세까지 착용함. Ponseti 방법이 성공하기 위해 필수적(그림 13-38).

그림 13-38. Denis-Browne 보조기

3. 수술적 치료

   à la carte 식의 선택적 유리술이 적절

   a. 후방유리술

   b. 후내측유리술

   c. 환형 유리술

   d. 전경골근 이전술 :

   ① 보행 중 유각기(swing phase)에 보이는 중족부의 동적 내전 회외(dynamic supination) 변형 교정

   ② 시행 시기 : 전경골근 힘줄을 이전할 외측 설상골이 골화되는 3세경

13

    e. 후경골근 이전술
    f. 외측주 단축술
    g. 내측주 연장술
    h. Ilizarov 방법을 이용한 교정술

F. 합병증

1. 비수술적 치료의 합병증

    a. 호상족(rocker bottom foot) : 아킬레스 건은 구축되어 있는데 족관절보다 전족
       부를 배부 굴곡해서 발생.
    b. 두상족(bean shaped foot) : 도수 조작 시 회외 대신 회내로 잘못 조작해서
       발생
    c. 거골상부의 편평화(flat-top talus) : 과도한 족배굴곡

2. 수술적 치료의 합병증

    a. 종족변형 : 과도한 아킬레스건의 연장
    b. 사형족 (skew foot, Z-shaped foot) : 거골의 과도한 감염(derotation), 불충분한
       전족부 외전 및 과도한 후족부 외반
    c. 주상골 아탈구
    d. 족부강직

IX. 유연성 편평족
(Flexible or Hypermobile Flat Foot)

A. 임상적 의미 또는 의의

    a. 내측 종아치가 감소하고, 후족부는 외반(valgus), 전족부는 후족부에 대하여 회
       외(supination)되는 변형
    b. 대부분의 소아는 편평족이며 성인이 될 때까지 계속 편평족으로 남는 경우는
       10~20%

B. 진단

소아에서 대부분 증상 없음.

1. 이학적 검사

　　a. 엄지, 거골두 돌출부등의 굳은살 확인

　　b. Jack toe-raise test : 유연성이면 아치가 회복

　　c. Ligament laxity(Wynne-Davies : 5개 중 3개 이상)

　　　　① 엄지를 과신전시켜 전완부에 닿게 할 수 있음.

　　　　② 손가락을 뒤로 과신전시켜 전완부와 평행하게 할 수 있음.

　　　　③ 주관절의 과신전 15도 이상

　　　　④ 슬관절의 과신전 15도 이상

　　　　⑤ 족관절의 과배부굴곡 60도 이상

　　d. 하지 정렬 및 회전변형 : 슬관절 외반, 경골 외염전

　　e. 아킬레스 건의 단축 유무

2. 방사선 검사

　　a. 기립 전후면/측면 방사선 영상 필요

　　b. 전후면 거골-제1중족골간 각 : 0도가 정상, 외전 방향으로 증가

　　c. 측면 거골-제1중족골간 각 : 0도가 정상. 편평족(planus) 반향으로 증가

　　d. 사형족(skew foot)의 경우 전후면 거골-제1중족골간 각은 정상일 수 있으나, 거골-주상골 관계는 외전이고 주상골-제1중족골과의 관계는 내전임.

　　e. 측면 주상골-입방골 겹침(overlap) : 편평족이 증가할 수로 많이 겹침.

　　f. 족근골 유합(tarsal coalition) 유무 확인

C. 분류

1. 편평족의 분류

　　a. 유연성 편평족(2/3)

　　b. 아킬레스건이 단축된 유연성 편평족(1/4)

　　c. 강직성 편평족 : 족근골 유합

13

d. 병적 편평족 : 신경근육성 질환, 다운증후군, Marfan 증후군 등.

D. 치료

a. 깔창(arch support) : 통증이 있는 경우 보존적으로 이용

b. 근육 강화운동 : 후경골근, 족저 근육을 강화시키는 운동으로 Windlass 효과를 유도할 목적임.

c. 아킬레스건 스트레칭 : 아킬레스 건의 구축이 있는 경우 수동적 스트레칭. 구축 이 해결되지 않으면 아킬레스건 연장술을 고려함.

d. 수술적 치료 : 강직성/병적 편평족의 경우 보존적 치료에 반응을 하지 않으므로, 좀 더 수술의 대상이 됨. 유연성 편평족은 10세까지 자연 호전되는 경우가 많고, 잔존하더라도 증상이 없는 경우가 대부분임. 10세 이상의 환아 중, 정상 활동에 지장을 줄 정도의 심한 동통이나 피로감이 있으며, 보존적 치료에 반응하지 않 는 경우에만 수술을 고려함. 대부분 아킬레스 건 단축이 있는 유연성 편평족이 수술의 대상이 됨.

　① 아킬레스건 연장술 : 다른 술식과 같이 시행하는 경우가 많음. 단독으로 시행 하는 경우 결과 예측이 힘듦.

　② 종골 연장술

　③ 3C 절골술

　④ Calcaneostop

　⑤ 관절 제동술(arthroereisis)

　⑥ 거주상 관절 유합술, 거골하 관절 유합술, 삼중 관절 유합술

X. 하지부동(Leg Length Discrepancy)

A. 임상적 의미

다리 길이가 3 cm 이상이 되면 보행에 문제를 가져옴. 하지부동이 긴 다리의 5.5% 이상이 되면 보행시 체중 중심의 상하 운동이 증가하며 이로 인하여 보행 시 에너

지 소모, 슬관절 및 족관절의 충격이 심해짐.

B. 성장과 성숙

a. 하지의 성장은 골의 상하 골단판(physis)의 성장과 골단(epiphysis) 자체의 성장에 의하나, 골단 자체의 성장은 전체 성장의 5%만을 차지하므로 하지 부동의 치료에서는 고려되지 않음.

b. 성숙 정도는 역 연령(chronological age)보다는 골 연령(skeletal age)과 더 밀접한 관련

① 수부 및 수근부 방사선 사진을 Greulich-Pyle atlas와 비교하여 골 연령을 측정

② 사춘기에는 팔꿈치 주변의 골단판 형태로 골 연령을 측정하는 Sauvegrain 방법이 더 도움

③ 초경은 최대성장속도(peak height velocity) 약 6개월 이후, 성장 종료 약 2년 전에 일어남.

C. 원인

1. 기능적 vs. 구조적 하지부동

a. 기능적

골 길이는 동일하나, 관절구축이나 탈구 등에 의하여 길이가 변한 것으로 보임.

b. 구조적

실제 골 길이 차이로 발생하는 하지부동

2. 구조적 하지부동의 원인

a. 성장 억제

외상 후 골단판 폐쇄, 감염성 골단판 손상, 종양, 혈관 손상, 마비, 연소기 류마토이드 관절염, 선천성 비골 단축, 선천성 가관절증

b. 성장 촉진

대퇴골 간부 골절, 신경섬유종증, 특발성 편측비대증(idiopathic hemihypertrophy)

D. 하지부동의 평가

1. 임상적 평가

a. SMD(true leg length) vs. UMD(apparent leg length)

줄자를 이용하여 iliac spine-medial malleolar distance와 umbilicus-medial malleolar distance를 측정. 오차가 있을 수 있음.

b. Woodblock test

짧은 다리에 나무토막을 받쳐서 양측 장골능(iliac crest)이 동일선상에 일치할 때의 나무토막 두께를 측정.

2. 방사선학적 평가(그림 13-39)

a. 원격방사선 촬영법(Teleradiography)

b. Slit scanogram(Bell-Thompson study)

그림 13-39. **방사선 길이 측정법**

3. 하지부동의 분석법

a. 산술적 방법(White-Menelaus, 1966)

: 여아 14세 남아 16세까지 매년 근위 대퇴골 4 mm, 원위 대퇴골 10 mm, 근위 경골 6 mm, 원위 경골 5 mm씩 자란다는 가정

b. 잔여성장 방법(Anderson, 1963)

나이에 따른 하지의 잔여성장그래프 이용

c. 승수 방법(multiplier method : Paley, 2000)

성장이 완료되었을 때 하지골 길이에 대한 각 연령에서의 하지 길이의 비율을 계산하여 둠. 선천성 하지 단축에서는 하지부동의 크기가 하지 길이에 비례해서 커

진다는 가정하에 이 길이의 비율을 이용하여 성장 완료 시의 하지부동의 크기를 예측하고 골단판 유합술이 적당한 나이를 산출하는 방법임.

C. 치료(General principles)

    a. 0~2 cm : 치료하지 않음

    b. 2~6 cm : 깔창, 긴 하지의 골단판유합술, 긴 하지의 단축술(절골술)

    c. 4~20 cm : 짧은 하지의 연장술, 긴 하지의 골단판유합술 및 짧은 하지의 연장술

    d. > 20 cm : 절단 및 의지 착용

XI. 부정정렬 1 – 각변형(Angular Deformity)

A. 임상적 의미

슬관절의 각이 정상범위에서 2 표준편차 벗어난 내반슬 또는 외반슬을 의미

B. 진단

    a. 병력

        나이, 동반 질환, 동반 변형, 키

    b. 혈액 검사

        구루병 등 대사질환, 내분비 질환, 유전자 질환 등의 감별 위해

    c. 방사선학적 검사(그림 13-40)

        Teleradiogram : 기계 축 (mechanical axis)을 평가하기 위해 하지 전체가 한 장에 나오도록 촬영

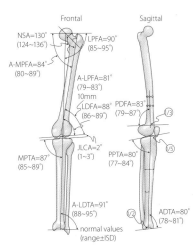

그림 13-40. **방사선학적 검사**

13

C. 분류

1. 생리적 내반슬
신생아는 약간의 내반슬로 출생 → 3~4세 최대 외반슬 → 6~7세 경 약간의 외반슬로 고착, 3~4세 이전의 약간의 내반슬은 정상 발달 과정

2. 유아기 경골 내반증(Blount disease)
근위 경골 골단판의 이상으로 발생, 걸음마 하는 비만아에서 호발(그림 13-41)
a. 골간단-골간각이 11도 이하는 대부분 생리적 내반슬, 16도 이상일 때 진단 가능
b. 보조기 : 3세 이전에서 착용, 하루 23시간, 약 50%의 성공률
c. 수술 : 30개월 이후 고려

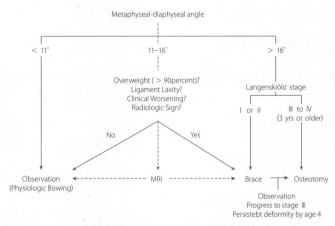

그림 13-41. 유아기 경골 내반증 환자에 대한 치료지침

3. 외상후 외반슬
근위 경골 골간단 골절 후 발생, 외상 후 1년째 최대, 저절로 교정되는 경우도 있음.

4. 특발성 외반슬
동통, 불안정성, 슬개골 아탈구 등 증상 유발 가능

D. 수술적 치료

1. 절골술

   a. 절골술 시 고려사항

     ① 교정 각이 크고 신경, 혈관 등의 신연 가능성이 있으면 점진적 교정술 고려

     ② CORA(center of rotation of angulation) 에서 시행하는 것이 바람직함, 불가능 시 전위(translation)시켜 기계적 축에 맞게 정렬시킴.

     ③ 장골의 전반적인 각형성은 다발성 절골술 고려

     ④ 복합 변형의 경우 점진적 교정술 고려

   b. 급성 절골술

   c. 신연 골형성술을 통한 점진적 교정술

     외고정기(monofixator, Ilizarov, Hexapod)

2. 골단판의 비대칭적 억제술

   a. 반골단판 유합술(hemiepiphysiodesis) : 비가역적

   b. 반골단판 스테이플링 : 가역적

   c. 반골단판 통과 나사못 삽입술(hemi-PETS, percutaneous epiphysiodesis using transphyseal screw) : 가역적

   d. 반골단판 8자형 금속판고정(hemi-tension band plating) : 가역적

XII. 부정정렬 2 - 염전(Torsional Deformity)

A. 임상적 의미

   a. 장골의 회전 정도가 정상 범위에서 2 표준편차 이상 벗어난 상태

   b. 대퇴골의 경우 횡경축(neck axis)과 원위 대퇴골 횡과축이 이루는 각도로 표현하며 골두가 횡과축보다 전방에 있는 경우를 전염(anteversion)이라 함.

   c. 경골의 경우 슬관절의 회전축과 횡과축(transmalleolar axis)이 이루는 각도로 표현함.

   d. 정상적으로 태생 7주에 회전이 이루어지며 상지는 외회전, 하지는 내회전함.

e. 하지에서 태어날 때 대퇴골 전염각은 45도 정도이며 성장함에 따라 감소하여 성인이 되면 15-20도로 줄어들게 되나 대개 여성이 남성보다 큼.

f. 경골은 태어날 때 평균 5도 외회전이며, 성장하면서 증가하여 성인에서 15-20도 정도가 됨.

B. 진단

1. 이학적 검사

a. 족부진행각(foot-progression angle) (그림 13-42)

b. Femoral version: 고관절 내회전 및 외회전(그림 13-43A), trochanteric prominence angle test(그림 13-43B)

c. Tibial torsion: 대퇴 족부각(thigh foot angle), 횡과각 (transmalleolar angle)(그림 13-44)

그림 13-42. Foot progression angle

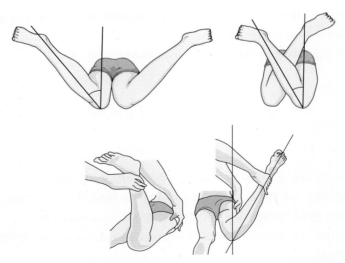

그림 13-43. (A). Hip internal rotation and external rotation, (B). Trochanteric prominence angle test

그림 13-44. 대퇴 족부각(thigh foot angle), 횡과각(transmalleolar angle)

2. 방사선학적 검사

복합변형 등 변형이 심한 경우 3D-CT를 시행할 수 있음.

C. 치료

1. 유아기(1~3세)

a. 외족지 보행 : 태내에서 외회전되어 있기 때문에 어느 정도 외족지 보행이 지속되며 비만아에서 심하게 나타난다. 대부분 18개월 전후하여 교정됨.

b. 경골 내염전 : 생리적 내반슬과 대부분 동반되며 대부분 성장하면서 교정됨.

2. 아동기(4세 이상)

a. 대퇴골 전염

① 3~5세에서 흔하며 특히 여아에서 더 흔함.

② 환아가 'W' 위치(TV position)으로 앉으려 함.

③ 내족지 보행이 4~6세때 가장 심하다가 저절로 좋아지는 것이 대부분

④ 보조기, 특수 신발은 효과 없음.

⑤ 8세 이상 중증 이상(내회전 80~90도 이상)에서 감염 절골술을 고려할 수 있음.

b. 경골 외염전

대부분 성장하면서 경골은 외회전되므로 호전되지 않으며, 8세 이상에서 40도 이상의 외염전이면 회전 절골술을 고려함.

13

c. 경골 내염전

유아기에 흔히 나타는 내염전은 성장할 때 대부분 호전되며 8세 이상에서 10도 이상의 내염전의 경우 회전 절골술을 고려함.

XIII. 뇌성마비(Cerebral Palsy)

A. 임상적 의미

임신 중 혹은 출생 후 단기간 내의 미성숙 뇌에 대한 손상으로 뇌 병변은 비진행성이며 운동 기능의 조절 장애를 유발하여 운동이나 자세 이상을 보이는 질환군임.

B. 분류

1. 부위별 분류

a. 편마비(hemiplegia) : 반신이 이환, 상지 이환이 심하다, 난산

b. 양측마비(diplegia) : 양측 하지가 상지에 비해 심하게 이환, 조산

c. 사지마비(quadriplegia) : 양측 하지, 상지가 모두 심하게 이환, 저산소증

2. 마비 유형에 따른 분류

a. 경직형(spastic) : 2/3, 근육의 신전 반사가 항진되어 근육 긴장성 증가 → 심부건 반사 항진, 간대 경련(ankle clonus) 양성 → 역동적 단축이 점차 건 구축, 골/관절 변형 초래

b. 이상운동형(dyskinetic) : 25%, 대뇌 기저핵 이상, 긴장하면 이상운동 심해지고 수면 시 불수의 운동 소실

c. 운동실조형(ataxic) : 1%, 소뇌의 기능장애 - 평형감각의 장애와 협동운동의 장애

d. 혼합형(mixed)

3. 일상 생활에서 기능에 따른 분류(Gross Motor Function Classification System: GMFCS)

GMFCS level I : 뛰고, 계단 오르내리는 것이 자유로움

GMFCS level II : 보행은 가능하나, 뛰고 계단 오르내리는 것에 어려움을 느낌

GMFCS level III : 일상생활에서 보행 시 손을 사용하는 보조기가 필요

GMFCS level IV : 앉아서 이동 할 수 있으나, 일상 생활에서 보행이 불가능

GMFCS level V : 앉는 등의 자세 유지가 불가능

C. 임상적 검사

1. 병력

출생력, 발달력 → 감별 위해

2. 신경학적 검사

원시 반사 지속, 고차적 반사 지연 및 결여

3. 근육 구축 검사

a. Hip : Thomas 검사, Staheli 검사(그림 13-45A)

b. Knee : 슬와 각도(슬괵근: hamstring)(그림 13-46), Duncan-Ely 검사(대퇴직근: rectus femoris)(그림 13-45B)

c. Ankle : Silfverskiold 검사 → 비복근(gastrocnemius)과 가자미근(soleus)의 구축 감별(그림 13-47)

13

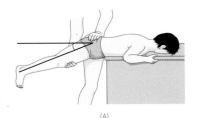
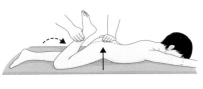

(A) (B)

그림 13-45. (A) Staheli 검사, (B) Duncan-Ely 검사

그림 13-46. Popliteal angle 측정

그림 13-47. Silfverskiold 검사

4. 골의 염전 변형 검사

5. 보행분석/동작분석

6. 기능평가

D. 치료

1. 치료 개론

   a. 소아정형외과, 소아신경외과, 재활의학과, 소아신경과, 안과, 보장구기사, 재활치료사, 사회 사업가 등의 팀이 다학제 치료

   b. 경직성 등 일차 증상에 대한 치료와 이차 변형의 교정을 위한 정형외과 수술로 나눔.

   c. 현실적 목표의 설정.

2. 경직성 등 일차 증상에 대한 치료

   a. 재활치료, 작업치료

   b. 보조기 : 변형 발생 예방, 약한 근육 기능 대체, 수술 후 변형 재발 예방

   c. 경구약물요법 : 경구 근육이완제

   d. 근육주사요법 : 경직성 완화

      ① Botulinum-A-toxin (Botox)

      ② 근육 내 신경차단(45% alcohol, phenol)

   e. 선택적 배부 신경근 절제술(selective dorsal rhizotomy: SDR)

f. 척수강 내 바클로펜 펌프(intrathecal baclofen pump)

3. 이차 변형 치료를 위한 정형외과 수술 및 치료

a. 일단계 다수준 수술(single event multilevel surgery)
① 보행 능력을 향상시키는 표준적인 치료법
② 주로 GMFCS I-III 단계의 환자에게 시행
③ 보행 병리의 정확한 평가 필요: 보행 분석 유용
④ 지렛대 병(lever arm dysfunction) 고려
⑥ 한 번의 입원 기간(single event)에 필요한 부위(multilevel)의 수술을 모두 시행

표 13-6. 일단계 다수준 수술(Single event multilevel surgery)의 주요 수술 방법

변형부위	변형형태	수술방법
고관절	고관절 내전 변형 고관절 굴곡 변형 고관절 내회전 변형	장 내전근(adductor longus) 절단술 요근의 근육내 건절단술 (intramuscular psoas lengthening) 대퇴부 감염 절골술
슬관절	슬관절 굴곡변형	원위 슬곽근 유리술, 슬개골 전진술, 원위 대퇴 신전 절골술
	슬관절 강직 (stiffness)	대퇴직근 이전술
경골	경골의 염전변형	경골 감염 절골술
족관절 및 족부	첨족 변형	Strayer 술식, 아킬레스건 연장술
	편평 외반족 변형	종골 연장술, 거-주상골 유합술, 3C 절골술
	내반족 변형	후경골근 건막 연장술, 후경골근 부분 이전술, 전경골근 부분 이전술, Dwyer 절골술, 삼중 절골술, 삼중 관절 유합술

b. 뇌성마비 고관절 전이(CP hip displacement)에 대한 고관절 재건 수술(hip reconstructive surgery)
① 고관절 전이는 탈구, 아탈구, 비구 이형성을 모두 포함한 개념
② GMFCS 4-5단계에 주로 발생
③ 대략 5-7세 경에 발생

④ 고관절 감시 필요(hip surveillance)

⑤ 유용한 방사선 지표 : 전이율(migration percentage)

⑥ 내측 연부조직 유리술, 고관절 관혈적 정복술, 대퇴 내반 감염 절골술, Dega 절골술 등을 조합하여 고관절 전이를 해소함(그림 13-48).

⑦ 예방적 대퇴골 내반 감염 절골술 : 일측 전이에 대한 수술 시, 반대쪽에 대해서 예방적 수술을 시행함.

c. 상지 수술 – 편마비가 많음

d. 척추 수술

e. 골다공증성 골절

① GMFCS IV-V에서 흔하다.

② 위험인자 : 항전간제 복용 여부, 섭식 문제, 체중부하의 문제

③ 예방이 중요하다 : 치료적 기립 장려, 햇빛 노출, Ca/vitD 복용, bisphosphonate 등.

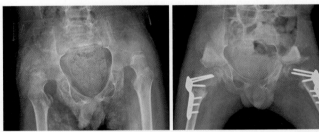

그림 13-48. 양측 고관절 탈구 환자에 대해 내전근 유리술, 고관절 관혈적 정복술 및 Dega 절골술, 대퇴골 내반 절골술을 시행한 수술 전 후 단순방사선사진.

XIV. 척수수막류(Meningomyelocele)

A. 임상적 의미

척수수막류는 척수 이형성이라고도 불림. 수막류 제거 수술 후 족부 변형 등 하지

의 동반 변형으로 정형외과로 의뢰됨. 정형외과, 신경외과와 배뇨 장애로 인해 비뇨 기과의 협진이 필요함.

B. 진단

대부분 출생 시 수막류의 유무로 진단함. 잠재 형태의 경우, 천추부의 dimple이나 피부병변으로 의심을 하고 신생아 시기에는 척추 초음파 검사를 할 수 있음.

C. 기능적 분류

예후를 결정하는 가장 중요한 인자는 신경학적 결손의 수준(level)임.

a. 하위 요추 : AFO와 추가 보조도구 통하여 보행 가능

b. 상위 천추 : AFO 착용으로 보행 가능, Gluteal lurch

c. 하위 천추 : AFO 없이 보행 가능. 주로 발 변형이 문제.

D. 치료

1. 정형외과 치료의 원칙

a. 척추/사지의 남아있는 관절 운동 범위(mobility)와 안정성(stability) 극대화 (mobility〉stability)

b. 가동성 제공 위한 자세 확립

2. 정형외과 수술 시 고려 사항

a. 골/관절 변형 교정

b. 재발 방지를 위해 근육 불균형 교정

c. 감각 저하 고려 : 욕창, 창상감염, 병적 골절이 흔히 발생

d. 석고 안에 오래 두기보다 보조기를 적극적으로 이용

e. 라텍스 과민 반응이 정상인보다 흔함

3. MMC에서 사용하는 보행 상태의 분류

a. Community ambulator : 일상 보행이나 활동에 제한 없거나 경미

b. Household ambulator : 평지에서만 보행 가능, 의자로부터의 움직임에 제한 없

거나 경미, 보조기 목발 필요

c. Non-functional ambulator : 물리치료 시 보행 가능, 이외는 휠체어 보행

d. Non-ambulator : 이동 시 항상 휠체어 필요

4. 치료의 목적

a. 흉추

① 척추 측만증이 많으며, 앉았을 때의 균형을 잡는 것이 목표

② 휠체어 이동

b. 상위 요추

① 고관절, 슬관절, 족부 변형 해소

② Household ambulator가 목표

c. 하위 요추

① 고관절, 슬관절, 족부 변형 해소

② Community ambulator가 목표

d. 천추

① 대개 족부 변형에 대해서만 수술 필요

② 보조기 없는 Community ambulator가 목표

XV. 연골무형성증(Achondroplasia)

A. 임상적 의미

a. FGFR3유전자의 "gain-of-mutation"에 의해 발생,

b. FGFR3는 성장판의 비후대 이전에서 발현하여 연골세포의 증식과 분화를 억제

c. 상염색체 우성 유전, 불균형 왜소증(disproportionate short stature) 중 최다

d. 연골내골화(Endochondral ossification)의 장애이고, 막내골화(intramem-branous ossification) 기전은 영향받지 않기 때문에 신연 골형성술에 의한 골 연장술 가능

e. Alleic disease(같은 유전자 관련 질환) : 연골저형성증(hypochondroplasia)

B. 진단

1. 임상적 소견(그림 13-49)

a. 신생아기 저 긴장성(hypotonia)

b. 단신 : 남 131 ± 5.6 cm 여 125 ± 5.9 cm, 근위지절(Rhizomelic : femur, humerus)이 유난히 짧음.

c. 흉요추 후만증 : 유년기 모든 환아 → 90%에서 보행 시작하면서 소실

d. 척추관 협착증 : 10대 이후, 하부요추에서 척추경간 간격 좁은 소견이 뚜렷, 임상적으로 가장 심각한 문제임.

e. 내반슬(Genu varum) : 비골에 비해 경골이 상대적으로 저성장

f. 삼지창 수(trident hand)

g. 정상지능, 정상수명

h. 앞이마 돌출, 얼굴 중앙부 저형성

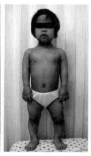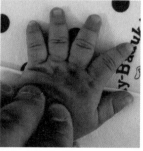

그림 13-49. 연골무형성증의 임상소견

13

2. 방사선학적 소견

a. 척추 전후면 : 제1 요추에서 제5 요추로 갈수록 척추경 간 거리(interpedicular distance) 감소

b. 척추 측면 : 척추체-추궁판 간 거리 감소

c. 골반 전후면 : 샴페인 잔 모양

d. 넓은 장골 골간단, 역 V자 원위 대퇴골 성장판

C. 정형외과적 치료

a. 흉요추 후만증 : 보조기, 후방 유합술, 교정술

b. 척추관 협착증 : 광범위 요추 감압술(decompression)

c. 내반슬 : 근위 비골 골단판 유합술, 근위 경골 외측 성장판 유합술, 근위 경골 절골술

d. 사지연장술 : 사회적 적응의 문제. 환자 자신과의 상의 필요

XVI. 구루병(Rickets)

A. 영양결핍성 구루병(Nutritional rickets)

1. 원인

a. 생후 6개월 이상 모유만으로 육아

b. Atopy 등으로 극단적인 편식

c. Total parenteral nutrition

2. 발병기전

저칼슘혈증 → 부갑상선호르몬 항진 → 골조직 칼슘유리 → 유골조직(osteoid)의 무기질화 장애

3. 임상양상

내반슬, 하지변형, 저신장, 관절부 팽창, 완만한 척추 후만, rachitic rosary, Harrison groove

4. 진단

a. 혈액검사

① Vit. 25 (OH) D : ↓↓

② Vit 1,25 (OH)2D : →, ↓

③ PTH : ↑, Ca++ : →, ↓

④혈중 인산염 : 감소(PTH에 의해 신장에서의 재흡수 억제)

b. 방사선 소견

　　Osteopenia, 골단판의 폭이 넓고 washed out, 성장판의 widening, cupping

5. 치료

a. 원인이 되는 결핍상태를 해소

b. 대사장애 교정으로 하지 각형성은 대부분 호전

B. 저인산염혈증성 구루병(Hypophosphatemic Rickets)

1. 원인

a. 다양한 기전에 의한 FGF23의 항진에 의해 발병

b. FGF23은 골모세포 계열에서 주로 발현, 신세뇨관의 인산염 재흡수를 억제

C. 진단

1. 임상양상

　하지각변형 및 회전 변형, 단신, 치주 농양, 충치 호발(dentin 결함)

2. 검사 소견

a. 혈액 : ALP 상승, 저인산염(소아는 성인보다 정상 수치 높다 5.0~7.5 mg/dl)

b. 소변 : 고인산염

3. 치료

a. 약물치료

b. 과량의 인산염 용액(Joulie's solution)

c. Vitamin D

d. 수술적 치료

　① 대퇴골의 전외측 만곡과 경골 내반에 대한 수술적 교정술이 필요한 경우가
　　많음.

　② 대사 이상에 대한 교정이 선행되어야 함.

　③ 변형교정과 함께 골 연장술도 적응증이 됨.

　④ 교정술 후 재발이 흔하며 어릴수록 재발이 잘 됨.

13

I. 골종양

A. 서론

1. 발생학 및 분류

   a. 근골격 조직의 종양은 간엽(mesenchyme)과 신경외배엽(neuroectoderm)에서 유래

   b. 근골격계 악성 종양을 육종(sarcoma)라 부르며, 이에 상응하는 양성 종양의 일반 명칭은 없다.

   c. 세계 보건 기구에 의한 분류(WHO classification) (표 14-1)

2. 진단

   a. 임상증상

   동통과 운동 기능의 변화, 병적골절, 드물게 종괴 촉지, 양성 종양은 우연히 발견되는 경우가 많음.

   악성 종양은 동통, 열감, 연부조직 종괴 형성

   b. 연령

<10	비골화성 섬유종, 섬유성 골이형성증, LCH
10-20	골육종, 유잉 육종, 골연골종, 고립성 골낭종, 동맥류성 골낭종, 내연골증, 유골 골증
20-30	거대 세포종, 방골성 골육종, 내연골종
30-50	연골육종, 섬유육종, 림프종
>50	전이성 골 종양, 다발성 골수종

표 14-1. WHO classification of bone tumours

CARTILAGE TUMOURS	
Osteochondroma	9210/0*
Chondroma	9220/0
Enchondroma	9220/0
Periosteal chondroma	9221/0
Multiple chondromatosis	9220/1
Chondroblastoma	9230/0
Chondromyxoid fibroma	9241/0
Chondrosarcoma	9220/3
Central, primary, and secondary	9220/3
Peripheal	9221/3
Dedifferentiated	9243/3
Mesenchymal	9240/3
Clear celll	9242/3

OSTEOGENIC TUMOURS	
Osteoid osteoma	9191/0
Osteoblastoma	9200/0
Osteosarcoma	9180/3
Conventional	9180/3
chondroblastic	9181/3
fibroblastic	9182/3
osteoblastic	9180/3
Telangiectatic	9183/3
Small cell	9185/3
Low grade central	9187/3
Secondary	9180/3
Parosteal	9192/3
Periosteal	9193/3
High grade surface	9194/3

FIBROGENIC TUMOURS	
Desmoplastic fibroma	8823/0
Fibrosarcoma	8810/3

FIBROHISTIOCYTIC TUMOURS	
Benign fibrous histiocytoma	8830/0
Mallgnant fibrous histiocytoma	8810/3

EWING SARCOMA/PRIMITIVE NEUROECTODERMAL TUMOUR	
Ewing sarcoma	9260/3

HAEMATOPOIETIC TUMORS	
Plasma cell myeloma	9732/3
Mallgnant lymphoma, NOS	9590/3

GIANT CELL TUMORS	
Giant cell tumuor	9250/1
Malignancy in giant cell tumour	9250/3

NOTOCHORDAL TUMORS	
Chordoma	9370/3

VASCULAR TUMORS	
Haemangioma	9120/0
Angiosarcoma	9120/3

SMOOTH MUSCLE TUMORS	
Leiomyoma	8890/0
Leiomyosarcoma	8890/3

LIPOGENIC TUMOURS	
Lipoma	8850/0
Liposarcoma	8850/3

NEURAL TUMORS	
Neurilemmoma	9560/0

MISCELLANEOUS TUMORS	
Adamantinoma	9261/3
Metastatic malignancy	

MISCELLANEOUS LESIONS	
Aneurymal bone cyst	
Simple cyst	
Fibrous dysplasia	
Langerhhans cell histiocytosis	9751/1
Erdheim−Chester disease	
Chest wall hamartoma	

JOINT LESIONS	
Synovial chondromatosis	9220/0

* Morphology code of the International Classification of Diseases for Oncology (ICD−O) {726} and the Systematized Nomenclature of Medicine (http://snomed.org). Behaviour is coded /0 forbenign tumours, /1 for unspecified, borderline or uncertain behaviour, /2 for in situ carcinomas and grade III intraepithelial neoplasia, and /3 for malignant tumours.

c. 발생부위

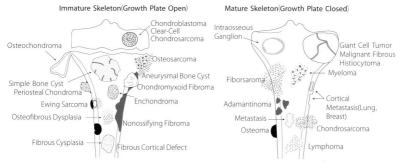

그림 14-1. 소아와 성인의 골종양 발생부위

d. 단순 방사선 검사

그림 14-2. 양성과 악성 골종양의 단순 방사선 검사상 특징

e. Bone scan

단순 방사선 검사는 골 무기질 양의 30-50% 변화가 있어야 나타나지만, 골 주사 검사에서는 15% 변화만 있어도 병변이 나타나서 조기 진단에 도움.

f. MRI

우수한 조직 대조도, 다방면 영상, 연부조직 침범 유무, 주위 혈관과의 관계 파악에 유리

g. 조직검사

: 골종양의 가장 정확한 진단법

: 생검 방법

14

① 흡인 세포검사(aspiration cytology)

일부 연부 조직 종양에서 쓸 수 있으나, 골종양에서는 적은 검체 채취로 인한 진단의 불완전성 때문에 사용하지 않는다.

② 바늘 생검(needle biopsy)

i. 투관침(trocar)를 이용한 방법

가. 적응증 : 병소가 큰 경우, 비교적 균질한 병변, 전신 상태가 불량한 경우, 절개 생검이 어려운 경우(척추체의 생검 등)

나. 단점 : 적은 검체로 인한 진단의 불확실성

③ 절개 생검(incisional biopsy)

i. 악성 종양이 의심될 경우 반드시 시행하며, 최소한의 피부 절개만을 가함으로써 최종 수술을 할 때에 생검 부위가 같이 제거될 수 있어야 한다. 피부 절개는 반드시 사지의 종방향으로 하고(longitudinal incision), 가급적 한 근육만을 통해서 접근하여(intramuscular approach) 조직검사로 인한 주변 조직으로의 종양세포의 확산을 막는다. 철저한 지혈은 필수적이다.

ii. 종양주변의 반응층을 종양 조직으로 오인하지 않도록 한다.

iii. 악성 종양 의심 시의 절개 생검은 종양 전문 센터에서 시행하는 것이 최종 수술을 위해 좋다.

④ 절제 생검(excisional biopsy)

임상적, 방사선학적으로 양성 종양이 확실하다고 판단될 경우 사전 조직 검사 없이 종양 제거수술 후에 조직검사를 시행하는 것.

h. 병기

양성은 아라비아 숫자로 악성은 로마자로 표기

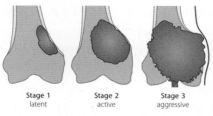

Stage 1
latent

Stage 2
active

Stage 3
aggressive

그림 14-3. 골종양의 병기

① 양성 골종양의 병기

   i. stage 1 (latent) : 성장이 정지되어 자연 치유될 수도 있는 정도

   ii. stage 2 (active) : 진행되고 골이나 근막을 팽창시키는 소견

   iii. stage 3 (aggressive) : 골이나 근막을 파괴, 악성 골종양처럼 행동할 수 있는 양성 골종양

② 악성 골종양의 병기(Enneking stage)

Stage	Grade	Local Extent	Metastases
I A	Low	Intracompartmental	None
I B	Low	Extracompartmental	None
II A	High	Intracompartmental	None
II B	High	Extracompartmental	None
III	Any	Any	Present

i. 치료

  ① 수술적 치료

    i. 절제연

     • 병소내 절제 : 절제연이 종양 실질 내를 통과

     • 변연부 절제 : 절제연이 종양 주위 반응층 통과

     • 광범위 절제 : 반응 층 밖의 정상 조직을 어느 방향에서나 충분히 포함하여 절제

     • 근치적 절제 : 종양이 발생한 구획 전체를 제거

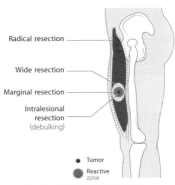

그림 14-4. **골종양의 절제연 모식도**

  ② 항암 화학요법 : 술 전 혹은 술 후

  술전화학요법의 장점 : 종괴를 축소시켜 사지구제술이 용이하게 하고, 미세전이를 조기에 치료하게 하며, 술전화학요법의 반응도를 평가하여 술후화학요법의 조절에 이용

③ 방사선 치료 : 유잉육종, 악성 골림프종에 효과적

B. 양성 골종양

1. 비화골성 섬유종(nonossifying fibroma)

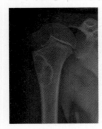

- ⟨20 years, male⟩ female
- metaphysis
- femur, tibia, fibula, humerus
- indidental detection, rare fracture
- self regression in adult

그림 14-5. 근위 상완골 비화골성 섬유종

2. 내연골종(enchondroma)

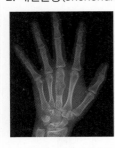

- hyaline cartiage, calcification
- short tubular bone, proximal humerus
- pathologic fracture initial presentation
- DDx. with LG chondrosarcoma
- Ollier's disease
- Maffucci syndrome

그림 14-6. 중수골 내연골종

3. 섬유성 이형성증(fibrous dysplasia)

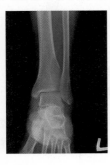

- ⟨30 years, female⟩ male
- monostotic > polyostotic, ipsilateral
- G-protein gain of function mutation (GNAS)
- Myxoma (mazabraud syndrome), hyperthyrodism, DM
- Albright syndrome
  - polyostic FD
  - sexual precocity
  - cafe-au-lait pigmentation (Maine coast)

그림 14-7. 원위 경골 섬유성 이형성증

4. 골연골종(osteochondroma)

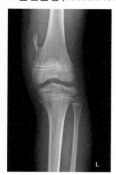

- m/c benign bone tumor
- distal femur, proximal humerus, proximal tibia
- growing with the patient
- observation vs. excision : cartilage cap
- Indication of excision
  - pain : tenderness, motion tenderness
  - neurovascular compression, pseudoaneurysm
  - fracture
  - malignant transformation
- malignant transformation : 1~2% ?
  - growing after maturity
  - cartilage cap thickness > 2 cm (1 cm in adult)
  - irregular calcification of cap

그림 14-8. 원위 대퇴 골연골종

5. 유골골종(osteoid osteoma)

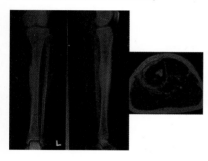

- 10~30 year, male > female
- femur, tibia, vertebral arch
- intracortial, intramedullary, endosteal, subpeiosteal
- night pain, aspirin
- nidus, CT
- DDx, with stress fracture, sclerosing osteomyelitis
- excision of nidus
- RFA

그림 14-9. 경골 유골골종

6. 연골모세포종(chondroblastoma)

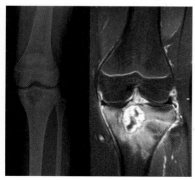

- 2nd decade, male > fermale
- epiphysis
- distal femur, proximal tibia and humerus
- rarely metastasize to the lung
- epiphyseal involvement : CB, GCT, clear cell chondrosarcoma
- Curettage

그림 14-10. 근위 경골 연골모세포종

14

7. 단순 골낭종(simple bone cyst)

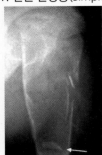

- < 20 year, male > female
- proximal humerus and femur : metaphysis
- pathologic fracture and recurrence
- fallen leaf sign
- active cyst vs. latent cyst
- Treatent
  - pathologic fracture : conservative vs. surgery
  - decompression, continuous drainage
  - steroid injection or BM/DBM grafting
  - curettage

그림 14-11. 근위 상완골 단순 골낭종

Pathogenesis - Venous obstruction theory

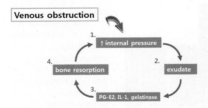

Trephination(1) + **Steroid injection**(2,3), **BM graft**(4), **DBM graft**(4)
Cannulated screw insertion(1,2,3)
Pathologic fracture***   그림 14-12. 단순 골낭종의 병인

C. 거대세포종(Giant cell tumor)

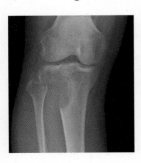

- 20–50 year (3rd decade)
- epiphysis to metaphysis
- distal femur, proximal tibia, distal radius
- sacrum, pelvis
- Tx. : extended curettage, wide resection
- recurrence, lung metastasis
- Unresectable GCT의 치료
  : RTx–sarcomatous change의 위험성
  : Denosumab

그림 14-13. 근위 경골 거대세포종

D. 골육종(osteosarcoma)

a. 전형적 원발성 골육종은 75%가 15-25세

b. 원위대퇴골, 경골근위부, 상완골 근위부, 대퇴골 근위부

c. 술전 항암치료, 수술, 술후 항암치료

d. High-dose MTX, doxorubicin, cisplatin, cyclophosphamide, vincristine, ifosfamide

e. 5년 생존율 65%-80%

f. 예후 인자 : 병기, 크기, 위치, 괴사 정도

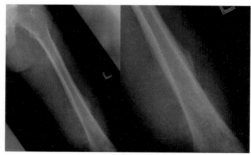

그림 14-14. 대퇴골 골육종

14

II. 연부조직 종양

A. 분류

세계 보건 기구에 의한 분류(WHO classification) (표 14-2)

표 14-2. Who classification of soft tissue tumours

ADIPOCYTIC TUMOURS	
Benign	
Lipoma	8850/0*
Lipomatosis	8850/0
Lipomatosis of nerve	8850/0
Lipoblastoma / Lipoblastomatosis	8881/0
Angiolipoma	8861/0
Myolipoma	8890/0
Chondroid lipoma	8862/0
Extrarenal angiomyolipoma	8860/0
Extra-adrenal myelipoma	8870/0
Spindle cell/	8857/0
Pleomorphic lipoma	8854/0
Hibernoma	8880/0
Intermediate (locally aggressive)	
Atypical lipomatous tumours/ well differentiated liposarcoma	8851/3
Malignant	
Dedifferentiated liposarcoma	8858/3
Myxoid liposarcoma	8852/3
Round cell liposarcoma	8853/3
Pleomorphic liposarcoma	8854/3
Mixed-type liposarcoma	8855/3
Liposarcoma, not otherwise specified	8850/3

FIBROBLASTIC / MYOFIBROBLASTIC TUMOURS	
Benign	
Nodular faciitis	
Proliferative faciitis	
Proliferative myositis	
Myositis ossificans	
fibro-osseous pseudotumour of digits	
Ischaemic aciitis	
Elastofibroma	8820/0
Fibrous hamartoma of infancy	
Myofibroma / Myofibromatosis	8824/0
Fibromatosis colli	
Juvenile hyaline fibromatosis	
Inclusion body fibromatosis	
Fibroma of tendon sheath	8810/0
Desmoplastic fibroblastoma	8810/0
Mammary-type myofibroblastoma	8825/0

Calcifying aponeurotic fibroma	8810/0
Angiomyofibroblastoma	8826/0
Cellular angiofibroma	9160/0
Nuchal-type fibroma	8810/0
Gardner fibroma	8810/0
Calcifying fibrous tumour	
Giant cell angiofibroma	9160/0
Intermediate (locally aggressive)	
Superficial fibromatoses (palmar / plantar)	
Desmoid-type fibromatoses	8821/1
Lipofibromatosis	
Intermediate (rarely metastasizing)	
Solitary fibrous tumour and	8815/1
haemangiopericytoma	9150/1
(incl. lipomatous haemangiopericytoma)	
Inflammatory myofibroblastic tumour	8825/1
Low grade myofibroblastic sarcoma	8825/3
Myxoinflammatory	
fibroblastic sarcoma	8811/3
Infantile fibrosarcoma	8814/3
Malignant	
Adult fibrosarcoma	8810/3
Myxofibrosarcoma	8811/3
Low grade fibromyxoid sarcoma	8811/3
hyalinizing spindle cell tumour	
Sclerosing epithelioid fibrosarcoma	8810/3

SO-CALLED FIBROHISTIOCYTIC TUMOURS	
Benign	
Giant cell tumour of tendon sheath	9252/0
Diffuse-type giant cell tumour	9251/0
Deep benign fibrous histiocytoma	8830/0
Intermediate (rarely metastsizing)	
Plexiform fibrohistiocytic tumour	8835/1
Giant cell tumour of soft tissues	9251/1

Malignant

Pleomorphic 'MFH' / Undifferentiated pleomorphic sarcoma	8830/3
Giant cell 'MFH' / Undifferentiated pleomorphic sarcoma with giant cells	8830/3
Inflammatory 'MFH' / Undifferentiated pleomorphic sarcoma with prominent inflammation	8830/3

SMOOTHMUSCLE TUMOURS

Angioleiomyoma	8894/0
Deep leiomyoma	8890/0
Genital leiomyoma	8890/0
Leiomyosarcoma (excluding skin)	8890/3

PERICYTIC (PERIVASCULAR) TUMOURS

Glomus tumour (and variants)	8711/0
malignant glomus tumour	8711/3
Myopericytoma	8713/1

SKELETAL MUSCLE TUMOURS

Benign

Rhabdomyoma	8900/0
adult type	8904/0
fatal type	8903/0
genital type	8905/0

Malignant

Embtyonal rhabdomyosarcoma	8910/3
(incl. spindle cell,	8912/3
botryoid, anaplastic)	8910/3
Alveolar rhabdomyosarcoma	
(incl. solid, anaplastic)	8920/3
Pleomorphic rhabdomyosarcoma	8901/3

VASCULAR TUMOURS

Benign

Haemangiomas of	
subcut/deep soft tissue:	9120/0
capillary	9131/0
cavernous	9121/0
arteriovenous	9123/0
venous	9122/0
intramuscular	9132/0
synovial	9120/0
Epithelioid haemangioma	9125/0
Angiomatosis	
Lymphangioma	9170/0

Intermediate (locally aggressive)

Kaposiform haemangioendothelioma	9130/1

Intermediate (rarely metastsizing)

Retiform haemangioendothelioma	9135/1
Papillary intralymphatic angioendothelioma	9135/1
Composite haemangioendothelioma	9130/1
Kaposi sarcoma	9140/3

Malignant

Epithelioid haemangioendothelioma	9133/3
Angioleiomyoma of soft tissue	9120/3

CHONDRO-OSSEOUS TUMOURS

Soft tissue chondroma	9220/0
Mesenchymal chondrosarcoma	9240/3
Extraskeletal chondrosarcoma	9180/3

TUMOURS OF UNCERTAIN DIFFERENTIATION

Benign

Intramuscular myxoma (incl. cellular variant)	8840/0
Juxta-articular myxoma	8840/0
Deep ('aggressive') angioleiomyoma	8841/0
Pleomorphic hyalinizing angiectatic tumour	
Ectopic hamartomatous thymoma	8587/0

Intermediate (rarely metastasizing)

angiomatoid fibrous histiocytoma	8836/1
Ossifying fibromyxoid tumour (incl. atypical / malignant)	8842/0
Mixed tumour/	8940/1
Myoepithelioma/	8982/1
Parachordoma	9373/1

Malignant

Synovial sarcoma	9040/3
Epithelioid sarcoma	8804/3
Alveolar soft part sarcoma	9581/3
Clear cell sarcoma of soft tissue	9044/3
Extraskeletal myxoid chondrosarcoma ("chordoid" type)	9231/3
PNET / Extraskeletal Ewing tumour	
pPENT	9364/3
extraskeletal Ewing tumour	9260/3
Desmoplastic small round cell tumour	8806/3
Extra-rental rhabdoid tumour	8963/3
Malignant mesenchymoma	8990/3
Neoplasma with perivascular epithelioid cell differentiation (PEComa) clear cell myomelanocytic tumour	
Intimal sarcoma	8800/3

* Morphology code of the International Classification of Diseases for Oncology (ICD-O) {726} and the Systematized Nomenclature of Medicine (http://snomed.org).

B. 진단

연령, 환자의 증상, 가족력, 발생부위 등의 임상소견(clinical impression)을 간추린 뒤에 영상검사 및 병리소견을 종합하여 진단을 내린다. 연부조직 종양은 크고 심부에 위치한 종양일수록, 환자의 연령이 많을수록 악성의 가능성이 높다.

1. 연령

연령에 따른 호발 종양

a. 소아 : 횡문근육종(소아의 원발성 악성 연부조직 종양의 약 50%)

b. 젊은 성인 : 활막육종, 상피육종

c. 성인 : 미분화다형성육종, 지방육종, 악성 말초 신경초종

B. 증상

1. 종괴(mass)

a. 만져지는 종괴로 내원하는 경우가 대부분.

b. 신체검진 시 종괴의 크기, 위치, 단단한 정도, 눌렀을 때의 느낌, 주변 조직과의 유착 여부, Tinel sign의 여부, 피부의 변색 등을 살펴보아야 한다.

c. 특징적인 피부 양상이 나타나는 경우 : 신경섬유종증(cafe au lait spot), 피부 섬유육종(cutaneous neruofibroma), 카포시육종, 표피 확장이 있는 동정맥 기형

2. 통증(pain)

a. 악성을 포함한 연부 조직 종양은 통증이 없는 경우가 대부분이다. 통증이 발생하는 경우는 크기가 큰 경우, 신경 근처에 위치하는 경우 등이다.

b. Tinel sign : 신경원성 종양(neurogenic tumor) 을 의심해볼 수 있다.

C. 영상 검사(imaging study)

1. X-ray

a. 지방 음영(fat density), 석회화(calcification), 골화(ossification), 압박에 의한 골미란(bone erosion) 등의 여부를 살펴본다.

b. 석회화(calcification) : 혈관종(정맥석 phlebolith), 활막육종(33~50%), 드물게

liposarcoma 등에서 볼 수 있다.

2. 초음파(ultrasonography)

a. 연부 조직 종괴의 평가에 제한적이기는 하나 고형 조직과 낭성 조직을 감별하는 데 유용하고, 동적인 영상이나 Doppler를 이용한 혈류 영상 등을 얻을 수 있다는 장점이 있음.

b. MRI보다 비용이 적게 들어 종양의 크기 추시나 수술 후의 재발 스크리닝 등에도 이용됨.

c. 침 생검 시의 guide, 잘 만져지지 않는 종양의 수술 전 위치 표시 등에도 이용.

3. CT

a. 폐 전이를 평가하기 위해 주로 사용된다.

b. 골반골, 견갑골 등에 병소가 있는 경우 사용될 수 있다.

4. MRI

a. 연부조직 악성 종양의 가장 중요한 영상 검사이다. 크기, 경계, 균질성, 부종 및 주위 구조물의 침범 여부가 양성과 악성 종양의 감별점이 된다.

14

Index

색인

SNU Manual of Orthopedics

Index